D0369372

COLLECTION « VÉCU »

DU MÊME AUTEUR

chez le même éditeur

LE LIVRE DE LA VIE

MARTIN GRAY

AU NOM
DE TOUS LES MIENS

Récit recueilli par
MAX GALLO

ÉDITIONS ROBERT LAFFONT
6, place Saint-Sulpice, Paris-6e

COEDITION ROBERT LAFFONT - OPERA MUNDI

Si vous désirez être tenu au courant des publications de l'éditeur de cet ouvrage, il vous suffit d'adresser votre carte de visite aux Éditions Robert LAFFONT, Service « Bulletin », 6, place Saint-Sulpice, Paris, VIᵉ. Vous recevrez régulièrement, et sans aucun engagement de votre part, leur bulletin illustré, où, chaque mois, se trouvent présentées toutes les nouveautés — romans français et étrangers, documents et récits d'histoire, récits de voyage, biographies, essais — que vous trouverez chez votre libraire.

© Éditions Robert Laffont, S. A., 1971

*Les droits d'auteur de Martin Gray
lui serviront à poursuivre l'œuvre
qu'il a entreprise avec la Fondation
Dina Gray, qui s'est donné pour
mission la protection de l'homme à
travers son cadre de vie.*

A tous les enfants

Préface

« Et Yahvé dit à Satan : « Le voici à ta
discrétion! Sauvegarde seulement sa vie! »
Alors Satan sortit de devant Yahvé et il
frappa Job... »

LIVRE DE JOB

*Martin Gray voulait dire sa vie. Parce que, pour les siens
disparus, pour lui-même, pour sa fondation, il avait besoin de
parler, besoin qu'on sache. Il voulait, disait-il la première fois
que je l'ai vu, un livre qui serait un monument à sa famille, aux
siens, à tous les siens, ceux du ghetto et ceux du Tanneṛon.*

*J'avais quelques livres derrière moi, l'habitude des mots, de
l'histoire de ce temps : j'ai donc commencé ce travail.*

*L'un et l'autre nous étions inquiets. Martin Gray parce que la
vie l'a contraint à la prudence, qu'il lui était difficile de me
parler, par pudeur, qu'il ne savait pas si avec des mots il serait
possible de donner l'image de ce qu'avaient été sa lutte, son
malheur et les raisons de survivre encore.*

*J'étais inquiet aussi parce que cette œuvre était pour moi
nouvelle, qu'elle se situait au croisement de l'histoire et d'un
destin extrême. Et c'est pour cela que j'avais voulu l'écrire.
Martin Gray avait vécu le paroxysme de notre temps héroïque
et barbare. Il témoignait pour son peuple martyr et indestructible, mais il subissait en plus l'éternelle et cruelle épreuve de
Job.*

*Nous nous sommes vus jour après jour, durant des mois. A
Paris, aux Barons, la nuit souvent parce que Martin consacrait
son temps à la Fondation Dina Gray. Je l'ai questionné, je l'ai
enregistré, je l'ai regardé, j'ai vérifié, j'ai écouté la voix et les*

11

silences. J'ai découvert la pudeur d'un homme et sa volonté, j'ai mesuré dans sa chair la barbarie de notre siècle sauvage qui a inventé Treblinka. J'ai senti peser sur moi le destin qui saccage. J'ai dû élaguer : à chaque pas cette vie était une histoire. Je n'ai retenu que l'essentiel; j'ai recomposé, confronté, monté des décors, tenté de recréer l'atmosphère. J'ai employé mes mots. Et j'ai aussi utilisé tout ce que la vie avait laissé en moi de traces. Car peu à peu je me suis enfoncé dans la vie de Martin, peu à peu j'ai collé à cette peau qui n'était pas la mienne. L'expression est usée, qu'importe : j'ai été cet autre, le gamin du ghetto et l'évadé de Treblinka et de Zambrow, l'immigrant découvrant les Etats-Unis, l'homme frappé au cœur.

Aussi ce livre n'a-t-il pas été écrit du bout des doigts, avec l'indifférence appliquée du professionnel. Martin Gray n'a pas vécu et il ne m'a jamais parlé du bout des lèvres. Sa vie est un engagement. J'ai tenté d'écrire ce livre comme Martin Gray a conduit sa vie.

Il n'y a là aucun mérite. Il est facile de remuer des mots, facile d'éprouver le malheur et la joie derrière une machine à écrire ; facile de revivre ce que d'autres ont payé de leur sang.

Mais il le fallait pour essayer d'être fidèle à une voix, à ceux pour qui ce livre était né et pour tenter de donner aux autres l'émotion, la leçon qu'il y a eu pour moi à rencontrer un homme vrai, et debout.

MAX GALLO.

Paris Juillet 1971

Avant que ma tête n'éclate..

JE suis vivant. Souvent, ce n'est pas facile. Hier matin, un autre journaliste est venu : maintenant je les connais bien. Ils ont l'expression qu'il faut, ils sont tristes, mais ils continuent de poser leurs questions, ils jettent leurs yeux partout, rapidement, ils ouvrent une porte, ils veulent savoir, le malheur ne les arrête pas, c'est leur métier. Ils me font penser aux hommes de Pinkert — le roi des morts — qui, dans le ghetto, chargeaient sur leurs petites charrettes les morts que la nuit avait laissés sur les trottoirs; des enfants vêtus de chiffons, leurs chevilles gonflées et rouges, des hommes que des passants avaient déshabillés et qu'on avait recouverts de feuilles de papier; des petites filles auxquelles personne n'avait eu le courage d'arracher une pauvre poupée grise. Les hommes de Pinkert, leur casquette rabattue sur les yeux, leur brassard blanc avec l'étoile de David au bas de leur bras droit, faisaient leur métier. Ils prenaient les corps et les posaient les uns sur les autres, puis ils s'attelaient à la charrette et d'un coup de reins ils la tiraient vers le cimetière et la fosse commune. Ils parlaient entre eux; parfois quand ils avaient réussi à obtenir un morceau de pain, ce pain au goût de plâtre, ils étaient heureux. Ils sifflaient, ils se lançaient des mots d'une charrette à l'autre et les Bleus — les policiers polonais — qui n'hésitaient pas à tuer des enfants ne comprenaient pas les hommes de Pinkert. Ils hochaient la tête, méprisants et scandalisés. « Salauds de Juifs », disaient-ils encore et ils laissaient passer sans trop les fouiller ces char-

rettes grinçantes où des corps maigres, l'un sur l'autre, tendaient leurs bras raides.

Le journaliste d'hier matin n'était pas un professionnel. Il
essayait avec son carnet, son magnétophone, de donner le
change mais il était devant moi, immobile, paralysé, osant à
peine me regarder, parlant à voix basse, marchant sur la pointe
des pieds. Je préfère les hommes de métier, ils savent ce qu'est
le malheur, la mort, la vie.

Celui-là, avec ses petites moustaches noires il ne savait rien et
il m'a fait mal, encore. Il me disait en silence, il hurlait en face
de moi malgré son sourire crispé : « Mais qu'est-ce que vous
faites là, vous, à me recevoir, à parler, à traîner vos bottes dans
cette pièce, qu'est-ce que vous faites là à vivre, vous n'avez pas
honte ? » Il secouait la tête, regardait les photos des miens, Dina,
ma femme, que je montrais encore, il le faut bien, mes enfants
que je poussais vers lui, Nicole, Suzanne, Charles, Richard,
souriants sur ces photos. Il gardait la photo où ils sont tous les
cinq, dans le pré devant la maison, Suzanne debout levant les
bras et Dina serrant contre elle Richard et il ne disait rien. Il
hochait la tête et j'avais envie de le saisir par le cou, de le jeter
dehors, de lui faire mal, et j'avais envie de faire éclater ma tête,
en la frappant sur les murs, j'aurais voulu prendre ma tête et la
lancer à toute volée comme une grenade sur cette maison que
nous avions reconstruite Dina et moi, pour nos enfants. Ma tête,
explosant enfin, une bonne fois pour toutes et me laissant en
paix.

Mais non, j'étais là, à regarder ce journaliste qui de temps à
autre levait les yeux vers moi puis les rabaissait vite, comme
pour dire : « Je vous ai vu, vous êtes vivant, eux sont morts et je
n'ose pas affronter leur mort et votre vie. » Je sentais qu'au
fond de lui-même il avait peur, peur de me laisser voir ce qu'il
pensait : « Pourquoi n'êtes-vous pas mort aussi comme eux,
vous n'avez pas honte d'être encore vivant, votre vie est un
scandale. »

Moi, je savais qu'il pensait cela parce que depuis des mois,
depuis le 3 octobre 1970, je me répète cette phrase à chaque
instant. Il suffit que ma tête ne soit pas pleine de bruits, pour
que le souvenir de ma femme et de mes enfants m'étouffe.

Alors, comme hier matin face à ce journaliste, je voudrais jeter ma tête contre un mur. Elle bat si fort ma tête, elle me fait si mal. Je me mords les joues, les lèvres, pour ne pas crier, je voudrais me déchirer, ouvrir ma poitrine avec mes mains, je voudrais hurler : « Je suis vivant! », hurler, et j'entends mon cri, il ressemble à ces cris qu'on entendait dans les caves de la Gestapo, Allée Szucha, à Varsovie, ces cris d'horreur que j'ai poussés aussi.

C'est surtout le soir que je suis ainsi, avec la haine de ma vie, cette vie qui m'est restée. J'ouvre la radio, je tourne le bouton jusqu'à ce que mes oreilles ne puissent plus supporter le vacarme de ces mots qu'on n'entend même plus tant ils sont forts, de cette musique qui n'est plus de la musique. Je me calme, je suis enveloppé dans ces vagues : le bruit m'écorche et cette douleur physique m'est douce. Je peux penser à eux. Les revoir tels qu'ils étaient. Le 2 octobre, la veille de l'incendie, ils couraient vers moi lançant leur cartable par-dessus leur tête. Il faisait doux, le ciel était d'une luminosité brillante : depuis des mois il n'avait pas plu et le mistral commençait à souffler. J'ai pris une photo ce jour-là. Elle est là, devant moi. Le lendemain, il n'y avait plus rien de ma vie : ma femme et mes enfants étaient morts; au-dessus du Tanneron s'effilochait une fumée noire. Je n'avais pas vu de flammes si hautes depuis le temps où brûlait le ghetto de Varsovie.

Alors aussi j'étais resté seul : de ma vie, alors aussi, il n'y avait plus rien, que moi vivant. J'étais sorti du champ de ruines, j'étais sorti des égouts, j'étais sorti de Treblinka et tous les miens avaient disparu. Mais j'avais vingt ans, une arme au poing, les forêts de Pologne étaient profondes et ma haine comme un ressort me poussait jour après jour à vivre pour tuer. Puis pour moi, après la solitude, semblait venu le temps de la paix : ma femme, mes enfants. Et puis, cet incendie, le Tanneron en flammes, le crépitement du feu, cette odeur et la chaleur comme à Varsovie. Et on m'a tout repris, tout ce qu'on avait semblé me donner : ma femme, mes enfants, ma vie. Une deuxième fois il ne me reste que moi vivant.

J'ai mis des jours et des nuits pour comprendre simplement

17

que cela était vrai. J'ai voulu en finir avec ce moi vivant qui collait à ma peau. J'ai voulu trouver la fin de ce qui avait recommencé. Des amis m'ont gardé. Des hommes dont le métier est de côtoyer la guerre et de voir mourir, dont les jours se sont passés à mesurer ce qu'il y a d'incompréhensible dans le destin des hommes : ce soldat arraché à la mort *in extremis* et qui tombe de la passerelle d'un bateau qui le reconduit, heureux, aux Etats-Unis, et qui meurt sur le quai. Jour après jour j'ai prolongé ma vie et je suis vivant. Ce sont ceux qui ne connaissent pas le malheur qui s'étonnent le plus. Ce journaliste d'hier que j'ai reconduit jusqu'au portail, qui hochait toujours la tête, qui regardait l'arbre aux branches duquel sont suspendues les balançoires de mes enfants. Je n'ai pas encore lu ce qu'il va écrire, rien d'extraordinaire parce qu'il n'osera pas avouer ce qu'il pense : qu'il est scandaleux de survivre, qu'il ne comprend pas. Tant pis pour lui. Il est de ceux qui ne comprennent pas pourquoi par centaines de milliers nous sommes, dans nos ghettos de Varsovie, de Zambrow ou de Bialystok, allés à la mort et pourquoi nous nous sommes battus et avons, malgré tout, certains d'entre nous, survécus. Il ne comprendrait pas comment nous avons pu enfouir, côtoyer les milliers de corps des morts de Treblinka, ces enfants aux yeux ouverts dont la tête penchait et sur lesquels nous jetions des pelletées de sable jaune. Il ne comprendrait pas comment, malgré cela, moi et d'autres nous nous sommes enfuis et avons trouvé la force de recommencer à vivre, et nous avons eu des enfants. Il ne comprend pas qu'aujourd'hui je sois vivant, encore, que je tente de lutter pour empêcher d'autres incendies et d'autres morts absurdes. S'il comprend, c'est du bout des lèvres. Et je l'excuse, je ne lui en veux pas. Il n'a pas connu le vrai malheur et qu'il en soit préservé !

Mais moi qui ai survécu, j'ai aussi, le soir et hier en face de lui, la tête qui éclate, je ne comprends pas comment je peux encore être là, à rassembler des documents, à me battre pour la fondation, à arracher des entrevues dans les ministères pour obtenir une aide dans la lutte que j'ai entreprise. Je n'ai plus d'arme dans la main, comme autrefois dans les maquis de

Pologne, mais par moments je sens en moi la même force qu'alors. Et il m'arrive de ne pas me comprendre.

C'est pour cela aussi que je veux dire ce qu'a été ma vie, notre vie. Pour que le jour où ma tête aura enfin éclaté, d'autres sachent et que notre vie, la vie des miens, vive encore.

PREMIÈRE PARTIE

SURVIVRE

1

Je suis né avec la guerre

JE suis né avec la guerre. Les sirènes ont hurlé, les bombardiers passaient au ras des toits, leur ombre glissait sur la
chaussée, dans les rues les gens couraient prenant leur tête
entre les mains.

Je suis né avec la guerre : nous dévalons l'escalier vers la
cave, les murs tremblent et le plâtre par plaques blanches
tombe sur nos cheveux. Ma mère est toute blanche, mes yeux
brûlent, des femmes crient. Puis s'établit le silence précédant
les klaxons des pompiers et à nouveau les cris des femmes.

C'est septembre 1939 : le mois de ma naissance véritable. Des
quatorze années qui précèdent ces jours je ne sais presque plus
rien. Je ne peux même pas fouiller en moi, je ne veux pas. A
quoi bon rappeler ce temps de la douceur? Nous courions dans
les rues derrière les *droshkas* jusqu'à la place de la Vieille-Ville
au cœur de Varsovie. Mon père me prenait par la main et nous
allions jusqu'à l'usine. Les machines venaient d'Amérique : il
me montrait, gravés dans l'acier, le nom de la firme et la ville,
Manchester, Michigan. Je marchais fièrement près de mon père
entre les machines. Mon père passait un bas ou un gant dans sa
main. Il me faisait déchiffrer la marque, 7777, notre marque, et
nous étions les associés d'une grande usine, nous vendions des
bas et des gants dans toute la Pologne, à l'étranger, et j'avais
aussi des parents aux Etats-Unis, une grand-mère qui habitait
New York. Parfois, nous allions vers la Vistule en suivant les
Allées de Jérusalem jusqu'au pont Poniatowski. Nous traversions les jardins Krasinski. Des Juifs marchandaient entre eux.
Ils me semblaient toujours vêtus des mêmes pardessus noirs, ils

étaient pauvres. Mais je ne savais pas ce qu'était la pauvreté. Je ne savais même pas vraiment que nous étions juifs. Nous célébrions les grandes fêtes mais nous avions des catholiques dans notre famille. Nous étions entre les deux religions et mon père, grand, droit, avec sa main si forte, me paraissait être à lui seul le début du monde. Nous rentrions, je traînais dans l'Ogrod Saski, les derniers jardins avant la rue Senatorska. Chez nous. Mon père ouvrait la porte : je me souviens encore d'une odeur douce, des cris de mes deux frères. Ma mère était là et la table était mise. C'était avant ma naissance, bien avant, une époque de beau temps qui s'acheva avec l'été 1939.

Brusquement, la guerre. Mon père est en uniforme d'officier, il me prend par les épaules et je me rends compte que je suis presque aussi grand que lui. Nous laissons ma mère et mes deux frères à la maison et nous partons, tous les deux, vers la gare. Dans les rues tout est déjà différent : des soldats en groupes, des camions, les premières queues devant les magasins. Nous marchons côte à côte sur la chaussée, épaule contre épaule, il ne me tient plus par la main : je suis un homme. Il m'a crié quelque chose de la fenêtre de son wagon que je n'ai pas entendu et je me suis retrouvé seul dans la rue. Il me semble que c'est ce jour-là que nous avons eu le premier bombardement : j'ai regardé les bombardiers argentés à croix noire qui volaient bas, en formation de trois.

— Rentre ici.

Un policier polonais hurlait dans ma direction depuis un porche où s'agglutinaient des passants affolés. Je me suis mis à courir dans la rue déserte : il faut que je rentre chez moi, je n'obéis à personne. Et je voyais mon père qui criait quelque chose depuis son wagon. Il faut que je sois aussi fort que lui. Ma mère m'a poussé dans la cave : le plâtre est tombé, nous étouffions, les femmes criaient et pleuraient. De la fenêtre nous avons vu, après la fin de l'alerte, les premiers incendies, vers Praga, dans les faubourgs ouvriers. J'ai commencé à lire les journaux : la France, l'Angleterre, l'Amérique, tout le monde devait nous aider. Nous allions nous battre jusqu'au bout : jamais les Allemands n'entreraient à Varsovie. J'écoutais à la radio les appels du maire : Varsovie ne se rendra jamais. Ma mère pleurait, mes deux frères jouaient entre eux. Elle et moi nous étions assis devant la radio. Souvent, je posais mon bras sur son épaule : nous attendions les nouvelles. On se battait partout le long de la frontière et tout allait mal. Nous entendions la radio allemande : ils annonçaient des milliers de prisonniers, demain Hitler serait à Varsovie. « *Polonais*, disait la voix joyeuse, *les Juifs responsables de vos malheurs, les Juifs qui ont voulu la guerre, les Juifs vont payer.* » Puis les chœurs, les chants. Je tournais le bouton : radio-Varsovie jouait de longs morceaux de piano lugubres. Puis les bombardiers sont revenus, régulièrement; la cave tremblait. Les bombes incendiaires tombaient sur le quartier juif, près de chez nous et quand nous remontions, l'air était plein d'une fumée grasse. « Ils visent les Juifs », répétait-on.

Mon oncle est venu nous voir. C'est à moi qu'il parlait :

— Les Allemands, s'ils entrent à Varsovie, c'est aux Juifs qu'ils s'en prendront d'abord. Tu sais ce qu'ils ont fait en Allemagne. Ton père n'avait pas confiance en eux.

Je hochais la tête comme si je savais. Ma mère était assise près de nous et ne disait rien. Je hochais la tête et je ne comprenais pas : qu'était-ce donc que ce peuple allemand dont je connaissais la langue, pourquoi dévastait-il notre vie, pourquoi sa haine contre les Juifs? Puis ils se sont mis à tirer au canon sur Varsovie, ils visaient le grand immeuble de la compagnie d'assurances et chaque jour les bombardiers argentés revenaient sur la ville : les incendies à peine éteints reprenaient dans les quartiers de Muranow ou de Praga, dans le quartier Smocza ou dans la Stare Miasto, la Vieille-Ville. Maintenant j'étais toujours dans la rue : je voulais voir, savoir, comprendre, me battre, nous défendre. Les rues étaient pleines de soldats en guenilles, sans fusil, certains s'allongeaient sur les trottoirs, d'autres gesticulaient au milieu des groupes silencieux. Ils parlaient de milliers de tanks, des chevaux morts pourrissant sur les routes, des bombardements sur Grudziadz, là où se trouvait toute l'armée polonaise et donc mon père. Ma mère n'essayait même plus de me retenir. Tous les matins je partais, je rôdais dans le quartier du Musée national où arrivaient les blessés, je regardais ces hommes sales, couchés sur des brancards rougis de sang, des femmes et des enfants pleuraient; dans certains quartiers les gravats encombraient les rues, une poussière blanchâtre montait du sol, des familles fouillaient les ruines.

Le long du boulevard du Nowy Swiat, le nouveau monde, les boutiques étaient fermées. Je courais derrière les autobus rouge et jaune chargés de soldats qui allaient vers Zoliborz. Là, durant plusieurs jours j'ai, avec d'autres, creusé des trous, des tranchées. Car nous allions nous battre jusqu'au bout et bientôt viendraient les Français et les Anglais. Ma mère, quand je rentrais couvert de poussière et de boue ne disait rien. Un soir, quand j'ai voulu me laver, je me suis aperçu qu'il n'y avait plus d'eau.

— C'est depuis ce matin, a dit ma mère.

Puis nous n'avons plus rien eu à manger. J'ai cessé d'aller dans les banlieues creuser des tranchées. Il fallait vivre, apprendre à lutter pour boire et manger, comme les bêtes. Et les rues étaient peuplées de bêtes. J'avais connu des hommes. L'espèce en semblait disparue. Je me suis battu pour défendre ma place dans une longue queue devant la boulangerie du quartier. J'ai poussé, j'ai moi aussi bousculé des femmes. J'étais fort. Je regardais, je voulais ma part, pour moi et les miens mais j'essayais de comprendre. Peut-être était-ce naturel, cette lutte, chacun pour soi, pour sa famille? Plus personne ne semblait se connaître. Parfois des soldats distribuaient leurs vivres. Dans l'un des jardins de Varsovie, près de chez nous, ils étaient deux, avec de grandes capotes verdâtres, qui avaient ouvert leurs musettes, et autour d'eux il y avait des femmes, des enfants et l'un de ces vieux Juifs barbus avec sa calotte noire. Les femmes se sont mises à crier :

— Pas au Juif, d'abord les Polonais, ne donnez rien au Juif.

Les soldats ont haussé les épaules et ont tendu au Juif un morceau de pain gris, mais une femme s'est précipitée, a bousculé le Juif et a pris son pain. Elle criait comme une folle :

— Pas au Juif, d'abord les Polonais.

Le Juif n'a rien répondu, il est parti. Les soldats ont continué à distribuer les provisions. J'ai serré les dents, je n'ai rien dit. J'ai pris un morceau de pain. Je ne ressemble pas à un Juif. Les rues étaient remplies de bêtes, je le savais maintenant. Il fallait être sur ses gardes, prêt à bondir, à fuir. Je me battais près des puits pour défendre ma place et rapporter de l'eau. J'allais jusqu'à la Vistule où de longues files se formaient : on distribuait de l'eau potable. Deux jeunes Polonais, à peine plus vieux que moi, arrivaient et criaient :

— Les Juifs à part, les Juifs une autre queue.

Alors des Juifs sortaient des rangs et attendaient : parfois pour 50 non-Juifs servis, 5 Juifs seulement avaient droit à l'eau. Moi, immobile, j'attends patiemment dans la queue, je serre les dents. Les hommes sont devenus des bêtes. Et ils meurent comme elles.

En rentrant de la Vistule avec un seau d'eau j'ai entendu venant du nord, du côté de Zoliborz, les bombardiers, une rumeur qui faisait vibrer le sol, immédiatement il y eut les explosions, la fumée envahissant le ciel, les cris; une façade, devant moi, au bout de la rue, s'effondrant d'un seul coup; les flammes. J'ai plongé ma tête dans l'eau, puis j'ai couru. Les bombardiers étaient passés. Une *droshka* brûlait et le cheval n'était plus qu'une masse couchée sur le côté, le cocher près de lui, le corps gonflé, énorme, comme une bête aussi. J'ai couru jusqu'à une autre rue, des hommes creusaient dans la poussière, j'ai creusé avec eux, et des mains se sont tendues, du fond de la terre. Alors je suis parti. Dans d'autres rues, des groupes pillaient des magasins aux façades éventrées. Des femmes remplissaient leurs tabliers de boîtes de conserve puis les serrant contre elles, elles s'enfuyaient, avec ce ventre énorme. Près de la rue Senatorska j'ai rencontré le fils des voisins. Tadek était plus âgé que moi, nous n'étions jamais sortis ensemble mais ce jour-là, sans nous dire un mot d'abord, nous nous sommes mis à marcher l'un près de l'autre. Nous rôdions dans les rues. J'avais faim et je sentais que c'était moi qui dirigeait. Tadek me suivait. Nous avons cherché. Dans la rue Stawki un groupe de gens gesticulait. Nous nous sommes approchés : c'était une usine de conserves de concombres, la porte était défoncée. Sur le sol, sur les étagères le long des murs, il y avait des centaines de boîtes. Je n'ai pas hésité et j'ai été parmi les premiers. De ma chemise j'ai fait un sac. Mes gestes étaient rapides, je me taisais. De temps à autre je jetais un coup d'œil à droite, à gauche. J'avais repéré une fenêtre. Je savais déjà qu'il faut toujours prévoir par où l'on peut s'enfuir. Tadek faisait comme moi. Nous sommes partis rapidement : dans l'usine maintenant des femmes se battaient, et nous avons couru jusqu'à la rue Senatorska. Ce soir-là nous avons tous mangé à notre faim : de gros concombres aigres qui craquaient sous nos dents, qui brûlaient les gencives. Mais nous n'avions plus faim et ma mère ne m'a rien demandé. Elle aussi a mangé des concombres. Nous avons tous été malades dans la nuit, nous avons vomi, mais nous n'avions plus faim. La vie, c'était devenu cela.

Le lendemain, je suis reparti avec Tadek. Dans les rues au milieu des soldats en déroute, avançaient de lourdes charrettes de paysans. Des réfugiés avec leurs sacs de toile, leurs couvertures, étaient assis sur les trottoirs. Moi, j'allais, je les voyais sans les voir : il fallait manger, vivre. Mais les magasins étaient vides, les comptoirs balayés. Des gens couraient : « A la gare, il y a un train de farine. » Nous nous sommes mis à courir aussi. J'allais devant, il fallait vivre, il fallait manger, il fallait courir. Sur la voie le déchargement se faisait en silence : nous étions comme des fourmis, mais chacun pour soi, j'ai pris un sac que j'ai fait tomber sur les rails. Il pesait une centaine de kilos. Ce n'était pas de la farine mais des graines de courges. Nous l'avons partagé et nous avons filé avec nos 50 kilos sur le dos. Maintenant, à la maison on m'attendait : c'est moi qui faisait vivre. Quand je suis entré avec le sac ma mère m'a embrassé, mes frères ont sauté de joie et ont commencé à plonger la main au milieu des graines blanchâtres. Il fallait vivre. Je me suis assis, j'étais mort de fatigue, la sueur avait collé mes cheveux, je n'avais même plus faim, mais j'étais en paix, c'est une grande joie de nourrir les siens.

J'ai continué, jour après jour, puis, brusquement, un après-midi les rues se sont vidées. Les fumées des incendies couvraient encore la ville, j'étais de l'autre côté de la Vistule. Je me suis senti seul, j'ai couru. De temps à autre, je croisais des passants qui couraient aussi. A l'un d'eux j'ai crié :

— Quoi?

— Les Allemands, les Allemands, nous avons capitulé.

Ils avaient vaincu. Ils arrivaient.

2

La force qu'un homme peut avoir en lui

JE les ai vus. Ils sont partout. Ils défilent en ordre serré sur les Allées de Jérusalem, boulevard du Trois-mai. Leur pas est lent, leurs talons sur les pavés des petites rues résonnent. Je marche le long du trottoir, derrière la rangée de curieux fascinés, je veux les voir, comprendre : ils paraissent invincibles, grands, blonds. Certains laissent pendre leurs casques à leurs ceinturons, comme s'ils savaient qu'ils ne craignent plus rien. Que nous ne pouvons plus rien. Depuis le début du siège de Varsovie je m'étais habitué à la misère, aux soldats polonais barbus, vaincus, voici maintenant cette armée puissante avec ces camions et ces tanks qui se suivent interminablement. Au-dessus des Allées de Jérusalem passent, à basse altitude, leurs avions. Sur les trottoirs avancent des patrouilles : ils semblent ne pas voir les gens, tout le monde s'écarte. Je suis un moment ces trois soldats aux bottes courtes, à la longue baïonnette noire. Oui, nous allons souffrir. Et je pense à mon père. Voilà des semaines que nous sommes sans nouvelles de lui.

Mais je n'ai pas le temps de penser : il faut survivre, il faut se battre. Au coin d'une rue un gros camion bâché est arrêté, autour de lui les Polonais sont là qui tendent les mains. Deux soldats sont debout, au milieu de gros pains ronds, ils rient et lancent les boules. Dans une voiture découverte qui stationne près du camion, un officier prend des photos, un autre filme. Il faut manger. Je rentre dans le groupe, je pousse, j'ai bientôt

29

mes deux boules et je m'éloigne en les serrant contre moi. Le lendemain des voitures haut-parleurs annoncent que les Allemands organisent des distributions de pain, je vais d'une adresse à l'autre. Les soldats se sont installés dans un magasin juif qui a été vidé près de la rue Sienna : il y a déjà une longue queue de gens de tous les milieux, on parle à voix basse, on murmure que les Allemands donnent aussi de la soupe. Tout à coup, un grand soldat apparaît sur le seuil. Il est tête nue, les manches de sa vareuse relevées, je le vois encore, les deux mains sur les hanches, il hurle : *Juden, rauss!* Tout le monde dans la queue a baissé les épaules, personne n'est sorti du rang. *Juden, rauss!* répète-t-il. Deux femmes sont parties, vite. L'une était une petite vieille, la tête enveloppée d'un châle noir. Le soldat a remonté la queue. Il nous dévisageait; alors, du fond de la file, un homme en chapeau est allé vers lui et tendant le bras vers quelqu'un a lancé : *Jude.* Tout le monde s'est retourné et on a vu un homme brun, petit, avec une courte barbe frisée, rester seul, les autres s'écartant de lui. Le soldat lui a fait signe et l'homme s'est avancé lentement. Son dénonciateur souriait, sûr de lui. Le soldat a pris à pleine main la barbe du Juif et s'est mis à lui secouer la tête, puis il lui a donné un coup de pied et l'homme est parti en courant. Toute la queue s'est mise à rire, d'un seul coup, avec le soldat. Et peut-être ai-je ri aussi, de terreur et de rage.

J'ai eu mon pain, j'ai eu ma soupe, et je suis allé faire d'autres queues. Partout, des hommes en dénonçaient d'autres. J'ai regardé, j'essayais d'inscrire dans ma mémoire le visage de ces hommes et de ces femmes qui poussaient hors de la queue des hommes et des femmes pareils à eux en les appelant *Juden.* Mais ils étaient trop nombreux, ces visages, trop nombreux les soldats qui arrachaient les cheveux et les barbes des vieux Juifs. Rue Senatorska, comme je rentrais, quelques minutes avant le couvre-feu j'ai vu deux soldats qui bousculaient un homme qui se tenait tout droit. J'ai pensé : mon père. Je me suis précipité, ce n'était qu'un Juif anonyme. Ils l'ont forcé à enlever ses chaussures, puis à coup de pied ils l'ont fait sauter comme une grenouille, sur la chaussée, longtemps, longtemps et ils riaient et des passants dans la rue riaient avec eux. Les soldats ont lancé les chaussures du Juif à un Polonais qui les a prises en remerciant et ils sont partis. Au bout de la rue il y avait cet homme pieds nus qui ressemblait à mon père.

Ma mère m'attendait, la porte était déjà entrouverte : maintenant elle avait peur pour moi, elle pleurait souvent. Dans la journée nous allions d'un service à l'autre demandant si l'on savait où était mon père. Partout on nous renvoyait. Ce soir-là, mon oncle m'attendait aussi. Il était allé à l'usine. Une bombe avait détruit une partie de la façade et des escaliers, mais il avait pu monter jusqu'aux magasins : les machines, des centaines de paires de gants étaient encore là-bas, personne n'y avait touché. Les pillards, les Allemands avaient cru que tout l'immeuble avait été détruit. Le lendemain, très tôt, nous avons commencé notre travail. Il faisait froid, par moments la neige tombait, le vent humide venait de la Vistule. Nous nous y sommes tous mis : mon oncle, mes frères, ma mère. L'un de nous faisait le guet, nous sortions des ruines, emportions nos sacs remplis de paires de gants. Avec cette marchandise, peut-être allions-nous pouvoir vivre quelque temps. J'ai fait un dernier voyage dans l'usine; il ne restait plus que deux machines à coudre. Ici, je m'étais promené avec mon père, il y a si longtemps. J'ai pris la machine sur l'épaule et je suis parti. C'était déjà le couvre-feu. Un camion allemand était au coin d'une rue : j'entendais des ordres, ces voix rauques qui résonnaient dans la rue déserte, je me suis caché dans une porte. Des soldats couraient, ils poursuivaient des passants attardés et les forçaient à monter dans le camion. L'un d'eux a tenté de s'enfuir, il y a eu un coup de feu, un éclair blanc et jaune tout près de moi et un seul cri. Puis le camion est parti allumant ses phares, éclairant au milieu de la chaussée un homme qui ne bougeait plus. J'ai pris la machine sur l'épaule, et je me suis remis en route. Les temps étaient ainsi. La machine était lourde et me sciait l'épaule : les temps étaient ainsi, il fallait serrer les dents. D'un bond, j'ai traversé la rue Senatorska. Dans l'escalier, enfin j'ai respiré. Je suis monté lentement, mais la porte n'était pas entrouverte comme d'habitude quand ma mère m'attendait. J'ai frappé, deux coups légers. Ma mère souriait, elle m'a embrassé, elle souriait toujours, comme avant. J'ai posé la machine dans l'entrée, elle m'a poussé dans la chambre. Sur le lit, tout habillé, mon père dormait mais il a tout de suite ouvert les yeux et il m'a tiré contre lui.

— C'est bien, Martin, c'est bien, a-t-il répété.

Il me serrait très fort. Il m'a fait asseoir près de lui.

— Je me suis évadé, a-t-il commencé. Je pars demain matin.

J'écoutais avec les oreilles et avec les yeux.

— Les Allemands, la Gestapo, ils vont sûrement venir ici, un jour ou l'autre.

Il donnait des conseils, calmement. Il me disait tout, il avait confiance.

— Ne te laisse jamais prendre. S'ils te tiennent, n'oublie jamais qu'il faut n'avoir qu'une pensée, leur échapper. Même si tu as très peur. Leur échapper. Avec eux, il n'y a aucune chance. Si tu leur échappes il y a toujours l'espoir. N'attends jamais. La première occasion est toujours la meilleure.

Et il a souri.

— Tu te souviens, Martin, tes courses derrière les *droshkas*. Tu rattrapais les chevaux. Eh bien, s'ils te tiennent un jour, prends tes pieds dans tes mains et cours.

C'était une expression que nous avions ensemble, et nous nous sommes mis à rire. Puis il a encore parlé : il était à Varsovie depuis quelques jours déjà mais il voulait faire surveiller la maison avant de venir nous voir. Maintenant il allait vivre sous un faux nom, organiser le passage du Bug pour ceux — et ils étaient nombreux — qui voulaient traverser le fleuve et gagner la zone que les Russes avaient occupée. Nous nous rencontrerions dans les rues, dans les parcs, chez ses amis, jamais ici, rue Senatorska. Le matin, avant de partir, il est venu me réveiller : il portait un long manteau de cuir, des bottes, il me semblait immense et pourtant j'étais presque aussi grand que lui. Dans la rue je l'aurais pris pour un nazi ou pour un de ces *Volksdeutscher*, polonais d'origine allemande, qu'on voyait, arrogants, parader dans les rues avec un brassard à croix gammée.

— Tu ressembles à un Allemand, lui ai-je dit en riant.

— Fais comme moi, sois plus malin qu'eux, survis.

Nous ne nous sommes jamais plus revus rue Senatorska.

Il nous a quittés mais nous nous sentions tous plus forts. Survivre. Je répète ce mot, je marche dans la rue, il fait froid mais j'avance vite : le vent, sur la Vistule, soulève des vagues et le fleuve semble couler vers le sud. Sur le pont, des hommes qu'on a sans doute raflés dans une rue, au hasard, poussent des camions allemands qui se sont heurtés. Je passe vite, il faut que j'arrive au grand marché du quartier Praga. Sur la place, dans les petites rues voisines, dans les cours des immeubles, dans l'ombre d'une porte, tout se vend : des paysans ont posé devant eux des sacs de pommes de terre; une femme vend des bottes, d'autres du tissu. Malgré la neige qui tombe épaisse, on ne bouge pas, quelques pas à droite, à gauche, on tend sa marchandise. Moi, je vends des gants. Je pends les paires autour de mon cou, je les présente aux passants, j'entre dans les magasins. Mais les marchands polonais ne me voleront plus : j'ai tendu ma paire. Il l'a regardée, m'a dévisagé, a repoussé ses longs cheveux noirs d'un coup de tête et a mis deux zlotys sur le comptoir : j'ai crié; j'ai tenté de reprendre mes gants.

— Tu veux la police, voyou? a-t-il dit.

J'ai filé. On me prend pour un voleur et je me tais : je suis juif. Depuis la fin novembre, il me faudrait porter au bas du bras droit un brassard blanc avec une étoile de David bleue d'au moins trois centimètres de hauteur. Un brassard qui veut dire : homme à voler, à battre, à tuer. Je ne porte pas le brassard mais je suis à la merci de tous. Il me faut apprendre à me défendre de tous. Aussi je n'entre plus dans les boutiques, je suis à l'affût, je choisis mes clients. J'arrive à leur arracher les zlotys qui nous font vivre à la maison. Tant que nous aurons des zlotys nous aurons du pain.

Parfois les affaires sont bonnes : je rentre rue Senatorska avant la fin de la matinée, je m'approvisionne et je repars. Je ne raconte rien, je donne les zlotys, j'apporte du pain et je plonge à nouveau dans la rue. Dans la rue Targowa là où se tient le marché de Praga, un groupe de soldats. Ils déambulent, au milieu de la chaussée, oisifs, dangereux. L'un d'eux, plus âgé, avec des rides creusant tout le visage, des dents dorées au milieu de la bouche, m'interpelle :

— Qu'est-ce que tu vends, Polonais?

Il ne faut pas comprendre : seuls les Juifs en Pologne connaissent l'allemand. Je souris, je fais le pitre. Il s'approche, ce vieux soldat a l'air paisible et avant que j'aie eu le temps de bondir en arrière il tord mon bras d'une main et de l'autre il me fouille, trouve les gants sous la grosse veste et les jette à ses camarades, puis il me tend quelques zlotys : un soldat honnête. Protester ne sert à rien : le monde est ainsi maintenant.

Ils peuvent tout. Des policiers polonais, des cheminots aux uniformes noirs de l'organisation Todt, des marchands avides, des gangsters; celui qui tient la force peut me dépouiller. Je le sais, à moi de réussir à vivre, quand même, malgré eux. Je cache une partie de mon argent dans mes chaussures et les voyous qui m'ont coincé l'autre jour dans les jardins Krasinski n'ont pu que me prendre une paire de gants.

Puis c'est un policier polonais que me saisit par la manche.

— Où as-tu pris ces gants?

Je ne l'ai pas entendu venir, je marchandais avec une vieille dame, tant pis pour moi. Il me faut juger en une seconde cet homme en uniforme : une erreur et c'en peut être fini de moi, des miens. Ses yeux, que je vois à peine sous sa casquette, ont un regard las, lointain. Je tire un peu sur ma manche : il ne me tient pas bien fort.

— J'ai faim, j'ai faim.

— Où as-tu pris ces gants?

— Ils sont à nous, mon père avait une fabrique, il est mort.

Je parle rapidement en le regardant dans les yeux.

— Juif? demande-t-il.

Je secoue la tête. C'est peut-être oui, s'il veut bien. Il me lâche sans un mot et je m'enfuis.

Parfois, il me faut subir. Ces trois policiers me guettaient. Peut-être un marchand m'a-t-il dénoncé? Ils m'ont entouré, donné un coup et conduit au commissariat. Dans le couloir, une vingtaine de personnes attendent. Deux ont le visage en sang : elles portent le brassard des Juifs. On me pousse près des autres, mais je ne me suis même pas assis. Je vais fuir, je le sens, je le sais, il le faut. Les policiers partent, sans un mot je les suis. La porte est ouverte. Je me tiens à un mètre derrière eux, je fonce et je cours. Ne jamais attendre, ne jamais se laisser prendre. Le lendemain, je suis retourné à Praga, j'avais mis un chapeau et un manteau long : c'était un risque mais il fallait manger. On ne m'a pas reconnu et le commerce a continué.

Le soir, je m'endormais d'un seul coup. Je rêvais, toujours le même rêve : nous allions voir mon père comme nous le faisions réellement, nous prenions toutes nos précautions, marchant des heures dans des rues presque vides pour bien nous assurer que nous n'étions pas suivis par les hommes de la Gestapo, nous marchions : ma mère devant avec mes frères, et moi, seul, assez loin derrière. Nous arrivions dans une rue étroite, une impasse, mon père était au fond, debout contre le mur, ma mère et mes frères couraient vers lui et brusquement arrive un lourd camion allemand, il fonce vers eux, il va les écraser contre le mur et je ne peux même pas crier. Tel est mon rêve, presque chaque nuit. Il me réveille et je me souviens de ce matin, j'ai les yeux ouverts, je ne rêve plus, je revois la scène dans la rue Gesia, une rue grouillante : tous nous portions le brassard, une rue juive. Le camion chargé de soldats a tourné, allant sans doute vers la prison de Pawiak, il a pris à toute vitesse la rue Gesia : les gens ont crié, ils se sont rués vers les portes et moi avec eux et le camion en zigzaguant balayait la chaussée, montait sur les trottoirs. Maintenant la rue était vide, le camion parti : contre un mur, les bras encore levés, un homme était là, écrasé. Nous sommes tous sortis et nous avons repris notre vie, marchant sur la chaussée, remplissant la rue, comme une colonne de fourmis.

Le dimanche je ne vais pas à Praga. Nous restons enfermés, nous essayons de faire un peu de feu, parfois mon oncle vient nous voir et nous parlons : nous comptons nos paires de gants, notre seule richesse. Il me raconte ce qu'il sait, il parle avec ma mère des *Lebensmittelkarten*, ces cartes d'alimentation qu'on nous donne quand nous allons nous faire inscrire auprès du conseil de la Communauté juive : elles portent un J énorme. Comme le brassard : pour nous désigner aux voleurs et aux tueurs. Il y a aussi le travail forcé, la fermeture des écoles juives, les enfants qu'on voit mendier pieds nus sur le verglas, et ces bandes de jeunes Polonais qui crient dans les rues : « Vive la Pologne sans les Juifs » ; « Nous voulons Varsovie sans Juifs. »

Ils sont armés de bâtons, ils cassent les vitrines des magasins juifs, ils frappent les Juifs sur la tête, à plusieurs. Je voudrais tuer. Je suis prêt à tuer.

L'homme est venu un dimanche. Une trentaine d'années, grand, fort, arrogant : des bottes noires, un uniforme gris qu'on voit rarement à Varsovie et le brassard à croix gammée. Un *Volksdeutscher*.

— Mon argent, dit-il.

Il a posé les notes sur la table.

— Je suis le commissaire, je remplace le propriétaire de l'usine de Lodz, voici vos dettes. Payez.

C'étaient de vieilles traites, d'avant la guerre, pour des marchandises achetées à Lodz par mon père.

— Payez.

Ma mère a parlé, d'une voix humble.

— Nous n'avons plus rien.

Il répétait :

— Payez.

J'étais prêt à le tuer s'il avait fait un geste. Mais il a simplement crié, menacé, insulté; claqué la porte à la briser. Ma mère s'est assise, m'a appelé près d'elle :

— J'ai eu peur, Martin, peur pour toi. Ils sont les plus forts. Il faut survivre, ne te laisse pas aller à la colère devant eux. Plus tard, Martin, plus tard.

Nous sommes comme des fourmis. Je suis allé retrouver mon père : il m'attendait près des grandes colonnes de la place Pilsudski avec son allure d'Allemand ou de *Volksdeutscher*, son grand manteau de cuir.

— Ils vont revenir, Martin, a-t-il dit. Ils ne lâchent rien. Ils sont tenaces. Mais nous aussi. Il faut tout déménager, se préparer au pire.

Je me suis éloigné et j'ai entendu son pas derrière moi, comme celui d'un passant qui ne me connaissait plus. Puis quand il a été à ma hauteur, sans me regarder, il a dit :

— Nous nous vengerons, Martin. C'est nous qui serons finalement les plus forts.

Nous avons vidé l'appartement. Les voisins nous ont aidés : eux n'étaient pas devenus des loups. Il n'est plus resté que nos lits, quelques chaises, un peu de vaisselle : notre maison est maintenant à l'image de la vie. Elle est froide, vide, dure. J'aimais le grand tapis aux reflets bleus, j'aimais la statue de bronze, j'aimais les hauts chandeliers d'argent. Il n'y a plus rien. Notre maison est comme la rue, avec ces magasins éventrés, ces enfants qui mendient, ces hommes et ces femmes qui vendent n'importe quoi parce qu'ils ne peuvent plus travailler et que les prix montent chaque jour; notre maison ressemble à ces visages amaigris, aux yeux fixes. Et dans notre maison comme dans la rue, ILS sont les maîtres. ILS sont revenus. Des hommes de la Gestapo en longs manteaux avec des Polonais.

— Où est ton mari?

Ma mère a répété qu'elle ne savait plus rien depuis la guerre.

— Dites-moi tout, répète-t-elle, même s'il a été tué. Je veux savoir.

Ils se taisent. Ils nous regardent. Ils visitent l'appartement. Ils ouvrent la seule armoire que nous ayons conservée. Mes frères pleurent, crient. Ils ont leur chapeau sur la tête, ils hésitent à partir. Nous attendons. Nous savons qu'ils reviendront. Nous les attendons tous les soirs, nous sommes prêts. Les revoici. D'autres, ils nous parlent des dettes que nous avons à Lodz.

— Il faudra payer ou nous prenons tout.

Ma mère montre nos quelques meubles.

— On va te faire sortir tes bijoux.

Puis avant de partir :

— Il va falloir nous dire où est ton mari.

Ils ont fermé la porte, calmement, et ils nous ont laissés dans notre maison presque vide, avec l'inquiétude. Ma mère s'est mise à consoler mes frères, je comptais les paires de gants : d'un coup de pied l'un d'eux a ouvert la porte. Il est resté sur le seuil :

— Bientôt tu vas nous dire où est ton mari.

Puis il est parti. Par moments, je voudrais donner des coups de poing dans les murs : pourquoi ne pouvons-nous rien, pourquoi sont-ils si forts, pourquoi sont-ils les patrons et nous les esclaves, pourquoi tout le monde accepte-t-il? Pourquoi ces passants en train de rire quand on force les Hassidim à danser comme des singes dans la rue? Pourquoi cette haine contre nous, pourquoi la mort partout, menaçante? Je suis allé retrouver mon père. Il me parlait lentement, comme à un ami. La neige recouvrait les allées de l'Ogrod Saski, il m'aidait à comprendre : les nazis qui dressaient les Polonais contre nous; la cupidité de beaucoup, le désir de prendre notre place et l'aide aussi qu'on rencontrait parfois, chez nos voisins par exemple. Pendant que nous parlions on entendait des cris, des rires, et nous avons vu un homme nu traverser le parc, poursuivi par des soldats qui tiraient en l'air. Nous nous sommes éloignés. Rue Nalewki, c'était la foule des petits vendeurs, des mendiants.

— Il va y avoir le ghetto, a dit mon père. Nous serons tous ensemble, mais ce sera terrible aussi. Ils ne nous laisseront pas en paix.

Je ne répondais pas. Je me sentais vieux et sage comme lui.

— Ils ont déjà commencé à Lodz. Ils le feront ici aussi. Nous allons nous voir plus rarement car la Gestapo reviendra.

Nous nous sommes quittés sur la place Tlomackie, en face de la grande synagogue : je l'ai regardé partir, droit, fort. A chaque fois ce pouvait être notre dernière rencontre. J'ai mis mon brassard et je suis entré dans le quartier juif, là où déjà on disait qu'il nous faudrait vivre : j'ai parcouru la rue Gesia et la rue Mila, la rue Wolynska et la rue Niska. J'ai marché. Les rues maintenant c'était ma vie, je marchais, je pensais : il me fallait aller vendre à Praga, accompagner ma mère à la poste pour changer les dollars que de New York notre grand-mère nous envoyait, je pensais, la vie en quelques mois avait tellement changé. Je pensais, je n'étais plus sur mes gardes, je suis entré dans la souricière de la rue Zamenhofa. Les camions étaient rangés le long du trottoir et les soldats raflaient tous les hommes en lançant des coups de crosse et des coups de pied. Un officier m'a poussé. Il me donnait des bourrades dans le dos sans même paraître me voir.

— Quinze ans, ai-je dit, je n'ai que quinze ans.

Je n'avais pas grand espoir mais il fallait tenter aussi cela, cette petite chance puisqu'on ne pouvait être requis qu'à partir

38

de seize ans. Il m'a regardé de ses yeux qui me semblaient presque blancs, sans pupille.

— Mais tu mens, Juif, tu mens, salaud.

J'ai répété. C'était risqué. Ils tirent facilement, ils tuent pour un mot de trop.

— Monte là !

Et il m'a envoyé rouler dans la neige d'un coup de pied, au bas du camion. J'ai grimpé, sans même me retourner. Sous la bâche, dans le camion tout le monde se taisait. Un soldat est monté derrière moi et nous sommes partis. Sauter : je ne pensais qu'à cela. Sauter, arracher une chance pour ne pas se laisser coucher par une rafale dans un bois, au-delà de Zoliborz, près de la Vistule, comme cela était arrivé à des dizaines de Juifs raflés dans la rue, au hasard. Mais le soldat ne bougeait pas. Je sentais son odeur de laine et de sueur, il avait sa botte contre mon pied et son arme sur les genoux, la main posée sur la gâchette. Brusquement, le camion s'est arrêté. Des ordres, des hurlements plutôt : nous étions dans le quartier de Zoliborz avec ses maisons espacées, ses jardins. Là s'étaient installés les Allemands, après avoir expulsé les Polonais. Nous n'allions donc pas mourir. On nous a distribué des pelles et nous avons commencé à déblayer les allées : la neige était fraîche, le vent la soulevait en poudre. Le ciel bas, presque noir, annonçait qu'il allait encore neiger. Notre travail ne servait à rien. Mais il faut pousser la neige.

— Enlève tes gants !

C'est l'officier aux yeux blancs.

— Il faut travailler sans les gants, tu sais bien.

Et il me donne un coup. Je travaille. Mes doigts sont rouges, bleus, lourds. L'officier est loin. Je remets mes gants. Je ne l'ai pas vu revenir.

— Salaud !

Il ne crie pas mais il me frappe. Un coup sur la nuque, d'autres sur le visage.

— Donne tes gants, dit-il.

Je les lui tends et ils les envoie à un autre Juif en riant. C'est leur logique. Ils veulent faire le mal. Nous avons travaillé toute la journée et quand la neige s'est remise à tomber nous sommes remontés dans les camions. La nuit venait, peut-être allions-nous mourir maintenant : drôle de temps où tout peut arriver, à chaque moment. Le soldat est toujours assis près de moi, il siffle, il fume, qui dirait que cet homme tranquille peut tuer? A nouveau, les hurlements : nous sautons dans une cour pavée. Tout autour des bâtiments, des barbelés : c'était une caserne occupée, de l'autre côté de la Vistule. Un jeune homme maigre avec des cheveux roux, bouclés, me dit de ne pas m'en faire, nous allons faire les corvées des soldats, il est déjà venu ici. Nous attendons immobiles, le vent nous glace; devant nous deux compagnies têtes nues passent en chantant, partant en manœuvres, pas un de ces soldats ne semble nous voir : nous sommes des pierres, des choses, rien. Bientôt nous courons dans la cour avec des seaux, des pelles, nous lavons les planchers, nous déblayons la neige. Le jeune homme roux me fait un signe alors que nous passons devant la cantine : il y a des provisions sur une table de bois. Il entre, puis il bondit dehors glissant des harengs dans sa chemise et il s'en va avec ses seaux. Toute la nuit nous avons travaillé : je réussissais de temps à autre à entrer dans une baraque et à me chauffer un peu. L'aube a gagné peu à peu : ciel limpide, bleu comme de l'eau.

— Ils vont nous ramener, m'a dit le jeune homme roux.

On nous a rassemblés dans la cour, on nous a fait mettre sur deux rangs. L'officier aux yeux blancs s'est avancé à pas lents. Il s'est placé devant moi et je pensais : il veut ma mort.

— Il y a un voleur ici, a-t-il dit doucement. Que celui qui a pris les harengs se dénonce. Il a cinq minutes. Lui ou dix d'entre vous.

Et immédiatement il a désigné dix d'entre nous et moi le premier. Il fait si beau ce matin. Ma mère m'attend et je vais mourir sans me battre. L'officier passe devant nous, il tape joyeusement ses mains l'une dans l'autre.

— C'est moi.

Le jeune homme roux est sorti des rangs, il a marché jusqu'à l'officier et il s'est placé devant lui.

— C'est moi, a-t-il répété.

Sans doute chacun comme moi, dans les rangs, a-t-il senti que son cœur allait éclater. L'officier aux yeux blancs a hésité, puis

40

il a lancé son pied dans le ventre du jeune homme aux cheveux roux qui s'est plié en deux sans un cri. L'officier a pris une pelle et il a commencé à frapper sur tout le corps et mon camarade dont je ne sais même pas le nom s'est écrasé dans la neige, les mains sur sa tête, sans un cri. L'officier a sorti son revolver et a tiré. Nous sommes retournés au travail sous les injures, nous étions des porcs et des salauds, criaient les soldats. Un peu après midi, ils nous ont ramenés à Varsovie, non loin de la rue Zamenhofa, les camions se sont arrêtés et nous nous sommes tous dispersés en courant. Ma mère et mes frères m'attendaient. Je n'ai rien raconté, la vie était comme ça, elle tenait à un mot, elle valait moins que quelques harengs. Nous le savions. A quoi bon raconter?

J'ai mis plusieurs jours à oublier l'officier aux yeux blancs : je le voyais partout me poursuivant de sa haine incompréhensible; il me semblait le reconnaître dans chaque silhouette en uniforme aperçue de loin dans une rue : je prenais la fuite, je m'enfonçais dans les cours des immeubles, je grimpais les escaliers et j'attendais, longtemps, recroquevillé sur une marche, tremblant. J'avais peur pour la première fois depuis la guerre : j'avais rencontré la haine qui tue sans raison. Je n'avais jamais croisé cet officier et il voulait ma mort; il avait tué un homme à coups de pelle et il me regardait : c'est moi qu'il tuait. J'ai dû me raisonner, pour me débarrasser de cette fièvre, ma frayeur qui venait de ces peurs accumulées au fond de moi durant des semaines. Je n'ai parlé à personne, j'ai réglé seul ma maladie, me forçant à marcher lentement dans la rue, passant près des soldats, les regardant dans les yeux, risquant le pire. Puis un jour j'ai compris que j'avais vaincu. J'ai pu retourner sur le marché de Praga, je sifflais, je courais puis je marchais lentement, j'ai fait un long détour pour suivre le fleuve; je m'accordais une permission, j'avais découvert la force qu'un homme peut avoir en lui. S'il veut, il peut vaincre, s'il veut, il peut mourir sans un cri, s'il veut, il peut survivre. Merci, camarade aux cheveux roux dont je ne sais pas le nom et qui est mort pour moi, sans un cri. Je n'ai plus peur.

Ainsi sont passés des jours. A Praga les ventes sont devenues difficiles. Les policiers et les Allemands surgissent de plus en plus souvent, bloquant les issues, renversant les étalages, arrêtant les hommes. Vers dix heures ce matin, alors que je me tiens à l'écart ma marchandise sous le bras, observant la place, tentant de sentir l'atmosphère, de deviner s'ILS vont venir, ils arrivent. Ce sont des Polonais. Ils courent, prennent les hommes, les poussent dans leurs fourgons. Des Allemands, en retrait, observent la scène. Je suis entré dans un magasin et sans un mot j'ai posé les paires de gants derrière la porte, puis je suis sorti avant même qu'on puisse me rappeler. J'ai contourné la place, les gens fuyaient et je me suis allongé le ventre contre la terre, le visage grimaçant. J'étais calme, le froid me saisissait, la neige fondait sous moi, trempant mes vêtements mais je ne bougeais plus. Bientôt j'ai su que j'étais seul devant les policiers qui avançaient méthodiquement. A peine le temps de le penser qu'ils étaient là; l'un d'eux m'a donné un coup de pied dans les côtes. J'entendais les cris des fuyards qui découvraient à l'autre bout de la place qu'ils étaient cernés, que les petites rues qui vont vers la Vistule étaient fermées par des barrages.

— Qu'est-ce qu'il a? a demandé quelqu'un au-dessus de moi.

On m'a donné un autre coup de pied. Je n'ai pas bougé. Et ils sont partis, me laissant ainsi dans la neige, immobile, gelé, mais libre. Le temps lentement passait : en file, les vendeurs entraient dans les fourgons de police. Ils étaient polonais, ils ne risquaient qu'une amende. Moi, la mort devait toujours être devant mes yeux, c'est avec elle qu'il me fallait jouer. Puis, sur la place, ce fut le silence. Des femmes en se lamentant venaient redresser leurs petits étalages. J'ai encore attendu. Certaines se rassemblèrent autour de moi.

— Ils l'ont tué, disaient-elles.

J'ai encore attendu puis je me suis levé d'un bond, j'ai couru jusqu'à la boutique : mes gants étaient sur le comptoir. Le patron parlait, pérorait. Quand il m'a vu entrer, il a crié :

— Mais qui t'a autorisé...

J'ai pris le paquet et je suis sorti toujours en courant.

— Salaud!

Je l'entendais hurler. Qu'importe : c'était chacun pour soi.

J'étais en vie et j'avais la marchandise : je ne sentais même pas ma chemise glacée qui collait à ma peau.

Mais on ne pouvait pas penser longtemps à la chance qu'on avait eue, on ne pouvait pas se féliciter des ruses qu'on avait inventées. La vie était devenue une course d'obstacles : on sautait le premier, un autre était déjà là, plus haut, et un autre derrière plus difficile encore et plus rapproché. On n'avait plus le temps de reprendre souffle. Les mauvaises nouvelles nous écrasaient, les Allemands l'emportaient partout; les règlements se faisaient plus durs; les rafles plus nombreuses. Il n'y avait que le ciel pour devenir plus doux. La neige fondait. Sur les berges de la Vistule, dans les jardins, l'herbe reparaissait enfin : j'avais envie de courir au milieu des arbres, d'aller comme autrefois dans les forêts quand avec mon père nous marchions de longues heures et que la peur me prenait. Mais le temps des promenades était fini : alors je partais très tôt le matin pour regarder le fleuve et les couleurs de l'eau. C'était l'aube et la ville paraissait calme, paisible, les rues n'étaient pas encore grouillantes, les mendiants n'étaient que des boules noires qu'on pouvait ne pas voir. Moi, je respirais avidement, l'air était glacé, il me coupait la gorge et je me sentais libre. Sur la berge, j'avais découvert un chat : une énorme bête au poil court et gris que j'avais mis des heures à approcher. Chaque matin je lui parlais doucement. Il m'observait, prêt à s'enfuir, les yeux mi-clos, les pattes recroquevillées. Je l'avais appelé Laïtak. Je lui parlais, j'aurais pu lui parler sans fin. Je faisais des projets, je riais. A Laïtak, je disais ma joie de leur avoir échappé sur la place du marché.

— Es-tu juif, Laïtak?

Et je riais à n'en plus pouvoir m'arrêter. Parfois je lui jetais un peu de nourriture, il l'engloutissait sans me quitter des yeux, si je m'avançais il disparaissait. Laïtak était prudent, à peine ai-je réussi à le toucher une fois ou deux. Lui aussi avait dû connaître une guerre et moi j'étais une sorte de chat. Je savais que si les matins sont tranquilles, les soirs sont dangereux et je ne traînais pas dans les rues.

Je rentrais rue Senatorska, à la maison, et nous attendions le matin suivant en espérant qu'ils ne viendraient pas ce soir-là.

Pendant des semaines, ils nous ont laissés en paix avec seulement notre attente. Puis ils ont enfoncé la porte, des nouveaux, cinq, leurs chapeaux enfoncés jusqu'aux yeux. Un seul parlait en polonais, mais tous criaient.

— Va chercher ton mari.

Ma mère a recommencé à expliquer : depuis la guerre elle ne savait plus rien, peut-être pouvait-on la renseigner, ces messieurs de la police justement. Mais je sentais que ce soir-là tout serait différent. Celui qui parlait polonais traduisait. L'un des hommes s'est avancé vers ma mère et il l'a giflée à toute volée. Son chignon s'est défait et dans ma gorge un cri de rage est monté, mais je n'ai pas bougé. L'homme a recommencé, puis il a parlé en allemand et l'autre traduisait.

— Madame, vous allez nous dire où est votre mari.

Madame : je répétais ce mot. L'homme frappait ma mère et l'appelait madame.

— Madame, nous allons prendre ce jeune homme, nous allons vous laisser notre adresse. Nous vous donnons vingt-quatre heures pour trouver votre mari et nous l'amener.

Il me regardait sans sourire. Les autres fouillaient la maison, jetant sur le plancher ce qu'ils trouvaient.

— De toute façon nous vous rendrons ce jeune homme. Vivant ou mort.

Ma mère a commencé à crier, elle s'est accrochée à moi : j'étais comme un morceau de bois, elle demandait pitié, elle répétait :

— Laissez-le-moi.

Tout à coup elle s'est tue.

— Arrêtez-moi, a-t-elle dit. Laissez les enfants.

L'un des homme écrivait.

— Voici l'adresse, madame. Donnez-la à votre mari. Et revenez chercher votre fils dans vingt-quatre heures.

Ils m'ont poussé dans l'escalier, ma mère s'est précipitée, m'a serré contre elle : « Martin, cours, prends la fuite. » Ils l'ont arrachée à moi, jetée par terre et je suis descendu entre eux. Au bas de l'escalier, l'un d'eux qui s'était tu m'a donné un coup de genou dans l'estomac et a sorti un pistolet :

— Tu nous amèneras à ton père, a-t-il dit en allemand.

44

Je n'ai pas bougé. J'avais compris mais je n'ai répondu qu'au moment où l'on m'a traduit la phrase en polonais. Alors je me suis mis à parler, je ne savais rien, j'aurais bien voulu les conduire à mon père mais je ne l'avais plus revu. Ils se sont regardés, hésitants, peut-être avais-je gagné. Mais non.

— Allée Szucha, tu vas te souvenir de tout.

La Gestapo avait son siège Allée Szucha. Dans la rue, ils m'ont poussé dans une camionnette : un soldat était là, indifférent. Eux sont montés dans une voiture et nous sommes partis. Nous allions vite. J'ai commencé à parler au soldat, en polonais, mais d'un coup de crosse, il m'a renvoyé au fond de la camionnette. Laïtak est pris, ai-je pensé, mais Laïtak va se taire et s'enfuir. Cela m'a donné du courage. Nous nous sommes arrêtés plusieurs fois mais le soldat ne me quittait pas des yeux. Enfin, ce fut l'Allée Szucha, le grand immeuble éclairé de la Gestapo : nous sommes entrés. Portes, couloirs, encore des portes, des couloirs. Debout, alignés contre un mur, des hommes et des femmes attendaient : la peur était dans leurs yeux, ils étaient raidis par elle. On m'a fait entrer dans un bureau. Je n'ai plus vu que la fenêtre qui donnait sur la nuit. L'un des hommes s'est avancé, celui qui avait giflé ma mère, et il m'a donné un coup sur la bouche.

— Ton père est un lâche, a-t-il dit dans un mauvais polonais. Il va t'abandonner.

Il a enlevé son chapeau. Il avait une tête toute ronde avec des cheveux coupés très court, en brosse.

— Les Juifs sont tous lâches, a-t-il continué.

Puis il est sorti dans le couloir, sans me regarder, laissant la porte ouverte. Je voyais une femme debout, les bras en l'air. J'ai bondi vers la fenêtre. Dehors il y avait la nuit, j'ai saisi la poignée, l'air était vif, je me suis retourné : la femme avait la bouche ouverte d'étonnement et de terreur. J'ai sauté. J'ai pensé : je vais me tuer et je courais déjà dans une cour, vers un mur. Je l'ai grimpé. J'étais dans une autre cour, j'ai couru, franchi une grille : c'était la rue. J'ai couru, couru. Il me fallait arriver avant eux. J'ai monté l'escalier, poussé la porte, crié :

— Mère, frères, laissez tout, venez.

Nous avons dévalé l'escalier, l'un de mes frères était pieds nus, nous avons couru, couru encore dans Varsovie désert, évitant les patrouilles, traversant les places vides et sombres. Mon oncle habitait rue Freta. Il nous a accueillis pour la nuit : il se taisait en m'écoutant, ma mère m'embrassait.

— Je le savais, disait-elle, tu es comme ton père.

Et j'étais fier. Le lendemain, dès la fin du couvre-feu, nous nous sommes dispersés : des amis nous ont accueillis. Moi je suis resté deux ou trois jours sans sortir : on devait me rechercher. Je logeais chez une amie de ma mère qui habitait un grand appartement sombre au bout de la rue Sienna. Son mari, un médecin, avait quitté la Pologne à la veille de la guerre et n'était plus revenu. Elle me serrait contre elle et j'en perdais le souffle, elle me faisait parler et je parlais comme un jeune coq mais la nuit je fermais la porte de ma chambre à clé et là, dans cette pièce inconnue qui sentait la poussière, l'espèce d'ivresse que j'éprouvais dans la journée à côté de cette femme tombait brusquement. Nous n'avions plus de maison, nous ne rentrerions plus rue Senatorska et nous étions séparés les uns des autres, mon frère à un bout de Varsovie, ma mère et mon autre frère ailleurs, mon père changeant chaque jour de domicile. Bientôt — mon père nous l'avait fait dire — nous aurions de faux papiers, un autre nom. Il ne resterait même plus cela de notre passé. C'est curieux une famille : jamais comme en ces jours je ne m'étais rendu compte de ce qu'elle représentait pour moi. La Gestapo aurait pu me torturer, je n'aurais pas donné mon père et quand l'homme a frappé ma mère, même si je n'ai pas bougé il m'a semblé que je hurlais, que je devenais fou. Une famille, c'est le monde tout entier et maintenant par leur faute le monde était en miettes. J'ai pensé, ces nuits-là, qu'un jour je reconstruirais un monde à moi, une famille.

Mais ce jour paraissait aussi éloigné que le temps de paix et je passais une bonne partie de la nuit sur mes gardes, guettant les pas des patrouilles, sursautant quand une voiture freinait. Au bout de ces deux ou trois jours d'attente je ne pouvais plus vivre dans cet appartement, avec cette femme soupirant contre moi, folle de peur et qui commençait à me parler de départ, loin de Varsovie, elle et moi. J'ai profité d'une de ses sorties pour m'enfuir, retrouver la rue, le soleil : quitte à être pris que ce soit sous le ciel clair. Mon père averti m'a donné rendez-vous dans la Vieille-Ville, la Stare Miasto : là où les petites rues, les cours obscures permettaient des fuites faciles. Il était soucieux, grave.

— Tu es vraiment un homme, m'a-t-il dit. Tu leur as échappé. C'est bien. Et je sais que tu n'aurais pas parlé.

J'aimais vivre, je me sentais fort maintenant. Pourquoi d'un mot mon père pouvait-il ainsi me donner la joie, me serait-il possible de donner, moi aussi, cette confiance aux autres. Aux enfants que j'aurais un jour?

— Que veux-tu faire?

C'est lui qui me questionnait. J'expliquais qu'il fallait retourner au marché de Praga, récupérer la marchandise que nous avions mise en dépôt chez des parents, des amis. Notre mère essayait bien de vendre à ma place mais ce n'était pas son rôle puisque j'étais là et puis elle ne savait pas s'y prendre. On allait la voler.

— Ne traîne pas rue Senatorska ou Allée Szucha, a-t-il dit en riant.

Et lui qui ne le faisait jamais m'embrassa. J'étais de nouveau seul dans les rues, je me mêlais aux groupes : des centaines de Juifs sans travail restaient dans les rues pour essayer de vendre un objet leur permettant de survivre. Partout dans les yeux je lis la peur et je la reconnais cette maladie qui m'a tenaillé aussi quand j'ai vu mourir mon jeune camarade aux cheveux roux. J'écoute la rue, j'apprends qu'on élève un mur de brique à la hauteur de la rue Dzika et dans d'autres rues aussi. Je vais voir. Des ouvriers sont là, des Juifs avec leurs brassards. Ils posent leurs longues briques et le ciment gris coule sans qu'ils sachent l'égaliser : ce sont des ouvriers de hasard, heureux sans doute d'avoir trouvé ce travail. La muraille a déjà plus de deux mètres de haut et l'un d'eux, monté sur une échelle, continue d'ajouter des briques. La rue tout entière va être fermée : bientôt nous serons parqués comme des bêtes. On dit qu'à Lodz, déjà, ils ont bouclé le ghetto.

J'ai eu un moment envie de fuir : je quitte Varsovie, je rentre au service de paysans polonais, je parle la langue sans cet accent qui permet de démasquer les Juifs, je mange à ma faim et je reviens quand la guerre est finie. J'échappe à cette foule, à la peur, au ghetto qui se prépare. Je marche dans la rue Nalewki et je rêve encore quand les camions s'arrêtent et je dois me mettre à quatre pattes comme tous les autres, je dois sauter, vite, bien, mais ça n'empêche pas de recevoir des coups sur le dos, les soldats rient et frappent dur. Les vieux qui n'avancent pas assez vite sont abattus. Je lève un peu la tête, toute la rue est à quatre pattes et les soldats tirent à hauteur d'homme. On entend d'autres coups de feu qui viennent des rues éloignées. Ce doit être une grande rafle, un jour de divertissement et de terreur. Devant moi, à quelques mètres à peine, une femme, debout les jambes écartées au milieu de la chaussée, résiste, elle serre un bébé dans les bras et deux immenses soldats tentent de le lui arracher. Je vois ses yeux, si grands, je ne vois que ses yeux qui disent l'horreur. Ils tiennent l'enfant, ils se l'envoient de l'un à l'autre, elle est là, tendant les bras, ne sachant vers qui elle doit aller, essayant de saisir cet enfant qui ne crie même pas. Et puis un des soldats n'a pas rattrapé le bébé.

Les camions sont repartis et nous nous sommes levés et j'ai recommencé à marcher. Je ne savais même plus à quoi j'étais en train de rêver au moment où les camions s'étaient arrêtés rue Nalewki, peut-être à la campagne, à ma fuite. Mais est-il possible de fuir, d'abandonner les siens si l'on est un homme? Les jours suivants je suis retourné au marché de Praga, mais nous n'avions presque plus de marchandise et qui peut acheter des gants alors que vient l'été? Et puis les gens avaient peur : on ne parlait que du massacre qui avait eu lieu dans les rues de Varsovie. Des centaines de Juifs avaient été tués, d'autres conduits dans les forêts. J'avais eu la chance de m'en tirer avec quelques coups et quelques sauts dans la rue Nalewki. Certains, depuis, se terraient. Ma mère que je rencontrais tous les deux ou trois jours me suppliait de ne plus sortir mais, moi, je voulais voir. Ce n'était même plus la volonté de vendre qui me poussait dans les rues tous les matins mais bien celle de regarder, d'enregistrer, de savoir : les événements étaient devenus pour moi comme un alcool. Il fallait que je sache, que je prenne ce monde sauvage dans mes yeux, dans ma tête, pour dire un jour tout ce que j'avais vu, tout ce que nous avions souffert. Mais le prix à payer pouvait être élevé.

Rue Sienna, c'est moi qui ai demandé à Stasiek Borowski de rester. Je l'aimais bien; souvent, nous rôdions ensemble et malgré son poids il courait aussi vite que moi et nous avions déjà réussi à filer plusieurs fois, juste à temps; il était rond comme une boule de muscles. Rue Sienna, il voulait partir, moi j'étais comme paralysé : des Juifs avaient été rassemblés au milieu de la chaussée de cette rue bourgeoise où les Polonais habitent en grand nombre et des Allemands les forçaient à danser, à sauter, à se dévêtir, à chanter. D'autres devaient donner le rythme en frappant dans leurs mains et les soldats encourageaient de la voix et du poing. Au milieu du groupe un vieux Juif presque nu jouait à l'ours, debout sur une jambe, le visage levé, implorant son maître. Stasiek et moi nous étions dans la foule des spectateurs qui riaient et je ne voyais que ces visages hilares et tranquilles. Stasiek me tirait par la manche, je résistais : nous ne portions pas notre brassard et j'arborais un sourire figé qui devait suffire. Et puis les Juifs n'avaient guère l'habitude de jouer avec le feu : depuis longtemps ils savaient qu'il faut fuir. Mais je voulais entendre ces rires, regarder cet homme chauve, avec un gilet, qui s'esclaffait, courbé en deux. Ce n'était plus les bourreaux et leurs victimes qui m'intéressaient mais leur public. Stasiek m'a donné un coup de coude : c'était trop tard. La rue était bouclée. Les soldats avançaient, épaule contre épaule et le silence brutalement s'est établi : l'homme chauve ne riait plus, il tournait la tête à droite et à gauche d'un air égaré. On nous a poussés vers des camions et les Juifs sont restés au milieu de la chaussée, immobiles, puis comme le camion démarrait j'ai vu le Juif presque nu commencer à se rhabiller lentement : il avait servi d'appât. Ce jour-là les nazis préféraient le bétail polonais.

Et ce jour-là, pour la première fois, je suis entré à Pawiak, la grande prison grise dont tout Varsovie parlait. C'était ma première arrestation et le sort avait voulu que je sois pris comme Polonais; Stasiek Borowski avait retrouvé sa bonne humeur :

— Peut-être si nous sortons nos brassards de Juifs vont-ils

49

4

nous libérer. Tu veux essayer, Martin, pour voir? Tu veux toujours voir, savoir, c'est une bonne occasion.

Je me taisais. Nous étions dans la cour, des centaines. On nous divisait en petits groupes et on nous dirigeait à coups de cris et de bottes vers des couloirs humides. Stasiek et moi nous avons essayé de rester ensemble et on nous a poussés l'un après l'autre dans une cellule surpeuplée. On pouvait à peine bouger, des hommes geignaient, d'autres demandaient des cigarettes, certains s'interrogeaient à voix haute, d'autres encore maudissaient les Juifs, responsables de tout. Je regardais la lucarne et j'essayais de m'en approcher. Du fond de la cellule, une voix a lancé :

— Vos gueules, cons!

Et elle a donné des ordres pour qu'on s'arrange au mieux, tout le monde a obéi peu à peu et finalement nous avons pu nous asseoir. L'homme qui avait parlé était un prisonnier d'une trentaine d'années, avec une large cicatrice sur la joue : à son accent, on reconnaissait un voyou de Varsovie, des mèches grises et sales lui recouvraient presque les yeux. J'ai commencé à parler avec lui : quand j'ai prononcé le mot évasion il s'est mis à rire à n'en plus finir, puis il s'est endormi mais je suis resté près de lui. Dans une prison, les truands sont ceux qui savent et je n'allais pas demander des conseils au Polonais chauve qui était là aussi, reniflant, le gilet sur la tête pour se protéger du froid. Plus tard, Siwy — le voyou — s'est mis à parler : il était emprisonné depuis trois mois; il avait rossé un flic après avoir bu et il avait retrouvé sa petite Pawiak. Il en parlait comme d'une femme :

— Tu peux pas quitter Pawiak, disait-il. C'est elle qui te met dehors et puis comme tu l'aimes bien et qu'elle t'aime bien, elle t'oublie pas. Tu retournes toujours à Pawiak. Toujours.

Le lendemain matin on nous a rassemblés dans la cour. J'étais près de Siwy.

— Vous êtes ici pour travailler, hurlait quelqu'un que je ne voyais pas. La Pologne a fait la guerre au Reich, tuant des soldats allemands. Les Polonais doivent payer en travail.

Nous attendions, immobiles, Stasiek et moi aux aguets tentant de deviner ce qui se préparait car nous, nous étions juifs, deux

50

fois coupables, promis à la mort. Quand nous avons vu les gardiens polonais installer des tables contre le mur, porter des machines à écrire, nous avons compris.

— Brassard, a dit Stasiek. Si nous sommes fouillés.

Dans la poche je serrai ce morceau de toile dont dépendait notre vie. J'ai commencé à le déchirer avec le bout des ongles et j'ai porté la toile à ma bouche. Stasiek m'a imité et nous nous sommes mis à mâcher, nous glissant vers le bout de la file des prisonniers qui s'allongeait dans la cour. Près des tables un soldat criait :

— Donnez vos noms, videz vos poches. Si vous gardez quelque chose, *kaputt*.

J'ai posé mon argent sur la table, j'étais dépouillé, Stasiek aussi, mais nous préservions encore notre vie, encore.

Nous avons attendu des heures, silencieux. Je regardais le ciel, m'efforçant de ne pas apercevoir les murs, les toits, mais seulement le ciel. Brusquement nous avons vu apparaître des SS. Nous connaissions les soldats à l'uniforme noir : c'est l'un d'eux qui avait arraché le bébé à sa mère, l'un d'eux qui l'avait laissé tomber. Nous savions qui étaient les SS. Sans un mot, il nous ont fait mettre en rang : les gardiens polonais, les soldats allemands couraient comme des chiens devant leurs maîtres. Eux restaient dans l'ombre des murs. Puis ils se sont avancés et du bâtiment principal un groupe d'officiers noirs est sorti. Stasiek m'a murmuré : « C'est Himmler. » Ces officiers parlaient entre eux, en nous regardant, ils riaient, ils sont passés entre les rangs, s'arrêtant devant quelques-uns d'entre nous. Dans ma file il y avait un homme très grand, maigre, avec une longue barbe noire. Il me semblait qu'il devait être professeur ou médecin. Le groupe des officiers s'est immobilisé devant lui. J'entendais les phrases :

— Pourquoi es-tu arrêté?

— Je voudrais bien le savoir, *Herr Reichsminister*.

Il avait une voix de professeur, bien posée, elle devait résonner dans toute la cour et elle venait de gifler l'officier SS.

— Il faut punir les traîtres, *professor* Bursche.

— Je ne suis pas un traître pour mon honneur.

— Tu as trahi ta patrie.

51

— Je ne trahirai jamais ma patrie.

Il y eut des rires et le groupe s'éloigna. Ce petit homme rond, sanglé dans son uniforme noir, était-il possible que ce fût le *Herr Reichsminister* Himmler, Reichsfuhrer SS, le maître des bourreaux ?

Des camions sont arrivés : ce sont les SS qui nous ont poussés. Je suivais Siwy et Stasiek Borowski me suivait. Derrière chaque camion roulait une voiture chargée de SS.

— Il faut s'enfuir, Siwy, ai-je dit.

— Adieu, Pawiak, répétait-il, adieu Pawiak.

Je me suis mis à lui raconter : les camps, les exécutions dans les bois. Il m'écoutait, secouait ses longs cheveux blonds.

J'ai reconnu la gare de Sczesliwice. Ici, les SS se sont mis à crier. Ils donnaient des coups de crosse, deux fois ils ont tiré en l'air et nous refluions comme un troupeau vers le quai. Je ne quittais pas Siwy.

— Ils vont nous fusiller, Siwy.

Nous nous sommes entassés dans des wagons à bestiaux et je suis resté près de la porte, palpant le bois avec mes mains, me déplaçant comme je pouvais contre la paroi du wagon. Nous avons attendu des heures. La nuit était tombée : des hommes s'étaient évanouis, puis le train s'est ébranlé et nous avons eu un peu d'air.

— J'ai un couteau, m'a dit Siwy. Il y a un grillage au bout du wagon de ton côté, pousse.

Centimètre par centimètre, nous avons gagné du terrain, enfin j'ai senti l'air frais contre mes jambes. Il a fallu s'accroupir. Stasiek repoussait les corps des autres. Certains somnolaient appuyés épaule contre épaule. Siwy s'est mis au travail.

— Je vais me lancer, a-t-il dit. je prends appui sur toi. Tu me projettes. Tu sautes, tu roules, tes mains autour de ta tête et tu ne bouges plus.

J'ai expliqué à Stasiek. Nous nous sommes baissés. Siwy s'est recroquevillé, la tête dehors et je l'ai poussé. Puis, plus rien, simplement le train et un peu plus de place dans le wagon.

— D'abord toi, a dit Stasiek Borowski.

Il m'a poussé. Le gravier a déchiré mes mains, mais c'était le sol, ferme, immobile, dur. Les coups de feu ont éclaté presque aussitôt, le train a ralenti mais il était déjà loin. Stasiek avait peut-être sauté aussi. J'ai couru dans la campagne, l'herbe était trempée, les branches s'accrochaient à mes vêtements. Dans une clairière entourée d'une barrière de bois, une ferme : les paysans m'ont aidé. L'homme, sans une question, m'a donné du pain et de l'argent. J'ai couru dans les bois, dans la direction de Varsovie qu'ils m'avaient indiquée. Le matin, quand le brouillard s'est déchiré, j'ai aperçu la gare de Zyrardow, une station qu'entouraient les champs. J'ai pris le premier train. Le wagon était plein de paysannes, avec des fichus blancs serrant leurs gros visages rouges. La vie continuait, tranquille. A la gare de Varsovie, tout s'est bien passé. J'ai retrouvé mes rues, avec leurs mendiants et leurs enfants en haillons. Deux jours plus tard, j'ai rencontré mon père.

— J'ai été à Pawiak, ai-je dit.

J'ai dû raconter ma première grande évasion.

— Tu es imprudent, Martin. On n'a pas toujours la chance avec soi.

Mais il n'avait guère le temps de me sermonner. Il venait de participer à la première action clandestine : dans un restaurant de la banlieue de Varsovie il avait tué, avec son groupe, un gendarme allemand. Un bourreau célèbre parmi les bourreaux. Les représailles s'étaient abattues sur Varsovie; un peu plus de terreur recouvrait la ville. Le prix de chaque action était toujours élevé.

Je n'ai jamais revu Siwy, le voyou de Pawiak, ni mon ami Stasiek Borowski qui m'aida à sauter dans la nuit.

3

Le jeu de la vie et de la mort

Dans la forêt, avant, quand je ne savais rien, avant ma naissance, avant la guerre, mon père n'aimait pas me voir déranger les fourmis. Elles étaient énormes, rougeâtres, disciplinées : leur colonne traversait les sentiers. Je les suivais jusqu'à la fourmilière et avec une branche je touchais à peine l'un des orifices par lesquels elles s'enfonçaient. Je ne pouvais plus m'arracher à ce grouillement, à cette folie que je provoquais. Elles étaient là des milliers, se chevauchant, sortant, revenant et la fébrilité gagnait en une seconde les colonnes les plus éloignées. Mon père m'appelait en vain, il venait vers moi :

— Encore les fourmis! disait-il.

Puis il parlait du travail, de l'ordre des choses qu'il ne fallait pas troubler. J'écoutais à peine. Je regardais.

Depuis le début d'octobre nous sommes des fourmis en folie. Dans les rues des groupes gesticulent, des hommes vont et viennent d'une porte à l'autre, des meubles s'entassent, puis on les remonte, puis ils sont jetés par les fenêtres. Là, des Polonais se disputent : un Juif vend ses tableaux aux enchères. Je rentre dans notre cour : une vieille femme, assise dans l'entrée, pleure. Elle me prend à témoin, moi qui passe, elle crie :

— Trente-sept ans, toute ma vie est ici, je dois tout laisser.

Je n'ose pas rester, je ressors. Sur des charrettes, des familles ont entassé leur literie, des valises, et elles courent résolues :

PLAN ET SITUATION DU GHETTO
DE VARSOVIE

Le ghetto, tel qu'il fut délimité par les Allemands en 1940, comprenait le « ghetto traditionnel » de Varsovie et une partie de la ville « aryenne »

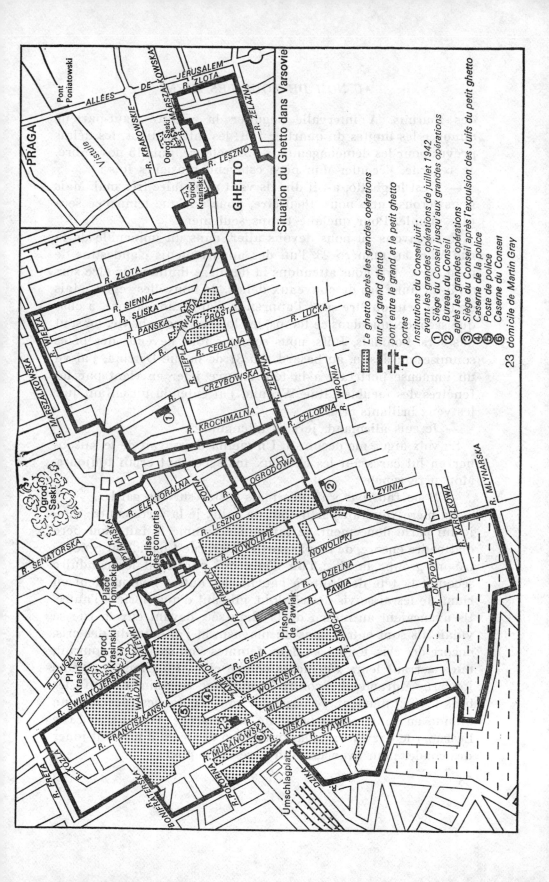

Situation du Ghetto dans Varsovie

PRAGA

GHETTO

Le ghetto après les grandes opérations

mur du grand ghetto

pont entre le grand et le petit ghetto

portes

Institutions du Conseil juif :
avant les grandes opérations de juillet 1942
① Siège du Conseil jusqu'aux grandes opérations
② Bureau du Conseil
après les grandes opérations
③ Siège du Conseil après l'expulsion des Juifs du petit ghetto
④ Caserne de la police
⑤ Poste de police
⑥ Caserne du Conseil

○ domicile de Martin Gray

23

des fourmis. A intervalle régulier la voiture haut-parleur annonce les limites du quartier juif, les interdictions, les délais prévus pour les déménagements : 31 octobre, puis 15 novembre. Je regarde, j'écoute. Mon père est venu plusieurs fois :

— C'est le ghetto, a-t-il dit. Ils vont nous faire très mal. Mais nous serons entre nous. Peut-être, pour quelque temps, ce sera plus simple. Pour quelque temps seulement.

Nous savons où nous devons aller, dans un immeuble de la rue Mila, au numéro 23, l'un des appartements clandestins de mon père. Mais nous attendons la dernière limite pour être sûrs qu'il n'y aura pas de nouveaux délais, de nouvelles règles. Mais de quoi peut-on être sûr? J'apprends, j'apprends encore, à chaque seconde, que dans ce temps, les lois, les mots, la vie, ne sont pas sûrs. Polonais, Juifs, nous sommes tous devenus des bêtes soumises au destin, au hasard. Au 31 de la rue Dzielna, j'ai vu un immense portefaix à la tête chauve jeter en riant par les fenêtres des meubles. Rue Wronia, j'ai entendu un enfant juif les yeux brillants crier :

— Je suis allemand, je suis allemand!

Sa voix aiguë me déchirait. Un vieillard essayait de le raisonner en lui caressant les cheveux mais l'enfant criait toujours. Mon père répète :

— Il ne faut pas s'affoler mais rester sur ses gardes.

Ma mère voudrait partir tout de suite, je la serre contre moi, je lui parle doucement, je lui répète comme le fait mon père d'attendre encore, de ne pas sortir. Hier, rue Ciepla, j'ai rencontré un groupe de SS : l'un d'eux qui paraissait les conduire secouait la tête de droite à gauche, les autres l'entouraient en riant. Je les ai suivis de très loin, glissant d'une porte à l'autre. Ils avançaient au milieu de la chaussée, devant eux la rue se vidait. Ils sont entrés dans un magasin et j'ai entendu des cris, encore des cris, toujours : deux femmes sont sorties en courant, nues, serrant leurs vêtements contre elles. Plus loin, le même jour, rue Muranowska, contre le mur, une vingtaine de Juifs, les bras levés, attendent. Je passe, je vais. Toutes les rues sont un monde en folie, on se bouscule, on marche avec peine : rue Leszno, rue Grzybowska, la foule est si dense qu'il me faut jouer des coudes pour avancer. Mon père est inquiet :

— Tu n'as rien à faire dehors, dit-il. Ils raflent. Ils tuent.

Ma mère supplie, pleure, demande à mon père d'insister.

— Il faut savoir.

C'est tout ce que je peux répondre. Je veux savoir. Je veux voir ce mur de brique qui monte, s'allonge et nous enferme. Près de la place Parysowski il ressemble au mur d'une prison et tout notre quartier (car nous n'avons même pas le droit, a ordonné le haut-parleur, de l'appeler ghetto) sera une prison, la Pawiak des Juifs de Varsovie. Je veux savoir car je ne veux pas me laisser enfermer. Je marche dans la foule et je me répète : « Ne pas se laisser prendre. » Je suis presque heureux : il fait froid. Autour de moi, les gens commencent à se recroqueviller, à trembler. Je n'ai pas froid, je me sens prêt. Je suis Laïtak, le chat des bords de la Vistule, qui ne s'est jamais laissé emprisonner.

Samedi 16 novembre : c'est le ghetto. Mon père nous a conduits hier à Mila 23. En passant rue Nowolipki, près de l'église, nous avons vu des prêtres qui essayaient d'obtenir des signatures sur une pétition demandant d'exclure la rue du ghetto. Chacun tente de défendre son bien, comme il peut, s'accrochant pour quelques heures au passé, à ce qui a fait sa vie. Certains ont déjà tout perdu : les Juifs de Praga ont été amenés en camions dans le ghetto. Ils n'ont plus rien : quelques valises. Et ils restent là dans les escaliers, devant les portes, se protégeant du froid. Mon père répète :

— Maintenant, tout est une question de solidarité. Nous devons leur montrer!

J'ai à peine parcouru les quatre pièces de notre appartement : je suis heureux pour ma mère et mes frères, nous retrouvons une maison, un monde à nous. Mais je ne peux pas rester. Je veux voir. Mon père nous a déjà quittés; il travaille à organiser l'accueil des réfugiés. Il a sa tâche. Ma mère me supplie, je l'embrasse, je la serre contre moi : elle m'est si douce. Mes frères s'accrochent à moi. Je ris, je plaisante, mais rien n'y fait : pour eux, pour moi, il me faut être dans la rue, là où sont la violence et la vie et la mort des autres. Mon peuple, les miens.

Ce samedi 16 novembre, à tous les coins de rues stationnent des patrouilles. Des Allemands casqués, à quelques mètres des officiers polonais dans leur uniforme bleu et qu'on appelle déjà les « Bleus » et plus loin, avec leur brassard jaune et leur brassard blanc à l'étoile de David, leur ceinturon et leurs bottes, les policiers juifs du *Judischer Ordnungsdienst,* le service d'ordre juif. Ce sont eux que je regarde, eux qui vont assurer l'ordre dans le ghetto. Avec nous, contre nous? Ils contrôlent les passants, surveillent les longues queues qui se sont formées devant les magasins. Partout la foule et puis brusquement de larges zones vides : ILS sont là. Je m'avance : trois vieux Juifs, les bras tendus, font des flexions. L'un d'eux chancelle et tombe dans la boue. Il reste allongé, immobile et un soldat lentement lui marche sur le corps. Plus loin, dans la rue Leszno des SS font sauter sur un pied, en cadence, des policiers juifs. Eux aussi, comme nous. Rue Ogrodowa, une femme embrasse le trottoir alors qu'ILS rient. Et nous sommes enfermés et nous sommes impuissants! Le long du mur la foule est massée, silencieuse, fascinée. Les morceaux de verre, les barbelés au faîte du mur sont parfaitement visibles. Les gens regardent, repartent. Il faudrait sauter ce mur : avec des échelles, des planches. On pourrait aussi entrer dans l'une de ces maisons qui donnent du côté aryen et dont les portes sont murées. Mais un mur, cela se troue, cela se franchit.

J'ai suivi le mur du ghetto. Je ne voyais que ce mur, je n'entendais qu'une phrase en moi : ils ne m'enfermeront pas. Je suis arrivé à l'une des portes du ghetto : une barricade de barbelés était élevée au milieu de la rue et deux guérites étaient dressées de part et d'autre d'un étroit passage. Des Allemands sont là, bavardent, occupant le passage, casqués, armés. J'ai eu envie de m'approcher, de bondir au milieu d'eux, de courir. Mais la rue était toute droite et j'allais mourir. Il fallait passer et leur survivre. J'ai attendu, fasciné par cet étroit passage : notre liberté, la porte de la cage.

Une colonne de Juifs venant des quartiers polonais avec des sacs de toile, des valises, est arrivée devant l'entrée escortée par des gendarmes polonais. Les Allemands se sont écartés : les Juifs étaient fatigués, sales, les enfants traînaient leurs pieds, d'où venaient-ils? Peut-être de Praga. Les hommes se découvraient devant les Allemands. L'un d'eux, un homme encore jeune, a gardé son chapeau. Ils l'ont vu : un ordre. La colonne s'est arrêtée, on l'a poussé dehors. Personne dans la colonne ne le regardait. Ils ont fait sauter son chapeau d'un coup de crosse. Un officier allemand, les bras croisés devant la guérite, observait la scène. Ils ont frappé jusqu'à ce que l'homme tombe sur la chaussée, puis ils ont appelé les policiers juifs. L'officier s'est avancé, il a donné un ordre et ses soldats se sont esclaffés. Bientôt les policiers juifs urinaient sur le blessé. Peu après la colonne s'est remise en route et les soldats ont recommencé à bavarder au milieu de la chaussée.

J'avais envie de vomir. Je me suis assis au bord du trottoir. Les gens passaient : ils nous enfermaient, ils nous battaient, ils nous tuaient, ils nous humiliaient. Stasiek Borowski, mon ami, était resté dans le wagon; et la femme qui les mains dressées me regardait Allée Szucha, au siège de la Gestapo, qu'était-elle devenue? Et l'enfant qu'ils avaient laissé tomber sur la chaussée, et mon camarade aux cheveux roux? Ma vie, ma courte vie, était pleine de morts. A chaque seconde, ils avaient tué autour de moi. Je me suis levé et j'ai marché vers la rue Mila.

C'est rue Nalewki que j'ai vu le tramway. Deux voitures qui venaient de passer la porte du ghetto et arrivaient de là-bas, la Varsovie aryenne, de là-bas, les jardins Krasinski. Sur la plate-forme de la première voiture il y avait un groupe de soldats allemands. Ils riaient, regardant la foule, ils visitaient le ghetto comme un parc d'exposition. Sur la plate-forme de la deuxième voiture, un gendarme polonais, un Bleu, veillait à ce que personne ne monte durant la traversée du ghetto. A l'intérieur, des Polonais traversant le ghetto pour aller d'un quartier à l'autre. Au coin de la rue Nalewki et de la rue Gesia, quand la deuxième voiture est encore dans la rue Nalewki, un homme a sauté et s'est perdu dans la foule. J'ai couru derrière le tramway. Il remontait à grande vitesse la longue rue Zamenhofa, toute droite, il atteignait la rue Dzika et là, après avoir ralenti à la porte, il franchissait le mur, il passait. En courant j'ai parcouru dans l'autre sens la rue Zamenhofa, la rue Gesia, la rue Nalewki. J'ai suivi à nouveau les deux voitures. C'était bien vrai : un tramway traversait le ghetto, de porte à porte, de la porte Nalewki à la porte Dzika; un Bleu interdisait aux voyageurs de descendre ou de monter durant cette traversée. Mais si l'on pouvait grimper ou sauter, on sortait ou rentrait dans le ghetto.

J'ai peu dormi cette nuit-là. Le matin déjà j'étais en faction près de la porte Nalewki. J'ai observé. J'ai laissé passer plusieurs tramways. Il était tôt. Il n'y avait pas d'Allemands sur la plate-forme avant : ce n'était pas encore l'heure de la visite de notre zoo. Ils dormaient avec les putains de Varsovie. Je me suis placé au coin de la rue Gesia. Le tramway est arrivé avec son bruit de tôles. Je n'avais même plus besoin de le voir : déjà tous ses bruits m'étaient familiers. Il allait freiner pour prendre la courbe et bientôt j'apercevais la première voiture s'engageant dans la rue Gesia.

Il est là : la plate-forme est devant moi. J'ai bondi. Le tramway continue de rouler, je suis sur la plate-forme : les Polonais ne semblent pas me voir, ils détournent la tête. Voilà déjà la rue Zamenhofa, la foule sur les trottoirs envahissant la chaussée, la foule noire et tragique. On passe devant la rue Mila : l'air est vif, j'ai envie de crier, de ne pas respecter leurs lois, d'échapper à la peur, ne pas se laisser prendre, vivre, voilà ma vie qui entre en moi avec le grésillement des perches sur les fils. Je n'ai pas quitté le ghetto, pas encore, mais je sais que je réussirai. Au bout de la rue Zamenhofa, le tramway a ralenti : on approchait de la porte Dzika. Je me suis recroquevillé sur la plate-forme. Le tramway s'est arrêté et j'ai vu la silhouette de l'Allemand : ce n'était pas un SS. Il s'est approché de la plate-forme et il m'a vu aussi. Comment oublier ce visage âgé, maigre, ces sourcils broussailleux et gris? Nous sommes restés ainsi un long moment, à nous regarder. Puis il m'a fait un clin d'œil. Et le tramway est reparti. J'étais passé hors du ghetto. J'avais rencontré un homme.

Mon brassard était dans la poche, le tramway filait vers l'ouest de Varsovie; bien sûr, j'étais en danger de mort mais j'étais libre parce que j'avais violé leurs règlements. S'ils me tuaient ils me tueraient libre et cela changeait tout. J'ai sauté du tramway après le cimetière : les rues me paraissaient vides simplement parce qu'on ne s'y bousculait pas comme dans la fourmilière surpeuplée qu'était le ghetto avec son demi-million d'habitants, Juifs de Varsovie et de la province entassés là. « Pour y mourir de faim », disait mon père. Dans cette Varsovie aryenne, douce, aérée, les passants me paraissaient détendus, calmes, élégants : j'oubliais ces yeux que la peur et la faim rendaient fixes. Les cafés de Nowy Swiat étaient pleins; des Allemands se promenaient avec des femmes qui riaient, presque la paix si je n'avais aperçu de temps à autre des groupes d'enfants qui mendiaient et qui s'échappaient tout à coup, sans doute des Juifs qui déjà avaient réussi comme moi à franchir le mur. Mais moi je n'étais pas là pour mendier. Je combattais la prison en m'évadant, j'étais plus fort que les bourreaux. Je faisais ce que je voulais, malgré eux, contre eux. Je venais prendre des forces ici, dans les jardins, là au bord de la Vistule. Car le ghetto c'était aussi un univers de ciment et d'asphalte, sans arbres. Nous n'avions pas droit aux jardins. Alors j'ai marché dans les jardins Krasinski et, au-delà de la rue Swientojerska, j'apercevais le mur et les soldats allemands qui montaient la garde. C'est bon de sentir sa force, ses muscles, ses idées qui vont et viennent, claires et précises : j'avais envie de courir. J'étais dehors, j'allais rentrer, ressortir, et je vivrais.

J'ai remonté la longue et droite rue Dluga. Là se trouvait une pâtisserie où nous allions avec mon père. Je l'ai reconnue à sa devanture blanche : la pâtisserie Gogolewski, et personne ne faisait la queue. J'ai acheté — au prix fort — du pain; j'ai mordu à pleines dents. Puis j'ai acheté des gâteaux au fromage, des sernik, puis d'autres encore, semblables à ceux que nous rapportait notre père, des bayaderki. Et j'ai attendu le tramway à la station avant la place Teatralny. J'ai vu au-dessus du mur le toit de la grande synagogue Tlomackie : moi j'allais rentrer, librement et plein de forces, d'air et de pain de froment. A la dernière station avant le ghetto le Bleu a sauté sur la plate-forme de la deuxième voiture. Je suis là, près de lui. C'était un homme rond, qui m'a ignoré. Je l'ai à peine regardé mais je suis resté près de lui : j'avais encore de l'argent. C'était un pari. Il a tiré sur le cordon de cuir de la cloche : le tramway est reparti. C'était un pari. J'ai touché sa main et sans un mot je lui ai glissé les billets. Il les a froissés et empochés, sans se retourner.

A la porte Nalewki, le Bleu a fait un signe et le tramway qui avait ralenti a accéléré. J'avais gagné, j'étais à nouveau dans le ghetto et j'ai sauté au coin de la rue Gesia, au moment où la première voiture venait à peine de disparaître. J'ai remis mon brassard : autour de moi il y avait à nouveau la foule, les regards fixes; des hommes et des femmes qui palabraient, des mendiants. Tous ceux-là, c'étaient les miens, mes frères, peut-être pas assez jeunes pour risquer leur vie peut-être pas assez forts. Mais je l'étais pour eux et j'étais avec eux. J'ai descendu la rue Gesia, serrant mon pain contre moi, mes gâteaux à la main. On me regardait.

— Combien?

L'homme a posé la main sur mon bras. Il est âgé, son manteau et son chapeau sont élégants.

— Ne restons pas ici, venez.

Il me pousse dans une porte cochère. Je suis aux aguets, un escalier à droite par lequel je pourrai fuir me rassure.

— J'achète, dit-il. Combien?

— Je ne vends que le pain.

— Combien?

Je dis un chiffre qui me semble énorme.

— Ce sont des pains d'un kilo.

Il n'écoute même pas et sort déjà son portefeuille. Dehors, la foule grise et noire, dehors ce bruissement de pas et de voix comme celui d'une fourmilière.

— Je suis acheteur, dit-il. Chaque jour, si vous pouvez. Voici mon adresse.

Il me tend les billets, un morceau de papier et glisse les deux pains sous son manteau. Je le vois s'éloigner, grand, son chapeau dominant la foule, bientôt masqué par le tramway qui passe avec son Bleu et des soldats allemands sur les plates-formes. Je suis rentré sous la porte cochère pour échapper à la foule, rassembler les morceaux de cette journée, ma grande journée, ma glorieuse expérience. Je me suis assis sur la première marche de l'escalier par lequel j'avais songé à fuir. Mais l'homme, ce vieux monsieur riche et digne, n'en voulait qu'à

Avant l'enfer

« Des quatorze années qui précèdent ces jours,
je ne sais presque plus rien...
A quoi bon rappeler ce temps de l'enfance,
ce temps de la douceur ? »

« C'était avant ma naissance, bien avant, une époque de beau temps, qui s'acheva avec l'été 1939. »

Martin Gray à Varsovie avec ses frères.

Survivre

Septembre 1939 :
les Allemands entrent à Varsovie.
« Ils sont partout.
Ils défilent en ordre serré...
Leur pas est lent.
Ils paraissent invincibles.
Sur les trottoirs patrouillent les soldats
aux longues baïonnettes noires. »
(Photos U.S.I.S., Arch. E.R.L.)

« Nous portons des brassards
marqués à l'étoile de David.
Ils nous fouillent dans les rues,
nous humilient,
nous tuent.
Puis vient le temps du ghetto.
J'apprends qu'on élève un mur de briques.
Je vais voir.
Des ouvriers sont là,
des juifs avec leurs brassards.
Ils posent leurs longues briques.
Bientôt nous serons des prisonniers... »
Au pied du mur un enfant,
l'un des petits contrebandiers du ghetto.
(Photos U.S.I.S. et E.D.J.C., Institut historique Zidowski.)

« J'avais oublié
cette horreur des rues
et la misère
et le froid
et ces enfants qui mendient.
La mort est partout,
une mort rongeante,
rampante. »
(Photos U.S.I.S. et. C.D.J.C.)

mon pain. Je regarde ma main : elle est pleine de ses zlotys, mes zlotys. J'ai parié sur le tramway, parié sur l'Allemand, parié sur le Bleu, parié avec ma vie, et j'ai gagné; voici mon gain. Je ris : ils sont bien là ces billets, *Moués* comme on ies appelle. Et je sens la main potelée de ce gendarme polonais qui tout à l'heure a accepté l'argent d'un gamin juif traqué qui avait réussi à quitter le ghetto et qui rentrait de son plein gré, mon argent. J'ai parié avec ma vie et ces zlotys ne sont rien, rien que la plus faible partie de mon gain : j'ai gagné le clin d'œil complice d'un soldat allemand et j'ai gagné ma liberté.

Avant, mon père — c'était notre jeu — me tendait souvent son cigare; j'aspirais avec force, la fumée m'enveloppait et il riait parce que j'étais contraint de m'asseoir sur le tapis bleu. Ma tête tournait et maintenant aussi ma tête tourne. La joie, la peur, la confiance, tout se mêle. Il me faut prendre l'une après l'autre, mes pensées, calmement.

J'ai parié et j'ai gagné de savoir qu'il est possible de trouver, ne fut-ce qu'une fois, un homme sous l'uniforme des bourreaux, qu'il est possible d'acheter un autre homme qui vous hait. J'ai gagné de savoir que l'homme est comme cette glaise des bords de la Vistule qu'il m'arrivait de modeler à ma guise.

Longtemps, je suis resté immobile, assis sur cette marche. Dehors la foule se faisait plus grise et moins dense. Bientôt ce serait l'heure du couvre-feu. Mais j'avais le temps : je n'étais pas semblable aux autres qui se pressaient dans cette rue, moi j'avais franchi le mur, j'avais vaincu les bourreaux. Ces hommes et ces femmes, mes frères, avec leurs brassards blancs au bas de leurs manches étaient, s'ils ne se révoltaient pas, des animaux marqués, promis à la mort. C'étaient mes frères et pourtant je me sentais différent, j'avais envie de leur crier : « faites comme moi, tout est possible ». Mais le pouvaient-ils? J'étais jeune et c'était ma chance. Je marchais et j'élaborais des plans, je calculais le nombre de pains que j'allais pouvoir acheter demain, combien j'allais les vendre, j'organisais, j'imaginais. Mes idées venaient, l'une après l'autre. Il ne fallait rien abandonner au hasard, penser aux zlotys pour le Bleu, trouver un moyen pour ne pas laisser sa vie entre les mains d'un Allemand : ils sont rarement compréhensifs. A chaque pas, mon plan se développait : c'était cela ma liberté, la preuve que j'étais plus fort qu'eux, les bourreaux, les gardiens, les tueurs. Et j'allais vivre.

Au coin de la rue Wolynska et de la rue Zamenhofa, au milieu de quelques valises, une famille de Juifs était assise sur le bord du trottoir. Peut-être des Juifs de Praga abandonnés là par un camion et n'ayant plus rien. Une petite fille avec des tresses regardait fixement devant elle : j'ai traversé la rue, j'ai posé deux gâteaux sur ses genoux. Ce n'était rien mais puisque j'avais décidé de vivre, d'être libre, il fallait un peu, aussi, aider à vivre. Car vivre pour soi seul, à quoi bon?

Mon père m'attendait devant la porte. Un homme était près de lui.

— Tu rentres tard, dit-il. Trop tard.

Il ne me regardait pas, comme s'il avait peur de savoir tout de suite.

— Voici le docteur Celmajster, continua-t-il, notre voisin du second. Nous organisons un Comité de maison, pour ceux qui n'ont rien.

Je l'écoutais à peine. Lui aussi, comme moi, il voulait survivre, se battre, aider. Je devais lui expliquer. Entre nous il ne devait y avoir que la clarté.

— Père, je suis allé de l'autre côté.

Ils me dévisagèrent en silence. J'ai montré le paquet de gâteaux.

— Pâtisserie Gogolewski, rue Dluga, a dit le docteur Celmajster.

Mon père, le visage crispé, m'écoutait. J'ai tout raconté et le soldat et le Bleu et le pain. Il se taisait.

— Tu disais qu'ils voulaient nous affamer, nous tuer en nous étranglant.

Je répétais, je haussais le ton, car je devinais sa colère.

— Et tu crois, toi, seul, un gamin de quinze ans.

C'était la première fois que je le défiais, qu'il me peinait si fort.

— Je ne me laisserai pas étrangler, père. J'aurai du pain. Nous n'allons pas nous laisser mourir de faim?

Je m'avançais vers eux.

— Nous n'allons pas laisser toute cette foule mourir!
Celmajster a murmuré :

— Tu peux être pris.

— Mieux vaut cela.

Ils se sont tus. La rue Mila s'était vidée : nous sommes montés en silence.

— Il faut lui faire confiance, a dit le docteur en rentrant chez lui.

Restés seuls dans l'escalier, mon père a commencé à parler. J'étais deux marches au-dessus de lui et il levait la tête : j'en étais heureux et gêné. A chacun de ses mots, de ses mises en garde, j'avais envie de prendre son visage dans mes mains et de murmurer : « Père, tu peux me faire confiance. » Il me semblait que j'allais tous les sauver, lui, tous les miens et le ghetto tout entier.

— Tu sais qu'ils tuent, dit-il, qu'ils veulent tous nous exterminer, par la faim, par le travail. Alors, je t'en prie, Martin, comprends.

Il m'expliqua encore : pour les vaincre, il fallait durer, combattre, ne pas céder, mais savoir tricher s'il le fallait. J'écoutais. C'étaient mes plans, mes projets.

— Mais pour survivre, père, il faut manger d'abord. Et je m'en charge.

Il se mit à rire.

— Tu ne manques pas d'audace, dit-il.

Et il me poussa vers le haut.

— Avance, dit-il, contrebandier.

Mon père a trouvé le mot juste. Contrebandier, je le suis devenu, jour après jour. Grimper et sauter du tramway, enfouir mon brassard sous ma chemise, le glisser à temps à mon bras, connaître les gendarmes « joueurs », ceux sur lesquels on peut parier parce qu'ils se laissent acheter, trouver la marchandise, la revendre, calculer les bénéfices et les frais : maintenant, telle est ma vie.

Je pars dès la fin du couvre-feu dans la nuit encore glaciale.

Je guette le tramway : quel est le Bleu de service ce matin? Parfois il me faut attendre, parfois je prends un risque, parfois je joue à coup sûr. Mais je joue. Je passe plusieurs fois par jour le mur dans les deux sens : je joue ma vie plusieurs fois par jour. Mais je vis, libre. A chaque voyage, mes plans se perfectionnent, de nouvelles idées surgissent. Quand on est en danger de mort l'esprit travaille vite. Maintenant j'ai des contacts, des liaisons, des habitudes, des fournisseurs attitrés dans la Varsovie aryenne. De faux papiers aussi : un titre de transport qui m'a déjà sauvé une fois. Il certifie que j'habite côté aryen et que je suis un jeune Polonais de bonne race. Il fait froid mais le col de ma chemise est ouvert : on aperçoit une mince chaîne en or et une petite médaille de la Vierge Marie. Le soir, j'apprends la messe en latin et les principales prières : ma vie peut tenir à ces quelques mots que je répète.

Mes bénéfices sont énormes car le ghetto a faim, car le ghetto a froid. Quelques jours avant Noël, la température est descendue à moins 15. J'ai vu, rue Karmelicka, des groupes d'enfants serrés les uns contre les autres, en haillons, tendant leurs mains et le ghetto tout entier est parcouru par des orphelins faméliques. Ils attendent devant des centres de distribution de soupe gratuite. Je donne ce que je peux. Déjà, une petite fille, aux jambes maigres, rougies par le froid, a pris l'habitude de me guetter le soir au coin de la rue Mila : elle ne bouge pas, elle me regarde seulement. Puis elle a disparu.

« *Sangsues, buvant notre sang* », dit la chanson du ghetto. Et je la répète dans ma gorge, les dents serrées. Car ils veulent nous exterminer. Par la faim, le froid, le travail, par la cruauté.

A la porte de la rue Leszno, une rue que je n'aime pas, une rue dangereuse où les rafles sont fréquentes, j'ai vu hier un groupe de travailleurs juifs qui rentraient. Ils sont employés du côté aryen. Des gardes allemands ont bondi sur eux, comme des loups, distribuant les coups de crosse, les injures, faisant tomber à genoux ces hommes fatigués aux visages maigres. Puis ils les ont fouillés et des morceaux de pain, des pommes de terre, un petit sac de farine se sont accumulés sur la chaussée. Les gardes ont forcé les travailleurs à jeter ces marchandises de l'autre côté du mur. Certains essayaient d'arracher une bouchée de pain : ils ont été roués de coups.

Ils veulent notre mort. Parfois j'ai honte de manger à ma faim, honte de vendre, honte de regarder ces enfants squelettiques qui s'agrippent aux passants, ces mendiants qui vont mourir, cette femme au visage fardé qui essaie de sourire en tendant la main. Honte de ne pas pouvoir empêcher cela. Parfois je voudrais être, moi aussi, couché sur le trottoir crevant de faim et de froid.

Mais cela ne dure pas. Ils veulent notre mort à tous : moi, ils ne m'auront pas et quelques autres avec moi. Père m'a parlé de l'orphelinat du docteur Janusz Korszak : ces centaines d'enfants échappant grâce à lui à la faim. J'apporte quand je le peux de l'argent et du blé. Ma mère organise avec Mme Celmajster des distributions de vivres. Je donne. Mais je ne me mens pas : ce que je donne n'est presque rien. Notre ghetto est un enfer de misère, un être malade avec 500 000 plaies qui hurlent leur faim, leur froid, leur désespoir. Nous sommes tous comme des fourmis affolées qui tentons de survivre, de sortir. Et EUX, les gardes polonais, les Allemands, les soldats de la mort, ils nous regardent pourrir et mourir derrière les murs où ils nous ont enfermés. Et quand nous voulons sortir, passer entre les grilles de leur prison, ils nous tuent.

Rue Leszno, l'autre jour, j'ai entendu des cris. J'ai vu de loin un homme ramper dans les ruines de la poste : ils le piquaient jusqu'au sang avec une baïonnette. On m'a expliqué : l'homme avait été surpris alors qu'il sortait d'une cave. Sans doute avait-il trouvé un passage sous le mur. Il revenait avec du pain, maintenant il allait mourir. Ils tuent, ils frappent : les femmes qui s'échappent avec un morceau de pain, les enfants qui réussissent à mendier du côté aryen quelques sous. Parfois les soldats ferment les yeux, parfois ils distribuent de la marchandise saisie, parfois ils s'excusent du regard, ils ne fouillent pas, ils laissent passer les enfants.

Mais qu'importe ces quelques exceptions! Ces clins d'œil d'homme à homme ne changent rien. Ils veulent notre mort. Et moi, à ma façon, je lutte pour empêcher qu'ils réussissent. Et si le ghetto vit, jour après jour, c'est parce que je ne suis pas le

69

seul à passer le mur : les contrebandiers sont partout. Des Polonais entrent au ghetto, vendent leurs marchandises et repartent payés en dollars « durs » (en or) ou « mous » (dollars-papier). Rue Kozla, on communique par un grenier avec le côté aryen. Même pour des bourreaux, il n'est pas facile de surveiller 500 000 personnes, de les tuer d'un seul coup. Et puis ce sont des bourreaux avides : ils ont installé des *Shops*, des fabriques, et ils nous font travailler comme des esclaves : nous fabriquons des uniformes, des casquettes, des ceinturons pour la grande armée des bourreaux.

Ce sont des bourreaux avides. Comme ils ne peuvent pas nous égorger en un jour ils tolèrent que quelques-uns d'entre nous organisent notre vie. Au 13 de la rue Leszno, avec l'autorisation de la Gestapo, Ganzweich et Sternfeld ont monté une police économique, entreprise de pillage, de contrebande, mafia qu'ILS surveillent. Mais « les 13 », ainsi qu'on les appelle, nous aident aussi à vivre : ils donnent aux pauvres. Ils volent et ils font l'aumône. Ainsi sont encore Kohn et Heller, les deux marchands, contrebandiers officiels et tolérés du ghetto : leurs guimbardes tirées par des chevaux sont nos « tramways », puants, sales, mais utiles; les voitures circulent lentement parmi les *rikshas*, ces vélos-taxis qui foncent dans la foule : des hommes gras et élégants tirés par des hommes faméliques au milieu d'une foule triste et affamée.

Oui, ils peuvent filmer cette scène, ils le font si souvent, oui tout est extrême dans le ghetto, la richesse et la misère. Je sais : il y a des boîtes de nuit et des enfants qui meurent de faim devant la porte. Oui, la corruption côtoie le dévouement. Je vends mes marchandises à des prix exorbitants, je mange des gâteaux de la pâtisserie Gogolewski et je fais la charité. Injuste, cela? Je vis comme je peux dans l'enfer qu'ILS ont créé. Je me défends et tous nous essayons de nous défendre.

C'est vrai, je suis devenu égoïste, c'est vrai je peux voir un mourant et passer près de lui sans m'arrêter. Parce que j'ai compris que pour le venger il me faut vivre, à tout prix. Et pour vivre il faut que j'apprenne à ne pas m'arrêter, que je sache le regarder mourir.

70

Mon égoïsme c'est ce qu'ils m'ont laissé comme arme, je m'en suis saisi, contre eux. Au nom de tous les miens.

Et chaque jour, je me bats mieux. Je saute sur la plate-forme avec un sac, le gendarme polonais, le Bleu de service, est d'accord; parfois, à mon intention, le tramway ralentit au coin de la rue Gesia. Je cours vers les boutiques, les appartements où l'on m'attend. Quelques mots, quelques gestes : le sac est vide, j'ai mes zlotys, je cours encore vers la rue Nalewki pour un nouveau voyage, les billets préparés pour le Bleu.

« *Mouès, mouès, la meilleure chose du monde.* » Je siffle la chanson. *Mouès*, c'est l'argent. J'achète les bourreaux : ces hommes qu'il me faut payer cher ne valent rien. Moi je ne trahirais jamais les miens pour des billets sales et froissés. Je rentre joyeux rue Mila, exalté et fatigué, j'apporte des sucreries, une orange parfois. Père ne dit plus rien, mais je sens sa peur pour moi et son admiration. L'autre jour, j'ai passé de l'argent pour lui : des sommes qu'on lui devait du côté aryen. Il m'a remercié mais sait-il la joie qu'il m'a donnée? Je suis un homme, je combats, je vis. Plusieurs fois par jour je triomphe des bourreaux et de leurs lois. Mais je ne suffis plus à ma tâche. A Mila 23, j'ai abordé Pavel, le fils du voisin.

— Pavel, comprends-moi, les vaincre. Faire ce qu'ils défendent.

Je lui explique, dans notre cour, ce que je fais. Il a le type de l'intellectuel juif : des lunettes, les cheveux bouclés, et il a fait partie du *Hachomer Hatsaïr*, cette organisation sioniste qui veut l'amélioration de l'homme. Il secoue la tête. Il hésite. Je le rassure.

— Tu ne passeras pas le mur, tu ne pourrais pas. Tu es trop juif.

Il rit. Il hésite toujours.

— Vendre, dit-il avec une pointe de mépris.

— Vivre.

Je lui explique encore, longuement.

— Alors?

Finalement, il accepte. Je ris à l'intérieur de moi : je commence à connaître les hommes, j'en vois tant. Je sais comment il faut leur parler : leur âge et même leur uniforme ne m'impressionnent plus. Il suffit de trouver le point sur lequel il faut appuyer : et ils font ce que j'attends d'eux. Il suffit de réfléchir plus vite qu'eux, de décider avant eux, pour eux.

Pavel et moi, maintenant, nous sommes une équipe. Je n'ai plus à sauter du tramway : je jette mon sac et il m'en tend un vide avec l'argent à l'intérieur. Le temps pour moi de passer du côté aryen, d'acheter de nouvelles marchandises, et Pavel est là, avec son sac vide et l'argent. Le soir, nous comptons nos gains. Nous faisons un tas à part, c'est toujours notre premier tas. Celui des autres. Pavel se charge de donner à ceux qui ont besoin : l'orphelinat de Korczak ou les mendiants, ou les Soupes populaires qui commencent à ouvrir dans le ghetto. Chaque billet est pour moi une victoire.

Pavel trouve que je prends trop de risques : il suffirait de faire un ou deux voyages par jour. Pourquoi « tourner » si vite, pourquoi ne pas choisir un ou deux gendarmes polonais dont on est sûr qu'ils acceptent d'être complices, qu'ils sont des joueurs, des *graieks* réguliers et se contenter de « jouer » avec eux? Pavel ne comprend pas mon désir, mon enthousiasme.

Dans sa chambre, le soir, il tente de me raisonner. Nous fumons lentement, je l'écoute à peine, fatigué et heureux, impatient du nouveau matin qui va se lever. Puis quand rentre Pola, la sœur de Pavel, je commence mes discours. Je fais le coq, et je fume comme un important personnage. Pola, durant des heures, n'a pas parlé. Elle me regardait. Ce soir, elle parle :

— Pour Martin, dit-elle, c'est une passion.

Elle m'a compris. Pavel hausse les épaules.

— Ce n'est pas moi qui passe, dit-il. Tu veux survivre et tu joues trop.

Les billets sont encore sur la table. Je prends le tas des autres.

— Il y en a plus qu'hier, Pavel.

— Et demain il n'y aura plus rien si tu perds.

Je suis descendu dans la cour avec Pola : c'est notre retraite entre des murs. Le froid claque et c'est une nuit d'encre.

— Pavel a peur pour toi. Il se sent coupable parce qu'il ne passe pas avec toi.

Une rafale de coups de feu. Le froid glacial. Nous sommes

rentrés et nous sommes montés dans l'obscurité jusque sous les toits : mon père avait commencé à aménager avec moi une cache. « On ne sait jamais, disait-il. Ils ne nous laisseront pas tranquilles, même ici, au ghetto. » Nous sommes restés un long moment allongés l'un près de l'autre sans rien dire, presque immobiles. Puis nous sommes redescendus.

— Ne te laisse pas prendre, Martin.

Ce ne sont pas les soldats qui m'ont pris. Quand j'ai sauté du tramway, comme d'habitude après le cimetière, je me croyais en sûreté. La porte avait été franchie sans ennui. Je marchais vite, fixant déjà le prix que j'allais proposer à mon vendeur de blé. J'ai entendu leur course trop tard. Ils étaient quatre, avec de sales têtes de voyou : l'un, le visage marqué par la petite vérole, a un sourire stupide.

— Oh! le beau chat, dit-il. Miaou, miaou.

Ils me tiennent par les bras, ils me poussent dans une cour.

— Un bédouin bien gras, qui n'a pas souffert.

Celui qui vient de parler sent la vodka. Il me souffle son haleine dans le visage. *Chat, bédouin,* je connais ces mots, ils veulent dire Juif, Juif passé en fraude et que les voyous traquent et dépouillent.

— Donne, Juif.

Ils m'entourent, me bousculent. J'essaie de bondir, ils me poussent, me couchent sur le sol, s'asseoient sur moi et me fouillent. Ils trouvent les zlotys. L'un qui doit mesurer deux mètres siffle en comptant les billets.

— Un beau chat, répète-t-il.

Ils m'enlèvent les chaussures : l'un d'eux les essaye. Ils me giflent, me fouillent encore et s'en vont.

— A la prochaine, dit celui qui sent la vodka.

Il pleut. Je suis assis dans cette cour déserte, sans chaussures, dépouillé, je pleure de rage et de colère, d'humiliation. Les bourreaux ne suffisent pas. Il faut aussi qu'il y ait des chacals à l'affût. Et ce sont eux qui m'infligent ma première défaite. J'ai réussi à convaincre mes vendeurs de me prêter de l'argent pour rentrer : il m'en fallait pour payer le Bleu. Et j'ai recommencé, prudent, sur mes gardes, sautant plus loin, tentant de leur échapper. Mais ces *Schmaltzowniki* ne m'avaient pas oublié. Ils s'engraissaient de notre malheur. Une fois j'ai couru, réussissant à les fuir, mais je prenais d'autres risques : je pouvais me faire arrêter. La partie était inégale, à tout coup j'étais perdant. A trois reprises encore en quelques jours, ils m'ont dépouillé. Je ne pouvais ni crier ni me défendre car il ne fallait pas que mon visage porte la marque de coups : un homme battu est un homme suspect. Quand ils me coinçaient après une course, ils riaient entre eux.

— Encore toi.

J'étais une bonne prise et je ne me débattais même plus. Ils me fouillaient des pieds à la tête, me donnaient des bourrades.

— Un bédouin têtu.

Moi aussi je commençais à connaître l'homme à la petite vérole et le rouquin qu'ils appelaient Rudy. J'ai essayé de leur parler, mais ils comptaient leur argent, partageaient en se disputant et m'ignoraient.

— Reviens vite nous voir, disaient-ils.

Un soir, c'est moi qui les ai suivis, pour savoir. Ils marchaient en balançant les épaules, se bousculant, écartant les passants. Je les ai vus courir après un jeune Juif qui gesticulait et qu'ils ont frappé et laissé à demi évanoui dans un couloir. Mais je n'avais pas le temps de m'occuper de lui. Ils sont finalement rentrés dans un café-restaurant au bout de la rue Dluga et ils se sont mis à boire. Je regardais fasciné ces hommes : ils riaient entre eux, ils buvaient. C'était mon argent qui était là sur leur table, c'était ma vie qui filait dans leur verre et la vie d'autres hommes qui à moins de 500 mètres mouraient de faim. Et j'aurais pu, avec cet argent, pour quelques-uns d'entre eux, reculer la mort pour quelques jours.

Et ces brutes buvaient. Je ne pouvais pas m'arracher à ce trottoir d'où je les voyais, prenant bouteille après bouteille, mais il m'a fallu organiser ma rentrée, trouver de l'argent, risquer ma vie, pour rien. Expliquer à mon père, à Pavel, à Pola. Pavel répétait :

— Les salauds, les porcs. Quels lâches!

Je l'écoutais : il me semblait entendre ma voix. Je me disais cela depuis des heures.

— A quoi cela avance. Ils sont comme ça, ai-je lancé.

J'ai commencé à leur expliquer et c'est à moi que j'expliquais ce qu'ils étaient, pourquoi il fallait compter avec eux.

— Ils sont un autre mur. Il faut le franchir comme le premier. Et c'est sûrement moins difficile.

Toute la journée du lendemain, j'ai marché dans le ghetto. Cela faisait longtemps que je n'allais plus au hasard de ses rues surpeuplées. Des enfants fouillent dans les poubelles, une femme son bébé mort dans les bras mendie au coin de la rue Nowolipki et de la rue Smocza; un couple élégant, l'homme superbe, les bras croisés, la femme maquillée, chante au milieu de la chaussée. Là on vend des livres par paniers entiers, ici un homme est allongé sans connaissance : sans doute le froid et la faim. Tout va mal : la mort est partout, une mort rongeante, rampante. Au bout de la rue Stawki, on construit des baraques, on aménage des voies, des quais pour rassembler, embarquer les gens qu'on rafle. Parfois les soldats se répandent dans une rue et raflent sans raison, sans même un prétexte. Ils raflent parce que tel est leur bon plaisir et qu'ils sont la force et le droit. Ma mère a peur : elle ne sort presque plus. Quelques centaines de mètres et tout change; au 12 de la rue Rymarska, le cabaret *Melody Palace* annonce :

Diana Blumenfeld interprétera les chansons du ghetto.

Un attroupement s'est formé devant la porte, je m'approche : Rubinstein le bouffon est là, grinçant, gesticulant, se tortillant, il hurle :

— Nous sommes tous égaux. Couche-toi sur le côté, laisse une place pour le voisin.

Je l'aime bien. Je l'ai vu courir vers les soldats, les défier, se moquer d'eux, et les faire rire, jouer sa vie. Lui aussi il combat, à sa manière.

J'avais oublié cette horreur des rues et la misère. Dans mon tramway, avec mes *graieks*, glissant les zlotys aux « joueurs », leur laissant un instant ma vie entre leurs mains, j'étais moins malheureux qu'ici. Il me fallait sortir à nouveau, franchir le mur des voyous, des *Schmaltzowniki* avides et simples. J'ai marché, mal dormi. Ils volaient pour boire, eh bien, on allait leur donner à boire!

Je suis sorti du ghetto le lendemain matin avec le premier tramway. Il neigeait par gros flocons et la ville, au-delà du mur, paraissait vide, assoupie encore. J'avais très peu d'argent sur moi, des zlotys pliés dans mes chaussures : la paire la plus mauvaise, et par les semelles trouées le froid humide glaçait mes pieds. Rue Wronia, j'ai acheté deux bouteilles de vodka puis je suis allé me poster en face du café-restaurant de la rue Dluga, leur repaire. La neige tombait toujours : dans la longue rue Dluga le vent s'engouffrait, soulevant la neige. Je n'avais trouvé qu'une encoignure de porte pour me protéger et je recevais souvent en plein visage une rafale de flocons : je maudissais ces brutes, je crachais, je rêvais de lancer une grenade dans ce maudit café, je rêvais de purger Varsovie de ses chacals. Puis je me calmais. C'était un autre mur et à quoi servait de jurer : il était là, il ne disparaîtrait pas à coup d'imprécations, il fallait attendre.

J'ai d'abord vu arriver Rudy le rouquin, le col relevé, puis deux autres sont entrés en se donnant de grandes tapes sur l'épaule. Plus tard le plus âgé, celui dont le visage était marqué par la petite vérole, est arrivé avec une fille enveloppée dans un gros manteau de fourrure. J'ai attendu malgré mon impatience, me disant qu'il fallait savoir attendre, pensant à Laïtak qui pouvait rester de longues minutes devant le morceau de viande que je lui lançais avant de s'en saisir, mais alors d'un seul coup. Je devais les laisser boire, les cueillir alors que l'alcool les avait déjà adoucis. Et puis la chance me servait : avec cette neige ils n'avaient pas chassé le « bédouin » et leurs poches devaient être vides, leur soif énorme.

Pour traverser la rue, j'ai couru. La porte, et d'un seul coup une odeur de choux, de fumée grise et la chaleur humide comme dans un bain de vapeur. Quelqu'un a crié :

— La porte!

J'avais oublié. Je transpirais. Je les ai aperçus à leur table, contre le mur, à demi couchés, une bouteille au milieu d'eux. La fille que j'avais vue entrer était là, raide, ses cheveux blonds formant une longue tresse. J'ai pensé en la regardant : je vais réussir. Ils ne m'avaient pas remarqué. Je me suis assis au bout

76

de leur table et j'ai posé les deux bouteilles de vodka, deux grosses bouteilles encapuchonnées de rouge, devant moi.

— Je suis Martin, ai-je dit. Parfois on m'appelle Miétek.

Ils me regardaient, ils regardaient les bouteilles. La fille les interrogeait du regard.

— C'est un bédouin, a dit Rudy.

— Je suis Martin.

J'ai ouvert la première bouteille et ils ont avancé leurs verres. Alors j'ai commencé à parler :

— Aujourd'hui, je n'ai rien, même pas de bonnes chaussures. Je suis venu pour discuter affaires.

L'homme à la petite vérole riait silencieusement. Il me tendit son verre.

— Sacre bédouin têtu. On le frappe et il est là, pour affaires. Tous pareils, les bédouins.

— Qui es-tu?

— Stefan, Stefan Dziobak. Dziobak-la-Vérole.

Et il recommença à rire en silence. Peu à peu ils donnèrent leurs noms. Il y avait Miétek Skover dit Miétek-le-Géant : un visage d'enfant, rond et blanc, presque sans barbe et deux mètres de haut et des yeux petits, brillants, des yeux perçants et vicieux. Le dernier, le plus silencieux, s'appelait Mokotow, du nom d'une prison de Varsovie et la fille blonde était sa sœur, Marie. Je parlais, j'expliquais, ils buvaient. Je ne disais rien du ghetto et des morts de faim, à quoi bon? Je parlais vodka, rétributions journalières, gueuletons, assurance de gains, petits risques.

— Je veux une association, ai-je dit. Et nous serons tous gagnants.

Ils se taisaient. Ils buvaient.

— Tu n'es qu'un Juif, a dit Dziobak-la-Vérole. Et un Juif c'est un Juif.

Marie a murmuré, mais ils l'ont tous entendue, comme moi :

— Les zlotys sont des zlotys. Et si les bédouins sont plus malins que vous...

— Explique-nous.

Mokotow avait une voix grave et c'est lui qui buvait le moins.

J'ai ouvert la deuxième bouteille, la joie lentement montait en moi, la joie de la victoire : j'allais franchir ce nouveau mur. Je n'étais rien, qu'un jeune Juif traqué et ces hommes du milieu, ces chacals, ces voyous étaient là à m'écouter. Peut-être parce que je ne leur en voulais même plus de m'avoir dépouillé, peut-être parce qu'ils sentaient que je cherchais une véritable association, franche et durable. J'ai demandé si je pouvais leur faire confiance : Dziobak-la-Vérole a recommencé à rire. Il a désigné Mokotow.

— On l'appelle Mokotow-la-Tombe. Et puis, mon petit bédouin...

Il a sorti un couteau à cran d'arrêt qu'il a posé sur la table.

— Si on t'aimait pas un petit peu, tu crois qu'on t'aurait pas déjà coupé la langue? Ou ta petite queue?

Ils se mirent tous à rire.

— Mais elle est déjà coupée, sa petite queue, a dit Miétek-le-Géant.

Ils donnèrent des coups sur la table de joie, et je riais avec eux. Marie seule restait raide, ne participant pas à cette espèce de débordement qui nous saisissait.

— Il y a déjà Miétek-le-Géant, dit Dziobak, tu seras Miétek-le-Coupé.

Nous repartîmes d'un grand rire et je bus avec eux : je me sentais bien. C'étaient des hommes simples, il fallait que je devienne leur chef et leur ami et ce n'était pas impossible. J'expliquais mon plan : ils me protégeraient et pour ça je les paierais, tous les jours, régulièrement. Ils traverseraient avec moi le ghetto : comme Polonais ils pouvaient prendre le tramway sans danger, moi je m'occuperais du reste. Eux seraient autour de moi et joueraient du poing car il y avait d'autres bandes qui guettaient les bédouins. En échange, les zlotys, la vodka, les gueuletons, et sans aucune peine.

— Des bédouins qui passeront le mur, il y en aura de moins en moins. Avec moi, chaque jour...

J'ai commandé une nouvelle bouteille de vodka.

— Yadia, reste là.

Miétek-le-Géant attrapa la serveuse par le bras. C'était une grande fille blonde, au visage rougeaud et rieur, pleine de vie;

78

une fille comme une orange, juteuse et fraîche. Sans doute était-ce la vodka, j'ai lancé :

— Yadia, qu'elle est belle!

Elle s'est mise à rire, secouant ses cheveux.

— Comment le trouves-tu, ce Miétek-le-Coupé? a demandé Dziobak.

Elle riait de plus belle me regardant dans les yeux et je me sentais si bien. J'avais envie de rire, et pour la première fois de ma vie j'imaginais de plonger mon visage au milieu des seins d'une femme. Je lui disais tout cela en la regardant et en riant.

— Quand commence-t-on? a dit Mokotow.

Miétek a repoussé Yadia et j'ai été dégrisé d'un seul coup : j'avais gagné. Mokotow-la-Tombe était leur chef. Je le sentais au silence des autres quand il parlait : Rudy se curait les ongles ou se grattait la tête et recommençait indéfiniment ces deux gestes; Miétek-le-Géant fermait ses yeux et paisible paraissait ne pas écouter mais en fait il était attentif, rapide; Dziobak-la-Vérole avait le plus souvent ce sourire inquiétant et silencieux que je lui connaissais depuis le début de notre conversation. De drôles de bougres, des voyous, mais finalement j'étais à l'aise dans ce café, à leurs côtés, et pas seulement parce que je les avais convaincus de commencer à travailler avec moi. Plutôt parce qu'ils étaient sans masques : ils n'avaient pas d'uniforme, ils ne représentaient ni la loi ni la justice. Ils étaient la pègre de Varsovie, franchement : ils prenaient mon argent, ils traquaient les bédouins mais ce n'était pas eux qui avaient élevé le mur du ghetto. Pas eux sûrement qui avaient crié dans les queues alors que les Allemands distribuaient le pain et la soupe durant les derniers jours de septembre 1939 : *Juden rauss.* Alors j'avais vu de bons bourgeois en chapeau sortir des rangs et dénoncer des hommes. Et j'avais vu un officier frapper jusqu'à ce qu'il meure mon camarade aux cheveux roux; j'avais vu des policiers — la loi, la justice — battre des enfants et des femmes et les voler, sans risques. Et je glissais plusieurs fois par jour de l'argent à un Bleu, un beau gendarme respectable, qui se vendait pour des zlotys. Eux, Rudy, Miétek-le-Géant, Dziobak-la-Vérole et Mokotow-la-Tombe, c'étaient les truands, les voyous, les voleurs, les brutes, les chacals mais ils ne trichaient pas, ils ne cachaient pas leur jeu. Ils aimaient boire et se goinfrer. Ils volaient, on le savait : ils étaient honnêtement des canailles.

— On commence demain.

Il fallait les saisir immédiatement, leur montrer que notre association payait tout de suite. Même si je ne savais pas trop comment m'organiser encore, même si je tremblais d'échouer, je ne pouvais pas reculer. Nous nous sommes fixés un point de rencontre, près du cimetière; là où ils m'avaient cueilli pour la première fois. Mokotow m'écoutait. Puis il a rempli nos deux verres, c'était la fin de la bouteille : nous les avons choqués et vidés d'un seul trait, les faisant résonner en même temps sur la table.

Mokotow est sorti avec moi : la neige tombait toujours mais le vent avait cessé. Il a fait quelques pas dehors.

— Tu peux avoir confiance, a-t-il dit.

Puis il a tourné le dos.

Je suis rentré au ghetto : le Bleu, les zlotys dans la main, le tramway qui ralentit, je saute et voici la foule sous la neige, voici les enfants qui mendient et ce corps à demi déshabillé et qu'on a laissé là, sur le trottoir couvert de feuilles de papier où la neige s'entasse. La routine des risques et de l'enfer. Pour moi, les heures qui viennent sont décisives : je dois m'organiser et réussir. Je passe de l'artisanat à l'industrie, de l'amateur je deviens un professionnel : maintenant, j'ai des salariés et si je veux les garder je dois les payer, et donc multiplier mon trafic. L'engrenage commence à tourner : je dois grandir ou mourir. J'ai averti Pavel, Pola : leur mère avait quelques économies, il me les faut pour demain.

Puis je suis allé parler avec mon père. Je savais où le trouver : tous les jours il s'occupait d'accueillir les Juifs que les Allemands nous envoyaient de toute l'Europe, du Reich ou d'Autriche, et qu'on voyait arriver avec leurs valises, leurs cartons, leur arrogance et leurs préjugés de Juifs cultivés de l'Ouest et qui brutalement découvraient notre prison, ce ghetto polonais où l'on mourait pour un mot ou un regard, où l'on crevait de faim et de froid, où le typhus vous traquait. Père était là, au centre d'accueil du 14 de la rue Prosta, recevant des déportés de

Dantzig et l'un d'eux, avec une canne à pommeau, hurlait comme j'entrais qu'il était un catholique, que son père déjà était un converti, qu'il haïssait les Juifs, qu'il voulait savoir s'il y avait une église. J'avais envie de lui donner un coup de poing dans le visage, mais mon père répondait calmement :

— Rue Grzybowska, vous trouverez l'église des convertis.

Il me vit et vint vers moi, le visage tout à coup rieur.

— Père, c'est une grosse affaire.

Il hochait la tête en m'écoutant, désapprouvant du regard et par la moue de ses lèvres. Mais il n'essayait même plus de me contredire et à la fin il demanda simplement :

— Que veux-tu ?

Je voulais qu'il me fasse connaître le chef des porteurs, cette corporation fermée, une confrérie d'hommes forts et violents qui tenaient les transports du ghetto et dont beaucoup étaient devenus des contrebandiers. Eux aussi donnaient parfois pour les pauvres et je savais que mon père les rencontrait.

— Martin, dit-il, c'est la pègre du ghetto.

Je haussais les épaules, qu'importait ce qu'ils étaient. J'avais besoin d'eux, nous avions tous besoin d'eux; mon père qui distribuait des secours, les enfants de l'orphelinat du docteur Korczak et ceux de la rue, et les Hassidim qui priaient, et les intellectuels qui imprimaient ces petits journaux clandestins que Pavel m'avait montrés et que Pola distribuait. Je sortis avec mon père : la nuit était tombée. L'obscurité était telle que les passants se heurtaient. Les Allemands venaient d'ordonner le black-out absolu et on parlait de guerre avec la Russie.

— Je vais entrer, dit-il. Attends-moi.

Nous étions face à un immeuble bas de la rue Kozla.

— Je parlerai pour toi, mais ne m'en demande pas plus. Après, je partirai.

Je le remerciai : c'était mes affaires et c'était à moi de jouer. Je suis resté un court moment dans la cour, pris par le froid, enveloppé par le vent qui s'était remis à souffler et créait entre les murs des tourbillons glacés. Mon père m'a appelé :

— Ils t'attendent.

Et il m'a donné une tape sur l'épaule qui voulait dire : « Va, mon fils, va, réussis, va puisque tu crois bien faire, va. »

Dans un appartement presque vide ils étaient quatre aux cous de taureaux, aux épaules larges, l'un avec une large balafre sur la joue, quatre qui me regardaient entrer. Pour moi, vraiment, c'était le jour des bas-fonds, juifs ou aryens.

— Alors, gamin, tu viens chasser sur notre terrain?

Je n'ai pas répondu. Je me suis adossé au mur et j'ai parlé : ici aussi pas de grands mots mais des zlotys, tant par sac porté du tramway jusqu'à mes clients dans le ghetto. Ils n'avaient à se soucier de rien : seulement d'être là quand le tramway ralentissait. Moi, je jetterai les sacs. A eux de les prendre en vitesse et de filer avec. C'était leur métier. Plus tard, j'ai connu leurs noms. Ce soir-là, Trisk-le-Chariot, Yankle-l'Aveugle, Kive-le-Long et Chaïm-le-Singe, ne se présentèrent pas. Ils m'écoutèrent, puis ils discutèrent mes prix, se concertèrent du regard.

— Tu auras tes porteurs demain matin, me dit Yankle-l'Aveugle. Mais c'est pour voir, pour un jour. Après, ça dépendra.

Je n'en demandais pas plus : il fallait simplement que la machine démarre. J'ai retrouvé Pavel et Pola : ils avaient l'argent. Tout était prêt : Pavel devait se tenir rue Zamenhofa, là, entre les rues Wolynska et Muranowska, se ferait le déchargement, en pleine ligne droite, mais nous irions vite, les porteurs n'auraient plus qu'à prendre les sacs. Moi, j'obtiendrais du conducteur qu'il ralentisse.

Je me suis allongé sur le lit sans même me déshabiller. J'étais rompu, j'avais des nausées; j'avais bu et fumé plus que je ne l'avais jamais fait et surtout j'avais rencontré des hommes tels que je n'aurais même pas pu les imaginer il y a quelques mois : Dziobak-la-Vérole, Yankle-l'Aveugle, Mokotow-la-Tombe. Et j'avais négocié avec eux, trinqué à la vodka. Et je rêvais à Yadia me serrant contre elle, contre ses seins qu'on devinait ronds, larges sous sa blouse brodée. Les temps que je vivais étaient étranges : tout y était possible. Une heure suffisait à vous faire vieillir de dix ans; une seconde d'inattention et la mort vous cueillait. La lubie d'un S. S. que le destin plaçait sur votre chemin, et vous étiez tué à coup de bottes. Possible, impossible, ces mots n'avaient plus aucun sens ici, à Varsovie : c'était le

82

règne d'une folie barbare et déchaînée. Je devais faire confiance à des hommes qui portaient des noms de prison et me défier des policiers représentant la loi. Moi, le fils d'une bonne famille de la rue Senatorska, j'étais contrebandier et recrutais Rudy-le-Rouquin et Miétek-le-Géant, moi, Martin, dont la mère essuyait encore les larmes il y a un an, j'étais devenu Miétek-le-Coupé.

Ils sont là, au rendez-vous fixé : je reconnais Miétek-le-Géant et Mokotow-la-Tombe, assis, à l'entrée d'une porte. Rudy est adossé au mur, quelques mètres plus loin, et Dziobak-la-Vérole fume, seul, souriant comme à son habitude.

— Y a pas de mur, pour toi, dit-il. Tu vas, tu viens.

Je ne réponds que d'un hochement de tête : ce matin, je dois les prendre en main, le temps des beuveries et des plaisanteries est fini. Maintenant, nous travaillons. Ils m'encadrent et j'explique : les gendarmes allemands changent toutes les deux heures, les Bleus polonais toutes les quatre heures, les policiers juifs toutes les sept heures. Il faut qu'ils apprennent à connaître les *graieks*, les joueurs, ceux que je peux acheter. Je m'occuperai de cela, mais autant qu'ils sachent. Nous marchons sous un ciel bas et lourd qui sent la neige, Dziobak s'essouffle à nous suivre car j'avance d'un bon pas.

— C'est pas une course, bédouin, lance-t-il. Tu vas nous crever.

— Tu vas maigrir. Tu boiras mieux.

J'explique encore : j'ai des sacs. Quatre qui m'attendent car j'ai pris du retard. On guette le bon tramway, le Bleu qui bondit sur la plate forme et qui « joue », on charge les marchandises.

— Miétek-le-Géant, ici, c'est ton rôle. Tu es le plus fort.

Puis ils se placent devant les sacs.

— Vous faites la sale gueule. Un mur autour des sacs.

Moi, je joue. Je leur parle du ghetto, quelques mots : ils verront bien. C'est moi qui lancerai les sacs, rue Zamenhofa. On ne descendra pas du tramway. S'il y a des Allemands, des gendarmes qui refusent de jouer, ni vu ni connu :

— Vous êtes de bons petits Polonais et mort aux bédouins.

Ils rient. Je les tiens : je sais ce que je veux et là est toute ma force.

Et nous avons commencé, un voyage, deux voyages, bientôt la routine. Une routine où l'on risque sa vie dix fois par jour, mais l'habitude quand même. Sur la plate-forme nous chargeons parfois une dizaine de sacs, une tonne de marchandise, qui le croira? Ils se mettent devant, un véritable mur de violence avec leurs gueules de voyous décidés. L'argent rentre, l'argent triple, quadruple. Je paie les gendarmes, je paie les porteurs, je paie le conducteur, je paie le receveur, je paie même les Allemands et je paie Miétek et Mokotow, Rudy et Dziobak. Rue Zamenhofa, c'est toujours moi qui passe les sacs. Je vois Pavel qui dirige les porteurs. Tenir ces sacs de blé, les soulever d'un coup de reins, empoigner cette toile grossière, sentir sous le jute la douceur tiède du grain, de la farine ou du sucre : qui saura ma joie, ma fierté? Car ces sacs c'est de la vie pour les miens, pour le ghetto. Autour de moi, quand je décharge — à peine quelques minutes — mes hommes me protègent. Je les sens, épaule contre épaule, décidés : ils sont mon mur. Je les paie bien, ils boivent, ils s'empiffrent comme ils ne l'ont jamais fait et puis ils ont découvert le ghetto. Ils n'ont rien dit mais j'ai vu Mokotow donner à des mendiants qui s'approchaient de la plate-forme. Jamais plus ils ne parlent de Juifs, ou de bédouins.

Plusieurs fois, nous avons dû nous battre avec d'autres bandes de chacals qui me guettaient : Miétek-le-Géant a donné des coups à fendre un arbre et ce n'était pas seulement pour remplir son contrat. Je crois que les chacals les dégoûtent. Dziobak voulait tuer. Mokotow et moi nous nous sommes interposés.

— Il faut négocier, ai-je dit à Mokotow. Des bagarres peuvent attirer l'attention.

Dziobak-la-Vérole a planté son couteau dans la table.

— Ils comprendront, a-t-il dit.

Je lui ai expliqué mes craintes, mon plan : nous devons nous associer avec les meilleurs des autres bandes sinon quelqu'un nous dénoncera à la Gestapo. S'ils refusent, alors, peut-être. Et j'ai montré le couteau. Mokotow est parti faire la tournée des bouges de Varsovie et peu à peu nous avons arraché Zamek-le-Sage un immense boxeur aux poings carrés, puis son beau-frère, Wacek-le-Paysan. Précieux Wacek : c'est un vrai paysan qui est arrivé un jour à Varsovie chez Zamek et qui s'est retrouvé truand sans même s'en rendre compte : pour lui, les métiers de la ville se résument aux vols sous toutes leurs formes. Wacek-le-Paysan est un lourdaud mais grâce à lui nous achetons directement à la campagne notre blé. Parfois, nous allons l'attendre, gare de l'Est, à Praga, avec une plate-forme tirée par deux chevaux, et il arrive, avec des gars de la campagne : en quelques minutes, souvent sous les yeux des gendarmes, nous chargeons nos sacs et nous filons. Puis j'ai dû accepter Ptaczek-l'Oiseau, au visage fin et veule. Il valait mieux l'avoir avec moi que contre moi, mais c'est le mouchard-né. Il me regarde avec ces yeux trop doux, il me parle avec sa voix servile et je sais par Miétek-le-Géant qu'il répète dès qu'il le peut :

— Nous n'avons pas besoin du bédouin, on peut faire la même chose sans le petit Juif.

Mokotow l'a frappé plusieurs fois mais l'autre ne se défend même pas, disant qu'il plaisantait. J'ai chargé Rudy-le-Rouquin de le surveiller, mais il m'arrive souvent de penser au couteau à cran d'arrêt de Dziobak-la-Vérole.

Pourtant, ces hommes, je ne peux les tenir que par ce que je leur donne et par l'estime qu'ils ont pour moi, et non par la peur que je leur inspire. Car je ne suis rien que ce que je fais et j'existe simplement par ce que je leur procure : ils savent bien qu'un mot suffirait pour que la Gestapo ou les soldats de garde, ou les Polonais, se saisissent de moi, un mot pour que je disparaisse. Et je sais bien que je ne fais pas le poids en face de ces colosses ou de ces truands habitués à jouer du poing ou du couteau. Je dois gouverner cette bande par l'astuce, l'intérêt et l'amitié et non par la peur. C'est moi parfois qui ai peur au milieu d'eux. Il m'arrive de sortir de mon rôle, de retrouver un moment mon regard « d'avant » et je vois cette bande attablée autour de moi comme dans un cauchemar. Je peux à peine regarder Pila-la-Scie. Il est la laideur même. Un front bas, des yeux rapprochés, un menton fuyant, il a la tête du criminel type et il a fait toutes les prisons de Pologne, s'évadant à chaque fois.

Je ne veux pas savoir comment : dans sa botte il porte une sorte de long tournevis acéré, une fine aiguille d'acier blanc à manche de bois. Quand Pila-la-Scie est sur la plate-forme, les bras croisés, les Polonais passent et vont s'asseoir à l'intérieur du tramway. Et comme il y a aussi, à côté de Pila, Miétek, Mokotow, Rudy, Dziobak, Wacek et Zamek, nous n'avons jamais de gêneur. Si un curieux s'attarde, Mokotow ou Miétek-le-Géant s'approchent et le poussent peu à peu vers l'intérieur, sans un mot.

Moi, je suis installé, tranquillement, avec les Polonais, je « lis » le journal et j'observe ce qui se passe sur les plates-formes : le Bleu est-il joueur? Les Allemands vont-ils grimper? A chaque voyage, je mise ma vie. Mais à chaque voyage, j'essaye d'augmenter mes atouts. Maintenant, je ressemble à un voyou polonais, j'ai leur tenue : ce petit chapeau blanc à bord relevé et ces bottes longues, les *saperki*. Par mon col ouvert, on aperçoit la chaîne d'or et la Vierge Marie. J'ai l'air paisible derrière mon journal, inoffensif comme une petite gouape, et je me sers de ma jeunesse puis, la Porte passée, quand le ghetto autour de nous commence à montrer ses plaies ouvertes, alors je me tends, bientôt c'est la courbe de la rue Nalewki et de la rue Gesia, puis celle de la rue Gesia et de la rue Zamenhofa, voici la ligne droite, déjà le conducteur — un joueur bien rémunéré — ralentit, je pose le journal, j'aperçois le coin de la rue Wolynska : c'est le moment. Si je perds, je donne ma vie. Je bondis vers la plate-forme. Miétek-le-Géant pousse déjà un sac : un coup de reins, le porteur est là, puis un autre, un autre sac. Ici les secondes se mesurent en vies humaines. Pas un mot : des passants surpris regardent. Un sac encore, Pavel me tend des sacs vides, avec l'argent à l'intérieur. Dans la foule, les porteurs s'égaillent, j'aperçois sur une *riksha* tirée par un jeune homme à la tête rasée deux beaux sacs de blé. Tout cela, cette transfusion, tout cela ma passion, ma vie en jeu; quelques secondes à peine. Je retourne m'asseoir, à la merci de la dénonciation d'un Polonais, à la merci d'un Bleu que les Allemands brusquement terroriseront et qui me vendra, décidant de ne plus « jouer », à la merci d'un contrôle plus serré.

Mais je suis lancé dans cet engrenage : Pavel, Pola, mon père et même Mokotow, ma mère bien sûr, tous tentent de limiter mes actions, nos passages. Leurs mots glissent sur moi sans même m'atteindre; plus que jamais passer le mur, défier les bourreaux, les ridiculiser à mes yeux, est toute ma vie. Je la risque cette vie, mais ne plus passer, ne plus soulever ces sacs de blé qui sont du sang rouge vif pour le ghetto, c'est pour moi mourir. Ne plus me battre à ma façon, celle que j'ai inventée, c'est ne plus exister. Alors, je passe jusqu'à dix fois par jour, alors les zlotys s'accumulent dans mes mains, j'en distribue autour de moi, mon père achète des devises, je les change côté aryen, nos gains se multiplient et les centres d'accueil du ghetto et l'orphelinat du docteur Korczak ont leur part.

Le soir, quand je rentre seul au ghetto, je suis attendu. Rubinstein-le-Bouffon grimace pour moi et les enfants en haillons, leurs vestes fermées par une épingle serrée sur leur peau nue, sont là : je donne. Ce n'est rien : demain, ou dans une semaine ou dans un mois, ils seront morts. Je lis la mort dans leurs yeux et même si je sauvais ces quelques enfants, il resterait la foule des autres qui se groupent devant les soupes populaires, qui se recroquevillent le long des trottoirs : il resterait les dizaines de milliers d'affamés du ghetto. Que puis-je faire de plus? Quand je rentre, que je parcours la rue Zamenhofa puis la rue Mila, la colère et le désespoir me feraient hurler de rage : toute cette misère, ces enfants, cette humiliation, et l'on voudrait que je m'arrête? Si je le pouvais, je travaillerais la nuit aussi! Ce serait un crime que de s'arrêter et ce serait ma mort.

Et je jette mes sacs de plus en plus vite, mes gestes sont de plus en plus précis. Dans le tramway, aux aguets, je cherche comment perfectionner mon système, mon organisation. Joue, Martin! Passe, Miétek-le-Coupé! Joue, passe encore! Il me semble que personne ne va assez vite, quelques porteurs sont maladroits. Parfois un sac leur échappe et se déchire : le blé se répand. Des passants bondissent, en remplissent leurs poches : je maudis Pavel, Chaïm-le-Singe, Yankle-l'Aveugle, Trisk-le-Chariot et Kive-le-Long. Pas pour la marchandise perdue, que m'importent quelques zlotys de moins et je sais bien que pas un grain n'échappera aux enfants, aux mendiants, qui cent fois, les yeux baissés, flairant le sol, reviendront vers ce lieu magique où un sac a crevé. Je maudis les porteurs pour les risques : ils peuvent tout compromettre car les Allemands ne sont jamais très loin.

L'autre jour, les visiteurs du ghetto, les permissionnaires hilares qui entre deux tournées dans les bordels de Varsovie, viennent nous voir mourir derrière nos murs, ont crié. Depuis la première voiture ils m'ont aperçu tendant mes sacs : cris, coups de feu. Les porteurs ont disparu, certains laissant tomber leurs sacs. J'ai hésité à sauter : une seconde de trop, le tramway stoppait et déjà deux soldats étaient là, revolver au poing, hurlant, me saisissant par le bras. Ils m'ont conduit jusqu'à la première plate-forme, là où ils se tiennent d'habitude et le tramway s'est ébranlé. J'étais pris, bientôt la porte de la rue Dzika. Les guérites, les gendarmes. Le conducteur — un joueur — allait lentement comme pour me laisser le temps de fuir : mais comment? Ils étaient quatre, me surveillant, m'insultant, moi la « racaille ». Brusquement, des cris, le conducteur a ralenti encore. Dans le wagon j'ai aperçu Mokotow-la-Tombe et Miétek-le-Géant qui se battaient, puis Dziobak-la-Vérole s'en est mêlé et Rudy-le-Rouquin et Pila-la-Scie et Wacek-le-Paysan, les voyageurs polonais se sont repliés en tumulte vers la plate-forme, une femme hurlait, le conducteur a encore ralenti, les soldats s'interrogeaient, ils ont crié mais la bataille a continué, une vitre s'est brisée, j'ai senti qu'ils ne me regardaient plus, une seconde trop tard, pour eux cette fois, j'étais déjà dans la foule, caché par elle et je courais dans la rue Niska. J'ai attendu quelques heures, retrouvé Pavel qui avait pu récupérer la plupart des sacs, c'était la routine. Et je suis ressorti. A notre point de ralliement, rue Dluga, ils étaient tous là, à boire en riant et ils m'ont accueilli par des cris. Nous avons bu, la vodka râpeuse de Varsovie : entre nous, maintenant il y a déjà des semaines de travail, des histoires, tout un passé et aujourd'hui ils m'ont sauvé.

Mokotow m'a pris à part : il avait deux nouvelles recrues pour notre bande. J'ai fait confiance à Mokotow-la-Tombe. Quelques jours plus tard je rencontrais Gutek et Brigitki-la-Carte. Gutek, avec sa tête ronde, ses cheveux blonds et courts, était un *Volksdeutscher* : il portait sur le bras gauche le brassard rouge à croix gammée. Mais il était né à Varsovie, avait grandi au milieu des Juifs du quartier Smocza, tous plus ou moins truands. Il parlait yiddisch, c'était un voyou à l'allure d'enfant sage, un bel adolescent aryen qui détestait les Allemands. Mokotow avec lui avait eu son premier coup de génie. Gutek s'installait sur la première plate-forme avec son magnifique brassard de bourreau, sa belle gueule de nazi et il jouait au guide pour les permissionnaires. Il insultait la foule des Juifs, il se moquait des vieillards, des Juifs religieux avec leur calotte et leur barbe, et les soldats se pressaient autour de lui, il montrait des rues, désignait les femmes et faisait des plaisanteries obscènes, et pendant que, penchés d'un côté du tramway les soldats riaient en cœur, moi, de l'autre côté, depuis la dernière plate-forme je tendais mes sacs. Parfois, Gutek se faisait même inviter à boire puis quand il revenait rue Dluga, à notre repaire, il crachait de dégoût et nous le consolions.

Brigitki-la-Carte fut le deuxième coup de génie de Mokotow. Ce Brigitki n'était qu'un petit être frêle, aux mains longues, aux doigts effilés. A côté de Miétek-le-Géant ou de Pila-la-Scie, il disparaissait, minuscule, insignifiant. Pourtant il s'était évadé de la prison de Lvov dont il portait le nom et au bout de quelques jours, je découvris l'étendue de ses talents et de ses relations. Grâce à lui, en payant grassement, j'eus tous les papiers, tous les brassards que l'on pouvait imaginer. J'ai possédé, jusqu'à leur entrée en guerre, un passeport des Etats-Unis, puis des passeports des républiques d'Amérique latine, j'avais aussi naturellement des papiers prouvant que j'étais un jeune Polonais aryen. Mais le triomphe de Brigitki-la-Carte fut de poser devant moi un brassard *Volksdeutscher* et des papiers prouvant que j'étais le nommé Schmidt.

Alors je devins simulateur et prestidigitateur : quand des policiers polonais approchaient, je perdais mon allure de voyou. Dans la poche gauche, dans une petite boîte en métal, plate, je prenais mon brassard à croix gammée qui devait être toujours propre, repassé comme il sied au signe de la race supérieure. Je glissais mon brassard sur le bras gauche : et j'étais Schmidt, arrogant, ennuyé, hautain, parlant polonais avec un accent allemand. Et les Bleus, ces gendarmes qu'on voyait maltraiter les Juifs, osaient à peine me contrôler. Quelques centaines de mètres plus loin, il me fallait redevenir un voyou : enlevant rapidement mon brassard de *Volksdeutscher* j'avais à nouveau la démarche souple des gouapes de Varsovie; puis la porte franchie, si je sautais du tramway dans le ghetto, je devais arborer mon brassard de Juif que je gardais dans ma poche droite. Plusieurs fois par jour je changeais ainsi de visage, de nom, de personnalité, de langage, mais toujours il me fallait rester sur mes gardes, conservant un regard sur la façon dont je jouais le *Volksdeutscher* ou le voyou, et observant aussi l'adversaire pour décider avant lui de ce que j'allais devoir faire. J'ai appris ainsi à être double, triple : j'étais comme devant un miroir, j'agissais et je me voyais agir. Je parlais et je m'entendais parler, je faisais des gestes et j'étais déjà ailleurs en préparant d'autres. Quand je voyais, je devais souvent ne pas voir. A cette condition, je pouvais survivre.

Parfois nous restions tous au ghetto, le soir, malgré le couvre-feu. J'offrais à boire, à dîner, à rire, à ma bande. Nous nous enfermions au café Sztuka, au 2 de la rue Leszno, et au milieu des chants, dans la fumée, nous buvions, nous engloutissions de la nourriture. De jolies filles servaient. Nous côtoyions les trafiquants du ghetto, les hommes des « 13 » de la rue Leszno, les agents de Kohn et Heller, les indicateurs de la Gestapo, les collaborateurs, les contrebandiers comme nous et aussi les boulangers, ces princes de notre prison. Manger et boire : c'était le luxe énorme et scandaleux de notre monde de privélégiés. Je m'enivrais parfois mais au fond de moi ma pensée restait claire comme une eau fraîche. J'avais été pris par une rafle, un soir, dans ce café Sztuka : les Allemands nous avaient embarqués et nous forçant à nous dévêtir ils nous avaient mêlé aux Juifs religieux qui allaient au bain du vendredi, au Mikva. Ils nous avaient tous mis ensemble, hommes et femmes, puis ils nous avaient filmés, et leurs rires résonnaient dans ma tête comme des coups. Voilà pourquoi même au sein de l'ivresse j'étais sur mes gardes.

Et pourtant, il me fallait boire avec Dziobak-la-Vérole, trinquer avec Ptaszek-l'Oiseau qui voulait ma mort. Quand nous quittions le café Sztuka, le restaurant Gertner ou le café Négresco, le ventre plein; que Rudy-le-Rouquin ou Miétek-le-Géant, zigzaguait sur la neige qui couvrait la rue Leszno; que je pensais aux oranges et aux bananes que nous venions de déguster, il fallait voir et ne pas voir pour survivre, ces enfants en loques, ces mendiants qui sortaient de l'ombre et nous tendaient la main en poussant leur complainte tragique : *Ayez pitié, cœur juif.*

Il fallait voir cela et faire comme si on l'ignorait. Telle était la vie, toujours double, triple. Et je ne pouvais continuer que parce qu'à chaque instant je remettais la mienne en jeu en défiant les bourreaux. Mais pour rester vivant dans cette partie toujours recommencée et dont les règles changeaient sans qu'on en soit averti, il fallait non seulement être sur ses gardes, multiplier les précautions, posséder de faux papiers, mobiliser les amis et les complices, il fallait aussi tenir la chance. Celle qui vous donne un soldat allemand bienveillant, celle qui laisse une porte ouverte devant vous quand vous êtes pris. Mais la chance, en ce temps-là, était versatile, capricieuse, susceptible : parfois elle n'accordait qu'une fraction de seconde. Il fallait décider immédiatement ou mourir car elle ne revenait jamais. Souvent il fallait la provoquer, parier aussi qu'elle viendrait, et il fallait l'attendre sous les coups, sans parler, en l'espérant. Et parfois elle se présentait au moment où tout paraissait perdu. Alors il fallait trouver la force de bondir pour lui prendre la main et ne pas murmurer : « J'ai le corps en sang, j'ai besoin de quelques minutes pour retrouver mon souffle. » Trop tard, la chance avait filé. Vous alliez mourir. J'étais jeune, j'avais l'œil vif, j'ai provoqué et saisi la chance, souvent. Mais parfois elle a été longue à venir.

Ce matin-là, les policiers polonais m'ont pris sur la Marszalkoffska. J'étais seul. Une erreur, car déjà à plusieurs reprises l'arrivée de Miétek-le-Géant, de Pila-la-Scie, de tous les autres, avait suffi à rendre les Bleus compréhensifs. Ils m'ont fouillé sans ménagement, ils ont trouvé mes brassards et surtout les devises, ces belles *nouilles*, ces dollars que je passais pour mon père. Ils m'ont jeté dans un coin de leur voiture et ils se sont partagés le butin. La police aussi, comme les chacals, chassait les bédouins.

— Qu'est-ce qu'on va faire de toi, petit Juif?

Le gros me donna un coup de pied dans les côtes, pour rien. Parce que les hommes sont aussi des bêtes. Ils discutèrent : ils m'avaient volé donc je les embarrassais. Ils hésitaient à me livrer à leurs supérieurs. Ils n'avaient le choix qu'entre la Gestapo ou la police juive. J'ai joué ma carte, en gueulant.

— Laissez-moi la vie, la vie, vous ne le regretterez pas.

Le moteur tournait, le chauffeur questionnait les trois autres du regard. Ils pensaient à mon brassard de *Volksdeutscher,* à mon brassard de Juif, à mes devises. Ils ne savaient plus. Alors, ils ont choisi la bonne solution : ils m'ont livré à la police juive, dans le ghetto, rue Gesia. Ils auraient pu me tuer. J'avais gagné la première manche. Il en restait beaucoup d'autres : les policiers juifs m'ont poussé dans une cellule où une trentaine de pauvres types s'entassaient. J'ai reçu des coups. Dans un coin, un vieux priait. J'étais fou de rage : prisonnier des Juifs et promis à la Gestapo quand même car, périodiquement, les Allemands raflaient les prisonniers ou demandaient au conseil juif de livrer quelques centaines de travailleurs que Czerniakow, le président du Conseil juif, prenait dans les prisons. Chacun dans cette cellule attendait d'un jour à l'autre le départ pour ces chantiers, ces camps dont on ne revenait pas.

Alors j'ai hurlé, tapé à la porte, déchaîné le tumulte et quand les gardiens sont entrés la matraque haute je me suis jeté sur eux, seul, j'ai saisi l'un d'eux par le cou et pendant qu'il me frappait je murmurais une somme en zlotys et le nom de Pavel et Mila 23. Il fallait que, dehors, on sache où j'étais. Les gardiens m'ont laissé sur le sol, couvert de coups. Ils tapaient fort et bien, les policiers juifs! J'ai attendu : j'avais joué, provoqué la chance. Trois jours plus tard, je sortais de la prison de la rue Gesia : cela avait coûté cher à mon père. J'ai quitté la prison, le matin, dès la levée du couvre-feu. C'est en fin d'après-midi que les Allemands sont venus chercher les prisonniers. De loin, du fond de la rue Gesia, la foule les regardait monter dans les camions bâchés. On savait déjà qu'on ne les reverrait plus.

— Tu as eu de la chance, m'a dit Pavel.

Il ne voulait pas que je recommence immédiatement, mais il n'espérait même plus me faire entendre raison. D'avoir vu cette prison juive m'avait révolté, exalté plus encore : je n'en voulais pas à ces policiers qui singeaient avec leurs hautes bottes et leurs emblèmes les gendarmes aryens. Ils prêtaient leurs mains aux bourreaux croyant ainsi atténuer les coups, se sauver eux-mêmes, et pour les meilleurs espérant nous protéger. Mais je les avais vus battus par les Allemands, obligés de sauter des heures sur un seul pied, de faire la « grenouille » dans les rues; contraints de ne pas s'approcher à moins de 50 mètres d'un gendarme aryen. Ils étaient condamnés comme nous. Pourquoi leur en vouloir? Quelques-uns avaient sans doute des âmes de mouchards ou de bourreaux, mais la plupart étaient comme nous tous des victimes. Les coupables étaient ceux qui avaient donné l'ordre de construire le mur, ceux qui nous tuaient et nous affamaient. Contre eux seuls il fallait se battre. Alors, j'ai recommencé.

D'abord, tout s'est bien passé. J'ai retrouvé plusieurs fois par jour la Varsovie aryenne, ses rues larges, propres, vides, puis notre ghetto, sa saleté, sa foule, sa misère, les chiffonniers qui crient :

— Si vous avez un chiffon à acheter, achetez-en un neuf.

Puis de nouvelles difficultés sont venues. Un décret interdit de vendre de la marchandise aux Juifs sous peine d'une amende de 1 000 zlotys : les prix montent, les vendeurs se font plus rares. Les patrouilles, les contrôles sont plus fréquents : le jeu devient serré, je sens que les enchères s'élèvent.

Quand je suis entouré de mon mur de voyous, de mes Miétek et de mes Mokotow, quand je jette mes sacs aux porteurs, je n'ai guère le temps de penser, mais, le soir, juste avant le couvre-feu, je fais le dernier voyage seul. Je veux coucher au ghetto : pour ma mère, pour Pola aussi que je retrouve dans la cache sous les toits. Et puis c'est mon défi, mon panache que de rentrer ainsi, avec un paquet de gâteaux de la pâtisserie Gogo-levski pour mes frères, une façon d'afficher mon mépris pour les bourreaux et d'affirmer ma liberté. Et qu'est-ce qu'une vie sans panache et sans défi?

Je me suis installé sur la plate-forme de la deuxième voiture :

j'aime cet air vif. Dans les rues du ghetto, il me semble que j'étouffe entre ces murs grisâtres, dans l'odeur que dégagent les poubelles et toute cette foule en marche. Le tramway s'est arrêté à la porte, un instant. J'y pense à peine : la routine. Le policier polonais qui est de service sur le tramway est un *graiek*, un joueur régulier qui gagne avec moi beaucoup plus qu'il ne l'a jamais rêvé. L'instinct, peut-être, j'ai levé la tête à temps : ce soldat qui s'avance dans les travées, ce soldat au visage poupin et rose, son calot enfoncé droit, je le reconnais au long étui à revolver qu'il porte presque au milieu du ventre. Tout le ghetto le craint : c'est Frankenstein. On l'a vu rue Dzielna, une longue rue toute droite, apparaître un jour : il courait le revolver au poing. Et il a fait feu, abattant un homme. On raconte qu'il a sorti un carnet, noté, puis qu'il s'est remis à courir, visant encore, tirant, tuant un autre homme. Alors il est reparti d'un pas tranquille, reprenant sa faction à l'entrée du ghetto. Chaque jour il lui faut, dit-on, cinq ou six victimes que le hasard désigne. Et il est en face de moi.

— Qu'est-ce que tu fais là, Juif?

Je souris — et en moi c'est comme une plaie qui s'ouvre. Je secoue la tête, je n'ai pas compris.

— Qu'est-ce que tu fais là, Juif?

Je le regarde droit dans les yeux et je me répète : « Calme, sois calme, Martin. »

Sur la plate-forme il y a un type élégant que j'avais remarqué parce qu'il portait des gants clairs pareils à ceux que mon père fabriquait avant, avant l'enfer.

— Vous voyez bien qu'il n'est pas juif, a-t-il dit avec un fort accent polonais.

Frankenstein ne me quittait pas des yeux. J'ai haussé les épaules, me suis tourné vers le type.

— Vous savez : il croit que vous êtes juif, m'a-t-il dit en polonais.

Frankenstein était immobile : je sentais sa présence physique comme s'il m'écrasait de son corps d'athlète blond. J'ai secoué la tête et parlant à Frankenstein et au Polonais j'ai dit négligemment :

94

— Ça, c'est marrant, on m'a déjà pris pour un Juif, il y a deux jours.

Frankenstein a fait un pas en arrière.

— Tu as de la chance, a-t-il dit. J'ai besoin d'un Juif.

Et d'un mouvement souple il a sauté du tramway, tirant sur le cordon de cuir d'un geste sec. J'étais en sueur sur tout le corps, le froid me glaçait. Le type s'est mis à me parler, le tramway filait, rue Gesia, rue Zamenhofa, je n'osais pas sauter, peut-être était-ce un agent de la Gestapo et puis la brusque apparition de Frankenstein m'avait rendu hésitant. Je suis descendu hors du ghetto, j'ai attendu un tramway qui remontait dans l'autre sens, mais une fois grimpé j'ai senti que la poisse était sur moi : le Bleu a refusé mes zlotys, alors je me suis assis, enlevant mon chapeau blanc, quittant mon manteau; Frankenstein pouvait à nouveau parcourir la voiture et ma vie tiendrait au fait qu'il ne me reconnaîtrait pas. J'étais près de l'entrée, la main crispée sur le couteau à cran d'arrêt que m'avait procuré Dziobak-la-Vérole, un couteau blanc à la lame effilée. Le tramway a freiné brutalement, en pleine rue Dzika, pas très loin de la rue Mila, là où j'aurais dû être avec Pola, défaisant ses cheveux blonds, laissant ses mains caresser mon visage. Il est monté, et il s'est placé près de moi, sa botte touchant mon pied : il n'avait qu'à baisser la tête, sa tête rose de bel aryen. Mais il a dû regarder devant lui et il est passé, j'ai vu ses épaules, sa capote serrée par le gros ceinturon. Je me suis retrouvé à nouveau hors du ghetto, épuisé et en vie, errant dans les jardins Krasinski, m'en voulant de mes imprudences, entendant la voix de Pavel, les discours de Pola, et de mon père; sachant que ma mère allait pleurer toute la nuit, sûre que j'étais pris, mort.

Je donnais des coups de pied dans la terre gelée : quel temps barbare, quel monde injuste, et l'homme disait qu'il était l'homme? Mais non, nous étions des loups, des chacals, des chiens. Frankenstein devait maintenant dormir : il avait sûrement trouvé son Juif. Mais quand donc aurions-nous un fusil, quand pourrions-nous pousser un cri de guerre, quand pourrions-nous venger nos morts?

J'ai retrouvé Mokotow-la-Tombe au café de la rue Dluga. Il

était assis silencieux, une bouteille de vodka devant lui mais son verre était plein. Je me suis affalé près de lui et toucher son bras avec le mien m'a fait du bien.

— Alors, Martin? a-t-il dit simplement.

Il a poussé son verre vers moi. J'ai avalé d'un seul trait la vodka, puis nous sommes restés côte à côte, en silence.

— Tu habites Mila 23, a-t-il demandé.

Je ne disais rien mais qu'elle était douce cette envie de pleurer. Il s'est levé, m'a touché l'épaule.

— J'espère que je ne vais pas faire peur à ta mère, avec ma tête de voyou.

Mokotow-la-Tombe est parti. J'ai bu, puis Yadia est venue. Elle avait une chambre chaude et petite, avec un poêle qu'elle bourrait de morceaux de bois. Elle se levait de temps à autre et quand elle attisait le feu, je voyais sa peau blanche, ses hanches lourdes devenir rouges. Puis, à nouveau, elle se couchait près de moi, tendre et brûlante, me tenant contre elle, me berçant doucement et chantonnant d'une voix grave que je ne lui connaissais pas.

J'ai recommencé dès le lendemain, mais c'était une mauvaise passe. Ptaszek-l'Oiseau n'était pas au rendez-vous : envolé Ptaszek et pendant près d'une semaine Miétek-le-Géant et Mokotow l'ont cherché en vain dans tous les cafés de Varsovie.

— Il faut se méfier, répétait Mokotow.

Mais ce n'était qu'un danger de plus et il fallait passer. Et nous passions, jetant les sacs, payant les Bleus. Le soir je retrouvais Rubinstein-le-Bouffon, un peu plus maigre, un peu plus grimaçant et les enfants, rarement les mêmes mais se ressemblant tous, luttant comme ils pouvaient pour survivre une semaine ou un mois de plus. C'était la fin de l'hiver et chacun espérait tenir jusqu'au soleil : alors il y aurait un ennemi de moins, le froid. Mais c'était bien une mauvaise passe.

Le tramway s'est arrêté trois stations avant le ghetto et les gendarmes polonais ont bondi sur la plate-forme avant que nous ayons pu faire un geste : ils n'hésitaient pas, déchargeant les sacs, nous poussant sur la chaussée glissante, Pila-la-Scie, Wacek-le-Paysan, Mokotow et moi.

— L'Oiseau, a murmuré Mokotow avant de tomber.

Il était allongé par terre, beuglant comme s'il avait eu une jambe cassée. Un cri : c'était Pila-la-Scie qui rugissait et filait en courant. Alors Mokotow a bondi et a détalé. Les Bleus hurlaient, couraient en tous sens et nous bourraient de coups, Wacek-le-Paysan et moi. Ils nous ont tenus à plusieurs jusqu'au commissariat : là, la fouille, les injures.

— C'est toi, le Juif?

Le policier allemand était entré sans que je le voie. Je n'ai pas nié : la dénonciation était évidente.

— Laissez partir celui-là.

Wacek-le-Paysan s'est levé sans un mot, comme s'il ne m'avait jamais vu, mais j'avais confiance en lui, en Mokotow, en Miétek, en Pila. C'est à eux que je me raccrochais. Il avait une tête d'homme, ce policier allemand, avec deux yeux, un nez, un regard et des cheveux gris. Sans même me questionner, il a commencé à me frapper sur le visage : c'était ma vraie première séance de coups, pas tout à fait des tortures encore. Il frappait sur les lèvres, sur le nez, sur les yeux. Il frappait juste avec ses grosses mains géantes, puis il me redressait d'un coup au menton, ou dans les reins, et il me pliait d'un coup de pied dans le ventre. Je suis tombé sur le sol : il était mort ainsi, mon camarade aux cheveux roux, pour quelques harengs, moi j'avais fait mieux que lui et je savais déjà qu'on pouvait vaincre les bourreaux; je les battais tous les jours, il me manquait seulement de les avoir vus crever. Mais je n'avais pas encore l'habitude des interrogatoires : je donnais trop d'importance à des coups bien placés. Je sais maintenant qu'il en faut davantage pour tuer un homme. J'ai pensé : « Je ne les ai pas vus crever », et j'ai rassemblé mon énergie, protégeant ma tête du mieux que je pouvais.

— A la Gestapo, a dit le policier allemand.

On m'a traîné jusqu'à une cellule glaciale : recroquevillé, tentant d'ouvrir mes yeux gonflés, j'ai attendu. Mokotow et Miétek, Pila et Wacek n'allaient pas m'abandonner ici. Je répétais cette phrase et mes forces me revenaient peu à peu. J'ai laissé les policiers me porter jusqu'à la camionnette. Dehors, au moment d'être jeté sur le plancher, j'ai aperçu Marie, avec sa grosse fourrure : elle avançait lentement, elle ne me regardait pas mais elle disait : « Mokotow est là, il m'envoie. Courage. »

Marie, j'ai vu sa tresse blonde. Parfois, quand j'allais chez Mokotow, à Praga, elle était là, assise, les yeux fixes et légèrement ironiques. Elle priait, et son frère se moquait d'elle.

— Si tu n'étais pas juif, disait-il, ma sœur t'épouserait bien.

Elle ne protestait pas, me regardait en face.

— Mais les Juifs ont tué le Christ. Est-ce que tu sais ça, Martin?

La camionnette a démarré, elle a roulé, puis il y a eu un coup de freins, des jurons, Miétek-le-Géant m'a tiré par les pieds, chargé sur ses épaules et j'étais secoué par sa course. Nous nous sommes retrouvés au café de la rue Dluga : ils m'avaient allongé sur le lit de Yadia et dans la pénombre de la petite chambre, avec mes yeux presque fermés par les coups, je les apercevais à peine.

— C'était bien Ptaszek-l'Oiseau, a simplement dit Dziobak-la-Vérole.

Puis Yadia est rentrée et ils m'ont laissé : elle ne parlait pas, allant jusqu'au poêle tremper dans l'eau bouillie le mouchoir avec lequel elle me lavait le front et le visage. Puis j'ai dormi. Mokotow est venu.

— Il vaut mieux que tu rentres au ghetto. Nous passerons ce soir, avec le dernier tramway, moi avec toi.

Il n'y a pas eu d'anicroches; je jouais les Polonais ivres entre Mokotow et Miétek qui riaient en s'envoyant des bourrades. Mila 23, ils sont montés jusqu'à l'étage car je n'aurais pas pu grimper l'escalier seul, mais ils n'ont pas frappé.

— On te laisse, a dit Miétek-le-Géant. On va boire à ta santé.

Je suis resté, appuyé à la porte, frappant doucement du poing mais lever le bras me faisait mal. Enfin ils sont venus et ma mère m'a reçu contre elle.

— Mère, j'ai eu beaucoup de chance, ai-je murmuré.

La chance : elle me lâchait, infidèle, puis revenait prise de remords. Mais cette confiance qu'au fond de moi je gardais en elle mes parents ne la partageaient pas. Mon père, qui ne cou-

chait jamais rue Mila par prudence, ne voulant pas s'exposer à
une arrestation qui me viserait moi, vulgaire contrebandier
alors qu'il accumulait des responsabilités politiques dont il ne
me disait rien, a été averti par Pavel. Je somnolais, ma mère me
veillait, en larmes, s'en prenant aux hommes cruels qui frappaient les enfants. Sa voix me berçait. Elle n'imaginait pas la
profondeur de l'enfer dans lequel nous vivions depuis des mois;
et j'avais pu, moi, en lui apportant chaque soir quelques dou-
ceurs, éviter qu'elle ne souffre trop. Elle verrait bien assez tôt
que les bourreaux nous destinaient tous à la mort. J'ai reconnu
la respiration saccadée de mon père, sa respiration de colère. Il
était au pied du lit, les bras croisés.

— Martin, a-t-il dit, cette fois-ci, c'est fini. Je prends une
décision et je m'y tiens.

Il a demandé à ma mère de sortir, a fermé la porte et,
toujours debout, les bras croisés, a parlé de la Gestapo, de leurs
tortures. J'étais un enfant, j'avais lutté, aidé le ghetto, ma famille, maintenant cela suffisait. Lui, avait des devoirs envers
moi, il me demandait de jurer de ne plus franchir le mur sans
son autorisation. Les yeux me faisaient mal, mon ventre était
douloureux, je remuais avec peine, mais j'ai secoué la tête. Non,
je ne pouvais pas.

— Tu ne sortiras plus d'ici, Martin.

Cette nuit-là, j'ai dormi quand même. Au matin j'allais beaucoup mieux : je pouvais soulever les paupières, voir. La jeunesse est le meilleur des remèdes. Mais quand j'ai tenté d'ouvrir
la porte, je me suis aperçu qu'elle était cadenassée. Heure après
heure, ma colère est montée. Ma mère m'a passé sous la porte
une lettre de mon père : il m'expliquait qu'il attendait ma
promesse. Jusque-là je serais ravitaillé par la fenêtre. A l'heure
du repas, de l'appartement du dessus on m'a fait descendre un
panier de vivres. Ma mère me sermonnait derrière la porte. Un
premier jour est passé, puis deux autres : au quatrième, quand
j'ai eu recouvré toutes mes forces, je suis devenu enragé, fou
furieux. Mokotow me saluait de la rue. Pavel m'expliquait que
tout allait mal : la bande se désagrégeait, Rudy-le-Rouquin et
Dzioback-la-Vérole se battaient. Pila-la-Scie et Brigitki-la-Carte
voulaient monter leur propre affaire. Tous buvaient plus que de

raison. Miétek-le-Géant, Zamek-le-Sage et Wacek-le-Paysan envisageaient de recommencer à rançonner les « chats », les « bédouins », qui passaient le mur. « Il fait soif », répétait Miétek. Mokotow attendait, mais avertissait Pavel qu'il fallait faire vite. J'ai essayé de négocier, expliquant que je me ridiculisais auprès de ma bande. Père ne voulait rien savoir : j'étais en danger de mort, il me protégeait contre moi-même. Je l'ai insulté pour la première et la dernière fois de ma vie, puis je me suis assis dans un coin de la pièce. A quoi servait de hurler? Mon père croyait avoir raison, pourquoi lui en vouloir? J'avais un mur, un nouveau mur devant moi : puisque je ne pouvais accepter de vivre sans le franchir, il suffisait de le passer, si j'en étais capable.

J'ai commencé à déchirer les rideaux, les draps, les couvertures; j'ai tressé, noué, la corde paraissait solide. J'ai poussé le lit près de la fenêtre. C'était un vieux lit aux pieds torsadés, un lit lourd : j'y ai fixé ma corde. Elle pendait de la hauteur d'un étage et nous habitions au troisième. J'ai attaché la corde à ma cuisse par prudence : je voulais réussir et non me tuer. Je suis descendu prudemment, centimètre par centimètre. A la hauteur du second étage, j'ai brisé les vitres d'un coup de pied et je suis parvenu à entrer dans une pièce vide. J'avais réussi. J'ai ouvert la porte. Le docteur Celmajster et sa femme étaient en train d'achever de déjeuner.

— Bonjour madame, bonjour docteur, vous me reconnaissez?

Ils restaient immobiles, pétrifiés.

— Je passe.

J'étais déjà dans l'entrée, et dévalant l'escalier je riais à gorge déployée, répétant ma formule : « Bonjour madame, bonjour docteur. » Je venais d'en finir définitivement avec la dernière manifestation de l'autorité paternelle. Maintenant, vraiment, père et moi nous étions des égaux : j'avais contre lui pris mes responsabilités. Quelques jours plus tard alors que j'avais déjà recommencé à passer le mur, nous nous sommes rencontrés au café Sztuka comme deux amis qui s'estiment et qui s'aiment. Mokotow-la-Tombe m'attendait dans la rue : qu'il soit là me donnait de la force.

— Ne viens pas souvent ici, a dit mon père, les rafles vont se multiplier, je le tiens de source sûre.

Nous avons commandé de la vodka et choqué nos verres.

— Tu pourrais habiter la maison, a-t-il dit.

Je buvais lentement.

— Évidemment, tu serais libre, tout à fait libre d'agir comme tu l'entends.

Le soir même, je rentrais rue Mila et j'ai, en l'embrassant, soulevé ma mère qui riait, puis séparé mes frères qui se disputaient les chocolats que j'avais ramenés de là-bas.

A nouveau les jours ont passé sans accident : seulement le risque de la mort et son spectacle dans les rues. Rue Bonifraterska, à la limite du ghetto, j'ai vu un enfant qui paraissait avoir l'âge de mon frère, une dizaine d'années, qui courait, un sac de pommes de terre sur le dos : le gendarme l'a attrapé et, secouant le gamin, le tenant comme le fermier le ferait d'un animal, il sort son poignard et lui en donne un coup sur la tête : peut-être cherchait-il à frapper à la gorge mais le gosse se débattait. Il s'enfuit, se tenant le front qui rougit, puis il trébuche et reste allongé sur le trottoir. Une femme sortie d'une porte s'est précipitée vers les pommes de terre qui ont roulé et commence à les ramasser. Le gendarme épaule, tire calmement : un deuxième corps est là, sur la chaussée.

Je passe. Que faire? Serrer les poings. On voit de plus en plus souvent les hommes de Pinkert, poussant leurs charrettes chargées de corps maigres; mais Pinkert a ouvert aussi une succursale rue Smocza où il propose des funérailles de luxe : pour 12 zlotys on peut avoir des croque-morts en uniforme Mais nous mourons trop vite pour les enterrements car on nous traque comme des animaux nuisibles. Quand je suis dans la Varsovie aryenne il m'arrive d'essayer d'arracher malgré les risques ces grandes affiches qui représentent un Juif horrible et repoussant dont la barbe laisse apercevoir un pou : « *Juif-pou-typhus* », dit le texte. Nous sommes porteurs de germes, la vermine. Alors on nous désinfecte : c'est notre nouveau supplice, après les rafles, le froid, la faim, la mort. On nous oblige à entrer dans des bains brûlants ou glacés.

Je travaille comme on tue, avec haine. Je m'enferme dans ma

rage, comment ne pas haïr ces Polonais paisibles qui se promènent sur la Marszalkowska? Je n'accepte que mes voyous, hors-la-loi comme moi. Quand mon père m'a demandé de porter un message au professeur Hulewitz, près du boulevard de Nowy-Swiat, j'ai d'abord haussé les épaules.

— Il nous aide, a-t-il dit.

Je n'ai pas répondu. Qui nous aide? Le monde entier nous laisse mourir. Père m'a expliqué, calmement, la résistance polonaise, ses courants, ses divergences. Et je me suis retrouvé dans l'entrée du professeur Hulewitz. La chance une nouvelle fois : le professeur était absent et j'ai ainsi rencontré Zofia.

Depuis des mois, je vivais avec Dziobak-la-Vérole et Pila-la-Scie, avec Brigitki-la-Carte et Miétek-le-Géant. Je couchais avec Yadia. Ces hommes changeaient plus souvent de femmes que de chemises. Et Yadia avait le cœur tendre pour tous ceux qui ne la battaient pas trop. A Pola, dans notre cache rue Mila, m'unissait une sorte d'amitié physique : nous avions besoin de rassurer nos corps alors que le ghetto se murait dans le silence. L'exemple des hommes de ma bande, Yadia, Pola : quand je me suis trouvé en face de Zofia, je ne savais pas ce que c'était que l'amour.

Et puis, à la regarder, je me suis mis à rire, simplement, comme si mes muscles se détendaient, comme si j'entrais dans un bain chaud après une grande fatigue, comme si je m'étirais, reposé, propre, neuf. Elle riait aussi, et nous parlions, pas du ghetto ou de la guerre, mais d'avant, des bords de la Vistule, d'un cirque qui était venu à Varsovie, et s'était installé, peut-être en 1938, sur la place de la Vieille-Ville.

— Place du Théâtre, soutenait-elle.

Elle m'a montré ses livres, la photo de son père, un officier de cavalerie qui était prisonnier des Russes.

— Nous n'avons reçu qu'une lettre, répétait-elle.

Sa mère était morte durant le siège de Varsovie et depuis, elle vivait chez son oncle, le professeur Hulewitz. J'étais désespéré de ne pouvoir rien faire pour elle, lui rendre son père, presque gêné de lui avouer que les miens vivaient. Mais la joie nous reprenait. Je parlais de ma mère, et puisqu'elle ne savait pas ce que c'était qu'un *tcholent*, ma mère lui en préparerait un. Le soir, en la quittant, quand je lui ai dit naturellement : « A demain,

Zofia, si je peux », il m'aurait été impossible de dire quand je l'avais rencontrée. Il me semblait qu'elle faisait partie de mon enfance, que depuis toujours nous nous connaissions, qu'elle était là entre mes frères, aux côtés de ma mère, souriante dans notre maison.

En ce temps-là il fallait faire les choses quand elles se présentaient : le lendemain tout était bouleversé. Alors, pendant une dizaine de jours nous nous sommes vus régulièrement avec Zofia. Avant de rentrer au ghetto, je passais chez elle et nous parlions, nous riions. Puis elle est venue avec moi dans notre enfer mais, peut-être parce que c'était le premier soleil de mars, peut-être parce que nous ne voyions plus rien, il me semble que le ghetto était moins sinistre que d'habitude. Nous sommes allés au théâtre, on jouait *l'Avare*. Zofia riait parce que sur l'affiche on avait volontairement oublié Molière et seulement indiqué le nom du traducteur juif : nous n'avions pas le droit de voir des pièces d'auteurs aryens. Puis nous avons marché au bord de la Vistule, traîné sur le pont Poniatowksi, quelques heures arrachées à ma ronde et que je rattrapais en allant plus vite encore.

— Oui, disait-elle, il me semble aussi que je t'ai toujours connu.

Elle parlait de son père, très catholique.

— Mais pas antisémite, tu verras.

Nous retournions au ghetto, au théâtre *Eldorado*. Je lui expliquais pourquoi tout le monde riait dans la salle quand, sur la scène, sortant des coulisses, une tête apparaissait qui lançait d'une voix apeurée : « *Est-ce qu'on peut?* » C'était le mot de passe des rues du ghetto, la question que les passants se lançaient avant de s'engager dans une direction où, peut-être, Frankenstein courait le revolver au poing, où, peut-être, les Allemands raflaient, pour les camps, pour le bain, pour la mort.

— Tout cela va finir, disait-elle.

Et j'en étais sûr aussi, j'avais trop de joie à l'écouter, à la voir secouer ses cheveux blonds qui bouclaient dans son cou. Elle était la première femme dont je prenais la main, et nous marchions en balançant les bras comme si la guerre n'avait jamais existé, comme si je n'avais pas été juif, et comme si les bourreaux ne régnaient pas à Varsovie. Nous disposions de l'avenir comme s'il nous appartenait. Quand je l'ai vue pour la dernière fois, elle m'a dit :

— Peut-être, quand deux êtres ont l'impression de s'être toujours connus, est-ce vraiment le grand amour pour toute une vie.

Nous ne nous étions même pas embrassés et nous ne l'avons pas fait ce soir-là.

Mais c'était un temps sans pitié : il fallait prendre ou ne plus avoir. Il n'y avait jamais de sursis.

Dans la nuit du 14 mars — il y a des dates dont on se souvient — mon père a frappé à ma porte : maintenant il tenait à montrer que j'étais devenu indépendant. Il est resté sur le seuil de ma chambre.

— Tu sais, dit-il, demain sois très prudent. Ils sont sur les dents.

Pourquoi me réveillait-il? J'étais toujours prudent.

— La résistance polonaise a abattu Igo Sym, expliquait-il. Ils arrêtent les artistes, les intellectuels. Ils raflent.

Que m'importait Igo Sym, cet acteur qui collaborait? Quant aux représailles, nous connaissions les méthodes des bourreaux et peut-être s'ils s'occupaient de la Varsovie aryenne aurions-nous un peu de répit.

— Ils ont pris le professeur Hulewitz et sa nièce.

Il a refermé la porte. « Tout cela va finir », disait Zofia. Je ne connaissais que la douceur de sa main et nous parlions comme si nous avions toujours vécu ensemble. Je suis resté allongé, immobile, dans l'obscurité : il me semblait qu'on m'avait ouvert le corps d'un seul coup de la tête aux pieds et qu'on recommençait indéfiniment. Cette nuit, il n'y avait rien à faire : demain, peut-être. Sans doute, les avaient-ils enfermés à la prison de Pawiak, dans notre ghetto. Je revoyais la cellule, Siwy qui disait : « Tu retournes toujours à Pawiak », Siwy qui avait sauté du wagon avant moi. Et puis il y avait eu ce rassemblement dans la cour, les SS, peut-être Himmler et le professeur à barbe noire : « Je ne suis pas un traître, pour mon honneur. » Zofia était à Pawiak et j'étais là, fendu, taillé en deux par cette douleur insupportable, plus violente que tous les coups reçus. Nous étions promis à la mort, tel était le destin qu'ils avaient

104

tracé pour nous, j'en étais sûr maintenant. Ils me prenaient
Zofia, cet espace libre dans mon enfer; ils m'arrachaient ces
rires, cette douceur, tout ce qu'elle m'avait découvert : une
vraie vie où les hommes ne seraient plus des loups. Je suis resté
jusqu'au matin, tendu, incapable même de me souvenir des
heures que nous avions passées ensemble. Il n'y avait plus en
moi qu'une révolte glacée comme une lame : Zofia, quand lan-
cerons-nous un cri de guerre? Zofia, quand nous vengerons-
nous?

Nous avons tout essayé pour les sauver. La police polonaise,
les voyous de Varsovie, et même les gardiens de la prison. En
vain : les otages sont enfouis dans Pawiak et je n'ai pas d'espoir.
Chaque soir, je fais le tour du quartier, sans raison autre que de
prendre un risque de plus pour Zofia : je longe la rue Pawia,
puis la rue Smocza, puis la rue Dzielna, puis la rue Karmelicka.
Le rectangle est fermé, me revoici à mon point de départ. Il ne
me reste qu'à rentrer ou à boire. Et je bois dans l'une des boîtes
du ghetto. Devant le *Casanova*, rue Leszno, Rubinstein-le-Bouffon me salue en s'inclinant :

— Tous égaux dans le ghetto, nous sommes tous égaux.

Et il éclate d'un rire strident. Puis il lance :

— Les gros et les gras vont fondre, nous aurons des matières
grasses.

Il grimace et il repart :

— Nous sommes tous égaux...

J'entends son cri qui se perd dans la rue.

Mokotow-la-Tombe est le seul qui sait. Il ne me quitte guère :
nous buvons ensemble mais je ne vais jamais jusqu'à l'ivresse.
Je bois comme on prend un remède, pour essayer de faire
passer ce froid qui est en moi et qui me donne l'impression
d'être raide, ankylosé. L'attente dure des jours et des jours, puis
nous avons su qu'ils les avaient fusillés, tous. Ils n'avaient passé
à Pawiak que quelques jours et j'avais tourné autour des murs
de la prison pour rien.

Ce jour-là, ce devait être au début du mois d'avril — il faisait
beau — je suis allé dans le petit ghetto, traversant le pont de
bois qui enjambe la rue Chlodna, qui est restée aryenne. Il
fallait que je sois loin de la rue Mila, le plus loin possible. J'ai

105

soigneusement repéré des escaliers, des paliers, des caves. Cela m'a pris beaucoup de temps : tout autour de la rue Sienna et de la rue Twarda, j'ai inspecté les immeubles, enregistré la disposition des cours puis je me suis mis en embuscade au coin de la rue Twarda et de la rue Sienna. Parfois des gendarmes allemands, gardant la porte, s'avançaient jusque-là, le fusil sur l'épaule, invincibles, comme des dompteurs qui font quelques pas dans la cage. J'ai attendu longtemps; enfin, j'ai reconnu le bruit vainqueur des bottes sur le trottoir : j'ai vu l'ombre du soldat. Je tenais le couteau de Dziobak-la-Vérole et je me suis précipité. Mais je n'avais pas vu cette femme, elle m'a bousculé, j'ai glissé, perdant le couteau et le soldat déjà criait : *Halt.* J'ai dû fuir dans la rue Sliska. J'entendais ses cris, sa course. Il a tiré, je suis entré dans l'une des cours. Il était déjà là :

— Sors, Juif, criait-il.

Je me suis glissé jusqu'à l'escalier : il y avait un renfoncement qui conduisait aux caves. J'ai attendu. Encore une fois, j'ai vu son ombre. Il portait le casque, il était bardé de cuir et d'acier et paraissait gigantesque. Il s'est avancé prudemment et j'ai sauté pour atteindre son cou : je me suis agrippé à lui, serrant de toutes mes forces, mais il me faisait tournoyer, ne chancelant même pas. J'ai reçu un coup de crosse dans l'œil gauche : ma tête a semblé éclater mais j'ai serré encore, finalement il est tombé sur les genoux, lâchant son fusil pour essayer de détacher mes mains, j'ai serré encore mais le sang m'aveuglait, mon sang. J'ai filé, traversant la cour, remontant la rue Sliska, courant vers le pont. Mon visage me paraissait gonflé à éclater et je ne pouvais ouvrir l'œil. La chance était avec moi : je suis arrivé rue Mila. La douleur me faisait du bien : elle était brûlante, chassant le froid, et pour la première fois, depuis que j'avais perdu Zofia, je sentais que la vie commençait à sourdre, en moi, bruissante, violente, haineuse. J'avais tenu ce cou, le bord du casque m'avait labouré le nez, mais j'avais serré, griffé, et ce bourreau était tombé à genoux. Je vivais à nouveau. Mais le prix était cher, j'avais perdu mon œil gauche.

Le docteur Celmajster désinfecta la blessure avec des gestes doux. Il m'expliquait les dégâts : l'arcade sourcilière, la pupille.

Peut-être conserverais-je une très faible vision. Mais je devais toujours penser que je n'avais plus qu'un œil.

— C'est ton bien le plus précieux, Martin, disait-il. Garde-le.

Le docteur Celmajster est venu chaque jour et grâce à lui la guérison a été rapide. A sa dernière visite, il a multiplié les recommandations : il parlait de mon œil droit, mais je sentais bien qu'il voulait dire autre chose, parler de moi. Presque timidement, du seuil de la porte, il m'a dit :

— Et garde-toi, Martin, toi, jusqu'au bout. Il n'y a que la vie, et toi, vous, les jeunes, vous êtes notre vie. Garde-toi.

Quand j'ai pu ressortir, recommencer, nous avions atteint un nouveau cercle de l'enfer. On ne mourait plus de froid et pourtant on mourait davantage. Chaque jour dans les rues on ramasse des morts de faim, chaque jour on tue : les gardes allemands sont déchaînés. Les rafles succèdent aux rafles : les gens n'osent plus sortir et se terrent dans les caves. Je vois les cadavres dépouillés de leurs vêtements demeurer dans les rues, sur les trottoirs. La rue Karmelicka, proche de la prison de Pawiak, est devenue, disent les enfants en haillons « *la forge de la mort* ». Et l'espoir que mon père m'insufflait de voir rapidement la guerre finir disparaît peu à peu. Ils l'emportent partout, en Yougoslavie, en Grèce, maintenant ils foncent dans les plaines de Russie : des rumeurs affirment qu'ils ont tué tous les Juifs de Kiev. On parle des *Einsatzgruppen,* des commandos d'extermination chargés de liquider les Juifs. Et pourtant, à Varsovie, nous sommes de plus en plus nombreux : les réfugiés s'entassent entre nos murs, affamés, dépouillés, désespérés, décrivant les horreurs subies. Je croise dans les rues cette pauvre femme échevelée qui crie le nom d'un enfant : dans le train qui la conduisait à Varsovie son enfant a dérangé un gendarme qui l'a jeté sur la voie. La mère a voulu sauter mais le garde a menacé de tuer tous les Juifs du wagon. Elle était arrivée à Varsovie, folle, et elle courait dans les rues. Peu à peu nous devenons tous fous! Dans la cour de la rue Mila, j'ai vu des enfants chatouiller un cadavre qu'on avait transporté là en attendant les hommes de Pinkert.

Je passe toujours le mur, mais c'est de plus en plus difficile, de plus en plus risqué : la peine de mort a d'ailleurs été officiellement édictée contre ceux qui franchissent clandestinement l'enceinte du ghetto. Mais je continue : les enfants dans la rue sont plus nombreux encore, plus misérables. Certains qui mendient ont à peine trois ou quatre ans. Je donne pour le *Centos* qui tente de les nourrir, mais qui lit les affiches du *Centos* qui appellent à l'aide? « *Nos enfants doivent vivre* », crient-elles. Mais qui peut sauver tous ces enfants? L'égoïsme, la corruption, l'indifférence, l'impuissance, sont notre lot. Des affiches rouges proclament qu'on a exécuté huit Juifs à la prison de la police juive, rue Gesia, cette prison où j'ai croupi quelques jours : ce sont des Polonais qui ont opéré. Ces gens sont morts pour n'avoir pas pu payer une amende. Une femme a été exécutée pour 100 zlotys et le café *Meril*, à quelques rues de là, organise un concours de danse dont le premier prix est de 2 000 zlotys.

Les bourreaux, chez beaucoup trop d'entre nous, ont tenté de tuer la pitié. Ils essaient de nous faire ressembler à l'image qu'ils ont construite de nous. Puis ils nous liquideront.

Maintenant, alors que les premières neiges commencent à tomber, ils coupent le gaz, l'électricité, ils réduisent les rations alimentaires. Dans les rues, pieds nus dans la neige, les enfants ont à peine la force de tendre le bras. Au coin des rues Leszno et Karmelicka, tous les jours j'entends leurs gémissements : abandonnés, orphelins, perdus, ils se groupent pour mourir.

Comment pourrais-je ne pas tenter de passer le mur, encore et toujours? Mais, désormais, les tramways ne circulent plus. Je m'attendais depuis longtemps à cette décision et je suis prêt.

J'ai réuni Mokotow-la-Tombe, Miétek-le-Géant, Zamek-le-Sage et tous les autres au café de la rue Dluga. Ils avaient pris l'habitude du tramway, des gains faciles, des soirées passées à boire jusqu'au lendemain matin, et aussi des prostituées du ghetto.

— Foutou, mon petit Miétek-le-Coupé, répétait Dziobak-la-Vérole. Planque-toi avec des devises, à Lvov ou à Varsovie. Fais le mort.

— Tu peux te planquer, je t'assure, disait Wacek-le-Paysan.

Je trouve une ferme près de chez moi, tu travailles, tu paies un peu, t'as une bonne tête de paysan.

— Ils seront pas toujours là, disait Zamek-le-Sage.

Je les écoutais : en somme, ils m'aimaient bien.

— On va commencer par la rue Kozla, ai-je dit.

— Bédouin têtu, a dit Dziobak.

Mokotow s'est mis à rire joyeusement.

— C'est toi qui paie, c'est toi qui risque, c'est toi qui juge a conclu Dziobak.

Rue Kozla, un immeuble du ghetto, donnait dans la rue Freta, du côté aryen. Les Allemands avaient monté des grillages aux mailles fines devant chaque issue, soupirail ou fenêtre. Mais nous avons installé des centaines d'entonnoirs fixés ensemble, aux goulots de la grosseur d'un clou qui passaient entre les mailles : je plaquais d'une seule poussée les entonnoirs contre la grille, ils s'enfonçaient et nous vidions le lait, des sacs de blé que, rue Kozla, les porteurs de Trisk-le-Chariot ou de Chaïm-le-Singe recueillaient. La nuit, après le couvre-feu, nous arrivions avec un camion contre le mur du ghetto, je choisissais le coin le plus éloigné d'une porte, place Parysowski : les Bleus étaient payés grassement. De l'autre côté du mur, dans le ghetto, Pavel attendait : nous jetions nos échelles et dans l'obscurité humide de l'hiver polonais, en quelques minutes, dans le plus grand silence, nous passions nos sacs. J'étais à califourchon sur le mur, assis sur une planche qui me protégeait des éclats de verre plantés dans le ciment. Je surveillais toujours moi-même, c'était ma marchandise et c'était mon ghetto. Parfois, une patrouille de gendarmes allemands surgissait : ils tiraient, ils hurlaient, je bondissais, il y avait les cris des blessés, l'éclair jaune des coups de feu, et la marchandise qu'il fallait essayer d'emporter. C'était précieux, la marchandise, cela valait des vies d'hommes, c'était la vie. J'ai dû, une nuit, descendre dans un égout, aux environs de la place Parysowski, et y rester caché un jour entier mais j'avais sauvé deux sacs de blé. Et je suis arrivé, sale, puant, au café de la rue Dluga, traînant mes sacs, découvrant l'étonnement dans le regard des hommes en train de boire.

— Increvable, le chat Miétek, a dit Brigitki-la-Carte.

C'est vrai, je ne voulais pas crever.

Pavel, Trisk-le-Chariot, Chaïm-le-Singe, Yankle-l'Aveugle, contrôlaient les opérations du côté du ghetto. Curieusement, le téléphone fonctionnait toujours entre le ghetto et la Varsovie aryenne. C'était notre arme, à Pavel et à moi. Nos phrases étaient courtes :

— Quelle *méta* joue?

Méta : la fraction de mur où il fallait se diriger, là les Bleus « jouaient » pour une ou deux heures. Pavel les avait déjà payés et il avait aussi payé les bandes de voyous qui contrôlaient tout le mur, douaniers clandestins pour contrebandiers; le tarif était fixé par sacs et il ne s'agissait pas de tricher. Moi, j'avais à mes côtés Pila-la-Scie et Miétek-le-Géant, aussi on ne me roulait pas.

Notre camion était prêt dans un hangar, parfois à l'autre bout de Varsovie, près de la gare de l'Est. Le téléphone sonnait, c'était Pavel. Je faisais un signe pour qu'on lance le moteur pendant que j'interrogeais :

— Quelle *méta* joue?

Je bondissais déjà, poussant les portes du hangar, m'accrochant aux ridelles, grimpant sur le sommet de la cargaison où se trouvaient Miétek et Mokotow. Nous foncions par des itinéraires préparés, les phares éteints, évitant les barrages. Les guetteurs, les « *bougies* », nous annonçaient de place en place que la route était libre. L'air nous coupait le visage et nous devions nous tenir avec nos doigts gelés aux sacs qui allaient d'un bord à l'autre. Nous foncions comme pour une attaque, et notre action était réglée avec la précision d'un assaut : si nous arrivions trop tard, « *méta* ne jouait plus », d'autres Bleus étaient là, prêts à nous abattre. Je commandais par gestes et parfois, en quelques minutes, j'ai fait passer par-dessus le mur des dizaines de sacs, plus précieux que des lingots d'or.

Puis, les gardes se sont renforcées. Les patrouilles de motocyclistes surgissant dans le vrombissement de leurs moteurs. Notre marchandise était « *brûlée* », prise. J'enrageais, je buvais à m'en déchirer l'estomac. Alors, j'ai changé de plan. M'entendant avec les hommes de Pinkert j'ai bourré les cercueils de nourriture, glissé de la farine sur ces charrettes chargées de

110

cadavres que les Allemands n'approchaient pas car ils craignaient le typhus. Mais ils ont muré le cimetière parce qu'ils savaient bien que nous utilisions nos morts pour sauver des vies. Alors, j'ai changé de plan encore une fois. J'ai utilisé les voitures qui, irrégulièrement, évacuaient les ordures et franchissaient parfois les portes.

C'était le jeu de la vie et de la mort. Ils serraient le lacet autour de notre cou, méthodiquement, et nous avions de plus en plus besoin d'air. J'apportais un peu de cet air. Mais les enchères montaient toujours.

Finalement, j'ai dû avancer à visage découvert.

Pour Pola, c'était un suicide. Elle m'avait saisi les mains. Pavel, accablé, fumait en silence.

— Certains le font, ai-je dit.

— Ils sont pris, presque tous, l'un après l'autre.

Et est-ce que nous n'allions pas mourir, « *presque tous* »? Je me suis levé, le temps n'était plus aux discussions.

— Acceptes-tu, Pavel, oui ou non?

— Je serai là, a-t-il dit.

J'ai bondi dans l'escalier : enfin, j'allais recommencer, en grand. J'ai investi presque toute ma fortune dans l'opération : j'ai payé les policiers juifs, payé les Bleus, payé les « 13 de la rue Leszno » qui, eux, avec mes fonds, payaient, disaient-ils, des gendarmes allemands; j'ai payé les hommes de Kohn et Heller, les pourvoyeurs officiels du ghetto qui payaient les contrôleurs allemands, j'ai payé pour un chariot tiré par deux beaux chevaux, j'ai payé pour de faux papiers, pour une autorisation d'importation du *transfertelle*, le bureau des permis.

Comme toutes les idées fructueuses, mon plan était simple : je ne jouais plus avec une *méta*, une fraction de mur, mais avec une porte du ghetto. Et nous sommes entrés. J'étais assis sur les marchandises, très haut : je montrais mes faux papiers que le Bleu faisait mine de contrôler; il « jouait », toute la porte « jouait ». Je suis passé plusieurs fois : j'avais deux heures, parfois moins, pour foncer dans le ghetto guidé par Pavel, j'entrais dans une cour, là des dizaines de porteurs sortaient des coins, des caves, des escaliers, en quelques secondes, il ne restait plus du chariot qu'une carcasse nettoyée. Parfois nous gardions même l'un des deux chevaux, ne retournant qu'avec un seul. Un jour, je suis entré avec deux chariots et quatre chevaux et ressorti avec deux chevaux tirant les deux prolonges. Je « jouais » avec une porte à l'entrée, une autre à la sortie. J'entrais par Dzika, au bout de la rue Stawki, les porteurs m'attendaient dans le quartier des petites rues Wolynska ou Kupiecka et, alors que je repartais vers la porte Okopowa, je les croisais, courbés, pédalant et tirant leurs *rikshas* pleines de mes marchandises.

J'ai transporté des tonnes de blé, de sucre et quand, la porte passée, je m'engageais au milieu de la foule; que, du haut de mon chargement j'apercevais la longue rue Gesia, ces colonnes de passants courbés, j'étais une sorte de souverain ou de génie bienfaisant, apportant le salut et l'espoir à son peuple.

Mais les enchères n'avaient jamais été aussi élevées; j'étais à visage découvert. Chaque passage de porte était un miracle. Et la chance souvent est infidèle.

J'étais arrêté devant la porte Dzika. Zamek-le-Sage tenait les rênes des chevaux. J'étais assis sur les sacs de blé, très haut, j'apercevais Pavel, immobile au milieu de la foule, Pavel anxieux sans doute comme toujours. Dzika jouait. Il faisait beau par saccades, puis le ciel se couvrait. En descendant lentement le long des sacs, je sentais l'odeur du blé : j'avais un autre chargement en attente, du blé encore, dans un hangar de Praga. Mokotow-la-Tombe devait déjà avoir chargé sur l'autre chariot, se tenant prêt pour mon retour. J'ai tendu mes papiers au Bleu : j'étais un jeune Polonais, habitant rue Powazkowska. Il a à peine regardé. L'Allemand était dans sa guérite. Il « jouait » aussi. Tout allait bien.

Je les ai entendus venir, ils arrivaient roulant le long du mur. J'ai continué à remonter, m'agrippant aux sacs.

— Tu ne sais rien, ai-je dit à Zamek-le-Sage, à tout hasard.

Ils ont freiné, devant la porte, sauté de leurs motos et l'un d'eux a braqué son pistolet mitrailleur dans notre direction; l'autre se dirigeait vers la guérite. Ils se sont tous mis à crier, l'Allemand et le Polonais joueurs, criant plus fort que les autres pour se sauver, les deux gendarmes dans leurs longs manteaux de cuir hurlant dans notre direction de descendre, de montrer nos papiers, de lever les bras. Déjà, je recevais des coups dans les côtes, sur la tête. Je tenais mes papiers à bout de bras, répétant :

— Mais pourquoi, je ne sais pas.

Zamek se taisait.

L'un des motocyclistes est reparti, l'autre nous tenant en respect, nous donnant des coups. J'ai pu apercevoir Pavel, au loin, au bout de cette rue. Dans son désespoir, il devait m'en vouloir d'avoir provoqué, défié la chance.

Une voiture est arrivée avec le motocycliste. C'est à moi qu'ils en avaient. Ils ignoraient presque Zamek-le-Sage : sûrement une dénonciation, encore une. Nous avons été poussés sur les sièges arrière, bourrés de coups de poing et nous avons franchi la porte Dzika, prenant la rue Zamenhofa puis tournant rue Dzielna. « Tu retournes toujours à Pawiak », disait Siwy, et j'étais retourné à Pawiak. Ils m'ont fouillé : j'avais trop de zlotys pour jouer les innocents, quelques coups encore puis une cellule pour moi seul. J'ai perdu Zamek-le-Sage, définitivement. Je me suis assis dans un coin, le plus sombre : « Garder ses forces, économiser ses forces, ne pas s'affoler ». Je répétais ces petites phrases pour trouver le calme mais de temps à autre j'avais une grande vague de désespoir, je pensais à ma mère, à Zofia, à Stasiek Borowski aussi.

Quelques heures ont passé : des cris dans le couloir, la porte, la cour, un camion, d'autres prisonniers, silencieux, la tête basse. Nous partons. Je reconnais les rues, la porte de la rue Nalewki, la Varsovie aryenne et ses passants tranquilles et libres, puis ce sont des arbres, ce vert timide et pâle du printemps. Nous sommes Allée Szucha : Gestapo. Ici aussi j'étais venu, il y a si longtemps, au temps de mon enfance, quand je commençais à peine à découvrir le monde qu'ILS construisaient pour nous. J'avais fui, la chance. Cette fois-ci, j'étais collé au mur d'une cellule, dans les sous-sols, les bras levés. Puis ce furent des escaliers, des coups de crosse et un bureau calme, ensoleillé, un homme assis, soigneusement peigné, les mains posées à plat, silencieux un long moment.

— Raconte, dit-il.

L'interprète, debout près de la fenêtre, traduit.

113

8

J'ai commencé à parler : je suis polonais, j'ai rencontré quelqu'un dans la rue, je voulais gagner de l'argent, je ne sais rien de plus. Je répète mon nom d'emprunt.

— Raconte, répète-t-il.

Il ne me regarde même pas. Je recommence, je demande qu'il me pose des questions. Je répondrai, mais je suis innocent. Il n'attend même pas que l'interprète ait terminé. Il se lève lentement, prend une canne, un long bambou flexible, et commence à me frapper. J'entends le sifflement des coups, ils coupent l'air et ma peau, comment ne pas crier ?

— Raconte.

Il est retourné s'asseoir. Je reprends mon souffle. Je recommence. Alors il hurle, le visage rouge, se lève, me pousse contre le mur, je sens un canon de pistolet contre la nuque.

— Raconte. Je compte jusqu'à dix.

Pourquoi mourir ? Mes joues brûlent, ma langue me semble énorme, m'étouffe. Zofia est morte aussi, et ma mère ne lui aura pas préparé ce *tcholent* qu'elle fait si bien. Adieu les miens, je n'aurai pas poussé le cri de guerre et de vengeance. Adieu les miens.

La porte s'est ouverte, quelqu'un est entré.

— Je vais lui donner la leçon, a dit mon bourreau en allemand.

Alors l'espoir m'a envahi.

— Il te reste cinq, a-t-il dit.

— Je ne sais rien, je vous jure.

Il a compté et un coup de feu a éclaté, à mes oreilles tiré près de moi par l'autre bourreau, mais j'étais là vivant. Une méthode pour terroriser.

— Je te laisse jusqu'à demain.

Il m'a conduit au milieu de la pièce et il m'a plié d'un coup de pied dans le bas-ventre.

— Je veux les noms de la bande et des soldats qui t'ont aidé, a-t-il dit, demain.

Que savait-il ? Il semblait ignorer que j'étais juif. J'étais à nouveau à Pawiak, dans une cellule. Près de moi, couché sur le sol boueux, un homme agonisait, le corps bleu et noir, les yeux fous, battu, torturé à mort, ne geignant même plus. Moi,

114

demain. Mais pendant quatre jours ils ont semblé m'oublier. Le deuxième jour j'ai joué, lancé un chiffre au gardien polonais qui versait la soupe. Il a levé la tête, le chiffre était gros. Il me regardait, les yeux inexpressifs.

— Simplement pour dire où je suis à un ami. C'est lui qui paiera.

Il hésitait : j'ai répété le chiffre.

— Qui? a-t-il dit simplement.

J'ai donné l'adresse d'un hangar que nous avions à Praga et où Mokotow m'attendait, je le savais. Le gardien est reparti : j'avais misé, il fallait espérer. Le quatrième jour, quand il est rentré, il souriait, prévenant. Mokotow avait donc payé, et largement.

— La Tombe et le Géant s'en occupent, a-t-il dit.

Mokotow et Miétek : maintenant ils savaient et j'avais confiance en eux. Je me sentais fort mais la Gestapo en venant me chercher le soir du quatrième jour m'a surpris. Une voiture particulière et non plus un camion. Un autre bureau, un autre bourreau, grand, élégant, chauve, le visage empourpré dans la lumière violente de la pièce.

— Tu n'avais pas dit que tu étais juif?

Peut-être à l'infirmerie de Pawiak où l'on m'avait un peu soigné avaient-ils vu que j'étais circoncis.

— Les Juifs parlent toujours, a-t-il dit.

Il n'y avait même plus d'interprète, sûr qu'il devait être que je comprenais l'allemand. J'ai répondu en polonais que j'étais innocent, que je ne parlais que le polonais. Son visage s'est empourpré davantage, il s'est précipité vers moi, hurlant, et je voyais ses dents couronnées d'or.

— Ça suffit, Juif, tu vas finir, Juif.

J'ai su que je ne parlerais pas, jamais, qu'il allait me tuer mais que je remporterais la victoire du silence, que ses cris de rage étaient un aveu de faiblesse. Qu'il était lâche, impuissant, méprisable, qu'il appartenait au monde des bêtes enragées que l'on tue parce qu'elles sont nuisibles et que moi et les miens nous étions, quoi que nous ayons fait, quoi qu'ils aient fait de nous, malgré l'égoïsme auquel ils nous avaient contraints, malgré la peur de beaucoup et la servilité de quelques-uns, moi et les miens nous étions les hommes à visage d'hommes. Et les bêtes enragées ne pouvaient nous vaincre même si elles nous tuaient. Je n'avais qu'un **regret**, celui de ne pouvoir participer à l'hallali quand nous les traquerions enfin.

Alors ils ont commencé : ils m'ont entouré, me jetant de l'un à l'autre comme un ballon qu'on veut crever. Ils m'ont allongé sur une table et à deux, alternativement, ils m'ont **frappé à coups de canne, à coups de matraque**. Alors ils m'ont **fouetté** avec des lanières de cuir. Ils m'ont donné des coups de pied dans le sexe et le matin, à Pawiak, j'ai pissé le sang. Car cela a duré plusieurs jours : ils me jetaient dans un camion, ils me tiraient par les cheveux jusqu'à la cellule. Et ils recommençaient le lendemain ou dans la nuit. A chaque trajet, j'espérais que Mokotow-la-Tombe ou Miétek-le-Géant attaqueraient le camion. Mais rien : c'est cela qui me faisait le plus mal, la solitude. Alors ils ont posé mes mains sur une table et là, à la base du pouce, ils m'ont **brûlé avec leurs cigarettes**, puis ils m'ont « soigné » en badigeonnant la blessure d'acide. Et ils m'ont suspendu par les pieds et les bras comme une bête qu'on expose à l'étal d'un boucher. Et ils étaient des bouchers.

J'ai compris que s'ils continuaient ainsi je risquais malgré moi, de parler : il me fallait donc décider de mourir. J'ai pensé à me suicider mais j'avais dix-sept ans, la rage de vivre et de les insulter, de jouer encore et de tenter la chance.

Quand ils m'ont laissé tomber sur le sol et que le bourreau au visage rouge, en sueur, s'est approché de moi, j'ai dit en allemand :

— Je vais parler.

Alors, il s'est tapé sur les cuisses, il m'a caressé le visage avec son fouet en riant :

— Tu vois, Juif !

Et il a fait ce que j'attendais, appelant les soldats, le premier bourreau.

— Notre petit Juif a décidé de bavarder.

Il plastronnait, les autres riaient. Je me suis soulevé. Les côtes me faisaient mal, j'avais les mains rongées par l'acide.

— Il est incapable de faire parler un petit Juif, ai-je crié. Il l'a cru !

116

Il s'est approché, la matraque haute. J'ai **rassemblé** mes forces, j'ai craché vers son visage.

— Il ne peut pas faire parler un Juif. Et il va me tuer, parce qu'il ne peut pas. Il va me tuer et je me tairai. Il n'a pas pu. Il va me tuer, ai-je hurlé.

Puis j'ai fermé les yeux. Personne ne parlait et tout à coup je l'ai entendu crier, hurler : il bondissait autour de la pièce comme un kangourou.

— Tu vas parler, Juif, tu vas parler, criait-il d'une voix aiguë.

Puis en hurlant il a commandé aux soldats de sortir. J'ai entendu leurs murmures. Brusquement le silence : j'étais à nouveau seul avec lui.

— Tu vas parler, Juif.

Son visage était presque contre le mien.

— Tu vas me tuer, et tu n'auras rien eu.

Et j'ai craché, une nouvelle fois. Il s'est redressé, pâle, le revolver au poing. Il a hésité et la chance hésitait à me rejoindre, cette chance que j'avais provoquée. Puis il est sorti. On m'a ramené à Pawiak et deux jours sont passés. Mes plaies pourrissaient et je sentais la mort m'envahir, je pouvais à peine remuer. Puis, le troisième jour, la cellule s'est ouverte et le bourreau était là, devant moi.

— Tu es courageux, Juif. Et tu es malin. Je te propose une affaire.

Je l'ai écouté, c'était simple : la vie contre mon organisation, la vie pour dénoncer les Allemands et les Polonais qui acceptaient de « jouer » avec nous. Pourquoi n'avais-je pas assez de force pour bondir sur lui? Mais ma faiblesse m'a servi à maîtriser ma haine, à bâtir un plan.

— Fais-moi soigner d'abord, puisque tu veux me laisser la vie.

Je le tutoyais et c'était une revanche qui valait de vivre.

— Et tu me donneras les papiers d'un aryen.

Je discutais comme pour une affaire parce qu'il fallait lui faire croire que le marché m'intéressait. Ses yeux me tuaient mais sa langue était mielleuse.

— D'accord, Juif. On te guérira. Tu auras la belle vie, comme un vrai petit aryen.

Et il devait rire, penser à cette balle qu'il tirerait. J'ai ergoté encore, refusé de donner un renseignement immédiatement.

— Les soins d'abord.

Ils m'ont transporté à l'infirmerie de Pawiak. Un soldat gardait ma porte et le docteur Scherbel de la Gestapo, est venu me rendre visite. C'était un petit homme rond, paisible, doux. Plus tard, j'ai appris qu'il lui arrivait d'opérer pour le « plaisir » les prisonniers sans anesthésie. Un matin, le docteur polonais qui me soignait et ne m'avait jamais parlé depuis une semaine, m'a souri.

— Vous n'allez pas mal du tout, mais la Tombe et le Géant se sont dit que le typhus vous ferait le plus grand bien. Vous savez, je suis de leur avis.

La joie, comme un soleil, la vie qui revenait. Je lui ai pris la main. Il l'a serrée en clignant de l'œil. Il m'a fait une injection. Deux heures après, la fièvre me saisissait, je délirais. On m'a transporté d'urgence hors de Pawiak : les Allemands craignaient la contagion. A l'hôpital Saint-Stanislas, dans la banlieue de Varsovie, Mokotow-la-Tombe et Miétek-le-Géant ont donné au directeur le choix entre la mort et une forte somme de zlotys. Une nuit, ils m'ont descendu par la fenêtre. Je me souviens vaguement du balancement de la corde le long de la façade. Ils ont mis un cadavre à la place, dans le lit. Puis ils ont réussi à me faire entrer au ghetto. J'ai dormi des jours et des nuits. Le docteur Celmajster me soignait avec des médicaments qu'il réussissait à trouver. Mais j'avais la jeunesse pour moi. Ce furent ainsi des jours lents et doux. Je me suis laissé aller. Il me semblait que nous étions revenus rue Senatorska, au temps des bonnes maladies, quand de mon lit avec une voix rauque d'enfant enrhumé j'appelais à chaque instant ma mère. Un matin je me suis levé. Le cauchemar et le rêve s'achevaient : il m'en restait des côtes et un nez cassés, des dents brisées. Je ne pouvais pas lever le bras jusqu'à la verticale. Mais j'étais vivant. Dans la cour, le soleil d'avril était chaud, l'air léger.

Je suis sorti : le spectacle était devenu insoutenable. A l'angle des rues Smocza et Gesia, un spectre vêtu de loques debout près d'un cadavre criait à intervalle régulier :

— Quelques sous pour enterrer Moniek, mon fils unique.

J'ai marché, marché dans notre enfer, et mes forces revenaient à chaque pas avec ma haine. Le soir, j'étais décidé à recommencer. Ils ne m'en ont pas laissé le temps.

Ils sont entrés dans le ghetto le vendredi 17 avril en fin de journée. J'entendais leurs pas, leurs voix violentes. Ils n'allaient pas au hasard, rassemblant les « politiques », ceux qui écrivaient, imprimaient ou lisaient les feuilles clandestines. Ils ont aussi pris les boulangers, les gens des « 13 de la rue Leszno ». Dès les premiers coups de feu, nous avons grimpé dans notre cache. Ils abattaient les prisonniers devant leurs portes. Le lendemain, mon père nous a confirmé que des brigades d'extermination venaient d'arriver à Varsovie.

Le ghetto se taisait, attendant le pire, puis l'orage est passé. J'ai cherché à renouer avec ma bande : Zamek-le-Sage avait disparu après son entrée à Pawiak, Dziobak-la-Vérole avait quitté Varsovie, Wacek-le-Paysan vendait les produits qu'il ramenait de la campagne. Depuis ma longue arrestation le cœur n'y était plus : ils avaient peur, et même Mokotow-la-Tombe et même Miétek-le-Géant à qui je devais la vie. Ils avaient bien gagné avec moi, ils m'avaient sauvé. Nous étions quittes. J'ai encore fait quelques passages avec Mokotow mais les difficultés devenaient semaine après semaine insurmontables. On peignait de grands chiffres blancs sur le mur du ghetto, tous les 50 mètres : devant chaque marque un policier juif devait être en faction et surveiller cette portion de mur.

Il fallait trouver autre chose pour passer : j'ai alors pensé aux égouts. C'est en essayant de soulever une plaque, dans la rue Muranowska, que j'ai été pris. Depuis le 17 avril, les patrouilles étaient plus nombreuses et le temps de Frankenstein, tueur individualiste, était passé. De temps à autre, on collait des Juifs au mur, dans une cour, pour l'exemple ou sous un quelconque prétexte.

Les deux soldats casqués m'ont fait lever les bras et m'ont poussé dans une cour au coin de la rue Pokorna. J'avançais lentement : la chance me lâchait-elle encore ? Déjà, contre un

mur, il y avait une douzaine d'hommes les bras levés qui attendaient, quatre soldats les gardaient, d'autres devaient patrouil-
ler dans les rues, puis le peloton se formerait et ils feraient feu.
J'avançais vers le mur et j'ai vu une lucarne vitrée, une fenêtre
de cave au ras du sol, je me suis dirigé vers elle, lentement. « La
première chance, Martin, toujours la première chance. Il n'y a
jamais de sursis. »

J'ai plongé, les poings fermés, dans la vitre, tombant sur des
caisses dans une cave sombre. Déjà des coups de feu, leurs
hurlements encore que je connaissais si bien; j'ai enfoncé une
porte, grimpé des escaliers. Personne, une porte ouverte. « La
première chance, Martin. » Je suis entré. Dans une chambre une
petite fille était là, couchée, immobile, une poupée dans les
bras, habillée de blanc, maigre, la peau tendue, jaune. Morte de
faim. Il faut vivre, Martin. Je les entendais crier. Dans une
autre pièce, un gros bahut : j'ai vidé un tiroir, glissé les draps,
les couvertures, sous l'enfant si légère, puis je me suis recroquevillé dans le tiroir, tirant avec ma ceinture pour le refermer,
tirant avec mes ongles pour qu'il se ferme jusqu'au bout. Ils
frappaient à la porte avec leurs crosses. Ils ont tiré, ils sont
entrés, j'entendais leurs jurons, le bruit de leurs bottes cloutées,
à peine un moment d'hésitation devant cette enfant. Ils ont
cherché des heures, rassemblant les habitants dans l'escalier,
hurlant. J'imaginais l'affolement des femmes, les coups qu'ils
donnaient. Mais c'était ma loi : il fallait que je vive encore,
pour cette petite fille qui semblait dormir.

Puis ce fut le silence, un commandement, et venant de la
cour, là où j'aurais dû être, le claquement d'un feu de salve et
quelques coups dispersés.

Pour nous tuer maintenant, la faim, le froid, le typhus, les
coups, les assassinats dispersés ne leur suffisaient plus. Il leur
fallait un grand meurtre, une gigantesque hécatombe.

Blotti dans ce tiroir, respirant avec peine, paralysé par des
crampes, j'étais sûr que je n'étais pas encore allé jusqu'au bout
de l'horreur. Je n'avais rien vu, rien fait.

4

Les bourreaux ont parlé

MERCREDI 22 juillet 1942 : les bourreaux ont parlé. Devant les affiches du Conseil juif les groupes se forment puis éclatent. Des hommes partent en courant, des femmes crient. Au coin de la rue Mila, l'une d'elles, assise sur le bord du trottoir, la tête entre les mains, sanglote, hurle, comme prise de folie, et son cri enfle et s'éteint. Je vois ma mère à la fenêtre, d'un geste j'essaie de la tranquilliser mais elle lève les bras, implorant le ciel. Des coups de feu claquent rue Zamenhofa, puis retentit encore le cri de cette femme. C'est le cri du ghetto qui hurle à la mort.

Les bourreaux ont parlé : ils veulent chaque jour des milliers d'entre nous : « transplantation à l'Est », *Umsiedlung*. Ils veulent « transférer » la population du ghetto de Varsovie, ils veulent que le Conseil juif rassemble les victimes. Ils veulent.

Je parcours le ghetto, partout la folie, la terreur. Des cris, des coups de feu, des hommes et des femmes qui cherchent fébrilement le document officiel qui leur permettra d'échapper pour quelques jours à la « transplantation » : *Lebenskarte*, ce papier qui donne la vie, certificat médical, attestation prouvant qu'ils appartiennent à la famille d'un policier juif. Déjà, chaque pièce a son prix; déjà, les rabbins délivrent des certificats fictifs de mariage : le policier juif est en hausse. Pola m'a demandé d'essayer de lui en trouver un, à n'importe quel prix. Pavel a acheté un certificat de travail. Et ils croient se sauver! Ils n'auront au mieux qu'un sursis. Je marche jusqu'au bout de la rue Stawki :

121

là, devant l'hôpital juif, des infirmiers achèvent d'entasser les lits, les tables : on descend les malades. On les charge sur des *rikshas,* sur des charrettes. Certains sont emportés sur le dos de leurs proches. Ils veulent que l'hôpital serve de lieu de rassemblement. Ils veulent qu'il soit évacué pour ce soir. Et, à 6 heures, il leur faudra 6 000 d'entre nous. Combien demain? Ils veulent.

Les bourreaux ont parlé et notre insécurité d'hier devient une paix douce et heureuse comparée à ce qu'ils ont créé en quelques mots. Je rentre pour rassurer ma mère mais comment pourrais-je la convaincre alors que tout le ghetto tremble, que déjà dans notre immeuble certains, avec un fatalisme désespéré, préparent les 15 kilos de bagages auxquels ils ont droit. Comme si l'Est dont on nous parle pouvait être autre chose qu'une étape vers la mort! Mon père est arrivé, essoufflé, le visage bouleversé, les cheveux en désordre. Il m'a pris par le bras, m'entraînant sur le palier, loin de mes frères qui jouent et de ma mère, désemparée, silencieuse.

— Les brigades d'extermination sont là, dit-il. A Varsovie.

Il serre le poing.

— Et nous n'avons pas d'armes.

Puis il se calme un peu, me donne des cartes de travail : nous sommes censés travailler dans l'une des entreprises allemandes du ghetto.

— Peut-être les productifs échapperont-ils pour quelque temps.

Quelque temps. Nous durons ainsi d'une semaine à l'autre, depuis septembre 1939, et nous avons espéré les victoires alliées, cru que la guerre allait se terminer. Les bobards parcouraient le ghetto et lui donnaient la fièvre : Goering était mort, les Anglais avaient rasé Berlin, les Russes avaient détruit devant Moscou toute l'armée allemande, l'Amérique où nous avions tant des nôtres allait les balayer. Et puis ILS sont toujours là, ILS s'étendent de l'Atlantique à la Volga, de la Baltique à la mer Noire. Et qui se soucie de notre mort?

A nous de nous sauver. J'ai couru comme des milliers d'autres. Déjà rue Zamenhofa on rassemble les prisonniers, dans d'autres rues on pousse sur la chaussée les réfugiés, les vieillards, les mendiants, les malades, les orphelins qu'on rafle dans la rue. Des policiers juifs, le bâton levé, hurlent des ordres : il leur faut 6 000 têtes pour ce soir. Puis le troupeau s'est mis en marche, je l'ai suivi le long de la rue Zamenhofa, cohue misérable, vêtue de haillons, pauvres, voleurs, enfants, éclopés, vieux, épaves isolées venues de ghettos lointains, 6 000 têtes. Au fur et à mesure qu'ils avancent les trottoirs se vident : on les regarde avec effroi. Ils sont notre demain. Près de moi une femme murmure :

— Dieu les prend, merci, merci, ils ont fini de souffrir.

Je vais avec eux jusqu'à l'hôpital pour savoir. Les wagons à bestiaux sont là, arrêtés le long des quais, les policiers hurlent. Je reconnais l'énorme Szmerling, la cravache haute, courant du troupeau aux SS, rendant compte. Et il est juif, comme eux, comme moi. On les pousse dans les wagons, on les sépare et si quelqu'un crie, proteste, se débat, un coup de barre de fer, un coup de feu. Je regarde, j'emplis mes yeux : demain ce peut être moi, les miens. Je veux savoir car pour s'échapper, vaincre, il faut connaître cette place des transferts, l'*Umschlagplatz*. Hier, ce n'était qu'un vaste carrefour, hier ce mot n'existait pas. Mais les bourreaux ont parlé et cet espace est devenu le centre de l'enfer et *Umschlagplatz,* un son sinistre que chacun redoute. Comme un verdict.

J'ai couru, trouvé un menuisier. Ils valent de l'or mais je peux payer. Je l'oblige à courir aussi, le tirant par le bras; partout, dans toutes les rues, des scènes de folie, des gens qui font des paquets, qui s'échappent puis reviennent se heurtant au mur, aux rues barrées, d'autres qui hurlent. Les bourreaux ont parlé et le ghetto tremble. Mais pourquoi n'avons-nous pas d'armes, pourquoi nous laissons-nous égorger? Dans l'appartement, j'écarte ma mère, mes frères. Je veux une cachette sûre, c'est le meilleur des certificats de travail. Le menuisier se met au travail, transformant le fond d'une armoire en porte que commandera un taquet invisible. Puis nous poussons l'armoire devant l'entrée d'une pièce : là sera la cachette de ma mère et de mes frères, derrière l'armoire pleine de linge. Je fais aménager une autre armoire pour moi : je m'y blottirai, contre l'un des battants. Je paye le menuisier : il a les cheveux gris, les mains épaisses et couvertes de sciure, il saisit avidement les billets, me regarde à peine. Il faudrait pouvoir le forcer à l'oubli, tuer sa mémoire, mais nous sommes obligés de lui faire confiance. Il tient notre vie et qui peut être sûr qu'il ne l'échangera pas contre la sienne?

Ne pas penser pour rien, agir : je vais d'une pièce à l'autre. J'entasse les provisions, la réserve d'eau potable, les matelas dans la cachette. Ma mère me regarde, soumise, sans volonté.

— Tout ira bien, mère, je te le jure. Tout ira bien.

Je l'embrasse, je la serre, qu'elle sente ma force, mon courage, ma certitude. Puis je les fais entrer, mes frères rient, veulent rester dans l'armoire. Enfin, je peux placer des étagères, remettre le linge, les draps, fermer les deux battants. M'asseoir. Chaque nuit je les ferai sortir, j'évacuerai les ordures. De la rue montent des cris, des rumeurs de courses, les policiers juifs traquent des passants, sans doute leur manquaient-ils quelques têtes, qu'ils prennent au hasard. Je vois l'un d'eux armé d'un long bâton qui pourchasse une femme qui s'enfuit les bras levés et perd peu à peu du terrain, puis elle tombe et le policier la soulève par les cheveux et l'entraîne.

Les bourreaux ont parlé et certains d'entre nous sont devenus des bêtes enragées, d'autres sont emportés par la folie et d'autres encore ne sont plus que des corps inertes dont se saisissent les bourreaux. Il est difficile de rester un homme : le jeudi 23, à 8 h 30, Czerniakow, le président du Conseil juif, s'est suicidé, nous offrant sa mort comme un cri de colère, de révolte, de désespoir et comme un avertissement. Mais rares sont ceux qui l'entendent. Les policiers ont besoin de « têtes » sinon les bourreaux, le soir, à l'*Umschlagplatz*, les poussent, eux, les rabatteurs, dans les wagons. Sauve qui peut : ma vie contre celles des autres. Il est difficile de rester un homme.

Les rues se vident puis les escouades de policiers surgissent, montent les escaliers, défoncent les portes, arrachent les gens à leur lit, vont vers les cachettes livrées par un voisin ou un parent. Puis apparaissent les Ukrainiens, les Lettons, les Lithuaniens, chasseurs de Juifs, sauvages utilisés par les SS comme faucons. Et l'*Umschlagplatz* se remplit, et les SS comptent puis ferment la porte des wagons. Qu'importe si la mère est séparée

124

de ses enfants. Parfoi un tri s'opère, sur la place même : à droite dans le wagon, à gauche au travail pour les SS. Gauche, c'est l'espoir.

J'ai été pris, dans la rue, comme des milliers d'autres, dirigé en colonne vers l'*Umschlagplatz*, puis poussé dans l'hôpital où on nous entasse dans l'attente du chargement des wagons. Alors j'ai su qu'un homme peut devenir n'importe quoi. Les deux premiers étages de l'hôpital sont réservés aux Ukrainiens, aux Lithuaniens : ils campent, ils tuent, ils violent. Aux étages supérieurs : nous, les Juifs, promis aux wagons, à cet Est dont certains disent qu'il est la mort et d'autres affirment qu'il est l'espoir.

Quand les Ukrainiens ouvrent les portes de l'hôpital pour nous diriger vers les wagons, la lutte se déchaîne : on se bat pour grimper vers les étages les plus hauts et gagner peut-être une heure, peut-être un jour. De la rue Stawki les Ukrainiens tirent dans les fenêtres : les corps tombent. Les femmes crient, des hommes devenus fous gesticulent, les salles sont couvertes d'ordures et d'excréments, des hommes dorment sur des cadavres, d'autres se jettent par les fenêtres et les Ukrainiens en riant les guettent pour les atteindre en l'air, comme on vise des oiseaux.

J'ai été pris et je me suis évadé. Parfois, dans une seule journée, je me suis évadé deux fois : achetant un policier juif, bénéficiant d'un instant d'inattention, désigné pour la « gauche », le camp de travail, et sautant du camion. A chaque fois, je suis plus déterminé, plus sûr de m'échapper, mieux préparé. J'ai une corde enroulée auour de la taille, un couteau, de l'argent. Et puis comme contrebandier je connais presque tous les policiers juifs, mes « joueurs » : ils me respectent, me craignent, connaissent mes ressources. Ils m'aident.

Mais les prix montent vite, les bourreaux sont plus exigeants. J'ai été pris dans la rue Niska par un groupe de SS : l'un d'eux, rouquin avec la peau parsemée de taches de rousseur, tenait dans sa main gantée un long morceau de fil de fer barbelé : il s'est approché de moi et à plusieurs reprises il m'a zébré le visage. Je saigne, je brûle, mais je ne dis rien, je marche, je pense à l'*Umschlagplatz*, je ne sens pas les coups, je pense au sang, à mes blessures qui me désigneront pour les wagons. Il faut se taire, attendre que le SS rouquin m'abandonne pour d'autres victimes. Sur l'*Umschlagplatz* où j'entre une nouvelle fois, c'est toujours la folie : le petit SS, le plus petit que j'aie jamais vu, est là à l'entrée des wagons, souriant, séparant les mères de leurs enfants, maniant la cravache. Les policiers juifs guettent les malheureux qui tentent de se glisser vers le service médical du docteur Remba : car au milieu de l'enfer le docteur et des infirmières essayent d'arracher quelques hommes aux wagons; car dans cet univers de corruption et de barbarie, au milieu des bêtes enragées et en folie, un groupe d'hommes survit. Mais les policiers refoulent vers les wagons ceux qui ne peuvent pas payer. Moi, je paie et durant deux jours j'attendrai que mon visage se cicatrise, puis je retournerai dans le ghetto.

Etre pris, payer, s'enfuir, être pris encore : jour après jour telle est ma vie. Pour survivre il faut plus que jamais ne pas voir, ne pas entendre : hier, rue Karmelicka, on jetait les gens comme des sacs dans une voiture. Une heure plus tard, rue Mila, un policier juif poursuivait un enfant : il l'a enfin rejoint, saisi par le bras et a crié : « Je le tiens. » Alors les parents sont sortis et tous ensemble se sont dirigés vers l'*Umschlagplatz* : les enfants sont un bon appât.

Je voudrais tuer mais quand j'ai pu le faire j'ai hésité.

Le policier juif était là, dans la chambre de la fille de Mme Celmajster, il tirait la petite fille qui s'accrochait à sa mère, à un cheval de bois, elles criaient toutes les deux, comme des folles. Je suis descendu n'en pouvant plus de ne pas intervenir, parce qu'il est des moments où, quels que soient les risques, il faut oser refuser d'être lâche. Je l'ai interpellé, supplié, insulté, mais il avait les yeux ronds d'un cheval qui s'emballe, il a levé son bâton sur moi, alors je me suis jeté sur lui, tête en avant, martelant son visage, l'assommant bientôt. Mme Celmajser et sa fille s'étaient réfugiées dans un coin, prenant la même attitude, les mains sur leur bouche. Le policier était là, étendu, et j'ai eu peur de l'avoir tué. Moi qui rêvais d'abattre ces hommes qui pour sauver leurs peaux donnaient nos vies aux bourreaux, à leurs bourreaux, je me suis brusquement senti proche de lui, victime comme moi, d'une autre façon, transformé en instrument. Quand il s'est redressé, j'étais debout devant lui sa matraque à la main, le poussant dans une armoire et l'y enfermant.

— Je te libérerai ce soir, quand ils auront compté leurs têtes. Et demain, file ailleurs.

Il avait toujours les yeux ronds, hagards.

— Mon quota, répétait-il.

— Demain, ailleurs.

Les bourreaux avaient parlé : chaque policier juif devait ramener quatre têtes par jour, son quota, puis ce serait cinq, puis sept. Ils avaient parlé et cet homme était devenu enragé.

Jour après jour l'action continue. Ma mère et mes frères ne sortent plus de leur cachette. Pola s'est réfugiée sous les toits; moi je devrais ne pas sortir mais je défie la chance : je rôde dans les rues, je suis devenu une hyène, j'entre dans les appartements abandonnés, à peine les Ukrainiens et les policiers juifs les ont-ils quittés. Je vais sur leurs traces, je fouille à la recherche de nourriture, parfois je dois pousser le corps d'une femme qui a été violée et tuée; un bébé crie, seul dans une chambre. J'essaie de ne pas savoir : que pourrais-je faire? Je bourre ma chemise de tout ce que je peux trouver, puis je repars vers les miens.

Dans un immeuble de la rue Nowolipie, au quatrième étage, je me suis trouvé tout à coup face à un Ukrainien, un traînard, un solitaire, pillard trapu qui semblait ne pas avoir de cou. Il me prend par le bras, me pousse dans l'escalier : pas un mot entre nous, rien que sa brutalité et mon apparente soumission. Au deuxième étage, la porte ouverte d'un appartement l'attire. Il me lâche une seconde, je le pousse de toute ma force, je tire la porte et la tiens bloquée jusqu'à ce qu'il ouvre le feu : je me suis jeté dans l'appartement d'en face, ouvert aussi. Il remonte les escaliers en courant, je bondis là, dans l'appartement où il était, laissant la porte ouverte, prêt à me battre, mais il redescend. J'attends quelques secondes puis je recommence à être une hyène, flairant la nourriture pour la rapporter aux miens.

Car ils nous tiennent toujours par la faim : la contrebande est

127

devenue presque impossible, la famine chasse les gens hors de leur cachette. Ils le savent. A la fin juillet, ils ont fait afficher des avis sur les murs : ceux qui se présenteront volontairement à l'*Umschlagplatz* auront droit à trois kilos de pain et à un kilo de confiture. Et puis, disent-ils, les familles ne seront pas séparées, là-bas, à l'Est. Alors, j'ai vu les affamés, ceux qui préféraient manger, ceux pour qui le pain et la confiture étaient un royaume plus beau que la vie. Ils se sont agglutinés devant l'*Umschlagplatz,* les policiers juifs n'ont même plus à frapper. Je les ai vues, ces femmes en fichu, au visage maigre, au rire fou quand on leur tendait ce gros pain gris qu'elles portaient d'un mouvement rapide à leur bouche ou qu'elles déchiraient avec leurs ongles. Alors j'ai vu les parents qui préféraient tout à la séparation d'avec leurs enfants.

J'étais fasciné : je voulais leur dire de s'enfuir, leur crier qu'on ne pouvait jamais faire confiance aux bourreaux, qu'il valait mieux mourir de faim. Mais je n'aurais pas été entendu et puis j'avais honte : je ne savais pas vraiment ce qu'était la faim. Et je savais que la plupart partaient pour rester avec les leurs.

Les volontaires ont été si nombreux qu'ils ont pu en refuser : ceux qui n'avaient pas pu entrer sur l'*Umschlagplatz* suppliaient, ils voulaient leur pain, leur confiture. Ils voulaient avoir le droit de quitter le ghetto en famille. Mais on les a refoulés. Alors, pour quelques jours, le ghetto a été emporté par une autre folie. L'Est était bien l'Est, là-bas on mangeait, là-bas on travaillait : certains recevaient des lettres de parents qui affirmaient que, si le travail était dur la nourriture était copieuse. Je les voyais s'agglutiner devant l'*Umschlagplatz* : comment pouvaient-ils croire ?

Durant quelques jours je suis resté dans la rue, fasciné, pour suivre leurs colonnes soumises et presque joyeuses. C'est ainsi qu'un matin j'ai vu arriver les chariots. Le soleil ce jour-là était éclatant : après des jours de pluie le temps s'était mis au beau, la chaleur commençait à écraser le ghetto. Je les ai vus : Chaïm-le-Singe, Yankle-l'Aveugle et Trisk-le-Chariot : ils avançaient par la rue Zamenhofa, eux aussi allaient à l'*Umschlag-platz*. J'ai marché près d'eux, m'accrochant aux chariots :

— Trisk, Yankle, vous êtes fous.

Ils riaient.

— D'abord, nous aurons la sécurité, le travail et du pain. répondaient-ils.

Yankle-l'Aveugle lançait :

— Miétek, qu'est-ce que tu attends? Dans l'Est, les premiers seront les mieux servis.

— Décide-toi, Miétek, allez, on va te faire une place.

Chaïm-le-Singe grimaçait comme à son habitude et me faisait de grands gestes d'encouragement.

Je les ai suppliés de renoncer, de réfléchir, d'attendre. Mais ils avaient des arguments pour tout : les lettres qui arrivaient de là-bas, les Allemands qui refusaient du monde à l'*Umschlagplatz*. Ils étaient fous, dupés, grisés. J'ai sauté du chariot comme finissait la rue Zamenhofa, adieu Yankle-l'Aveugle, adieu Chaïm-le-Singe, adieu Trisk-le-Chariot. Les bourreaux n'étaient pas seulement des barbares, ils savaient tromper, agir avec méthode, nous diviser. Les vaincre serait long et seuls quelques-uns d'entre nous survivrions. Il fallait être de ceux-là, à tout prix.

Puis il n'y a plus eu de volontaires, plus de pain et de confiture, à nouveau les rafles, les rues fermées par les barrages, les coups de feu. Rue Leszno, une polonaise aryenne a insulté les Allemands qui raflaient les enfants : une rafale, un cri. La rafle a continué.

Les habitants se terrent, s'enfouissent, et le soleil éclatant brûle les rues vides. Dans notre cachette, ma mère et mes frères étouffent : il fait maintenant une chaleur de fournaise, le goudron fond par plaques, l'air est immobile, l'eau manque. J'essaye d'amuser mes frères mais leurs questions reviennent inlassablement : pourquoi? pourquoi? Ils veulent sortir, ils veulent courir et je dois leur apprendre à se taire, à rester couchés, immobiles dès qu'ils entendent des bruits ou des voix : il a suffi parfois du cri d'un nourrisson pour perdre une quinzaine de personnes. Dans la journée, je continue mes explorations.

Ce devait être à la mi-août, je rentrais quand j'ai entendu leurs chants et bientôt je les ai vus, se tenant par la main, peignés, propres. Devant eux marchait le docteur Korczak : les enfants de l'orphelinat s'en allaient à l'*Umschlagplatz*. J'avais applaudi leurs récitations, les scènes amusantes qu'ils interprétaient au cours de spectacles de bienfaisance au théâtre *Femina*. J'avais donné régulièrement pour l'orphelinat, et maintenant ils allaient à l'*Umschlagplatz*.

Le docteur Korczak avançait, les yeux fixes, tenant par la main deux petits garçons, le visage immobile. J'ai marché près de lui, murmurant : « Docteur, docteur. » Je suppliais mais il ne me répondait pas, comme s'il ne m'avait pas reconnu, pas entendu. J'ai marché jusqu'aux barrières puis je les ai vus entrer sur l'*Umschlagplatz* : les wagons étaient rangés le long des quais et le petit SS souriait.

— Viens.

Mon père m'a pris par le bras, il m'entraîne vers la rue Mila.

— Korczak a voulu leur éviter la peur. Il part avec eux.

Je ne répondais rien : comment avait-il pu accepter, ne pas essayer de cacher ces enfants, pourquoi se proposer en sacrifice ?

— Ne le juge pas. Ne juge personne. A sa façon, il essaie de les sauver, de les protéger.

Nous avons marché.

— Ils veulent nous détruire, tuer notre peuple, Martin.

Père parlait : nos espoirs, ce que nous avions construit pendant des siècles, les enfants, notre avenir, tout cela, systématiquement, ils le saccageaient.

— Ils ont un plan : l'Est, c'est notre mort.

Devant Mila 23, père m'a serré le bras.

— Survivre, Martin, souviens-toi. Aujourd'hui, toujours.

Il essayait de se procurer des armes, de prendre des contacts avec la résistance polonaise : mais les armes étaient précieuses et les chefs de l'armée secrète souvent antisémites. Ils hésitent, bavardent, tergiversent. Comme si nous pouvions attendre alors que le ghetto peu à peu se vide, que les policiers juifs l'un après l'autre deviennent des bêtes cruelles que les SS menacent chaque jour d'un quota plus élevé. J'ai vu un policier juif, la hache à la main, fracturer les portes des appartements pour en tirer dehors les habitants. J'en ai vu d'autres traîner des femmes qui hurlaient. Les Ukrainiens, les Lithuaniens, violent et tuent. Ils chassent aussi la nuit et, peu à peu, s'étalant comme une flaque de sang, le silence envahit le ghetto. Chaque jour un nouveau quadrilatère doit être vidé : immeubles compris entre les rues Dzielna, Zamenhofa, Nowolipie, Karmelicka, puis petit ghetto, puis immeubles compris entre les rues Zamenhofa et Nalewki. Les habitants ont parfois cinq minutes pour descendre dans les rues, se grouper sous les coups, et en route pour l'*Umschlagplatz*. Après SS Ukrainiens, Lettons, Lithuaniens, policiers juifs fouillent les immeubles, volent et tuent ceux qu'ils surprennent. Ils défoncent les meubles, crèvent la literie, percent les murs : ils cherchent les cachettes où se terrent des familles, et l'or ou les bijoux. Ils sont assoiffés d'or, de femmes, de sang. Jour après jour, les sauf-conduits perdent de leur valeur : bientôt les cartes de travail doivent être tamponnées par les SS et les policiers du S.D. Alors la folie atteint un nouveau degré : chacun espère être dans le dernier groupe de ceux qu'ils toléreront. Dans un des ateliers qui travaillent pour les Allemands, je vois des petites filles aux yeux terrorisés de chat, le visage couvert de poudre et les lèvres peintes, qui tentent de jouer les jeunes femmes pour paraître mériter une carte de travail : je vois des vieux aux cheveux teints. Que sommes-nous devenus, dans quelle tragédie macabre sommes-nous plongés? Pour quel diable nous maquillons-nous ainsi?

Et, comme les autres, je veille à mon aspect : je dois être jeune, paraître vigoureux. Cela m'a déjà sauvé car j'ai été encore conduit à l'*Umschlagplatz,* poussé à nouveau dans l'hôpital. Les coups de fusil des Ukrainiens, les cris des femmes et des enfants, les immondices recouvrant les cadavres, l'odeur insupportable et les Ukrainiens tirant au-dessus de la foule à la mitraillette, la rendant folle, se saisissant d'une femme qu'ils arrachent aux siens et qu'ils emportent et qu'on ne revoit plus, j'ai retrouvé cet univers terrible de l'*Umschlagplatz* où l'homme meurt.

Deux fois, j'ai réussi à être désigné pour un camp de travail, à grimper sur le camion, à sauter. Maintenant, je connais la route qu'ils suivent, leur vitesse, le moment qu'il faut choisir pour sauter. Tout s'apprend et même échapper à la mort. Deux autres fois j'ai été poussé dans les wagons et j'ai entendu grincer puis claquer la porte de bois qui nous étouffait. Je me suis battu, j'ai crié : je ne suis plus un apprenti mais un vieux truand expérimenté. Nous avons descellé les barreaux qui ferment l'orifice en haut et à gauche du wagon et, à plusieurs, nous avons sauté. La deuxième fois j'avais sur moi une scie courte. Car je savais. Je n'ai pas sauté, pour éviter les coups de feu, mais je me suis hissé sur le toit du wagon, passant d'une voiture à l'autre jusqu'à l'arrière du train. J'entendais les chants des soldats, leurs rires, et les cris d'une femme. A l'avant-dernier wagon je n'ai eu que le temps de m'aplatir : un soldat était là, entre les voitures, montant la garde. Alors j'ai parcouru le train en sens inverse, affrontant le vent, rampant, puis j'ai sauté à la première courbe.

Chaque fois j'ai pu rentrer au ghetto avec l'un de ces groupes de travailleurs juifs que les Allemands utilisent encore dans la Varsovie aryenne. Où serais-je allé? Les miens étaient au ghetto, derrière notre armoire bourrée de linge, m'attendant chaque soir pour que je leur apporte ma confiance, pour que je les débarrasse des déchets qu'ils avaient accumulés. Sans moi, ma mère et mes frères seraient devenus fous. Et puis j'avais confiance : à chaque évasion je me renforçais, sûr que je survivrais, qu'il suffisait de vouloir fort pour séduire la chance.

Quand mon père a été pris, je me suis volontairement présenté à l'*Umschlagplatz*. L'évasion, les policiers juifs, c'était mon domaine. Mon père était assis dans l'une des pièces les plus sombres de l'hôpital. Il regardait, le visage crispé, ces hommes couchés dans la fange et dans le sang.

— Viens, ai-je dit.

Il hésitait.

— Père, ici, c'est moi.

Je l'ai entraîné vers le bas que les gens fuyaient. Nous avons gagné rapidement l'*Umschlagplatz*, les lamentations, les cris. Même de ce spectacle j'avais pris l'habitude. Je connaissais les méthodes des SS, la façon dont ils sélectionnaient leurs victimes.

— Fais comme moi.

Mon père m'interrogeait du regard. J'étais sûr de moi, sûr que nous allions réussir et effectivement nous avons été désignés pour la « gauche », le camion. J'ai bondi, pris la place du bout, défendu l'autre pour que mon père puisse l'occuper, et dès que le camion a démarré, je me suis accroupi.

— Saute, m'a lancé mon père.

— Trop tôt, attends, suis-moi.

Et nous avons sauté, à mon signal, ensemble, sans même susciter un coup de feu, nous enfonçant dans une rue déserte, puis nous cachant dans une cour ensoleillée. La chaleur était accablante, nous nous sommes lavés et assis à l'ombre d'un mur.

— Tu es un maître, Martin.

Je riais.

— Tu voulais sauter trop tôt, père. Le camion venait à peine de démarrer.

Nous avons discuté longtemps, comme deux frères. J'évoquais mes évasions, les trains, ma petite scie, mon couteau, ma corde autour de ma taille. Mon père riait et je parlais comme si j'avais bu. Puis nous sommes rentrés avec les travailleurs. Le ghetto pour lui et pour moi était notre champ de bataille et nous ne pouvions déserter.

Mais le combat pour survivre était de plus en plus difficile et à chacun de mes retours je retrouvais notre prison mutilée : un nouveau quartier était mort. Les rues désertes étaient balayées par les bourrasques brûlantes d'un été de feu, les rues que j'avais parcourues alors qu'y coulait la foule, rue Zamenhofa, rue Gesia dont je connaissais chaque pavé, rues où j'avais vu venir vers moi Trisk-le-Chariot et Yankle-l'Aveugle qui emportaient les sacs de blé d'un mouvement vif, rues où j'avais sauté joyeux, fier d'avoir une fois de plus trompé les bourreaux, rue Mila où j'avais couru, les gâteaux de la pâtisserie Gogolevski à la main sifflant les chansons du ghetto, rues où j'avais été avec Zofia, sortant du théâtre, buvant au café Sztuka, rues désertes aujourd'hui où le vent soulève une veste noire abandonnée dans la poussière jaune.

J'avais souffert de la foule courbée, grise, noire, tragique qui emplissait les rues, j'avais souffert de ces mendiants, de ces enfants en haillons, mais ils étaient encore la vie, notre vie.

133

Maintenant, il ne reste que ces objets dérisoires, ces murs vides, ces gens qui s'enterrent et se cachent. Je crois que c'est alors, franchissant en courant la chaussée, sautant d'une porte à l'autre, alors dans cet été 1942, que j'ai appris, pour toujours, qu'une seule chose compte, la vie. Au milieu de la rue Gesia un piano, jeté sans doute d'une fenêtre; plus loin, des meubles, des édredons crevés; je vais ainsi et je ne vois même pas les gardes ukrainiens. Je suis à nouveau dans une colonne qui marche pesamment sous les cris et les coups vers l'*Umschlagplatz*. Allons Martin, allons Miétek, serais-tu venu jusqu'ici pour te laisser prendre, triompheraient-ils de toi?

J'ai franchi l'épreuve de la sélection et je grimpe dans un camion, mais imposible de fuir, la route s'enfonce dans la Pologne, la campagne se cache derrière la poussière que nous soulevons, blanche. Je prends des repères, car il me faudra fuir, revenir.

A quelques dizaines de kilomètres nous nous arrêtons : un camp est là, fait de baraques, dressant ses barbelés. C'est l'ancien polygone de l'armée polonaise, à Rembertow. Mon premier camp. Des jours passent : les miens sont à Varsovie. J'essaie de me convaincre qu'ils attendent, que mon père les visitera chaque jour. Pour le moment, penser à eux est vain : le seul moyen de les aider est de fuir. Il faut donc ne penser qu'à fuir. Nous travaillons à transporter du sable, nous creusons des canaux; mais comme au camp les truands du ghetto occupent les meilleurs postes, j'échappe grâce à leur amitié aux tâches les plus dures et je me contente de pousser les wagonnets. Les coups pleuvent mais je vis.

Le soir avec un jeune prisonnier, Yankl Eisner, nous parlons évasion. Tous les matins des Polonais se groupent à la sortie du camp : ils veulent acheter ce que nous possédons, l'échanger contre du pain. Yankl hésite, son père est avec lui. Moi, les miens sont à Varsovie, je dois être avec eux jusqu'au bout. Deux jours me suffisent : un matin je lie des contacts avec un Polonais, puis le lendemain au moment de la sortie je me glisse dans la foule des acheteurs, près de lui. Il me passe une casquette, me voici jeune polonais regardant la colonne qui s'éloigne : je vois Eisner qui se retourne, une ou deux fois. Evasion coûteuse mais facile. Il me reste à rentrer, longeant la route, plongeant dans les fossés, retrouvant des travailleurs juifs qui, de l'aéroport d'Okiencie, rejoignent le ghetto. Allons, Martin, allons, Miétek, revoici ton long mur de brique, tes rues, ces rails de tramway, revoici Mila 23. L'armoire est fermée, le linge bien entassé. Je ne peux pas attendre la nuit, je jette les draps, les couverures : ma mère, mes frères, contre le mur sont là, inquiets, leurs yeux criant la peur puis quand je suis là, devant eux, ils éclatent d'une joie silencieuse, ma mère se jetant sur moi, mes frères m'agrippant aux jambes. Vivants.

Et les jours passent.

Père aussi est vivant. Il vient rarement nous voir pris par ses tâches clandestines mais le savoir dans le ghetto, avec nous, me suffit : je suis toujours avec lui et il est avec moi même si les jours s'écoulent sans que nous nous rencontrions. A plusieurs reprises il m'a parlé de l'Est. Là-bas, on nous tue. Un homme a pu sauter du train, revenir, raconter : les voies se perdent dans les landes, vers un lieu désert que les paysans appellent Treblinka. Là-bas les nôtres disparaissent par trains entiers et les wagons retournent, au bout de quelques heures, vides, rentrant vers Varsovie et l'*Umschlagplatz*. Et ils ont pris 200 000 d'entre nous en un peu plus d'un mois. Treblinka. Ce nom grandit en moi comme une herbe sauvage et heure après heure une colère folle me gagne, je la sens monter, déborder ma raison, elle m'étouffe. Je n'en dors plus, je ne peux plus rester enfermé, je dois sortir, les affronter à visage découvert.

Et naturellement j'ai été pris par les SS. Ils sont une dizaine, les jambes écartées, debout au milieu de la rue. Ils nous regardent à peine, nous les Juifs. Ils nous ordonnent d'un mouvement de fusil de nous aligner. Nous sommes déjà nombreux, cueillis dans la rue, dans les étages. Je vois tout à coup sortir titubant, ivre, un homme nu qui chante et se met au milieu de nous, dansant, riant, puis il quitte les rangs, commence à sautiller : les SS rient. L'un d'eux épaule, d'autres l'arrêtent, ils veulent plaisanter un peu avant de le tuer. Je bondis. Voici l'escalier de la maison qui fait l'angle de la rue Mila, déjà j'entends des cris et le pas de l'un d'eux. Je me souviens de ce soldat que j'avais voulu tuer. J'avais manqué de chance. Je me tapis au troisième étage, derrière la porte qui mène au deuxième escalier, celui de la cour qu'on ne voit pas : mais je connais ces immeubles, ils sont depuis des semaines ma géographie fraternelle. Il vient, il monte, même pas soupçonneux, et j'ai bondi sur lui, par-derrière, prenant son cou. Je suis fort maintenant, les coups qu'ils m'ont donnés m'ont fait acier, ces mains qu'ils ont brûlées, ces doigts qu'ils ont écrasés, ils savent serrer, ils sont comme le fer, comme ma haine.

Il se débat mais je ne le lâche pas, bientôt il tombe en arrière, assis, battant des pieds et je commence déjà à le tirer dans l'escalier de la cour alors qu'il achève de bouger, du sang coulant sur son visage. Ma vie tient à quelques secondes : je le descends jusqu'à la cave alors que dehors les cris retentissent, des prisonniers doivent en avoir profité pour fuir, des rafales, d'autres pas. Des hurlements. Ils le cherchent. Mais il est tard, déjà l'heure de compter les têtes. Alors, la colonne s'est ébranlée, les cris se sont éloignés. Et j'ai enterré dans le sol en terre battue ce grand soldat, mon premier mort; j'ai recouvert son corps sans une hésitation, sans un remords. Mon père a pris la carabine et n'a posé aucune question.

— Attention à demain matin, a-t-il dit simplement.

Ils sont en effet revenus, bloquant les rues, tirant dans les fenêtres, fouillant, tuant, raflant, pillant. Toute la journée je suis resté blotti dans ma cachette, sommeillant, calmé. Le soir, quand la nuit est tombée, j'ai grimpé jusqu'aux toits. Là il fait frais. Le ciel déroule une plaine bleutée et calme : après le sang, le bruit, la chaleur, l'horreur, je m'allonge contre une cheminée. Le zinc est encore chaud et je sommeille, le visage dans la brise. Ces toits sont devenus mon nouveau domaine. Je les parcours en tous sens, m'habituant vite à l'étroite bande de circulation placée au sommet entre les deux versants, large à peine d'une trentaine de centimètres. J'y marche sans hésiter et je peux ainsi passer de la rue Mila à la rue Zamenhofa, de la rue Gesia à la rue Nalewki, je peux longer la rue Kupiecka, regarder dans les cours, et surtout alors que les rues sont balayées par la mort, retrouver l'impression d'être libre.

Je connaissais chaque pavé des rues, je savais descendre d'un tramway quelle que soit sa vitesse, je repérais un « Bleu » joueur, simplement à son regard : maintenant, ce sont les toits que je déchiffre. Une pression du pied et je devine la résistance du zinc, du bois ou de la tuile. Je sais sauter en souplesse, me dissimuler derrière une cheminée, m'agripper par les pieds pour, couché sur le toit en pente, suivre dans la rue les déplacements des Ukrainiens et des SS. Les toits me sont familiers, fraternels. Ils me sauvent malgré les Ukrainiens et les Lettons qui parfois s'y aventurent : ils les démolissent en faisant sauter des portions pour débusquer les familles qui se sont réfugiées dans les soupentes. De mon observatoire, allongé, j'aperçois les fumées des explosions du côté de la rue Dzielna, j'entends l'éclatement strident des grenades sur le zinc. Sans doute viendront-ils un jour jusqu'ici mais pour le moment j'y suis encore le plus fort. Là, sur ces toits, j'ai tué pour la deuxième fois.

J'étais debout, au milieu de la bande de circulation en bois, quand j'ai vu sa tête passer par la lucarne de l'un des greniers. Un Ukrainien. Il a sorti le corps et son fusil, calmement, s'est levé : il avait le temps, je ne pouvais que me retourner lentement, pourquoi abandonnerait-il le plaisir de viser. Les Ukrainiens sont des chasseurs. J'ai su tout cela à l'instant où j'ai vu sa tête apparaître. Alors, avant même qu'il ait dressé son fusil, j'ai parlé, en polonais, en allemand, en russe.

— Tu veux de l'or?

Et j'ai répété le mot magique, or. Les Ukrainiens sont voleurs et puisque je suis juif j'ai de l'or.

— Tu veux de l'or?

Or, or. Son fusil reste à demi dressé. J'avance un peu vers lui, pour le rassurer. Je parle de ma cachette, de l'or, des bijoux : cette fortune contre ma vie. Il me regarde, je suis sans arme, que risque-t-il?

— Où?

Je n'ai pas encore perdu, je n'ai pas encore gagné. Je montre l'autre lucarne, au bout de la bande de circulation où je me trouve et où, s'il veut mon or, il lui faudra s'engager.

— Recule, dit-il. Ne te tourne pas.

Il est prudent. Peu à peu, son fusil toujours pointé dans ma direction, il apparaît tout entier, immense, lourd, de hautes bottes noires serrant au-dessous du genou ses pantalons de toile.

Je vois tout cela, je soupèse cet homme qu'il me faut tuer. Il s'adosse à la cheminée, je suis à deux mètres de lui, immobile, les bras à demi levés. Il hésite. Que mon visage devienne naïf, que mes yeux s'éteignent, que j'apparaisse faible et lâche!

— L'or.

Je recommence, je montre la lucarne. Il s'avance vers moi, il approche, prudent, le fusil tenu par la gachette.

— Ne bouge pas, dit-il.

Ne t'inquiète pas, tueur ukrainien, le chat Miétek t'attend. J'ai bondi, les pieds en avant, retombant sur mes mains, m'agrippant aux planches du passage, touchant à peine sa poitrine du bout de mes chaussures, mais cela a suffi pour qu'il se déséquilibre, tirant un coup de feu qui est parti vers le ciel, glissant le long du toit avec un grand cri, arrachant au passage la gouttière, poussant un autre cri alors que je ne l'apercevais déjà plus. Mais qui dans le ghetto se soucie d'un coup de feu et de quelques cris? Il est tombé du côté de la cour et cela me donne quelques instants de répit. Je suis descendu, tirant son corps, le cachant sous des caisses, puis la nuit venue je l'ai enterré avec l'aide de policiers juifs. Eux ou nous : leur guerre ne laisse pas place au remords.

Les toits sont bien ma liberté : je ne les quitte que la nuit pour retrouver ma mère et mes frères qui tentent de dormir dans la journée. Mais ma mère va mal : elle souffre d'être enfermée, elle meurt de cette tension de chaque seconde, elle a peur pour ses fils, peur du silence qui s'installe dans la maison. Je ne sais plus où sont Pavel et Pola, je ne sais plus où sont les Celmajster et leur fille. Nous sommes des survivants temporaires. Mon père passe quand il peut : il tente d'organiser la résistance, il propage ce nom de Treblin a. Mais comment lutter? Pourquoi lutter? La démission, la faim, la peur, les illusions continuent de peser sur les survivants du ghetto. Et puis nous n'avons pas d'armes. Alors il reste le combat solitaire pour survivre, la chasse à la nourriture dans les appartements dévastés, la volonté de tenir un jour encore, jusqu'à ces heures, profondes de la nuit, parfois plus tôt, parfois plus tard, auxquelles ils s'arrêtent de nous traquer. Dans les rues alors des ombres se croisent, cherchent de l'eau, vident des ordures, d'autres échappées des caves ou des armoires, ou des cachettes, respirent avant de s'enfouir à nouveau quand le jour reparaît.

Un jour implacable car la chaleur est intense, faisant planer sur tout le ghetto une odeur de mort. Et commence l'aventure d'un nouveau jour, l'attente de la nuit. Je remonte sur les toits; je rôde, aux aguets, découvrant un nouveau passage, m'aventurant toujours plus au bord de la façade. Je n'ai même plus de mémoire : chaque jour est un tel inconnu que je ne sais plus ce qu'était hier. Mes évasions se confondent; l'Ukrainien, le SS, la contrebande, la prison de Pawiak, c'est le magma du passé même si l'événement a eu lieu la veille et le passé ne peut pas compter. Il faut vivre au jour le jour, avec la détermination d'aller jusqu'à demain. Celui qui regarde en arrière est un homme mort : penser à hier, au temps des hommes, à Zofia, aux *droshkas* derrière lesquelles je courais, à la rue Senatorska, est une maladie qui tue. Ma mère est atteinte de ce mal : prostrée, les mains à plat sur les genoux, le regard vide, elle pense à « avant ».

— Mère, mère, je t'en supplie.

Elle secoue la tête, emportée par sa mémoire, elle se noie dans ses jours heureux. Et je dois la laisser car il me faut guetter, surveiller les allées et venues des patrouilles, explorer les appartements. Parce qu'il faut aussi manger. Dans le grenier d'un immeuble de la rue Gesia j'ai trouvé Rivka. Je ne l'avais pas vue d'abord, blottie comme elle était dans l'angle le plus sombre, là où le toit rejoint presque le plancher. Mais quand on est depuis des mois sur ses gardes on acquiert un sixième sens : j'ai su qu'il y avait un être vivant, plus faible que moi puisqu'il avait peur. J'ai fouillé le grenier à l'opposé du coin où elle se trouvait puis je me suis tourné d'un seul coup.

— Sors ou je te tue.

Elle a gémi et j'entendais ses dents claquer.

— Sors.

Elle a rampé sur les genoux jusqu'à moi, rentrant dans la lumière du jour, le visage levé, des cheveux blonds tombant sur ses épaules, puis elle s'est immobilisée. Mais qu'étais-je donc devenu moi aussi, pour terroriser ainsi un être humain, qu'avaient-ils fait de moi? Je me suis accroupi, lui caressant les cheveux avec une envie irrépressible de la tenir tout de suite contre moi, de pleurer avec elle.

— Il ne faut pas rester ici, ils vont te prendre un jour ou l'autre. Et tu vas mourir de faim.

Elle ne bougeait pas, tremblant toujours, me fixant de son regard d'animal perdu, fou de frayeur.

— Et les tiens?

Elle a secoué la tête puis elle a commencé à hoqueter silencieusement, les yeux secs. Je n'avais pas besoin de sa réponse. Je lui caressais les cheveux, et la douceur de la vie montait en moi.

— Calme-toi, calme-toi. Tu vis.

Elle hoquetait toujours et restait à genoux. Je l'ai soulevée, appuyée contre moi, bercée. J'ai su son nom, Rivka, et peu à peu elle s'est calmée.

— Tu vas venir avec moi.

Ce n'était pas prudent car il allait falloir la traîner sur les toits jusqu'à la rue Mila, ce n'était pas sage car il faudrait la nourrir, rogner sur l'air et l'espace de ma mère et de mes frères. Mais pourquoi survivre si je devenais moi aussi un bourreau? Je l'ai tirée sur le toit : elle s'était remise à trembler, crispée, saisie par le vertige, incapable de marcher sur l'étroite bande où j'avais pris l'habitude de courir. Alors je l'ai faite avancer à plat ventre, gagnant mètre par mètre. « Je ne peux pas », répétait-elle, mais elle progressait. Nous avons longé la rue Nalewki, obliqué vers les deux cours intérieures, nous nous sommes cachés derrière les cheminées pour éviter deux Ukrainiens qui balayaient les toits, comme cela, à tout hasard, avec leur pistolet mitrailleur.

A la nuit, écrasés par la fatigue, nous sommes arrivés à Mila 23. Et comme je l'aidais à sauter dans le grenier, j'ai senti une tenace odeur de gaz. J'ai couru, elle derrière moi : dans notre appartement l'odeur était encore plus forte, nous avons ouvert toutes les fenêtres, je jetais les draps, les couvertures qui dissimulaient le fond de l'armoire, j'ai poussé le taquet de bois : ils étaient là, couchés les uns sur les autres. J'ai bondi vers la fenêtre, donné des claques, aspergé d'eau les visages. Rivka m'aidait. Enfin, lentement, ils sont revenus à la vie, vomissant, geignant. Mais l'odeur de gaz persistait toujours aussi forte : je suis descendu, entrant dans les appartements déserts. Au rez-de-chaussée, j'ai enfin trouvé la fuite. Là, couchés sur le plancher de leur chambre, toutes fenêtres closes, les bouteilles de carbure ouvertes, des couvertures sur le sol pour empêcher le gaz de s'échapper, six personnes étaient étendues, mortes, suicidées : et il y avait deux enfants aux cheveux bouclés qui paraissaient dormir, l'un d'eux les bras écartés au-dessus de la tête, les poings fermés. J'ai été pris d'une vague de frissons : désespoir, rage, avait-on le droit de faciliter ainsi le travail des bourreaux? Je restais immobile et Rivka m'a rejoint. C'est elle qui a, l'une après l'autre, détaché mes mains qui se crispaient sur mes cheveux.

Nous avons retrouvé ma mère, déjà Rivka était adoptée : ma mère parlait, parlait, comme si elle l'avait toujours connue, mes frères jouaient avec elle. Puis ils se sont endormis et Rivka est montée avec moi sur le toit contre la cheminée tiède. Nous sommes restés là, nous tenant les mains et brusquement la sourde rumeur des avions a recouvert le ciel. Nous nous sommes dressés.

— Les Russes, les Russes, ai-je crié.

Rivka se serrait contre moi. En quelques minutes, il a fait clair comme en plein jour : les fusées incandescentes descendaient lentement vers le sol, illuminant Varsovie, puis il y eut les explosions du côté de Praga. Nous criions, appelant une pluie de bombes, une dévastation qui ensevelirait les bourreaux et qu'importe si nous périssions aussi. Mais la nuit est revenue, nous laissant seuls, épuisés, et nous nous sommes couchés l'un près de l'autre.

Ça n'avait été qu'une journée parmi d'autres, une bonne journée puisque nous étions en vie.

Au matin, le cercle s'est encore resserré autour de nous. Dès l'aube, alors que s'annonce une journée brûlante, je vois depuis le toit des policiers juifs qui posent des affiches rue Gesia. Puis ils s'éloignent et sortant des immeubles, descendant des toits des silhouettes s'approchent puis repartent en courant.

Je vais aux nouvelles : c'est un nouvel ordre d'évacuation signé du Conseil juif; les habitants des rues Smocza, Gesia, Dzika, ont jusqu'à 10 heures pour quitter leurs domiciles. Ils doivent laisser leur appartement ouvert. A 10 heures, les gendarmes allemands et ukrainiens bloquent les rues. Je les observe alors qu'ils se déplacent comme à l'exercice, comme si ces femmes en pleurs, ces enfants apeurés n'existaient pas. Puis, ils poussent la colonne vers l'*Umschlagplatz* et dans les maisons désertes la chasse aux clandestins commence avec le pillage. Le soir nous étions encore en vie.

C'est au milieu de la nuit que Pavel m'a appelé. J'ai laissé Rivka, me glissant jusqu'à la lucarne, restant à plat ventre, ne voyant pas le visage de Pavel.

— Ils raflent aussi chez Toebbens et Schultz, dit-il.

Sa voix est saccadée. Il parle d'un ton que je ne lui connais pas, fait de terreur et de colère.

— Ils ont pris Pola et ma mère, avec tout notre argent.

J'écoute, commençant à apercevoir ses traits tirés, la barbe qui recouvre ses joues.

— Tu ne peux plus aller au *shop*, Pavel. Ils te prendront, demain ou un autre jour mais ils te prendront. Cache-toi.

— Non.

Il a crié.

— Ils vendent des numéros, continue-t-il. Ils laisseront 35 000 têtes au ghetto. Il me faut un numéro, Martin.

— Cache-toi, Pavel.

— Il me faut un numéro, Martin.

Nous restons silencieux, moi couché sur le toit, lui accroupi dans le grenier. J'attends.

— Tu as beaucoup d'argent, Martin.

Je me tais : il parle à voix basse mais ses mots sentent la haine.

— Tu as toujours ta mère, tes frères, ton père. Tu as de l'argent, Martin. Il m'en faut, cette nuit, beaucoup.

— Cache-toi, Pavel.

— Je connais votre cachette, je la connais.

Il a presque hurlé. Ainsi ils ont transformé Pavel en animal

142

enragé. J'ai sauté dans le grenier, prenant Pavel aux épaules, le secouant comme un tronc pourri qu'on veut arracher.

— Je te retrouverai au fond de la terre, Pavel. Et je te tuerai.

Il ne me résiste pas, homme malade de peur, Pavel mon ami qui a pensé à nous livrer, qu'ils ont rendu fou. Je le serre à la gorge.

— Tu vas filer, Pavel, loin. Oublie la rue Mila.

Puis je l'ai lâché et il est tombé, restant un long moment immobile, se redressant sans un mot. J'ai entendu son pas dans l'escalier, le pas de Pavel mon ami qui me guettait rue Zamenhofa, qui m'attendait rue Gesia; nous avions partagé le rire, la joie et la peur, nous étions frères et j'avais fait sa fortune en prenant presque tous les risques. Il pensait que vendre n'était pas noble, qu'on violait à le faire des principes sacrés. Et maintenant Pavel n'était plus rien. Je suis remonté sur le toit : ils faisaient germer en nous la graine de la lâcheté. Ils voulaient nous détruire et nous pourrir. Adieu Pavel, mon Pavel, ils t'ont déjà tué.

Encore des jours, des toits qu'ils font sauter; ce paralytique qu'ils lancent avec sa chaise d'une fenêtre et sur lequel ils tirent en riant; ce groupe qu'on colle au mur rue Nalewki et qui se met à chanter presque joyeusement et qu'on abat; ces voix d'enfants, de quelle cour viennent-elles, qui crient dans la nuit, combien sont-elles : « Maman, maman. » Je ne veux plus les entendre, je me serre contre Rivka et nous faisons l'amour violemment, contre notre cheminée, et nous nous endormons, nos bras nous emprisonnant, chacun protégeant l'autre.

Encore des jours uniformes dans l'horreur puis un matin, très tôt, David est monté sur le toit. Je l'ai aperçu qui me faisait de grands signes et j'ai sauté, de toit en toit, courant vers cet homme fin qui souriait toujours et dont je savais qu'il passait souvent avec mon père du côté aryen pour essayer d'y acheter des armes. Il s'était assis, adossé à un mur.

— Toujours en vie, Martin?

Il m'a entouré les épaules de ses bras.

— Ils ont pris ton père, avant-hier. Nous n'avons pas pu.

Déjà il se levait.

— Bonne chance, Martin. Je pars. Ils dorment encore.

Il a glissé dans une lucarne. J'étais seul. Là-bas dans le soleil je voyais Rivka, debout, imprudemment, qui m'attendait. Ma mère et mes frères m'attendaient aussi. Je connaissais les toits : j'ai longé les façades, grimpé, passé les cheminées. Rivka était devant moi, anxieuse.

— Ne reste jamais debout, ai-je dit. Ils te verront.

Elle n'a pas posé de question : c'était un temps où il ne survenait que le malheur. Je l'ai conduite dans la cachette. Mes frères, avec de grands gestes, muets, l'ont accueillie. Ma mère a appuyé sa tête contre moi.

— Martin, Martin, je ne peux plus, je ne pourrai plus long-temps.

Je l'ai bercée comme une enfant, la rassurant peu à peu, lui caressant les cheveux. Comme j'étais vieux, ils étaient tous si faibles, si désarmés, elle, Rivka, mes frères et j'étais vieux de tout ce qu'ils ne savaient pas. Père conduit à l'*Umschlagplatz* et Treblinka au bout du voyage.

Je les ai laissés, remontant sur le toit, m'allongeant à l'ombre. Il allait s'évader, sauter du train, rejoindre Varsovie : ce que j'avais fait il était capable, mille fois, de l'accomplir. Je me suis laissé presque engloutir, tout ce jour, par mes souvenirs : nos derniers rires dans cette cour inconnue, après notre évasion du camion quand nous nous étions lavés avec cette eau fraîche; et avant quand je l'avais rencontré au café Sztuka, Mokotow-la-Tombe m'attendant, faisant les cent pas sur le trottoir, alors que père reconnaissait mon indépendance. Sans nous voir souvent nous avions avancés au cours de ces années, épaule contre épaule, nous retrouvant toujours. Il m'avait donné la force. Ma volonté, c'était la sienne. Nous étions l'un dans l'autre, à jamais, et tant que l'un de nous vivrait l'autre ne mourrait pas. Père, merci pour cette vie.

Les poings sur la bouche, recroquevillé, j'ai subi la fièvre insupportable de la mémoire. J'ai pleuré.

Il y eut quelques jours d'accalmie. J'ai vu des cheminées fumer dans un ciel d'un bleu intense : l'été n'en finissait pas et sans doute, là-bas, sur les bords de la Vistule, des enfants cou-raient-ils pieds nus dans l'eau. Je me suis pris à espérer : peut-

144

être serions-nous parmi les quelques milliers de survivants? J'ai recommencé mes courses sur les toits, la fouille des appartements : dans le désordre, chassant les rats, je cherchais, trouvant parfois une table mise, les chaises renversées, et cette nourriture, que j'emportais.

Mais le répit n'a pas duré, ils ont à nouveau bloqué les rues; nous étions encore trop nombreux. Jour après jour, heure après heure, ils se sont rapprochés de la rue Mila. Je suivais leur progression, je voyais les familles descendre dans la rue, se mettre en rang, partir vers l'*Umschlagplatz.* De temps à autre des Ukrainiens apparaissaient sur les toits, lançant des grenades, tirant des rafales. Nous avons tenu jusqu'à la mi-septembre 1942.

J'étais assis, calé entre deux cheminées, caché par elles, entendant les cris, surveillant les toits jusqu'à la rue Nalewki. Les Ukrainiens n'avaient pas encore exploré ce secteur, je m'attendais à les voir surgir, là-bas, et j'avais choisi mon repaire à l'autre angle, presque au coin de la rue Mila et de la rue Zamenhofa, où ils étaient déjà venus. Depuis quelques minutes je n'avais pas regardé dans la rue. Quand j'ai baissé les yeux, je les ai vus : Rivka très droite au milieu de mes frères, les tenant par la main et ma mère derrière elle, serrant sur sa poitrine quelques vêtements. Ils étaient au milieu de la colonne. Quand j'ai rouvert les yeux, j'étais allongé en sueur, entre les deux cheminées. Ils étaient toujours là, immobiles, pris. Le menuisier, ou Pavel, ou le hasard? Mais à quoi bon chercher, ils nous tenaient. J'avais ma corde, les couteaux, la courte scie. Je suis descendu, lentement pour me calmer. Va, Martin.

La rue était pleine de poussière et de soleil. Les Ukrainiens hurlaient, tirant des coups de feu en l'air en direction des toits, puis lâchant quelques coups à hauteur d'hommes et la colonne était prise d'un tremblement, elle oscillait. Ils m'ont laissé traverser la rue, comme s'ils ne me voyaient pas. Qu'étais-je pour eux? L'une de ces 400 000 têtes qui se livraient sans combattre, essayant à peine de fuir et qu'on débusquait. J'ai traversé la rue la tête haute : ils ne savaient pas qui j'étais, pourquoi j'allais à eux, moi dont les mains avaient été brûlées par le feu et l'acide, moi qui avais su me taire, su passer sous leurs yeux des sacs et

145

des sacs de blé, en achetant des bourreaux comme on paie des valets.

Un Ukrainien m'a bousculé, poussé dans la colonne. J'ai tué ton semblable, bourreau, et j'ai tué avec ces mains ton maître SS.

— Ne pleure pas, mère.

Je me suis placé près d'elle, lui enlevant un à un les vêtements qu'elle serrait contre sa poitrine comme son bien le plus précieux. J'en ai fait un paquet. J'ai caressé la tête de mes frères.

— Je suis là, Rivka.

Elle était calme comme si elle arrivait enfin au bout du chemin. Je les ai poussés au centre de la foule : il ne fallait pas rester sur les bords, c'est là qu'on reçoit les coups. Et nous nous sommes mis en marche par la rue Zamenhofa. Adieu la rue Mila, adieu la rue Zamenhofa. Nous marchions sur des vêtements déchirés, sur des livres épars; nous évitions les meubles brisés; nous piétinions ce qui avait été la vie de dizaines de milliers des nôtres, ce pourquoi ils avaient peiné, nous foulions notre vie. Le soleil chaud, un soleil étonnamment brûlant pour septembre, nous écrasait le dos. Je marchais derrière les miens, les guidant, pour qu'ils ne se laissent pas entraîner vers l'extérieur. Déjà c'était la rue Dzika et j'apercevais l'*Umschlagplatz* et l'hôpital. Je connaissais chaque pavé de cette place et chacun des bourreaux.

— Rivka, tu vas te sauver.

Elle, elle avait sa chance. J'avais l'argent, de quoi acheter sa liberté. Mais mes deux frères, jamais ils ne pourraient quitter l'*Umschlagplatz*. Donc mère et moi, nous allions partir.

— Il faut que tu te sauves, Rivka.

Je lui parlais dans les cheveux, ses beaux cheveux blonds, si longs qu'ils couvraient ses épaules.

— Je peux te sauver. Nous te rejoindrons plus tard.

Je parlais comme on prêche, mais elle ne tournait même pas la tête.

— Sauve-toi, Rivka. C'est maintenant.

Déjà on entendait les hurlements des SS, le grincement des portes, les cris de terreur et les coups de feu.

146

Je la suppliais.

— Prends la première chance, prends-la. Après, je ne sais plus.

Je voyais déjà les wagons, les policiers juifs qui rabattaient dans les colonnes formées devant les portes, ceux qui tentaient de s'écarter. Le petit SS toujours là, sa cravache à la main.

— Rivka!

Elle ne m'a pas répondu mais, sans tourner la tête, abandonnant pour un instant l'un de mes frères, elle m'a tendu la main, cherchant la mienne. Elle l'a serrée fort.

On ne nous a même pas dirigés vers l'hôpital. Ils avaient besoin de têtes. Ils arrivaient au bout de leur travail, ils voulaient aller vite, il n'y avait plus de « droite » ou de « gauche », tous nous montions dans les wagons. J'ai réussi à faire grimper les miens dans un wagon qui n'était qu'à moitié plein; nous sommes ainsi restés tous ensemble mais quand ils ont fermé la porte nous étions au centre, entourés de toutes parts, et tous les efforts que j'ai déployés pour m'approcher d'une paroi ont été inutiles. Mère, Rivka et moi nous étions une île au centre de laquelle il y avait mes deux frères.

Nous avons attendu, étouffant; les plaintes, les cris, les appels au secours : il fallait essayer de ne pas entendre.

Puis le wagon s'est ébranlé et immédiatement j'ai commencé à parler, tentant de convaincre mes voisins de la possibilité d'une évasion, hurlant parfois, mais je n'étais pas seul, j'étais coincé au centre, décidé à ne pas quitter mes frères, mère, Rivka. J'ai essayé encore, expliquant patiemment, gagnant quelques centimètres vers la lucarne. Mais mes frères ne pouvaient suivre et risquaient d'être piétinés.

Alors je me suis tu, j'ai pris ma mère et Rivka par les épaules, les entourant de mes bras. Mes frères étaient entre nous, agrippés à nos jambes. Mère pleurait doucement et ses larmes couvraient mes mains. De temps à autre des cris fous éclataient et le wagon était parcouru par une houle violente. Alors je me cabrais pour protéger les miens.

Notre wagon roulait vers Treblinka.

5

Ici, il me faudrait une autre voix

NOTRE wagon roulait vers Treblinka et le voyage a duré toute la nuit.

Il n'y avait ni grincement d'essieu, ni halètement de locomotive, ni déroulement sourd et rythmé sur les rails d'acier, le train n'avait pour nous aucun des bruits rassurants des machines : ce train c'était un cri.

Nous étions presque cent cinquante, serrés à ne pouvoir bouger, dans la chaleur de cet été polonais qui ne finissait pas et dans la sueur de la peur. Un homme près de moi priait et par-dessus mon épaule quelqu'un l'insultait et tentait de le frapper. Les hurlements allaient battre les parois, s'amplifiaient, revenaient. Parfois, dans un creux, le cri d'un enfant. Je serrais mère et Rivka aux épaules et mes frères se collaient à moi. Toute ma tendresse, toute ma force, je les faisais passer dans mes bras pour qu'ils les sentent, eux, les miens, auxquels je ne pouvais même pas parler parce que les cris auraient couverts ma voix.

Puis vint la soif : des hommes se battaient pour atteindre la lucarne grillagée; des hommes étaient prêts à tuer pour une gorgée d'air.

Puis vinrent les odeurs, les odeurs de la peur physique. L'urine et la merde.

Puis des gens tombèrent et d'autres devinrent fous. Dans le

jour qui se levait j'ai vu les mains crispées d'une femme qui se déchirait le visage.

Tout à coup, le train s'est arrêté et les cris se sont tus. Des pas, des voix, des bruits de wagons qu'on détache et qui s'en vont. L'attente, le soleil qui s'est levé, qui chauffe les bois, les tôles. Des bruits, d'autres secousses, d'autres wagons. Nous roulons lentement puis, dans une rumeur de pas qui s'affairent, le wagon s'arrête.

Un grincement, des hurlements, la lumière qui crève les yeux, le wagon qui se déverse sous les coups et les rugissements.

C'est Treblinka.

Ici, commence un autre temps.

Ici, il me faudrait une autre voix, d'autres mots. Ici, il faudrait que chaque lettre d'un mot dise toute la beauté d'une vie, de milliers de vies qui vont disparaître. Il faudrait que je dise le regard de ma mère, et les doigts de mes frères qui s'accrochent à moi et les cheveux de Rivka que j'aperçois loin déjà dans une colonne de femmes et d'enfants qui se forme sous les coups : là-bas est ma mère et sont mes frères et Rivka. Adieu, les miens.

Ici, commence un autre temps. De Treblinka je ne sais que ce nom mais je sais que les miens vont y mourir.

Des hurlements : des SS, des Ukrainiens le fouet à la main, la matraque haute qui tombe sur les têtes et sur les dos. Un haut-parleur d'une voix tranquille, répète :

Hommes à droite, femmes et enfants à gauche.

La tête baissée pour éviter les coups j'aperçois une petite gare, je lis des indications banales : buffet, salle d'attente, w.-c., guichet. Tout est propre comme un décor de théâtre. Et puis au loin je découvre les barbelés couverts de branchages de pins.

Adieu les miens, je les ai déjà perdus dans la foule courbée, les cheveux gris, les cheveux blonds, les têtes aux cheveux bouclés, ma mère, Rivka, mes frères. Je sais de toute ma gorge serrée, de mon cœur qui éclate dans ma gorge, qu'ils ne reviendront pas. Que je ne peux plus les tenir à bout de bras au-dessus de la mort. Qu'elle va les prendre. Et peut-être père est-il venu lui aussi jusqu'ici.

J'avance lentement, essayant de gagner quelques secondes pour comprendre, pour ne pas subir mais choisir. Autour de

150

nous des prisonniers, le dos rond, la tête enfouie dans les épaules, courent en tous sens, ramassant les bagages, nous pressant. L'un d'eux me bouscule, je le retiens :

— Qu'est-ce qui se passe, ici?

Il se dégage brutalement, me pousse.

— Ça va, ça va, ne te préoccupe pas, obéis.

J'évite les coups, je suis la file. Des vieux sont dirigés vers une entrée que surmonte une croix rouge : *Lazaret*. Le haut-parleur continue de donner des ordres :

Déshabillez-vous, vous allez être douchés, puis vous serez évacués vers vos nouveaux lieux de travail.

Je regarde les barbelés, ces wagons qui retournent à vide, ces prisonniers anonymes et silencieux. Ici est la mort inconnue.

Prenez vos objets de valeur, vos papiers. N'oubliez pas le savon.

J'avance sur une place où des hommes sont déjà nus et c'est alors que je l'entends, ce bruit énorme et régulier, un gros moteur à éclatement sourd, dérapant parfois comme s'il faisait effort avant de se lancer; un battement indifférent et monotone, le pouls du camp que ne couvrent pas les cris des SS.

Le fouet à la main, en noir, les SS marchent parmi les hommes nus, en tirant quelques-uns par le bras qu'ils font rhabiller. J'ai toujours mes vêtements, je me glisse près d'eux, écartant des hommes qui se courbent difficilement pour enlever leurs chaussures. Je suis poussé vers eux par une force dure et déterminée qui crie en moi : « Je veux, il faut. Va, Martin. Va, Miétek. Là est la vie. Va. »

Et l'un des SS d'un coup de cravache m'a touché à l'épaule, me mettant à part.

Adieu les miens. Adieu.

Pour vous, je ne peux qu'une seule chose, vivre encore. Pour vous venger et dire ce que vous étiez et comment ils vous tuèrent.

Alors j'ai commencé à courir sous les coups et les cris, suivant les autres, portant les paquets de vêtements sur la place de tri, aidant à confectionner des tas. Courir toujours, la tête baissée, emporté en avant par ces vêtements, tout ce qui restait de leur vie. D'autres wagons sont arrivés, la dernière partie de ce qui avait été notre train et la place de déshabillage où, à peine une heure avant, se pressaient des hommes nus, la place où étaient ma mère, mes frères, Rivka avant de disparaître dans une baraque, était vide, nette. Et le haut-parleur s'est remis à parler. J'ai encore couru, prenant les charges les plus lourdes, courant le plus vite possible : il fallait vivre.

A chaque pas, j'apprenais Treblinka : son sable jaune, son odeur tenace, ses cris et son pouls : ce moteur régulier qui battait à l'angle nord-est du camp, là-bas où l'on apercevait au bout d'une allée de pins noirs à peine plus hauts qu'un homme un bâtiment de brique dissimulé à moitié derrière un talus surmonté de barbelés : comme un autre camp dans le camp. Sur la place du tri j'ai mis à part les vêtements d'enfants et les chapeaux d'hommes, les lunettes et les manteaux : chaque objet avait son tas, et il fallait courir d'un tas à l'autre. Les Ukrainiens, le fouet à la main, frappaient et parfois un SS tirait ou tuait d'un coup de crosse. Moi aussi j'avançais tête baissée.

— Attention au visage, m'avait glissé un prisonnier.

Puis la brise s'est levée, rendant plus proche le bruit du moteur : là-bas, dans cet autre camp, on raclait le sable. J'entendais distinctement les griffes de métal crissant sur le sol. Là-bas, on creusait sans fin. On nous a rassemblés sur une place, large, entre les baraques. Les SS passaient devant nous, les Ukrainiens se tenaient sur nos flancs comme des chiens. Et il y avait aussi des chiens, immenses, qui tiraient sur leurs laisses. Les SS passaient, désignant des hommes qui sortaient du rang et s'en allaient, entourés d'Ukrainiens. Puis éclataient des coups de feu. En colonnes, nous avons touché une gamelle d'eau contenant quelques pommes de terre et on nous a poussés dans une des baraques.

J'étais en vie. Mais était-ce encore la vie? L'odeur dans la baraque était insupportable, des hommes geignaient, d'autres priaient. Je me suis accroupi auprès d'un homme qui, les yeux fixes tremblait, les poings et les mâchoires serrés. Il portait un insigne rouge : un ancien du camp donc.

— Où vont-ils? ai-je dit.

Il m'a regardé sans comprendre.

— Où vont-ils, les autres, ceux du train?

— Le gaz.

— Où?

— Au camp d'en bas, l'autre camp, au nord.

Je me suis recroquevillé contre le mur de bois. Les miens, des milliers, tout Varsovie, et j'étais en vie.

Des hommes pleuraient dans l'obscurité totale. Puis il y eut un bruit de caisse renversée et un râle. Quelqu'un se mit à prier. Certains, cette nuit-là, choisirent de mourir. Je me suis tassé sur moi-même pour éviter de laisser ma vie s'enfuir, d'elle-même, de courir vers cette paix lâche de la mort. Puisqu'ils prenaient notre vie, c'est qu'elle était un trésor, puisque les miens étaient morts j'étais dépositaire de leurs vies. Ils m'avaient légué leur passé, ce qu'ils auraient pu devenir et ce qu'ils avaient vécu de joies et de peines. Par moi seul vivait la rue Senatorska, par moi seul vivait la cachette du ghetto, par moi seul vivait le regard de Zofia ou de Rivka. Par moi seul et peut-être père avait-il réussi, peut-être dans la campagne luttait-il ou peut-être avait-il regagné Varsovie. Et par moi vivrait la vengeance. J'ai décidé de vivre. J'ai décidé de m'enfuir. Au nom de tous les miens.

Au matin, quatre corps étaient pendus aux poutres de la baraque. Nous nous sommes rassemblés sur la place d'appel et Lalka, — la *poupée* — le SS, nous a parlé : nous n'étions rien, moins que les chiens, nous valions moins que la terre où l'on nous jetait, nous étions une vermine. Et lui était de la race des rois.

Ce n'était que mon premier matin à Treblinka et déjà le passé se perdait, déjà le temps du ghetto se confondait avec « avant », avant la guerre, avant ma naissance. C'est dans cette deuxième journée que j'ai appris la vie et la mort à Treblinka. J'ai vu sortir des rangs ceux que les coups avaient atteint au visage, les *klepssudra*, et que les marques désignaient à la mort. Ils allaient au *Lazaret*. J'ai vu tuer des prisonniers à coups de pelle. J'ai vu des chiens bondir sur les détenus; j'ai su pourquoi il faut marcher le visage baissé, pourquoi il faut toujours courir, faire mieux, plus vite, car les SS ou les Ukrainiens pour nous stimuler abattaient quelques-uns d'entre nous. Nous n'étions pas rares. Les wagons arrivaient par rame de 20 :

3 grappes de 20 et cela faisait un train. Et d'autres semblables à Rivka, à mes frères, à ma mère, d'autres qui étaient ma mère, mes frères, mes proches, ma famille, mon peuple, étaient poussés sur le quai, séparés, hommes à droite, femmes et enfants à gauche, déshabillés et nous les aidions.

— Qu'est-ce qui se passe ici? demandaient-ils.

— Rien, ça va, ça va, disions-nous.

J'ai rassemblé des paires de chaussures; j'ai pris entre mes bras des vêtements qui sentaient la sueur, j'ai couru. Et j'ai appris à fouiller dans les poches d'un geste rapide, à trouver les biscuits, le sucre, à porter à ma bouche et à avaler sans mâcher ces morceaux de vie. Un mouvement des lèvres ou des mâchoires et c'était la mort, le *Lazaret*, une balle dans la nuque. Ou la mort sous les coups de crosse ou de fouet. J'ai suivi l'allée, la belle allée bordée de pins noirs qui conduisait à l'*Himmelstrasse,* le chemin du ciel, pour ramasser les objets que certains avaient laissé tomber, pour que cette allée soit belle, accueillante, paisible. J'ai visité les wagons, nettoyé de leurs déjections les parois et les planchers. Et le soir sur la place d'appel j'ai vu sortir des rangs les nouveaux *klepssudra* qu'on conduisait au *Lazaret*, j'ai vu désigner au hasard des hommes au visage indemne qu'un regard poussait à la mort. Dans nos rangs la mort à chaque seconde faisait sa moisson. Ralentir pendant le travail : mort. Porter un paquet trop léger : mort. Mâcher un morceau de nourriture : mort. Ils voulaient nous terroriser : il fallait que nous sentions leur puissance peser sur nous comme celle de dieux incompréhensibles. Ils étaient notre destin.

Je me suis retrouvé vivant dans la baraque, épuisé, essoufflé, la tête vide, ayant à peine réussi à penser qu'il me fallait fuir tant j'avais été contraint de rester aux aguets pour sauver ma vie. J'avais vu les hauts barbelés, et au-delà un fossé rempli encore de barbelés et une autre barrière de barbelés et un chemin de ronde et un espace plat de plusieurs mètres fermé lui aussi par des barbelés. Des miradors, tous les deux cents mètres, surveillaient ce mur de fer infranchissable. Par-là la fuite était impossible.

Il restait la fuite par la mort. Cette nuit-là encore, dans la baraque, des hommes se sont pendus. Quand j'ai entendu pour la troisième fois un homme tirer la caisse qui allait lui servir à mourir, j'ai bondi, le prenant aux épaules, le secouant :

— Mais c'est notre mort qu'ils veulent.

Je criai d'une voix sourde :

— Si nous mourons tous, nous, comment ferons-nous?

— Faire quoi? Crever de leurs mains?

Et il m'a poussé. Je suis allé m'allonger, écoutant cet insupportable bruit de caisse qui se renverse et le choc du corps qui se tend et ce râle. Puis c'était le silence. Se suicider était une révolte, mais celle des vaincus. Il faut vivre, Miétek. Vivre pour crier, dire, se venger. Pour que les tiens revivent par toi.

Et le matin ce fut l'appel, à nouveau. Le discours de Lalka : « Vous êtes moins que les chiens et moins que la terre, vous êtes la vermine. » Et nous courbions la tête. Ils nous avaient arraché les nôtres, ils nous forçaient à les pousser sur le quai, à leur enlever les vêtements, parfois nous croisions un regard pareil à celui de notre mère et nous détournions les yeux : n'étions-nous pas vraiment une vermine, comme le disait Lalka?

Et j'ai recommencé à courir la tête rentrée dans les épaules : si nous acceptions de mourir Lalka avait raison. Donc Martin, tu vas vivre. J'ai couru et le temps s'est effacé. Combien de jours, combien de trains? Tous ces visages, hommes, femmes, enfants, leurs gestes de noyés, le biscuit avalé et qui arrache la gorge mais remplit l'estomac. Les tas de vêtements. Et, chaque soir, ces quelques heures où je me répétais : « Il faut fuir. » Ces luttes dans la nuit pour empêcher les suicides et puis au matin un homme que j'avais empêché de mourir qui partait, entre deux Ukrainiens, pour le *Lazaret*. Et dans la nuit aussi ce *klepssudra* que j'essayais de maquiller avec du sable mêlé de salive pour qu'au matin les coups n'apparaissent pas et qu'on tuait parce qu'il avait reçu de nouveaux coups.

Le temps de la vie à Treblinka n'existait plus : ils avaient créé un autre temps. Sans horloge, rythmé par l'arrivée des trains, leurs hurlements, les appels et le halètement du moteur qui travaillait là-bas, au camp d'en bas. Je ne savais même plus comment au cours d'une journée change le ciel : mes yeux ne voyaient que le sable jaune et leurs bottes qui passaient près de moi. Furtivement, en courant, et à l'appel alors que rôdait la mort, je repérais les baraques, la disposition des lieux : ce camp d'en bas, avec ces deux entrées, l'une, au bout de l'*Himmelstrasse* par où disparaissaient les nôtres, et l'autre, une entrée officielle qu'empruntaient les Ukrainiens et les SS. Et la nuit venait, la vague de désespoir qui montait avec la faim et l'épuisement, leurs visages qui surgissaient, mère dont j'avais aperçu dans la colonne les cheveux gris, mes frères. Et je n'avais rien pu pour eux, pour toi, Rivka. Et la vague m'entraînait et il fallait lutter contre elle, contre ceux qui allaient, entraînés par son courant, vers la mort volontaire.

Je me battais contre cette vague noire qui emporte la raison et je n'avais qu'un moyen, répéter ces mots : vivre, vivre au nom de tous les miens, vivre pour me venger et pour dire au monde Treblinka c'est la mort. Il y avait encore à Varsovie des gens qui croyaient partir vers l'Est et ils prenaient, comme des dizaines de milliers d'autres l'avaient fait, l'*Himmelstrasse,* le chemin du ciel. Vivre, fuir, crier la vérité, les venger. Ces mots répétés, élevés comme un barrage, ces mots posés l'un sur l'autre, pierres contre la peur, le désespoir, le renoncement. Et chaque jour la fatigue, les discours de Lalka, la toute-puissance des bourreaux, chaque jour la faim, chaque jour l'arrivée des trains, ces enfants entrevus, ces vêtements comme la peau de leur vie qu'on entassait, tous ces objets encore chauds, ouvraient une brèche dans ce barrage. Et il fallait le reconstruire, pierre après pierre, mot après mot, vivre, fuir, les venger, crier la vérité.

Mais à Treblinka on ne vit pas longtemps. Je le savais. Même si je réussissais à maintenir contre l'horreur ma résolution il y avait le hasard, leur choix, mon destin, un coup sur le visage, la balle d'un SS, pour l'exemple, qui pouvaient m'emporter. Il fallait faire vite. J'ai chaque jour essayé d'explorer le camp. J'ai fait partie des *kommandos-bleus*, qui accueillaient les nôtres quand la porte des wagons glissait et qu'ils découvraient la petite gare, ce décor de gare peint sur des planches mais qui, pour quelques minutes — et cela suffisait — semblait vrai avec ses inscriptions : buffet, salle d'attente. Une gare à plat : à Treblinka, la vie n'était qu'une illusion, comme cette gare. J'ai

156

fait partie des *kommandos-rouges* qui portaient les vêtements sur la place du tri, qui aidaient les hommes à se déshabiller.

J'ai porté les sacs remplis de cheveux de femmes qui venaient de la baraque où les femmes après s'être dévêtues étaient en quelques coups de ciseaux presque tondues. Puis elles partaient par l'allée bordée de pins noirs, l'*Himmelstrasse*. J'ai fait des tas : tous les objets étaient triés, classés. Pauvres Juifs qui venaient de Varsovie ou du bout de l'Europe avec de la vaisselle, un stylo, des photos d'enfants. Mère, j'ai porté, entassé, tant de vêtements pareils aux tiens, frères j'ai vu tant de photos qui vous ressemblaient! Et chaque objet était un malheur, une vie avec ses labyrinthes de joies et d'espoirs. Une vie morte. Et elle n'existerait encore que par les vivants qui la vengeraient et diraient ce qu'elle était.

Allons, Martin, allons, Miétek, vis.

J'ai fait partie des *kommandos-bûcherons*, espérant dans la forêt m'enfuir, mais nous étions bien gardés. J'ai fait partie des *kommandos-camouflages* qui posaient les branches de pins sur les barbelés pour que le camp n'existe pas, qu'il soit à peine dans la forêt une clairière où se perdaient des centaines de milliers de vies, qu'il ne soit que ce moteur qui grattait le sable jaune. J'ai balayé l'*Himmelstrasse*, les baraques, le quai, avec le *kommando-voirie*. Et j'ai échappé au *Lazaret*.

Puis, un jour, qui peut dire combien de jours après mon arrivée, combien d'heures? Le temps de la vie à Treblinka n'existait plus. Puis, un jour, j'ai été affecté au chargement : les wagons vides étaient le long du quai et courbés nous portions les paquets de vêtements à l'intérieur. Nous emplissions les wagons, entassant les paquets jusqu'au toit. Je courais sous les cris, surveillé par les Ukrainiens, les *kapos*, les SS. Je sautais dans le wagon, je poussais les paquets, et je repartais jusqu'aux baraques chercher d'autres paquets, tentant de savoir où étaient les SS, l'Ukrainien, pour estimer si je pouvais courir un peu moins vite, reprendre souffle, obsédé par la fatigue et la faim. Et tout à coup, en retournant vers le quai, j'ai vu pour la première fois le train pour ce qu'il était : un train. Un train qui allait quitter Treblinka chargé de vêtements. Alors j'ai couru plus vite : et mon plan s'élaborait. Monter dans un wagon, ménager une cachette entre des paquets, s'y laisser enfouir, puis partir avec le train. J'ai couru, sauté dans un wagon, mais le chargement arrivait à son terme. J'ai tenté encore, partout des paquets formaient un mur qui touchait les parois. Déjà les SS s'approchaient, vérifiant le chargement, claquant eux-mêmes les portes quand il n'y avait plus d'espace entre les paquets et le bois. Et j'ai dû quitter le quai, j'avais pensé trop tard, je m'étais laissé prendre à leur engrenage de peur, de terreur et de fatigue. J'avais laissé passer la chance, la première chance, celle qu'il faut saisir. Père, je n'avais pas été digne de toi. Toi, cette chance, tu l'aurais prise. Et ce soir-là, dans mon désespoir, j'ai commencé à penser que père s'était échappé, qu'il combattait, qu'il s'était caché dans ce train qui sort de Treblinka.

Le chargement des paquets fut désormais ma seule pensée. Je n'avais même plus besoin de me répéter : il faut vivre, il faut fuir. Je savais comment et ma pensée, toujours, précisait les détails de mon plan. Je voyais comment élever les paquets dans un angle du wagon, une vraie muraille dissimulant au plus loin de la porte cette cachette, comment en soutenir les parois et laisser s'amonceler les paquets. J'étais prêt. Mais les jours suivants il n'y eut pas de train. Puis je fus affecté au *kommando-voirie* : je balayais. Je vis le train se remplir sans pouvoir participer à son chargement. J'étais prêt mais j'avais manqué la première chance.

La vague noire, le soir, m'a emporté. J'ai revu les miens, j'ai revécu rue Senatorska, j'ai passé les sacs de blé et Mokotow-la-Tombe riait. J'ai bu la vodka brûlante que me versait Yadia. J'ai tenu la main de Zofia, j'ai ri avec elle. La vague noire m'a emporté et j'ai aussi retrouvé le bourreau de la Gestapo qui était venu à Pawiak dans ma cellule et que j'avais vaincu. Alors, tout cela pour rien?

Au matin j'ai approché Kievé. Il faisait partie des truands du ghetto, porteur, voleur, jadis masse de chair et de muscles, aujourd'hui amaigri mais encore fort, plus résistant que la plupart. Quand il ouvrait la bouche, on voyait ses gencives et quelques racines noires. Un coup de crosse, au tout début du ghetto. Nous n'avions eu ni le temps ni la force de nous parler. Avant l'appel je me suis glissé jusqu'à son coin. Je l'ai secoué. Il

158

s'est dressé d'un bond comme si j'étais la mort. Quand il m'a reconnu il a grogné.

— Tu connais le *kapo*, Kieve. Il faut que nous soyons au *kommando* de chargement.

Le *kapo* était un Juif allemand qui nous donnait des coups mais qui pouvait savoir si c'était pour nous protéger de coups plus sauvages ou pour simplement sauver sa vie? Et puis, il fallait qu'il nous frappe ou bien qu'il meure. Kieve me regardait. On perdait aussi l'habitude de parler à Treblinka. Un mot pouvait conduire au *Lazaret*.

— Kieve, si nous chargeons, il y a le train et à deux...

Il me saisit par les épaules.

— Miétek, tu crois?

Rapidement, j'exposais mon plan. Il secouait la tête, se lissant les gencives avec ses gros doigts à demi écrasés.

— Mais il faut être au *kommando* de chargement.

— Je parle au *kapo*.

Ce fut un long jour. Deux convois arrivèrent. Des milliers d'hommes, de femmes, d'enfants. Leurs cris, leurs vêtements, leurs cheveux. Tenir, Martin, tenir encore. J'ai couru. Et le soir ce fut l'appel. Un long appel, trois *klepssudra*, puis beaucoup trop pour que je les compte conduits au *Lazaret*. Enfin la baraque. J'ai bondi vers Kieve.

— J'ai parlé, dit-il.

Je l'interrogeai, inquiet déjà d'avoir dû confier ma vie à Kievé, au *kapo*, rongé par un pressentiment.

— Il n'a pas répondu. Il a écouté.

Cela ne signifiait rien, peut-être simplement la prudence qu'à Treblinka chacun devait observer. La nuit a passé : j'ai mal dormi. Le bruit du moteur venant du camp d'en bas ne s'est pas arrêté et j'apercevais les lueurs des projecteurs là-bas, au nord-est, derrière ces barbelés dont personne ne revenait.

Le matin, sur la place d'appel, il y eut d'autres *klepssudra* sortis des rangs. Puis Lalka fit son discours : nous étions la boue du monde. Il appela des *kapos* et ils coururent vers lui, battant leurs casquettes d'un coup sec sur leurs cuisses droites, au garde-à-vous. Puis ils passèrent parmi nous. Et le *kapo* allemand de Kieve me fit sortir des rangs avec Kieve. Des Ukrainiens nous entourèrent avec quelques autres prisonniers mais nous n'allions pas vers le *Lazaret* : nous prîmes l'*Himmelstrasse*, l'allée bordée de fleurs et de sapins noirs qui conduisait à ce bâtiment de brique. A chaque pas nous le distinguions mieux : il ressemblait un peu à une synagogue, massif, austère, une porte étroite surmontée d'une étoile de David. Je marchais : je n'avais pas saisi la première chance, j'avais livré ma vie à d'autres, j'avais perdu. Le *kapo*, pour éviter un jour d'avoir à payer notre fuite, nous faisait prendre l'*Himmelstrasse*.

Au fur et à mesure que nous avancions, le bruit de moteur devenait énorme et on distinguait les crissements du métal dans le sable, comme des cris. Les Ukrainiens nous abandonnèrent à d'autres Ukrainiens à l'entrée du camp d'en bas. Nous franchîmes les barbelés, nous fûmes face à ce grand bâtiment de brique qui ne comportait qu'une porte étroite. A droite, la baraque du *Lazaret*. Nous avons contourné le bâtiment de brique. Et j'ai vu cette grande excavatrice qui enfonçait son bras d'acier dans le sable jaune, et le bruit du moteur avec ses dérapages éclatait près de moi. Les Ukrainiens se sont mis à hurler, des prisonniers couraient portant des brancards. Les Ukrainiens ont levé leurs fouets, leurs matraques, et je me suis mis à courir aussi vers ces brancards qu'ils nous désignaient. Des brancards de toile grossière. Kieve a pris l'autre bout et nous avons couru vers les larges portes ouvertes sur les côtés du bâtiment de brique. Des portes de bois, faisant presque trois mètres le large.

Et nous avons vu.

Ici, il me faudrait une autre voix, d'autres mots.

Les corps étaient nus, enchevêtrés comme des lianes, les corps étaient jaunes et du sang avait coulé de leur nez sur leur visage. Et c'étaient ma mère, mes frères, Rivka, mon peuple. Nous avons imité les autres, saisi à pleines mains les corps, couru. Nous nous sommes arrêtés devant les prisonniers qui munis de tenailles exploraient la bouche des cadavres et arrachaient les dents en or, et nous avons couru jusqu'à la fosse creusée dans le sable jaune. Au fond, debout sur les morts, des prisonniers rangeaient les corps, ceux de ma mère, de mes frères, de Rivka. Et nous avons jeté notre premier corps. Puis d'autres, toujours courant, chargeant parfois trois corps d'enfants au travers du brancard. Et les Ukrainiens faisaient descendre dans la fosse ceux qui ne couraient pas assez vite, ceux qui ne chargeaient qu'un corps léger. Et j'ai jeté cent fois ma mère, mes frères, Rivka, mon peuple, au fond de la fosse et plus loin, à quelques dizaines de mètres, l'excavatrice creusait avec son ronflement de bête.

J'étais devenu l'un des *Totenjuden*, un Juif de la mort, et j'ai su que le ghetto, l'*Umschlagplatz*, le wagon qui nous avait conduit à Treblinka, le camp d'en haut d'où je venais, n'étaient rien. Ici était le fond. Le fond de la vie, le fond de l'homme. Car les bourreaux avaient visages d'hommes, ils étaient semblables à ces corps que je jetais, ils étaient pareils à moi. Et ils avaient inventé cette fabrique à tuer, ces chambres à gaz, ces nouvelles chambres si bien conçues, avec leurs pommeaux de douche par où s'échappait le gaz, ces parois carrelées de blanc, ces petites portes d'entrée puis leur sol en pente qui descendait vers la grande porte que nous ouvrions et contre laquelle s'étaient enchevêtrés les corps. Nos corps. Car nous étions Juifs de la mort, morts aussi. Jamais, à l'exception de nos gardes, nous ne voyions un vivant. Parfois, au loin, j'apercevais dans le camp d'en haut une silhouette d'homme nu qui courait chargé de vêtements. Je faisais désormais partie de ce royaume de la mort : le monde des parias. Quand on livrait notre nourriture le conducteur du chariot ne venait pas jusqu'à nous. Il abandonnait le chariot à l'entrée et l'un des nôtres allait le chercher.

Nous ne vivions qu'avec des morts et des tueurs. Et pourtant je voulais vivre. Dans la baraque elle aussi entourée de fils de fer barbelés, prison dans un camp entouré d'un camp, les suicides se succédaient et chaque soir j'essayais de les empêcher. Car j'avais vu les fosses, les corps entassés et je savais que nous étions devenus des témoins. Ma voix serait forte de ces milliers de voix étouffées par le gaz et le sable jaune; ma vengeance serait celle de ces corps que les prisonniers rangeaient au fond des fosses, côte à côte. Après deux ou trois couches de corps, l'excavatrice poussait le sable. Ma vie serait la vie des miens :

161

ces milliers de corps que nous empoignions d'un geste brusque et que nous jetions sur les brancards.

Beaucoup parmi les prisonniers semblaient vivre sans savoir ce qu'ils faisaient, comme si leurs gestes n'avaient plus de signification. Ils étaient des masques d'hommes accomplissant sous les coups et dans la peur des actes commandés. D'autres, pareils à moi, vivaient comme on résiste. Et le soir je luttais contre les suicides parce qu'il fallait que nous devenions un bloc formé d'hommes se connaissant, capables un jour d'être un poing qui tuerait avant d'être écrasé. Mais les suicides ont continué et la mort saccageait notre groupe.

Un jour, quand? Au camp d'en bas, au bord des fosses, le temps réel n'existait pas, et même le temps rythmé du camp d'en haut n'avait plus de sens. Un jour, quand nous avons enlevé les cales des grandes portes des chambres à gaz, que les portes se sont ouvertes et que nous avons vu les corps jaunes, mouillés, quand nous avons commencé à les tirer vers nous, Kieve a poussé un cri douloureux, enragé, et il a laissé tomber le brancard puis il a saisi un corps le secouant comme pour s'assurer qu'il ne contenait plus de vie et il a couru vers un Ukrainien qui a tiré. Kieve est allé dans la fosse. Je n'ai même pas regardé le visage de ce corps. Et nous étions ainsi, tous, fuyant les visages des morts, refusant de les affronter, refusant de savoir si nous avions connu, croisé, l'un de ces visages.

Ivan, l'immense Ukrainien à la tête minuscule, comme réduite, nous surveillait. Il tuait pour rien. Alors, je chargeais les corps les plus lourds, deux parfois, pour prévenir son coup sur le visage qui ferait de moi, un *klepssudra,* pour prévenir son ordre : « Descends! » C'était la fosse et il forçait même les prisonniers condamnés à se coucher sur les cadavres encore chauds que nous venions de jeter.

Il fallait courir, toujours, et nous soufflions à peine, la faim au ventre. Je choisissais les « dentistes » qui travaillaient vite, inspectant parfois en moins d'une minute la bouche du cadavre, cet homme ou cette femme qui une demi-heure avant était un être de vie, la tête pleine de souvenirs, la mémoire chargée de toutes les richesses des vies passées. Le doigt glissait dans la bouche et la tenaille arrachait. Il fallait choisir un bon dentiste

162

car rester immobile avec un corps à bout de bras quand on est aux limites de l'épuisement est une épreuve insupportable. Et l'homme fatigué doit mourir.

Alors, je courais, rythmant ma respiration, serrant les dents : vivre, Martin, vivre, les tuer. Ces mots m'emplissaient les yeux, la bouche, la tête. Ils étaient ma drogue et ma nourriture. Et le soir quand j'entendais quelqu'un prononcer le mot fatidique : « Enlevez », qui signifiait qu'un homme allait enlever la caisse sous les pieds de l'un de ses compagnons pour l'aider à mourir je tentais de bondir. Parfois, j'ai renoncé, gardant mes forces pour sauver ma vie puisque moi je voulais vivre. Parfois l'horreur nous aidait. Quand ils ont mis les nouvelles chambres à gaz en route, nous avons attendu longtemps, appuyés à nos brancards, reprenant souffle, pendant qu'ils n'arrivaient pas à tuer avec ce matériel qu'ils expérimentaient pour la première fois. Ainsi nous avons gagné un peu de repos. Parfois, je rencontrais la complicité folle d'un dentiste qui prenait le risque de me laisser passer après un semblant d'arrêt. Il jouait sa vie. L'un d'eux, un jeune homme maigre avec de longues mains blanches, était d'une dextérité exceptionnelle. Il opérait presque sans regarder, au toucher. Il m'a fait signe de passer avec ces trois corps d'enfants qui avaient à peine cinq ou six ans. Le SS, celui que nous appelions « Idioten » parce qu'il nous abreuvait de ce mot, s'est approché :

— Pourquoi? a-t-il demandé.

— Ils avaient à peine cinq ans, sûrement pas de dents en or.

J'écoutais, immobilisé par un Ukrainien qui avait suivi son maître SS.

— C'est une bonne excuse, a dit Idioten.

D'un geste, il a montré la fosse au jeune homme aux longues mains blanches dont le corps est tombé presque en même temps que celui des trois enfants.

Ici, il me faudrait une autre voix, d'autres mots.

Parmi les corps chauds nous avons trouvé des enfants encore vivants. Seulement des enfants, contre le corps de leurs mères. Et nous les avons étranglés de nos mains, avant de les jeter dans la fosse : et nous risquions notre vie à faire cela car nous perdions du temps. Or les bourreaux voulaient que tout se passe vite. Ils nous pressaient tant que brusquement le silence s'établissait, nous avions terminé notre tâche, attendant quelques minutes la vague suivante. Nous l'entendions arriver, nous écoutions les cris fous, les aboiements des chiens. Et nous trouvions parfois des hommes mutilés, le bas-ventre en sang. Les chiens dressés par les hommes à pousser les vivants vers la mort.

Il me faudrait une autre voix, d'autres mots pour dire la honte qui me submergeait parfois, par saccades, comme une nausée de vivre encore et puis la rage qui me reprenait de vivre, vivre, pour dire ce que nous avions vu, ce qu'ils avaient fait, ce qu'ils nous avaient contraints à faire. Et plus ils étaient sauvages et plus s'ancrait ma certitude qu'ils seraient vaincus, qu'il n'était pas possible que ce royaume de mort devienne le royaume des hommes. Leur peste cesserait un jour. Et il faudrait être là, témoin et juge, au nom de ces enfants étranglés. Au nom de tous les miens. Je courais, souffrant quand les corps étaient lourds et à leur poids nous savions que ces morts anonymes venaient de pays où la famine n'avait pas sévi, des pays où les Juifs avaient dû être surpris en pleine ignorance et en pleine paix.

Le soir, nous rentrions écrasés de fatigue, sentant la mort. Certains souriaient doucement comme des fous, d'autres s'insultaient et parfois se battaient, certains se pendaient. Je ne pouvais m'endormir, guettant cet « Enlevez » sinistre, guettant les SS. Car ils venaient la nuit dans notre baraque, accompagnés de leurs Ukrainiens, choisir de nouvelles victimes qu'ils prenaient près de la porte, et qu'ils tuaient au-dessus des fosses. Mais le soir quelques prisonniers n'avaient même plus la force de se traîner vers le milieu ou le fond de la baraque. Ils se proposaient à la mort.

J'ai chaque soir eu la force d'avancer jusqu'aux lits du fond. Et pourtant la maladie m'a saisi.

Toute la nuit, j'avais lutté contre les cauchemars; réveillé en sursaut, croyant entendre les « Enlevez » et le bruit des caisses qu'on tire, me voyant couché dans la fosse entre ma mère et mon père. Au matin j'ai vomi, de la salive rougeâtre, j'avais froid, mes jambes tremblaient, mes yeux se voilaient, comme s'ils avaient été recouverts d'une poussière jaune, couleur du sable de Treblinka. J'avais du mal à bouger les bras, à tenir debout. Et pourtant, j'étais présent à l'appel et j'ai couru avec les autres, mes pas résonnant dans ma tête, leurs cris entrant dans mes oreilles comme des aiguilles rougies. J'ai pris le brancard et la ronde a commencé. Les nouvelles chambres à gaz donnaient à plein, les convois se succédaient, les corps s'entassaient. J'ai fait mon travail de Juif de la mort, mordant mes joues, les muscles de mes bras tremblant comme des ressorts tendus et chaque fois que je m'arrêtais devant un dentiste je craignais de m'effondrer à ses pieds. Je n'ouvrais pas la bouche parce que j'aurais crié; je courais, je jetais, j'entraînais même mon compagnon dans un rythme rapide : je sentais, au regard des Ukrainiens, qu'ils m'observaient. Si je lâchais, j'étais mort. Et je voulais vivre. Alors pour déjouer la méfiance d'Ivan, de ses yeux de renard cruel, je chargeais les corps les plus lourds. « Ce sont des sacs, Martin, va Miétek, dure, survit. » Un coup de reins et je soulevais le brancard, courant vers le dentiste. Courir c'est la vie.

J'ai tenu presque jusqu'au bout et nous avons eu une longue journée, avec des chambres pleines, des corps lourds. C'était mon dernier voyage, les chambres étaient vides.

— Vite.

J'ai imploré le dentiste d'un regard, j'ai soufflé ce mot. Il a soulevé les lèvres d'un doigt et je suis passé.

— *Halt!*

Idioten était près de moi, sa cravache à la main. Il a appelé le dentiste. Une dent en or brillait sur le côté. De lui-même l'homme est descendu dans la fosse et comme l'excavatrice travaillait près de nous je n'ai même pas entendu le coup de feu. Idioten a levé sa cravache et m'en a frappé. J'ai tenu, vibrant de tout mon corps, puis nous avons fait basculer le cadavre. Je savais que je ne résisterais pas un jour de plus. La fièvre me serrait dans sa poigne brûlante et peut-être étais-je déjà condamné, le visage marqué par Idioten, devenu l'un de ces *klepssudra* qu'on faisait sortir des rangs au moment de l'appel. Mais ils m'ont ignoré et j'ai pu me traîner sur le sol de la baraque, vers le fond, rampant avec mes coudes, les jambes comme mortes. Alors un homme est venu vers moi et m'a tiré hors de l'allée centrale. J'ai montré mon visage.

— *Klepssudra?*

Il faisait presque nuit noire. Il s'est baissé passant ses doigts sur mes joues.

— Tu n'as rien, dit-il.

Parfois certains mentaient pour éviter les suicides dans la nuit.

— Je ne me tuerai pas, ai-je dit.

— Tu n'as rien, je te jure.

Je restais allongé, secoué de soubresauts, la fièvre, la nausée.

— Malade?

J'ai tenté de vomir.

— Il faut tenir, a-t-il dit. D'où es-tu?

C'était la vague noire des souvenirs qui montait. Il avait l'accent des voyous du ghetto. Je me suis mis à parler, comme on délire. La contrebande, le mur cent fois passé, les sacs de blé qui sentaient bon, Frankenstein, le café Sztuka.

— Abram est ici, a-t-il dit.

Abram, Abramle, comme on l'appelait. Souvent avec Dziobak-la-Vérole et Mokotow-la-Tombe, avec Pila-la-Scie et Zamek-le-Sage, avec Pavel, le Pavel d'avant cette nuit d'août, nous étions rentrés comme un torrent dans son restaurant. Et Abramle préparait la table d'un geste large, riant déjà à ce que nous allions abandonner chez lui, blaguant, se moquant de Pavel. Il avait été l'un de mes clients fidèles.

— A la cuisine.

— Qui es-tu?

— Moishe. Tu connaissais Trisk-le-Chariot?

Yankle-l'Aveugle, Chaïm-le-Singe, Trisk; je les avais vus descendre la rue Zamenhofa, sourds à mes conseils. Et moi je les avais rejoints, un peu plus tard, ici à Treblinka.

— Je suis de sa famille, continua-t-il. Je vais t'aider.

Ainsi, au royaume de la mort un homme est venu vers moi. Un homme que les lois appelaient voleur a prononcé ce son

166

étrange : « t'aider », ce son qui voulait dire prendre un risque de plus, là, dans ce royaume où chacun se prolongeait par miracle.

Moishe avait noué des amitiés avec les *kapos*, il mangeait un peu plus grâce à Abramle et le tueur Idioten, qui sait pourquoi, le protégeait. Dans le camp de Treblinka si l'on voulait durer il fallait avoir ces relations avec ceux — les *kapos* — qui n'étaient pas à chaque seconde écrasés sous les coups, le travail, le hasard et la faim.

Le matin, à l'appel, la fièvre me tenait toujours mais j'avais à nouveau l'espoir. Pourtant quand les Ukrainiens et les SS sont passés dans les rangs j'ai tourné mon visage, peut-être Moishe m'avait-il menti, peut-être étais-je *klepssudra?* Mais ils m'ont regardé sans me désigner : la mort a frappé, à côté de moi.

Ce jour-là, j'ai évité les chambres à gaz, et les fosses, j'ai fait partie des *kommandos-voirie,* j'ai jardiné, j'ai tourné la manivelle du puits et le prisonnier qui s'y attelait avec moi m'a aidé aussi, en poussant seul alors que je ne faisais que m'appuyer sur la barre d'acier, au bord de ce puits profond d'où montait une fraîcheur humide. J'étais entré dans la caste des privilégiés du camp d'en bas. Mais, comme tous les prisonniers, à l'appel, le soir, nous pouvions être désignés pour la mort. Le lendemain, j'ai encore échappé aux chambres à gaz. Un *kapo* m'a conduit jusqu'aux cuisines. Là, vivait Abramle, gouailleur, toujours vif.

Il n'a même pas paru surpris de me retrouver.

— Miétek, tous nous venons ici, a-t-il dit. La dernière table pour Miétek!

Il me montrait un coin à l'abri des regards.

— Mange vite, a-t-il dit, soudain grave.

J'ai avalé des pommes de terre, chaudes encore, la faim plus forte que la fièvre. Ainsi j'ai pu me reposer un peu, gagnant quelques jours, sauvé par d'autres qui restaient des hommes. Et, appuyé à la manivelle, entraîné par mon camarade qui ne disait pas un mot, j'étais convaincu que les hommes l'emporteraient un jour sur les bêtes noires qui nous tuaient aujourd'hui. Sûr qu'il fallait vivre.

Mais la mort nous guettait : Abramle, Moishe, moi, nous restions des Juifs de la mort, soumis aux lubies de nos maîtres et aux besoins de la *fabrique*. Nous étions en sursis. Chaque fois qu'un convoi important arrivait on nous poussait tous vers les fosses, vers les portes de bois des chambres à gaz et nous reprenions les brancards de toile, nous courions dans le martèlement de l'excavatrice qui creusait le sable jaune pour d'autres fosses. J'ai tenu. Suivant Moishe, alors que la fièvre s'accrochait encore à moi, j'ai soulevé, porté des corps légers, guidé, protégé, entraîné par Moishe. Idioten laissait faire, tolérant cet avantage qui pour moi signifiait la vie. Peu à peu j'ai chassé la fièvre, la repoussant lentement parce que j'étais décidé à vivre, réussissant grâce à Abramle à obtenir quelques pommes de terre de plus, à échapper à la régularité mortelle des fosses et de la *fabrique*.

Un soir, Moishe n'est pas rentré à la baraque : Ivan l'avait abattu, près des cuisines, parce qu'il ne courait pas assez vite. Cette nuit-là, j'ai su que mon tour allait venir si je ne m'enfuyais pas : on ne pouvait survivre dans le camp d'en bas. Le lendemain, aux fosses, Idioten m'a donné un premier avertissement. Mon brancard n'était pas assez chargé, mais au lieu de tuer comme il le faisait généralement Idioten m'a fait mettre au garde-à-vous devant lui.

— Si tu cries, Juif, je te tue.

Et il s'est mis à me frapper sur le corps, évitant mon visage peut-être en souvenir de Moishe. Je n'ai pas crié, j'ai eu la vie sauve mais j'ai dû descendre dans la fosse, debout sur les cadavres, les rangeant comme s'il s'était agi de morceaux de bois, les piétinant comme s'ils n'avaient pas été, une demi-heure avant, des existences vibrantes de peur et d'espoir.

Régulièrement dans la fosse des prisonniers devenaient fous, d'autres appelaient la mort. Et elle surgissait par la main d'Ivan ou d'autres Ukrainiens. Je suis remonté, les mains humides et tachées de sang. Il ne me restait plus beaucoup de temps, j'arrivais au bout de ma vie. Les bourreaux m'avaient déjà remarqué, j'étais un trop vieux prisonnier : j'allais commettre la faute par laquelle je me désignerais à la mort.

Je me suis assis dans la baraque : j'avais lutté pour survivre mais ce n'était pas assez. La règle du jeu voulait que je sois perdant. J'avais laissé passer la première chance en ne bondissant pas dans le train chargé de vêtements. Maintenant, j'étais au terme du voyage : peut-être quelques jours encore, peut-être seulement quelques heures. S'enfuir ou mourir. Tout ce que j'avais fait, tous les miens, toute mon énergie, ma colère, ma vengeance, tout cela pouvait n'être plus rien si j'échouais. Si j'acceptais de mourir les bourreaux remporteraient la dernière manche et il n'aurait servi à rien que j'accumule toutes ces victoires, contre eux, à Pawiak, au ghetto. Rien, des centaines de milliers d'hommes seraient morts pour rien. C'est de Treblinka qu'il me fallait sortir, là était la seule victoire qui compterait, celle qui ferait de moi le témoin, le vengeur, l'homme par qui les miens, tous les miens, revivraient.

J'ai répété ces phrases, ces jugements pour m'exalter, pour me donner la force. Il me fallait agir seul : Moishe était mort, Abramle incertain, d'autres pouvaient craindre les représailles. Je devais compter sur moi seul. Toute la nuit, méthodiquement, j'ai bâti des plans. Franchir les barbelés était impossible, sortir par l'*Himmelstrasse* hors de question. La *fabrique* était surveillée, personne ne pouvait franchir la porte du chemin du ciel. Restait l'issue de l'ouest, celle qu'empruntaient les SS et les Ukrainiens. Mais elle était trop éloignée de nos baraques pour que je puisse y parvenir et puis elle devait être gardée. Pourtant c'était la seule voie pour fuir le camp d'en bas, rentrer au camp d'en haut, et là, tenter à nouveau l'aventure du train. Il n'y avait pas d'autres moyens, pas d'autres plans possibles. Celui-ci était fou, mais je vivais dans un monde fou. Il fallait réussir ou mourir. Mais réussir était mon devoir.

Me laisseraient-ils le temps? Le destin en déciderait. J'ai commencé à guetter, réussissant par Abramle à rester à la cuisine. J'ai pensé à tuer un SS ou un Ukrainien, à revêtir leur uniforme et à franchir la porte. Ce n'était qu'un rêve impossible. J'ai attendu; chaque heure passée à vivre était un atout que je conservais, et puis d'avoir un but précis me donnait une force nouvelle. On m'a remis à la fosse : j'ai travaillé comme une machine, courant, piétinant d'impatience devant le dentiste, il ne fallait pas mourir, il fallait tenir.

J'ai duré, combien d'heures ou de jours? Je ne sais plus : le temps des hommes n'existait pas à Treblinka. J'ai duré jusqu'à cet instant où j'ai vu un camion chargé de SS passer la porte officielle, se diriger vers notre groupe de baraques. Les SS chantaient. Ils sont entrés là où s'accumulait l'or que les dentistes arrachaient des bouches et que les Ukrainiens volaient souvent. J'ai questionné Abramle qui par les *kapos* savait.

— Les SS viennent se servir en or, pour eux. Les Juifs, tu le sais Miétek, sont riches.

Et il s'est mis à rire.

J'ai observé le camion. Personne ne le surveillait. Je l'ai vu repartir, avec les SS qui sautaient à bord en se donnant de grandes tapes dans le dos et il a franchi la porte ouest sans même ralentir. Il s'est perdu derrière les baraques du camp d'en haut. Là où était la chance.

Le soir, j'ai élaboré mon plan. J'ai guetté : cette nuit-là, comme toutes les nuits des hommes se sont pendus. Plusieurs fois j'ai entendu le mot « Enlevez », plusieurs fois la caisse a grincé sur le sol. Quand il n'y eut plus qu'un silence précaire, le silence crevé par les cris de ceux qui avaient des cauchemars, je me suis glissé jusqu'aux pendus, j'ai approché la caisse et doucement je les ai pris contre moi, mes camarades morts qui allaient m'aider. A Treblinka, on se pendait avec sa ceinture et j'avais besoin de ces ceintures. Je les ai pris dans mes bras et je les ai détachés, mes camarades, enlevant leurs ceintures. Puis j'ai confectionné deux fortes sangles, attachant plusieurs ceintures ensemble, je les ai enroulées autour de moi comme autrefois, dans le ghetto, au temps de l'évacuation, j'avais enroulé une corde pour m'enfuir de l'hôpital et de l'*Umschlagplatz*. Le matin personne ne s'est étonné de trouver les corps des camarades étendus sur le sol. Qu'était-ce que ces trois morts au milieu de l'allée pour nous qui en saisissions des centaines à pleine main?

Ce jour-là, je suis retourné aux fosses la peur sur moi : Martin, il ne faut pas mourir aujourd'hui. J'ai tenu, couru, posé deux, trois corps sur mon brancard, épuisé mon camarade qui s'essoufflait à l'autre bout. Couru pour vivre. Les jours suivants — combien de jours? — je suis resté une pelle à la main à

170

proximité de la cuisine, craignant seulement les appels, le regard d'un Ukrainien ivre, la malchance qui tue.

Enfin, alors que le soleil avait déjà disparu derrière les arbres qui fermaient l'horizon de Treblinka, le camion des SS est revenu, soulevant de la poussière jaune. Il a freiné brusquement devant la baraque et les SS ont sauté à terre. J'étais à peine une silhouette et ils pensaient à l'or.

J'ai posé ma pelle contre la baraque, j'ai regardé autour de moi. J'allais réussir.

Toute ma vie, toutes ces vies mortes, tous les miens, ils étaient là à me protéger, tous avaient besoin de moi. Je ne pouvais que réussir, puisque je le devais. Je me suis jeté sous le camion. J'ai cherché des barres, des aspérités, j'y ai glissé les ceintures, les passant sous moi, les tendant, m'accrochant avec mes ongles à l'acier, collant mon visage contre le métal, plaqué de toute ma volonté, de toute ma vie. Ce camion était ma chair, ma mère protectrice et j'étais entre ses roues comme dans un ventre dont seule la mort pourrait m'arracher. Mais jamais la fatigue. Et pourtant j'ai cru lâcher. Mes muscles tremblaient, les ceintures me sciaient le cou, les jambes, que mon corps mal nourri était lourd! J'ai attendu, un temps long comme une agonie. J'ai entendu leurs rires, le bruit de leurs bottes sur l'acier, sur le bois. Le moteur a éclaté brusquement près de moi, le camion se mettant à vibrer, s'ébranlant enfin. Quelques mètres à peine et j'ai cru que j'avais hurlé tant la brûlure le long de mon pied était forte, je touchais un tuyau d'échappement; je me suis déplacé, ne faisant plus qu'un avec cette machine vibrante, cette mère qui m'emportait, me secouait et m'enveloppait de poussière.

Je tenais : merci mes camarades pendus, merci Moishe et toi, inconnu qui poussait sur la manivelle du puits, merci Abramle pour ces pommes de terre chaudes qui aujourd'hui étaient la force de mes poignets et de mes doigts. Merci mon peuple. Merci, corps de la fosse, enfants étranglés par mes mains pour vous éviter de mourir étouffés sous les cadavres mouillés, merci de me donner cette confiance, ce camion qui roule, roule. Je tremble sous toi, machine, mais je m'accroche à toi et rien ne me fera lâcher. Va, Martin, va Miétek.

171

Nous avons roulé sur le sable bosselé dans ce bruit de moteur et ce goût de poussière. Enfin, le camion s'est arrêté. Autour il y avait des cris, les rugissements de l'appel. J'ai entendu leurs bottes sur le plancher. Ils ont dû sauter à terre. Mais je devais attendre : j'étais parcouru par les éclairs de crampes qui tendaient mes muscles, je pouvais à peine déplier les doigts et sans les deux ceintures qui me tenaient à la hauteur du cou et des mollets je serais sans doute tombé sur le sol. Mais j'ai tenu. Autour du camion on parlait, on passait, puis brutalement la nuit est venue et le silence s'est établi sur le camp de Treblinka. J'ai encore attendu. J'apercevais les lueurs des projecteurs qui balayaient les barbelés; de temps à autre la porte d'une baraque claquait et des voix s'interpellaient en allemand. J'ai détendu l'une des sangles et j'ai glissé vers le sol. Oh! le bonheur de toucher la terre, d'appuyer mon dos sur ce sable qui a enseveli tous les miens et qui m'accueille fraternel. J'ai embrassé cette terre de tout mon corps, avec ma nuque meurtrie et mes bras crispés. Mais il me fallait être prudent. Alors, je me suis à nouveau agrippé au camion, ne touchant la terre qu'au moment où j'allais crier sous l'insupportable douleur des muscles. J'étais ainsi sur le dos, quand, au bord du camion, j'ai entendu un bruit, il était trop tard pour m'accrocher, j'ai saisi la petite bouteille de cyanure que m'avait donnée Moishe, prêt à la porter à ma bouche. Je ne me suis même pas tourné, attendant la lueur d'une torche, un coup de feu, un hurlement. Puis j'ai senti contre moi un corps qui s'allongeait : l'un de ces bergers allemands au poil fauve était là, me reniflant, pacifique, j'ai commencé à le caresser et il m'a léché les mains. Il est parti, revenu, innocent dans cette nuit douce alors que, dans le couloir étroit de la *fabrique*, là où s'ouvraient de part et d'autre les cinq portes donnant sur les chambres à gaz, d'autres de sa race, dressés à tuer, se jetaient, bêtes sauvages, sur le bas-ventre des hommes. Mais qui était la bête, de l'homme ou du chien? Des chiens comme des hommes on pouvait faire n'importe quoi. Il n'y avait ni homme, ni chien, ni race maudite, seulement des hommes qui étaient devenus des bourreaux, d'autres qui les avaient dressés, peut-être des sociétés qui fabriquaient plus que d'autres des bourreaux.

172

Le chien est reparti : j'ai eu peur un instant qu'il n'aille chercher son maître, puis à nouveau accroché au camion je me suis calmé. Maintenant, il me fallait attendre. Si le camion démarrait, je me collerais à lui, sinon je saisirais le moment, la première chance.

La fraîcheur est venue avec le matin; un brouillard bas courait sur le sol comme un signe favorable. Il y eut un tir de mitrailleuse, venu d'un mirador, vers le camp d'en bas; le moteur de l'excavatrice, là-bas où étaient restés Abramle et mes camarades de la baraque. Seul sans doute Abramle remarquerait mon absence, un instant à peine, quant aux bourreaux nous n'avions ni numéro, ni matricule, ni visage, nous étions des morts qui travaillions, des choses qui parfois criaient, qui se teintaient de rose quand une balle les abattaient. Nous n'étions rien. J'entendais le moteur de l'excavatrice qui dérapait : c'était quand la pelle s'enfonçait dans la première couche de sable, la plus dure; on creusait une nouvelle fosse et mes camarades allaient se rassembler, les *klepssudra* s'avançant eux-mêmes hors des rangs, les autres courant, le brancard chargé.

J'étais sorti du camp d'en bas, ce bout de l'*Himmelstrasse* dont personne ne revenait et que, disaient mes camarades, personne n'avait réussi à quitter sinon pour le ciel. J'étais sorti et il fallait que je m'échappe aussi du camp d'en haut, c'était mon devoir, mon serment, et d'être là, d'entendre l'excavatrice, d'imaginer la fosse et mes camarades debout sur les morts, d'être là, loin d'eux et toujours parmi eux me donnait une force invincible. Je réussirais. Au nom de tous les miens.

Le brouillard s'était encore épaissi. La voix de Lalka, toujours la même voix qui annonçait notre fin, notre inexistence, venait jusqu'à moi : c'était l'heure de l'appel. J'ai attendu, enroulant les sangles autour de mon corps. Bientôt j'allais risquer de tout perdre. Des voix qui parlaient en yiddish près du camion : j'ai rampé jusqu'aux roues. J'ai aperçu un groupe de prisonniers, à une vingtaine de mètres. Je me suis dressé, restant debout près du camion, repérant l'Ukrainien qui les gardait. J'ai marché jusqu'à eux dans ce brouillard qui me sauvait, j'avais les jambes raides, les bras lourds. J'ai buté dans une brouette, dissimulée par le brouillard. Je l'ai saisie. Personne ne pourrait me l'arracher. Un prisonnier s'est retourné. Il me regardait de ses yeux fiévreux, surpris.

— D'où viens-tu, toi?

J'ai fait un signe de tête.

— Plus tard.

Il a hésité, a haussé les épaules. A Treblinka rares étaient ceux qui se souciaient d'autrui. Je suis resté avec ce groupe, un *kommando-voirie*, un petit moment puis, à l'appel, j'ai glissé loin d'eux. Il fallait me perdre dans la foule des prisonniers. Ma chance était la barbarie des bourreaux, leurs exécutions régulières, les hommes qu'ils sortaient tous les soirs des rangs pour les conduire au *Lazaret* et qu'il fallait bien remplacer. Au camp d'en haut comme au camp d'en bas, il n'y avait ni nom, ni numéro matricule, ni visage. J'ai touché ma soupe, comme les autres. J'avais réussi, je n'étais plus au fond du gouffre.

J'ai recommencé à vivre au camp d'en haut. Vivre, malgré l'horreur, car j'avais connu les fosses et la *fabrique,* vivre car j'étais sorti du dernier cercle, là où les vivants ne vont jamais, vivre car j'avais l'espoir. Le dos courbé, le visage tourné vers le sol alors que je courais, je me répétais qu'ici même, comme à Pawiak, comme à la Gestapo Allée Szucha, je les avais vaincus, eux les seigneurs et les rois de la mort. Sans arme autre que la volonté : là était la preuve que j'étais l'homme, leur maître. Ils tuaient, ils frappaient, ils hurlaient, mais ils n'étaient que des pantins démoniaques. Parle, Lalka, dis que je suis la boue, la vermine, parle de ta voix satisfaite de poupée noire, je suis l'homme et je vais vaincre, glisser entre tes doigts.

Je n'avais qu'un but : me faire affecter au *kommando* de chargement des wagons. Mais il me fallait avancer avec prudence, seul; tenter de découvrir les rouages du camp, repérer les *kapos*, les *goldjuden*, ces « Juifs de l'or » qui formaient l'aristocratie du camp. Il me fallait éviter la mort, travailler vite, cacher mon visage, devenir gris, invisible. Il me fallait garder des forces : j'ai, malgré les risques, fouillé d'un geste rapide les vêtements que nous portions jusqu'à la place du tri, avalé les biscuits, le sucre sans remuer les mâchoires. J'ai travaillé accroupi à détacher les étiquettes des vêtements, pour qu'ils deviennent anonymes; j'ai pris des risques, dissimulé un couteau acéré trouvé dans une veste de cuir. Car il me faudrait sortir du wagon. J'ai à nouveau connu tous les *kommandos*, j'ai porté des sacs de cheveux qu'on avait séparés par teintes, j'ai portée des brassées de chaussures. Puis j'ai dû servir au *Lazaret*. Là, j'ai retrouvé la mort vivante. La baraque était à l'est du camp, après la place du tri. Une énorme croix rouge la surmontait. Je suis entré dans la salle d'attente, propre, accueillante avec ses fauteuils confortables. De là, on passait dans la « salle de consultation ». Un prisonnier revêtu d'une blouse blanche y entraînait les arrivants. Mais cette salle de consultation avait une sortie béante, dissimulée par un rideau, et derrière se tenait un Ukrainien armé, debout près de la fosse. J'ai reçu le corps des vieillards, morts encore tremblants, le corps des enfants et des infirmes. C'était à nouveau la fosse mais j'ai pu y échapper, me perdre dans d'autres *kommandos*. J'ai retrouvé l'arrivée des trains, l'insupportable regard affolé des mères et des enfants. Elles me prenaient par le bras :

— Qu'est-ce qui se passe ? Où sommes-nous ?

— Ça va, ça va.

Que dire ? Que faire ? J'ai croisé des visages qu'il me semblait connaître et quand c'était des hommes vigoureux qui avaient une chance à la sélection, je murmurais :

— Ne te déshabille pas.

Ainsi je risquais ma vie. Nous ne devions pas dire un mot aux arrivants, nous ne devions pas les voir. Près de moi un prisonnier du *kommando-bleu* a été appelé, une voix de femme déchirante, faite de joie et de terreur :

— Schloïme, Schloïme, c'est moi !

Je savais qu'il ne bougeait pas, qu'il s'affairait pour ne pas entendre, j'ai entendu son pas qui s'éloignait et la voix qui criait :

— Schloïme, Schloïme, c'est moi !

Puis des bottes se sont approchées, elles ont suivi Schloïme dont je n'avais même pas vu le visage, et il y a eu un coup de feu. Comment pouvait-on faire confiance à un prisonnier qui avait vu arriver sa mère ou sa sœur ?

— Schloïme, Schloïme ! criait la voix.

J'ai nettoyé les wagons, les débarrassant de leurs morts de

soif : des enfants, des vieillards. J'ai vu, sur chaque wagon, marqué à la craie d'une écriture ferme le nombre de personnes qu'il contenait : 120, 160, 145. Là-bas, à l'*Umschlagplatz* un SS pointilleux, peut-être le petit SS à la cravache, continuait sa besogne méthodique. A chaque convoi l'angoisse me saisissait : il me semblait qu'ils allaient à nouveau descendre, ma mère, mes frères, Rivka, qu'à nouveau j'allais devoir les laisser partir, mourir. Et maintenant je savais, je revenais de là-bas, où l'excavatrice creuse, où les chiens hurlent dans le couloir, où les enfants parfois ne sont pas encore morts quand s'ouvrent les larges portes de bois. Je savais, j'avais vu. Et à chaque convoi c'étaient ma mère, mon père, Rivka, mes frères, mon peuple, que l'on précipitait sur le quai. Et j'étais impuissant. Parfois des hommes et des femmes criaient :

— Nous ne sommes pas juifs !

Comme des animaux affolés, perdus, ils couraient vers les Ukrainiens ou les SS, hurlant de terreur :

— Polonais, pas juif, pas juif. Catholique ! Je hais les Juifs !

Ils mouraient plus vite d'un coup de feu ou bien ils subissaient le destin commun. Ici, à Treblinka, ce n'était pas les Juifs que l'on tuait, ce n'était pas une race particulière que l'on exterminait : les bourreaux voulaient détruire l'homme et ils avaient décidé de commencer par ceux des hommes qu'on appelait juifs, mais tous les hommes étaient condamnés. Ne resteraient vivants que les bourreaux et leurs chiens. A Treblinka, c'est l'homme qu'on supprimait. Mais, pour mieux dissimuler cette gigantesque entreprise, les bourreaux avaient essayé de cacher l'homme sous ce nom de Juif.

Alors, les Polonais qui bondissaient sur le quai, criant : « Pas juif, pas juif, catholique » mouraient. Qu'importait pour les bourreaux ? Ces Polonais ne pouvaient être que des hommes donc ils devaient les exterminer. J'écoutais les cris affolés de ces hommes qui s'étaient peut-être fait prendre à proximité du mur, ou dont le visage ressemblait à ceux des Juifs. Ils allaient mourir sans comprendre que leur foi ou leur race ne les auraient pas protégés longtemps : ils auraient un jour ou l'autre dû choisir entre le destin d'une bête ou la vie d'un homme.

176

Juif ou pas juif, j'ai découvert à Treblinka qu'il n'y a que l'homme.

Cela aussi il me faudrait le dire, dehors. Mais le temps passait et à Treblinka les prisonniers mouraient vite. J'essayais de rester toujours dans les *kommandos* qui travaillaient près du quai : il y avait l'horreur des convois mais aussi l'espoir du chargement. Un jour, des Ukrainiens m'ont poussé vers la place de déshabillage : là opérait une partie du *kommando-rouge*. Il fallait aider les enfants, les vieux, à se déshabiller. Ils avaient les gestes empruntés et lents; ils étaient brisés, désemparés, exténués par le voyage. Et ils posaient des questions avec la voix et les yeux. Je savais. Seul sans doute parmi les prisonniers du *kommando-rouge* et peut-être parmi tous les prisonniers du camp d'en haut j'avais vu : et voir change tout. Je savais par tout mon être, par mes yeux et mes mains, je savais leur destin. Et il me fallait presser mes frères et ma mère, répéter :

— Ça va, ça va.

Et je voyais déjà leurs corps mouillés et jaunes allongés dans la fosse. Et j'étais impuissant.

Plusieurs fois je suis retourné au « déshabillage », et j'ai su que je ne tiendrais plus longtemps, que j'allais bondir vers un Ukrainien ou un SS et tenter de le tuer. J'arrivais à nouveau au terme d'un voyage, à l'un de ces paris où il n'y a le choix qu'entre la mort et la vie. Il fallait jouer.

L'un des *kapos* était un Juif de Varsovie. L'un de ces voyous qui le long du mur, contrôlaient les *méta* et forçaient les contrebandiers à payer, pour passer les sacs. J'avais déjà échangé quelques mots avec lui.

— Tu es Miétek, m'avait-il dit.

Puis il y avait eu un long silence.

— Ton blé ne leur a servi à rien.

Ce n'était qu'une intonation dans sa voix, mais elle était fraternelle et désespérée. Il fallait jouer. Nous étions assis, épaule contre épaule, au fond de la baraque.

— Je viens de là-bas.

Silence, à nouveau. Il ne posait pas de questions et c'était bon signe.

— Tu entends?

177

Cette nuit-là l'excavatrice raclait le sol, il y avait eu dans la journée deux convois comme si les hommes renaissaient toujours plus nombreux dans quelque coin de Varsovie ou de la Pologne, ou plus loin encore.

— Elle creuse, des fosses.

J'ai commencé à raconter, et cela a duré une bonne partie de la nuit. J'ai parlé d'Abramle et de Moishe qu'il avait dû connaître, dans les rues du ghetto, au temps de la vie. Silence encore, puis :

— Miétek, ne raconte jamais.

Il a saisi mon genou d'une main dure :

— Ne raconte jamais. Ils ont des mouchards.

J'avais gagné, découvert un homme.

— Il faut que je sois au chargement des wagons, au premier chargement.

Nous sommes restés côte à côte, jusqu'à l'appel.

— Ne raconte jamais, m'a-t-il répété.

Un matin, un jour, d'autres, combien? Le temps des hommes et de la vie n'existait pas à Treblinka. Je ne l'avais plus vu, j'étais passé d'un *kommando* à l'autre. Puis à l'appel, comme nous nous dispersions, il m'a bousculé, me donnant un coup sur le dos, un autre, hurlant :

— Allez, marche, cours.

Il m'a poussé vers le *kommando-chargement* me dirigeant vers un autre *kapo*.

Nous sommes partis, le *kapo* nous injuriant, vers le quai. Le train était là, ses wagons ouverts, vides, les paquets prêts à être chargés.

Merci, camarade, merci, homme.

Le plan que j'avais mis sur pied il y a si longtemps, avant le camp d'en bas était présent dans mes mains, dans ma tête. J'ai chargé dans un coin du wagon, accumulant les ballots, ni trop ni trop peu, ce qu'il fallait pour n'être rien, qu'une fourmi dans la colonne, active, anonyme. Puis j'ai abandonné le coin et sa cavité, remplissant l'autre partie du wagon et les prisonniers derrière moi entassaient les paquets que je poussais. J'ai sauté, grimpé, entassé encore. Le *kapo* criait, les Ukrainiens et les SS marchaient sur le quai, et les prisonniers, le dos courbé, grouillaient, courant, sautant, chargeant. Peut-être ne suis-je resté seul dans le wagon qu'une minute mais elle a suffi. J'ai plongé dans ma cavité et j'ai tiré le paquet qui m'emprisonnait, tendu les bras pour soutenir l'amoncellement, bloqué d'autres ballots avec le dos et la tête. J'ai senti le choc sourd d'autres paquets qu'on accumulait, qui me serraient contre la paroi du wagon, dans cet angle de liberté. Puis il y a eu le silence, ma main droite tenant crispée une bouteille de poison, la gauche serrant un couteau. L'attente, les bruits de voix, un coup de feu. Un SS ou un Ukrainien qui devait abattre un prisonnier, pour l'exemple. Au fond de ma cache, je n'entendais même plus l'excavatrice, comme si déjà j'avais quitté l'enfer.

Ces grincements, ces claquements qui se rapprochaient, c'étaient les portes que les SS fermaient. Il y eut un trou de silence, des cris, peut-être un wagon qui n'était pas suffisamment chargé, enfin, à nouveau, les grincements, les claquements. Mon wagon. Puis d'autres encore. Et l'attente, le train qui s'est ébranlé, puis arrêté. Combien de temps? L'attente.

L'attente. Aussi longue que toutes les vies détruites et couchées dans les fosses, comme si chacune d'entre elles s'ajoutait à l'autre; aussi longue qu'un appel quand j'avais peur d'être un *klepssudra,* aussi longue que cette course des chambres à gaz vers les fosses alors que m'écrasait la fièvre; aussi longue que la torture au siège de la Gestapo; aussi longue, aussi insupportable que ce moment où ils avaient crié : « hommes à droite », « femmes et enfants à gauche », et où ma mère, mes frères, Rivka, s'étaient séparés de moi. Aussi longue que tout mon séjour à Treblinka.

Enfin mon wagon a commencé à rouler, lentement d'abord, puis un air vif s'est glissé entre les planches de la paroi. Le train avait pris de la vitesse.

Il y avait les grincements d'essieu, le halètement de la locomotive, le déroulement sourd et rythmé sur les rails d'acier. Ce train avait pour moi tous les bruits rassurants des machines.

Ce train, c'était un cri : celui de ma vie.

6

Je dirai l'Umschlagplatz, les wagons et les fosses

L E train roulait. J'étais collé contre le bois rugueux, explorant la paroi, ce bois où tant des miens avaient posé leurs fronts, leurs lèvres, où tant des miens avaient brisé leurs ongles entre Varsovie et Treblinka. Je me suis efforcé d'attendre, de ne pas me laisser aller à l'exaltation mêlée de peur et d'angoisse qui me poussait à creuser le bois, à le défoncer avec ma tête, à planter le couteau n'importe où, à arracher avec mes dents, mes mains, ces planches qui me séparaient de l'air libre. Je me suis maîtrisé, peu à peu, retrouvant ma respiration, mes pensées, élaborant un plan. J'ai commencé à élargir une fente entre deux planches, pour voir et, brusquement, j'ai aperçu l'horizon, un espace rouge sombre que ne mutilaient ni miradors ni barbelés mais seulement les masses noires des forêts à demi estompées par la nuit qui tombait; j'ai vu les champs labourés couverts de place en place par des traînées de brouillard grisâtre; j'ai vu la campagne vaste, seule, sans un homme casqué, sans un cadavre, sans une colonne de prisonniers courbés. Je n'arrivais plus à détacher mes yeux de ces étendues tranquilles et silencieuses, somnolentes et paisibles, de cette terre sableuse, innocente, creusée de marais immobiles où des hommes avaient installé Treblinka.

Le train a ralenti, avançant au pas : l'angoisse à nouveau m'a saisi. Nous avons traversé une gare. Sur le quai éclairé déjà, des soldats, leurs armes, leurs sacs et leurs casques amoncelés

REGIONS DE POLOGNE

que Martin Gray parcourt après son évasion de Treblinka (régions de Zambrow et de Bialystok) puis après l'insurrection du ghetto de Varsovie (région de Lublin).

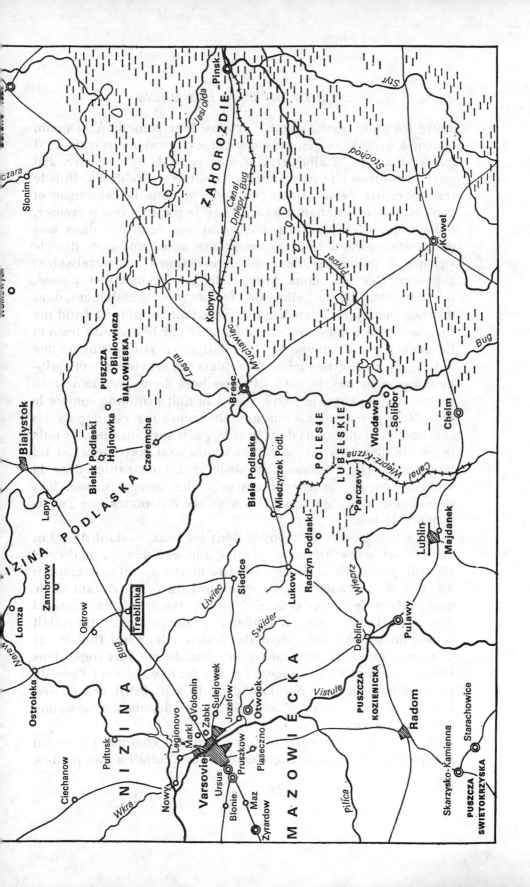

contre les murs, mangeaient. Certains, leur gamelle à la main, étaient à demi allongés, près des voies, regardant le train et il me semblait qu'ils allaient voir mes yeux, bondir, hurler. J'ai serré le couteau : je ne retournerai jamais à Treblinka. Puis le train a repris de la vitesse, s'enfonçant dans la campagne et dans la nuit maintenant pleine. Alors je me suis mis à creuser, taillant dans les planches, enfonçant des échardes dans mes doigts, transpirant. Nous avons encore passé une gare déserte signalée à peine par deux lumières jaunes qui paraissaient clignoter. Dès que nous avons retrouvé la nuit j'ai poussé, m'arc-boutant sur les ballots de vêtements et, brutalement, dans un craquement, les planches ont cédé, l'air humide et froid me fouettant tout à coup, ma cache envahie par le bruit du train et les odeurs de la campagne. Il fallait faire vite, avant qu'une autre gare peut-être pleine de soldats ne survienne : m'agrippant aux planches, je me suis glissé hors du wagon, m'accroupissant, me tenant à la paroi, face à la nuit profonde comme le vide. Mais je n'avais aucune appréhension : ma vie, depuis des années, n'était que sauts dans le vide, paris sur l'inconnu. Et puis je venais d'un lieu où les choses seules sont fraternelles et les hommes cruels. Comment aurais-je craint de sauter dans la nuit : la vitesse, la terre, l'obscurité, les pierres même, tout m'était plus doux que les bêtes à visage d'hommes que j'avais connues là-bas.

J'ai sauté, la tête enveloppée dans les bras, roulant du talus, aboutissant dans un fossé plein d'une eau glacée, herbeuse. Etourdi, j'écoutais le silence, la brise dans les taillis, le clapotis de l'eau. Je me suis traîné sur le bord du fossé, restant là, le visage dans la terre grasse, humide, respirant les senteurs d'herbe et d'eau, tentant d'oublier cette odeur tenace qui collait à moi, odeur de mort, odeur des fosses, odeur qui flottait sur Treblinka et imprégnait mes vêtements. Je me suis roulé dans l'herbe, frottant mon visage avec des feuilles, buvant l'eau du fossé, debout enfin, grelottant dans le seul bruit des choses, loin de ce halètement d'excavatrice qui depuis des semaines rythmait ma vie.

Toute la nuit j'ai marché traversant des champs, enfonçant mes pieds dans les marécages dont la boue collait à mes jambes, écartant les branches basses des petits pins noirs qui par bouquets denses interrompaient la plaine. De place en place les betteraves en tas me faisaient sursauter, trembler comme s'il s'agissait de l'un de ces amoncellements d'objets que nous élevions sur la place du tri à Treblinka; mais elles n'étaient que les fruits de la terre, lourdes, rugueuses comme des blocs de pierre. Pourtant, une fois raclées, pelées, on pouvait mâcher longtemps leur chair dure et douceâtre. Au matin, au-dessus du brouillard, enveloppé dans la brume, j'ai vu se lever le soleil, gros disque rouge que j'ai fixé pour n'avoir plus peur de regarder le ciel. Alors je suis entré dans la forêt, m'allongeant sous les arbres, à la lisière, mordant à pleines dents dans les betteraves, exténué. La terre était là, sous moi, j'y collais mon ventre, mes jambes, mes mains à plat, comme pour qu'elle me donne sa force, qu'elle me rende l'équilibre, m'apprenne à connaître à nouveau la vie. Sous la mousse que je décollais par plaques je regardais les longs vers bruns, je suivais leurs reptations, j'observais le cheminement patient, inchangé, des fourmis. Je redécouvrais le temps, les choses : la journée a passé. J'ai vu, au loin, silhouettes sur l'horizon, des paysans derrière leurs chevaux, une charrette sur une route et là-bas, à l'est où le soleil s'était levé, un village.

Un jour, puis une nuit encore pour savoir avec mes yeux et avec mes sens que Treblinka avait laissé la nature vivante et toléré que des hommes continuent tranquillement leurs travaux derrière leurs chevaux. Un jour, puis une nuit encore non pas pour oublier Treblinka, ma mère, mes frères, Rivka, les fosses ouvertes, mais pour qu'à côté d'eux renaisse le monde et que je réapprenne à m'y mouvoir. Au deuxième matin, cette ivresse hagarde d'homme aux abois promis à la mort m'avait quitté. J'étais sorti pour crier aux miens ce qu'était Treblinka, sorti pour me venger, pour vivre et peut-être père survivait-il aussi, peut-être. Je me suis lavé dans l'eau glacée d'un marais, j'ai marché le long du bois : il fallait que je me réhabitue à regarder le ciel, les visages. Si je voulais ne pas trahir les morts de Treblinka il fallait que je réapprenne à vivre comme les vivants, avec eux, que j'oublie Treblinka pour ne pas l'oublier.

185

Il devait être vers midi le deuxième matin, le soleil avait jauni. J'ai quitté la protection de la forêt, j'ai coupé à travers champs, vers la route, vers ce chariot aux roues de bois chargé de betteraves, immobile. Le paysan était là, assis, sur le côté, un paysan au visage rouge, la casquette rejetée en arrière. Il fallait aller vers lui. Il m'avait vu mais il continuait à manger, du pain gris et du lard.

— Je cherche du travail, ai-je dit. J'ai besoin. Mes parents sont morts.

Il mâchait lentement ce pain tendre, ce lard épais. Il a secoué la tête.

— Rien, a-t-il dit. Rien sûrement.

— Je peux tout faire, j'ai besoin.

Il mangeait en secouant la tête.

— Peut-être de l'autre côté du Bug.

Là-bas, sans doute à quelques kilomètres à peine, là-bas à Treblinka, les camarades couraient vers les fosses, y jetant les enfants, là-bas Ivan et Idioten tuaient. Et Abramle était peut-être déjà mort. J'ai eu envie de secouer ce paysan par les épaules et lui dire d'où je venais, de lui parler de la *fabrique*, des convois, des dents arrachées, des enfants encore, de ma mère, de Rivka. Mais j'ai simplement dit :

— On peut traverser le Bug?

Il s'est levé. Il était voûté et il avait les gestes lents et lourds des paysans. De sa voix sourde, étendant le bras, il m'a expliqué comment trouver le gué.

— Tu ne veux pas passer sur le pont, hein?

Ses yeux avaient brillé, un instant, une complicité ironique qui n'attendait pas de réponse. Je l'ai remercié et comme je partais il m'a rappelé. Il est allé vers le bout du chariot et est revenu avec un demi-pain rond et un morceau de lard.

— Pour moi j'ai assez, a-t-il dit.

J'ai pris le pain et le lard, ils emplissaient mes mains. J'ai longé le champ, vers la forêt. Là, je me suis assis, le dos contre un arbre, ce pain et ce lard posés devant moi. Merci paysan, merci homme qui m'aidait à retrouver le monde des hommes. J'ai mangé, lentement, réapprenant aussi le goût des aliments, du pain encore frais, vivant, doux comme ce lard où s'enfon-

186

çaient mes dents. Je pouvais mâcher et non plus seulement avaler vite pour éviter le coup qui tue, qui tue encore à Treblinka. Merci paysan, merci homme.

Le soir, j'ai traversé le Bug.

J'ai marché. Les forêts, les champs, leurs mottes dures dans lesquelles je butais, les routes poussiéreuses et les fossés dans lesquels je me jetais parfois pour éviter un camion allemand, j'ai appris la Pologne en parcourant sa terre, en couchant sous ses arbres, en me trempant dans ses eaux glacées. J'ai appris le visage immobile des paysans, la main qui donne le pain et celle qui se lève pour frapper, j'ai appris les villages aux maisons basses, aux toits de chaume, l'église devant laquelle les hommes se tiennent à l'écart des femmes en fichus noirs. J'ai demandé du pain, du travail. J'ai volé les pommes de terre enterrées sous la paille, pour les défendre du gel. J'ai volé des allumettes et j'ai, à la lisière de la forêt, fait du feu, plaçant les pommes de terre sous la cendre, me brûlant à leur chair fondante; je me suis protégé du froid avec des branches, essayant de dormir et n'y réussissant pas : les miens étaient devant moi, tous les miens, tout un peuple de morts, et je passais des nuits en proie au cauchemar, recommençant sans fin à jeter ma mère, mes frères, Rivka, dans les fosses. Puis je m'allongeais près d'eux, envahi par un froid glacial qui me réveillait. Je m'enfonçais un peu plus dans la forêt, craignant les marécages. Je faisais un autre feu pour me chauffer, mais ils étaient toujours présents et il me fallait toujours recommencer à les jeter dans la fosse. Parfois, après des heures d'insomnie, je me reprochais d'être encore en vie, d'avoir refusé leur sort, alors je m'accrochais au souvenir de mon père : rue Senatorska, avant, je me pendais à son cou, il se mettait à tourner et bientôt j'avais la sensation que j'allais me détacher, être projeté loin, très loin contre les murs. Je m'agrippais à lui, serrant son cou, criant de peur et de joie. Dans les forêts, de l'autre côté du Bug, je me suis accroché à mon père. « Il faut vivre, Martin », disait-il. Et lui aussi voulait vivre. Il devait être vivant. Jour après jour je m'en suis convaincu : il avait échappé comme moi à Treblinka pour se battre et nous venger.

J'ai marché vers ce que je croyais le nord, pour m'éloigner de

Treblinka, j'ai traversé des villages. Srebrna était l'un d'eux, étiré le long de la route, avec, derrière les maisons de torchis, presque contre la forêt, les granges. Un paysan se tenait debout devant la dernière maison, appuyé à une fourche, me regardant venir. C'était le soir, je marchais depuis le matin, la poussière blanche couvrant mon visage. Il m'a appelé d'un geste :

— Tu veux du travail? Le grain, à battre. Je te nourris et je te couche.

J'ai accepté et il m'a guidé dans la nuit déjà tombée vers la grange.

— Tu dormiras là, arrange-toi comme tu veux. Demain, je t'appellerai. Mon nom est Chmielnitzki.

J'avais perdu l'habitude de me fier aux hommes. J'ai commencé à inspecter la grange et à déclouer soigneusement les planches qui donnaient sur la forêt, les remettant en place : il me suffirait d'une poussée pour m'enfuir. Chmielnitzki avait une bonne tête mais le visage d'un homme peut mentir. A l'aube, dans le brouillard que je devinais à travers les parois de la grange, j'ai guetté Chmielnitzki qui s'affairait sur l'aire. Puis il a crié et le travail a commencé. Dur travail, parce que ma tête était libre et seules mes mains s'affairaient à nettoyer les chevaux et la vache : parce que, battant le grain, levant le fléau, je voyais Ivan la matraque dressée, j'écrasais les épis, il écrasait les têtes; quand j'étrillais le cheval à la peau luisante et douce, je pensais à nos peaux crevées de coups, nos peaux meurtries; quand je jetais au chien sa gamelle pleine de pommes de terre, de morceaux de lard, de croûtons de pain, je savais que sur la place d'appel des hommes se seraient tués pour une poignée de cette nourriture et que dans le ghetto des centaines d'enfants n'en avaient jamais eu autant. Le soir, à table, regardant Chmielnitzki et sa mère manger en silence, j'étais parfois saisi de nausées, je ne pouvais rien avaler, j'avais envie de leur crier : ma mère, savez-vous ce qu'ils en ont fait? Mais je me taisais, refusant d'un mouvement de tête le pain qu'on me tendait et je priais comme eux au début et à la fin du repas.

Chmielnitzki parlait peu durant toute la semaine mais le samedi il buvait, alors pendant que sa mère égrenait un chapelet il monologuait, chantonnait et comme Chmielnitzki voulait un auditeur, je restais assis en face de lui plus longtemps que d'habitude, dans la lumière jaune de la lampe à pétrole. En général il ne me questionnait pas, se contentant de parler. Pourtant un samedi, le troisième que je passais chez lui, il avait bu plus que de coutume. Dans l'après-midi un photographe de Zambrow était passé et devant chaque ferme les paysans s'étaient rassemblés, se groupant sur l'aire, les filles aux fichus blancs près des jeunes. Chmielnitzki m'avait poussé :

— Toi aussi, Miétek.

J'avais essayé de refuser, mais Chmielnitzki insistait :

— Pour une fois qu'on a un travailleur de Varsovie! Avec nous, Miétek!

J'avais été photographié avec les autres. Le soir il était presque ivre.

— Tu avais peur, hein Miétek, tu avais peur de la photo.

Il avait le menton appuyé sur les mains, les yeux mi-clos :

— Tu es peut-être juif?

Sa mère fit un signe de croix.

— On n'aime pas les Juifs ici, Miétek. Ils ont tué le Christ.

Sa mère se signa encore.

— Mais il n'y a plus de Juifs, patron, morts, *kaputt*.

Il tapa du poing, cracha sur le sol de terre battue.

— Va à Zambrow et tu les verras, plus gras que jamais. Ici, de ce côté du Bug, nous sommes du Reich allemand. Ce sont des Juifs bien gras. Ils donnent de l'or aux Allemands et c'est nous qu'on réquisitionne.

Il se servit un verre de vodka.

— Si tu es juif, Miétek, je te tue.

Je me suis mis à rire.

— Tous les Juifs sont morts, patron.

La mère de Chmielniki égrenait son chapelet. Lui murmura :

— Je te tue, Miétek.

Puis il posa sa tête sur la table et se mit à ronfler et à grogner.

La nuit dehors était claire, le vent du nord avait balayé le brouillard, il faisait froid. Dans la grange, au-dessous de la remise où je m'installais, les chevaux raclaient le sol. J'ai vérifié que les planches que j'avais descellées pouvaient facilement

189

être déplacées : une nuit il me faudrait fuir car Chmielniki était l'un de ces braves hommes qui peuvent tuer ou dénoncer. Mais moi j'étais prêt, je savais la menace. D'autres, des milliers peut-être, à Zambrow, aveugles, croyaient sans doute au mirage de l'Est; ils s' « arrangeaient », attendant la fin de l'ouragan barbare qui déferlait. Ils ignoraient tout de Treblinka et un jour ils seraient poussés dans les wagons. Et j'étais ici, à ne rien faire, à penser à ma simple vie.

Le dimanche matin, j'étais présent à la messe avec les autres. Chmielniki à nouveau silencieux, debout près de moi dans le chœur, s'agenouillait à l'élévation, baissant sa lourde nuque de paysan, homme honnête et simple qui pouvait tuer. Nous sommes restés sur la place, moi allant de groupe en groupe, isolant un paysan et le faisant parler des Juifs de l'arrondissement. Tous répétaient que les Juifs vivaient tranquilles à Zambrow et dans d'autres petites localités.

— Les Allemands les protègent, disait parfois l'un de ces paysans. Ils ont besoin de leur or.

Il me fallait partir au plus tôt, prévenir ceux de Zambrow, leur dire Treblinka. Comme chaque dimanche matin, Chmielniki a attelé son chariot : il allait au village voisin rendre visite à son frère. La mère avait mis sa jupe plissée noire. J'ai tenu le cheval, donné la bride à Chmielniki puis je les ai suivis du regard jusqu'à ce qu'ils disparaissent derrière la forêt. Alors, j'ai bondi dans la maison, défonçant une porte, trouvant le large coffre où Chmielniki plaçait ses vêtements. J'ai pris des bottes noires, une veste et dans la resserre, du lard, du pain, des pommes de terre et des allumettes, puis j'ai couru vers la forêt qui commençait derrière la grange, couru vers le nord, vers Zambrow.

J'ai marché tout le jour, puis la nuit, puis le jour. Je ne connaissais ni la faim ni la fatigue : je devais parvenir à Zambrow avant que les Allemands ne commencent la liquidation. J'avais déjà perdu trop de temps. Pour m'orienter, je suivais la route depuis les champs et la forêt. Parfois, je courais tant la hâte me gagnait : je savais comment leur parler, je raconterai Varsovie, l'*Umschlagpatz* puis le *Lazaret*, puis les fosses, l'excavatrice; je courais : alors nous nous armerions et peut-être par

190

surprise pourrions-nous atteindre Treblinka et délivrer les prisonniers.

Sur la route, au milieu de la forêt, j'ai aperçu un groupe d'hommes qui travaillaient, certains sifflaient, d'autres parlaient et il me semblait reconnaître des chansons juives et des mots yiddish. A plat ventre, rampant sur la terre humide, je suis arrivé près d'eux dissimulé par les fourrés. C'étaient bien des Juifs, les uns portaient la calotte noire, d'autres une étoile de David cousue sur leurs vêtements. Depuis Treblinka ils étaient les premiers Juifs que je rencontrais. Peut-être le *kommando* d'un camp voisin. J'ai cherché les Ukrainiens ou les Allemands qui devaient les garder, mais sur la route droite dans la forêt il n'y avait pas un soldat, seulement ces hommes qui travaillaient, comblant des ornières, creusant des fossés le long de la chaussée. J'ai reculé, fait un détour, sauté sur la route, marchant vers eux d'un pas assuré, enfonçant le talon de mes bottes dans le sol. Peu à peu ils se sont arrêtés de travailler, me regardant venir et deux ou trois se sont découverts, restant les yeux baissés. Je me suis arrêté au milieu d'eux.

— Où sont vos gardiens?

J'ai parlé d'une voix dure, fixant un homme âgé. Il a hésité, tournant sa tête, à droite, à gauche, cherchant un soutien.

— Mais nous sommes un *kommando* libre, jeune homme.

Je les regardais sans comprendre : libres, des Juifs, à quelques kilomètres de Treblinka?

— Libres? Mais vous êtes juifs!

Certains s'étaient remis à travailler. L'homme âgé me souriait maintenant.

— Nous rentrons à Zambrow tous les soirs. Les Allemands nous font confiance.

J'avais tout tenté à Treblinka, j'avais fait partie des *kommandos-bûcherons,* des *kommandos-camouflage,* espérant déjouer un instant la surveillance des gardiens, et ces Juifs étaient là, au milieu de la forêt, ils n'avaient que quelques mètres à franchir pour se perdre parmi les arbres.

— Vous rentrez à Zambrow tous les soirs?

J'ai répété la phrase incroyable. Puis je me suis approché de

191

l'homme âgé : avec ses lunettes cerclées il ressemblait à un vieux médecin ou à un professeur. J'avais mon visage contre le sien et à ses yeux effrayés je savais que ma rage devait être visible.

— Je viens de Varsovie, monsieur. Là-bas, on tue tous les Juifs, je viens de Treblinka, monsieur, là-bas il y a une *fabrique* où on nous tue par le gaz, tous, les femmes, les enfants.

Les autres s'étaient écartés de nous et je voyais leurs dos courbés vers le sol. Ils ne voulaient pas entendre. L'homme âgé avait le visage crispé, il tremblait.

— Si vous ne vous enfuyez pas tout de suite, ils vous enverront à la *fabrique*, vous, vos enfants. Partez, partez!

J'allais de l'un à l'autre, j'ai saisi deux ou trois de ces hommes courbés aux épaules, les relevant, les bousculant :

— Partez, partez!

Je criais, je courais parmi eux en tous sens. Ils s'écartaient de moi et se remettaient aussitôt au travail comme si je n'existais pas, subissant mes cris, mes injures. J'avais laissé tomber mon sac rempli de nourriture, je gesticulais, puis je me suis arrêté : je voyais leurs regards furtifs cependant qu'ils s'affairaient à soulever un tronc qui avait à demi roulé sur la route. J'ai repris mon souffle :

— Ecoutez-moi, je suis juif, juif, comme vous. Croyez-moi : ils nous tuent, tous, savez-vous ce qu'est Treblinka?

Ils n'avaient même pas levé la tête.

— Croyez-moi!

Ils agissaient comme si je n'existais pas, comme si Treblinka n'était que le cauchemar d'un fou. Je me suis assis, sur le bord de la route, ne les voyant même plus. Les bourreaux s'étaient aussi rendus maîtres de nos esprits. Et pourtant mes mains avaient tenu des centaines de corps, qu'ils les regardent, qu'ils comprennent!

— Voici votre sac, jeune homme.

L'homme âgé était devant moi.

— Vous ne me croyez pas?

Il eut un sourire :

— Ici, tout est différent. Zambrow appartient au Reich, les

192

L'enfer dans les rues du ghetto.
(Photo C.D.J.C.)

Adieu les miens

« Père était,
parmi les pierres du ghetto,
une pierre du ghetto.
Adieu Père,
adieu toi qui m'as fait homme,
adieu Père. »

« Il n'y a plus de quartier juif
à Varsovie. »
Le général Stroop
intitulait ainsi son rapport
à Himmler.
(Photos C.D.J.C. et U.S.I.S.)

Es gibt keinen
jüdischen Wohnbezirk
— in Warschau mehr !

Allemands ont besoin de nous, vous comprenez. Varsovie, Treblinka, ne sont pas des territoires annexés, là-bas, c'est la Pologne. Ici, c'est différent. Prenez votre sac, jeune homme.

Il me parlait comme à un enfant stupide. J'ai jeté mon sac par-dessus l'épaule.

— Pour aller à Zambrow?

— Tout droit, tout droit, à 8 kilomètres.

Je ne les ai plus regardés. Mon talon s'enfonçait dans le sol, la rage et l'amertume emplissaient ma bouche : les hommes ne comprenaient-ils le malheur qu'une fois qu'il les avait écrasés? Les témoins n'étaient-ils jamais entendus? Les miens seraient-ils morts pour rien? J'ai marché, le soleil couchant dans les yeux, pleurant d'impuissance : il faudrait bien qu'ils m'écoutent. Je parlerai encore, je dirai l'*Umschlagplatz*, les wagons et les fosses. Je dirai ma mère, mes frères et Rivka. Mais comprendraient-ils? Les bourreaux avaient habilement, comme au temps du ghetto à Varsovie, disposé les pièges de l'espoir. Ils savaient qu'on ne peut imaginer Treblinka; ils avaient à chacun de nous donné l'illusion d'un privilège. Et ces Juifs de la forêt imaginaient ainsi, comme beaucoup l'avaient cru à Varsovie, être utiles aux Allemands, bénéficier d'un statut particulier.

Je voyais déjà se détacher sur l'horizon les maisons de Zambrow. Je croisais des chariots, de temps à autre un camion. J'allais parler. Parce qu'il fallait que je parle, mais j'avais perdu l'illusion d'être écouté : les Juifs de Zambrow ne prendraient pas les armes et ne marcheraient pas sur Treblinka. Et comment aurai-je pu leur demander cela alors que le monde entier nous laissait assassiner? Mais il fallait essayer. Là-bas, l'excavatrice continuait à creuser. J'ai marché, traversant un pont de bois au-dessus d'une rivière aux eaux boueuses, suivi les premières rues, m'enfonçant dans la ville aux nombreuses maisons de torchis ou de bois pareilles à celles des villages, aux chaussées de terre battue, allant vers les rues étroites où devait se trouver le ghetto. Au bout d'une rue il y avait un écriteau, des chevalets supportant quelques lignes de barbelés, et un passage ouvert avec pour seul gardien un policier juif. Là

193

commençait le ghetto tranquille de Zambrow. J'ai franchi la porte, sans contrôle, les magasins étaient ouverts, devant la synagogue des groupes paisibles stationnaient, de vieux Juifs palabraient. Je voyais déjà la mort accrochée à leurs épaules, la mort ricanante, surveillant leurs pas, la mort ayant posé ses mains sur leurs yeux et sur leurs oreilles. J'allais parler mais je ne me laisserais pas prendre. S'ils refusaient de m'entendre, je survivrais, je survivrais, seul s'il le fallait, et il resterait au moins un homme pour les venger.

Je me suis approché d'un groupe. Un homme petit et gros, le visage gras, la peau luisante et rouge, parlait devant un auditoire respectueux : il levait la main comme pour battre la mesure, rythmer ses phrases :

— C'est la guerre, disait-il, ils ne peuvent pas nous donner tout ce dont nous avons besoin mais ils ont besoin de nous.

Il parlait, les autres approuvaient humblement, secouant gravement la tête. J'ai entendu plusieurs fois le mot patience, et je me suis souvenu des Juifs de la forêt qui disaient aussi : « Ils ont besoin de nous. »

— Treblinka, vous connaissez Treblinka?

J'étais au milieu de leur cercle, face à l'homme important, mon sac de vagabond sur les épaules.

— A quelques dizaines de kilomètres d'ici, il y a une *fabrique,* des fosses... et ils arrachent les dents en or des nôtres.

J'ai parlé dans le silence, j'entendais leurs respirations, l'homme important s'est brusquement approché de moi, le visage écarlate.

— Ce que vous dites ne peut pas être vrai. C'est impossible. Les Allemands ne sont pas fous. Pourquoi nous tueraient-ils alors que nous les payons, que nous travaillons pour eux? Leur intérêt, c'est de nous garder en vie, ici à Zambrow. C'est vous qui êtes fou, fou, vous avez perdu la raison!

Il avait crié la dernière phrase, puis il répétait :

— C'est impossible, les Allemands ne sont pas fous! Même s'ils voulaient faire ce que vous dites, le monde ne l'accepterait pas!

194

J'ai tenté de parler encore.

— Ne l'écoutez pas, c'est sûrement un fou!

Il les a entraînés, et je suis resté seul les regardant partir, l'homme important sa main levée discourait et j'en voyais qui riaient en se retournant vers moi. Ils ne voulaient pas me croire parce que le gouffre fait peur, et qu'ils préféraient ne pas voir, ne pas savoir; ils ne pouvaient pas me croire parce qu'il était impossible d'imaginer Treblinka. Un homme sain ne peut pas comprendre qu'il est promis à la mort. Eux, ces braves gens, ne concevaient pas la folie meurtrière des bourreaux. Ils parlaient intérêt, raison, utilité; les bourreaux voulaient l'extermination.

Je suis allé de groupe en groupe, j'ai dit ma mère, mes frères, Rivka, j'ai dit le bruit des caisses la nuit dans les baraques, j'ai dit le sable jaune des fosses, les enfants étranglés, les chiens, j'ai dit l'excavatrice, le *Lazaret*, les vêtements sur la place du tri, Idioten, le SS, Ivan l'Ukrainien. Parfois je sentais que mes mots auprès des Juifs réfugiés de Varsovie pesaient, j'allais convaincre, et puis l'horreur était trop grande. Je ne pouvais pas montrer les cadavres, mes mains n'étaient que des mains, qui savait qu'elles avaient soulevé des centaines de corps? Mes mots n'étaient que des mots. Parfois quelqu'un, les yeux fixes, enveloppé par la terreur, disait :

— Mais que faut-il faire, alors?

Je croyais avoir gagné. Je parlais des forêts proches de Zambrow, d'attaques de camions allemands, nous nous emparions des armes, nous rejoindrions cette *Arma Krajowa*, l'armée nationale clandestine dont m'avaient parlé des paysans. Alors les femmes partaient, les hommes secouaient la tête.

— Tous antisémites, disait-il. Nous serions entre leurs mains. Les paysans nous dénonceraient, les partisans nous tueraient. Ici, au ghetto, nous sommes entre nous.

Et l'un lançait toujours :

— Les Allemands ne sont pas si fous.

Et un autre ajoutait :

— Et puis la guerre ne durera pas toujours.

Quelqu'un clignait de l'œil :

— En Russie, il fait si froid.

Ils riaient, se frottaient les mains et s'éloignaient. J'avais une fois de plus perdu. Quel cauchemar de savoir, d'être sûr qu'on a raison et de ne pouvoir convaincre, de sentir que devant soi, les hommes pour qui l'on parle se ferment, que les mots glissent sans pénétrer en eux. Quel cauchemar cette impuissance!

J'ai dormi dans des remises, au fond des cours, mendié de la nourriture qu'on me tendait avec un sourire apitoyé : j'étais une sorte de bouffon de tragédie, le Rubinstein sévère du ghetto de Zambrow. Le matin, dès l'aube, j'étais devant la synagogue, prédicateur intarissable, accrochant les passants par leur veste pour tenter de les convaincre, mais plus les jours se succédaient et plus mes phrases perdaient tout pouvoir. Je faisais déjà partie du décor, j'étais trop jeune pour être écouté et comme la vie continuait tranquille, que les *kommandos* libres rentraient chaque soir de la forêt, j'étais chaque jour un peu plus un bavard ayant perdu la raison, qu'il fallait ne pas croire si l'on voulait continuer à vivre. Un soir une grande fille maigre, les cheveux noirs roulés en tresse sur la nuque, m'a rattrapé dans la rue et s'est mise à marcher près de moi.

— Je vous crois, a-t-elle dit.

Elle avait une voix aiguë et résolue :

— Je suis de Varsovie. J'ai connu le docteur Korczak. J'ai vu les enfants partir pour l'*Umschlagplatz*.

Elle habitait une petite chambre, presque une cave. Nous avons passé des nuits côte à côte, à parler de Varsovie. De Treblinka elle voulait tout savoir car sa famille était montée dans un wagon, à la fin du mois de juillet. Je ne lui ai pas laissé d'espoir : d'ailleurs elle n'en voulait pas. Elle ne désirait plus fuir ni combattre : simplement savoir ce qu'allait être son destin et celui des enfants dont elle s'occupait ici, à Zambrow. Nous nous tenions la main dans cette chambre glacée et sombre, moi tentant de faire passer en elle le goût de la vie, elle voulant renforcer en moi la volonté de combattre.

— Ici, Miétek, tu dois survivre, pour nous, répétait-elle. Tu vas partir et lutter. Tu nous vengeras.

Elle s'appelait Sonia, maigre, désespérée, héroïque dans son désir de connaître et de subir.

196

SURVIVRE

— Il faut que tu partes, Miétek, ici tu ne peux rien. Ils ne veulent pas savoir. Un jour, si tu restes, un mouchard te dénoncera aux Allemands. Et tu ne dois pas mourir, Miétek, tu sais trop de choses. Tu es notre mémoire.

Une nuit, simplement, elle m'a demandé de lui faire l'amour, parce qu'elle allait mourir et qu'elle voulait connaître cela de la vie. J'ai tenu son corps frêle et tremblant entre mes bras, il brûlait de toutes ces années qu'elle n'allait pas vivre. Puis nous avons pleuré et ri, nous donnant une petite fête, avec des pommes de terre cuites sous les braises du poêle et une gorgée de vodka. Sonia, avec ses cheveux défaits, sa peau blanche, ses yeux brillants, était belle.

Le matin, j'étais à nouveau sur la place, devant la synagogue, allant comme à l'habitude de groupe en groupe. J'ai remarqué un policier juif qui semblait chercher quelqu'un. L'intuition? Je me suis dirigé vers lui : j'avais appris au ghetto, à Treblinka, qu'une façon de déjouer le danger c'est d'aller au-devant de lui. Le policier s'est presque heurté à moi. Il avait une photo à la main.

— Tu connais, dit-il, on le recherche?

Il me montrait la photo. Devant une maison de village, sur l'aire, au milieu d'un groupe de paysans, j'étais là, le visage entouré d'un cercle à l'encre, moi le voleur de Chmielniki. J'ai pris la photo.

— Oui, oui, il est toujours là-haut, au premier étage, dans un des bureaux.

Et j'ai montré la maison attenante au siège au Judenrat. Le policier m'a arraché la photo et s'est dirigé vers le bâtiment.

Quelques minutes plus tard, j'étais sorti du ghetto, quelques minutes encore et j'avais quitté Zambrow. J'ai retrouvé la route couverte de poussière, les forêts.

Adieu Juifs de Zambrow, adieu Sonia l'héroïque. Pour vous, pour toi aussi il me fallait vivre. Pour vous, j'avais fait l'impossible, prenant dans ce ghetto des risques fous, revenant chaque matin dans la souricière devant la synagogue. Je vous avais tout dit : je n'avais plus à vous offrir que ma liberté. A quoi cela

197

eût-il servi? Moi, pour les miens, pour vous, pour toi Sonia, j'ai décidé de me battre.

Après deux jours de marche je me suis fait embaucher par un paysan du village de Zaremby et l'homme s'appelait Zaremba. Massif, la peau laiteuse, les cheveux blonds, Zaremba était un doux : je ne l'ai jamais vu boire. Le soir, après les repas, devant sa mère et sa sœur attentives, il lisait à haute voix des livres que lui donnait le prêtre, romans historiques ou vies de saints. Marie, sa sœur, pleurait parfois et la mère regardait ses enfants avec ravissement. Moi, il m'arrivait d'oublier que je n'étais qu'un Juif traqué, cherchant un moyen de combattre. Pour Zaremba, je venais de Varsovie : je n'avais pas l'accent yiddish des Juifs et dès le premier matin il m'avait conduit au prêtre, un jeune homme maigre et vif. Quelques jours après, c'est moi qui allait chercher à l'église les livres pour Zaremba, ou apporter des œufs. Le prêtre me faisait parler de Varsovie, et je n'avais aucun mal à m'inventer une vie semblable à celle de Mokotow-la-Tombe ou de Wacek-le-Paysan. Puis j'évoquais le ghetto, un Juif que j'avais bien connu et qui faisait de la contrebande jusqu'à ce que les Allemands le prennent, lui et sa famille, et les conduisent à Treblinka, un camp où, semblait-il, on exterminait les Juifs.

— Les Allemands ont déchaîné le mal, répétait le prêtre.

Un jour, il m'a tendu un feuillet imprimé, un tract de l'*Arma Krajowa*.

— C'est l'armée nationale polonaise, me dit-il. Veux-tu nous aider?

Je pris le tract. Enfin, j'allais me battre.

— Mais ne parle pas trop de ton ami juif.

Le prêtre souriait :

— Les gens de l'A. K. ne les aiment guère.

Avait-il deviné? Je n'ai rien dit, et j'ai commencé, la nuit, à courir d'une ferme à l'autre, distribuant ces feuillets qui sentaient l'encre fraîche. Devant l'église, le dimanche, le groupe des *Akowcy* (les membres de l'A. K.) se réunissait ouvertement. Presque la totalité du village soutenait l'A. K. et les Allemands ne venaient pas souvent jusque là. On commentait les communiqués du gouvernement polonais en exil à Londres, les succès des armées alliées. Jamais on ne parlait de la persécution contre les Juifs. Ils n'existaient pas. Je me taisais pour l'instant : l'essentiel était de me battre aussi. Chaque dimanche, je répétais ma question :

— Et les armes?

— Ce n'est pas le moment, Miétek, elles viendront.

Zaremba, le soir, essayait de me faire patienter. Marie me souriait, mais je pensais à Rivka que j'avais laissée sur le quai à Treblinka, à Sonia que j'avais laissée à Zambrow. Et Zaremba lisait.

A la fin d'une des premières journées au ciel bas et gris où nous avions cru que la neige allait tomber, Zaremba m'a lancé :

— Demain matin, à 4 heures, tu attelleras le cheval au grand chariot. Je vais à Zambrow.

Il n'a rien dit de plus, mais il paraissait soucieux. Le matin, j'étais là, dans le brouillard glacé mouillant les mains et le visage comme une pluie fine, tenant une lanterne à pétrole.

— Je vais avec vous, patron, si vous voulez.

— Toi, tu ne bouges pas d'ici.

Il a sauté sur le chariot, je l'ai accompagné jusque sur la route. C'était un grand remue-ménage. Les chariots de tout le village s'agglutinaient, les paysans s'interpellaient : le maire leur avait donné l'ordre de se rendre tous à Zambrow avec leurs chariots.

— C'est sans doute pour les Juifs, on va les transporter, expliquaient-ils.

Certains maudissaient le maire, d'autres, les Allemands, la plupart, les Juifs.

Je me suis noyé dans le travail toute la journée, brossant l'étable, rangeant le foin, j'ai travaillé pour ne pas penser à Sonia et à ceux de Zambrow. Zaremba est rentré longtemps après que la nuit fut tombée. Il m'a tendu les brides du cheval sans me dire un mot, sans même me jeter un regard. Quand je suis revenu dans la cuisine, sa mère et Marie, debout, immobiles, silencieuses, pétrifiées, l'observaient : Zaremba buvait, à même la bouteille de vodka. Je me suis jeté sur lui, lui arrachant la bouteille des mains. Il ne s'est même pas défendu.

— Tu as raison, pourquoi boire, Miétek?

— C'étaient les Juifs du ghetto?

Il a approuvé d'un signe de tête, puis il s'est mis à parler lentement, comme à son habitude. De temps à autre, du revers de la main il essuyait ses larmes, souvent il répétait :

— Que voulais-tu que je fasse, Miétek? Je ne pouvais rien, seulement obéir.

Il avait vu les SS et les gardes cerner le ghetto en interdisant à leurs habitants d'en sortir; il avait entendu les coups de feu; il avait vu des femmes sauter par les fenêtres; des vieillards allongés sur le sol les bras tendus tués l'un après l'autre d'une balle dans la nuque; des enfants fauchés d'une rafale de mitraillette, des filles entraînées dans les cours par les Allemands. Adieu Juifs de Zambrow, adieu Sonia l'héroïque. Puis les Allemands, à coups de crosse, avaient fait grimper les Juifs dans les chariots des paysans et le convoi s'était dirigé vers des anciennes casernes des environs de Zambrow. Zaremba avait encore entendu des cris, des coups de feu, avant de repartir vers le village. Je fixais ses lèvres comme s'il avait pu me dire que certains s'étaient enfuis, qu'un miracle au dernier instant s'était produit, que Sonia vivait. Mais non, Zaremba répétait :

— Que voulais-tu que je fasse, Miétek? Je ne pouvais rien, je les ai laissé tuer les enfants. Tu entends, les enfants, des vieilles, ma mère.

Nous sommes restés silencieux. Sa mère priait, Marie s'était agenouillée devant le crucifix. Je me suis levé et j'ai posé la main sur l'épaule de Zaremba, Zaremba qui avait plus de deux fois mon âge mais qui découvrait seulement aujourd'hui la barbarie.

— C'est comme ça, patron, vous ne pouviez rien. Il faut dormir maintenant.

Et je suis sorti pour rejoindre la grange où je couchais. J'avais été comme Zaremba, impuissant; j'avais laissé faire. Toute la nuit je me suis torturé, m'accusant de n'avoir pas su convaincre, pas su lutter, incapable même de sauver Sonia, toute la nuit je me suis mordu les poings pour ne pas hurler de désespoir, revivant les heures du ghetto, Pawiak, Zofia, Rivka, l'*Umschlagplatz*. Les bourreaux ne m'avaient pas tué mais ils avaient laissé en moi les germes de la mort. Contre cela aussi je devais me défendre.

Le matin, le maire est venu. Rond, les mains grasses, le visage couvert de taches de rousseur; commerçant, prêteur, il volait sur le poids du grain; mouchard, il prenait sa part sur les réquisitions exigées par les Allemands. Il est entré dans la grange où nous travaillions Zaremba et moi. Il m'a regardé et je connais le langage des yeux. Cet homme était mon ennemi.

— Zaremba, il faut aller à Zambrow, toi et ton valet. Les Allemands te donneront une *Kennkarte*. Ils échangent les anciens papiers. Ils contrôlent. Il y a partout des Juifs qui se cachent.

Depuis Treblinka, je n'avais plus aucune pièce d'identité. J'ai senti l'étau se refermer sur moi. Zaremba s'est rendu à Zambrow, dès le lendemain, m'invitant à me présenter le jour suivant à la *Kommandantur*; j'ai éludé, remis d'un jour à l'autre. J'avais du mal à bâtir un plan, peut-être fallait-il jouer d'audace, demander une *Kennkarte*, peut-être fallait-il attendre. Je n'arrivais pas à me décider, épuisé par des nuits traversées de cauchemars. Le maire était déjà venu plusieurs fois :

— Et la *Kennkarte*, c'est quand ?

J'ai compris que je ne pouvais plus attendre : il me fallait fuir ou essayer d'obtenir ce document. Quand Zaremba s'est rendu à Zambrow pour livrer aux Allemands le blé qu'il leur devait, je suis allé avec lui. Nous avons déchargé les sacs devant l'entrepôt qui était sur la grande place, loin de ce qui avait été le ghetto. Nous les avons traînés à l'intérieur; une fois le travail fini, j'irai à la *Kommandantur*. Zaremba est rentré dans l'entrepôt, je l'attendais près du chariot et tout à coup j'ai vu le maire qui me désignait à deux gendarmes allemands. Trop tard. J'avais hésité, j'avais oublié la leçon de mon père et celle de Treblinka, j'avais laissé les autres décider pour moi. J'avais des excuses, mais je savais qu'au tribunal des hommes les excuses ne comptent pas. Je ne pouvais pas m'enfuir, la place était déserte, les gendarmes armés de fusils. Le maire est resté en arrière, les bras croisés, les regardant s'avancer et moi je fixais ses petits yeux de criminel paisible. J'ai vu son sourire, son expression satisfaite et je suis redevenu moi : mourir serait trop te satisfaire, mouchard. Je vivrai. Je ne laisserai plus échapper la chance.

— Donne tes papiers.

L'un des gendarmes s'était avancé, il parlait un excellent polonais. J'ai commencé à expliquer calmement que j'étais de Varsovie, mon père malade avait conservé mes papiers.

— A la *Kommandantur*.

A nouveau, j'étais entre leurs mains mais les hésitations qui depuis des jours me tenaillaient avaient disparu. Maintenant, je savais ce qu'il me fallait faire : lutter pour vivre, m'enfuir.

A la *Kommandantur*, on m'a poussé dans un bureau et j'ai retrouvé leurs visages d'hommes qui avaient l'arrogance de la force et de l'impunité, leurs cris, leurs yeux toujours pareils à ceux de l'officier qui avait tué mon camarade aux cheveux roux pour un hareng, des yeux blancs.

— Ta casquette, Juif.

Je restais immobile : un Polonais ne comprend pas l'allemand. L'officier, un homme maigre, les cheveux noirs tirés en arrière, fit tomber ma casquette d'un coup de règle. Je la ramassai et la posai sur son bureau. Il la poussa rageusement par terre, se mit à hurler. Ils avaient tous la même voix. Je me mis à parler en polonais, m'excusant. Il lança la règle sur son bureau, maudit les Juifs, la Pologne et appela un interprète. Un officier vieillissant entra.

— D'où viens-tu, Juif?

— Mais je ne suis pas juif.

Je racontais mon histoire, parlant vite, mêlant des détails, je n'avais plus de papiers, mon père, ma mère à Varsovie, moi ici, pour pouvoir travailler et manger. L'interprète avait une voix humaine et cependant qu'il traduisait je le regardais : il se laissait aller à appuyer mes phrases d'un geste de la main, tentant lui aussi de convaincre. De temps à autre, il me lançait un regard d'encouragement. L'officier assis à son bureau jouait avec la règle, hésitant, à demi convaincu.

— Alors, tu veux une *Kennkarte?*

Je sentais que j'avais gagné.

— Je veux ce qu'il faut pour pouvoir travailler.

On a frappé à la porte, un civil a passé la tête.

— Qu'est-ce qu'il y a encore?

— C'est pour le vol de cette nuit.

L'homme est entré, un Polonais, au dos courbé des esclaves. Il travaillait à la *Kommandantur* : ils ont parlé, lui et l'officier, de sacs de blé disparus. J'étais dans un coin, sentant que la situation changeait. Le Polonais s'est tourné vers moi et l'officier brusquement m'a redécouvert.

— A ton avis, juif ou polonais?

L'homme hésita :

— Juif, il m'a fait un clin d'œil.

J'ai nié, je n'avais rien fait, mais déjà l'officier était sur moi, me frappant. Je payais pour les voleurs de blé.

— Vérifie, a dit l'officier.

L'homme s'approcha. Je le fixais : il pouvait me sauver ou me perdre, il était maître de ma vie et des souvenirs de tous les miens que je gardais en moi. Il était maître de ce qui restait par moi de milliers de vies. Mais lui aussi avait les yeux blancs des bêtes à visage d'homme. Je ne pouvais que le laisser faire.

— Circoncis, Juif, je vous l'avais dit. Je ne me trompe jamais.

Le Polonais riait.

— Donnez-lui une bonne leçon, ajouta-t-il en partant.

J'ai encore tenté de protester, d'expliquer que j'avais été malade, opéré quand j'étais enfant, mais ils ne m'écoutaient plus, je parlais pour ne pas désespérer. L'interprète traduisait, je sentais l'anxiété de sa voix. L'officier l'a arrêté :

— Nous allons lui rendre la mémoire.

Des soldats sont entrés et j'ai été jeté au centre d'un cercle de poings, de pieds, de coups. L'officier m'interrogeait pour le plaisir de frapper. Il m'a fait allonger sur un banc et à chacun de mes cris il augmentait la force de ses coups de fouet. Puis il m'a redressé, me tirant par les cheveux.

— Juif, tu vas donner les noms des partisans que tu connais. Tu vas nous dire où sont cachés les Juifs.

J'ai secoué la tête; il m'a secoué aussi en tenant mes cheveux à pleine main.

— Têtu, Juif.

Les coups ont recommencé. Quand j'ai repris conscience,

j'étais allongé sur la terre d'une cellule, le visage et le dos en sang, le corps meurtri. J'ai tenté de me lever mais j'en étais incapable, alors je suis resté immobile, pensant aux miens, revoyant toute ma vie. Avais-je échappé à Treblinka pour finir ici à Zambrow? Des bruits de bottes et de voix, peut-être après des heures de somnolence et de cauchemars.

— Relève-toi.

L'officier est là, dans l'embrasure de la porte. Je fais un effort, je retombe, je pense aux fosses de Treblinka. Je me mords les joues. Je suis debout, appuyé au mur. Derrière l'officier, j'aperçois deux soldats et l'officier-interprète. Ils parlent entre eux. J'entends l'interprète qui insiste :

— Si vous le tuez ici, il faudra l'enterrer. Le plus simple serait de le conduire là-bas.

Il entre dans ma cellule, tire mes bras dans le dos, attache mes poignets avec des menottes et m'enlève les bottes.

— Il ne se sauvera pas, j'en réponds.

L'officier hésite, puis s'en va. Cet interprète, cet homme sous l'uniforme allemand m'a sauvé la vie. Il me pousse dehors et les deux soldats m'encadrent : il fait nuit, la neige est tombée, je marche avec peine penché en avant, trébuchant à chaque pas, nous nous dirigeons vers la campagne. L'interprètre est derrière moi, je me retourne :

— Un chrétien, un homme, peut-il me laisser mourir?

— Je ne peux plus rien.

Il parle vite. Les yeux baissés, la voix serrée, ému, inquiet sans doute des soupçons des deux soldats qui ne comprendraient pas qu'un officier engage une conversation avec un Juif :

— On voulait t'abattre. Tu vas au camp.

Mes pieds nus dans la neige brûlaient et à chaque pas je devais concentrer mon énergie, ma volonté, sur un seul but : sortir ce pied, puis l'autre de la neige, ne pas céder à la tentation de m'allonger, il fallait marcher jusqu'au camp car les soldats ne m'y traîneraient pas. Je voulais parler aussi. J'ai pris sur mon souffle, jusqu'à en avoir le cœur gonflé à éclater, l'estomac douloureux :

204

— Ecoute, officier, tu ressembles à un homme, écoute-moi, tu m'as sauvé la vie, écoute-moi.

J'entendais le bruit de ses bottes dans la neige, m'écoutait-il?

— Il faut que tu saches, que tu connaisses Treblinka.

J'ai parlé, coupant les mots, les phrases quand le souffle me manquait. J'entendais le bruit de ses bottes. J'ai vu des lumières, des barbelés autour d'un grand bâtiment qui ressemblait à une caserne : le camp de Zambrow. Une sentinelle s'est avancée.

— Encore un, a lancé l'un des soldats qui m'avait accompagné.

— Vous auriez pu vous le garder.

L'interprète s'est approché de moi. Il a défait mes menottes et a pris brusquement mes mains dans les siennes.

— Evade-toi, évade-toi, a-t-il murmuré.

La sentinelle s'est mise à hurler.

— Juif, cours, il fait froid. Tu veux que je te réchauffe?

J'ai couru, les soldats riaient de mes mouvements maladroits mais je ne suis pas tombé : des hommes partout survivaient, certains cachés sous l'uniforme des bourreaux. Pour eux aussi il fallait résister à la tentation de la mort, et continuer à se battre.

En criant, en riant, la sentinelle m'a dirigé vers une baraque dans la cour. Un coup de crosse contre la porte :

— *Herr Doktor* Menkès, un client pour vous, un de vos petits frères.

Le docteur m'a fait entrer. C'était un de ces prisonniers privilégiés que les Allemands tolèrent un certain temps parce qu'ils rendent de menus services. Gros, soigné, le docteur Menkès était censé surveiller médicalement le camp de Zambrow.

— Tu as été gâté.

Je m'étais déshabillé avec peine et il passait lentement une pommade sur mon dos; je tremblais de douleur, de froid, de fatigue.

— D'où viens-tu?

Sa main était douce, j'ai parlé : Varsovie, Treblinka, Treblinka encore.

— Lève-toi. Habille-toi.

Sa voix avait changé, agressive.

— Si tu dis un mot de cette propagande dans le camp, tu entends, je te ferai taire.

Il m'a poussé dehors, me répétant de me taire, me chassant comme si j'avais été porteur d'une maladie contagieuse. Puis, alors que j'étais déjà dans la nuit, il m'a rappelé, m'a tendu une vieille paire de pantoufles :

— C'est tout ce que j'ai.

Sa voix était redevenue normale, presque douce.

— Tu verras, a-t-il ajouté, ici ce n'est pas comme tu crois. Tu vas te taire et ne pas nous créer d'ennuis. C'est nous tous qui subirions leur colère. Et moi, crois-moi, je t'empêcherai de faire tout ce mal.

La neige s'était durcie, mes pieds gonflés rentraient à peine dans les pantoufles, j'étais écrasé par la fatigue, mon corps n'était plus qu'une plaie douloureuse. Comment, pourquoi, discuter encore? Menkès m'a conduit jusqu'à une baraque :

— N'oublie pas, a-t-il dit.

Je n'oublierai pas, jamais, l'aveuglement de la plupart, la lâcheté de quelques-uns, l'habileté des bourreaux qui jouaient de la peur, de l'envie de vivre, de la bonté, de l'égoïsme. Je n'oublierai pas cette longue salle sombre où des hommes se battaient pour dormir loin de l'entrée où je me tenais, debout, les devinant qui se donnaient silencieusement des coups pour s'éloigner d'un mètre de la porte. Personne n'a eu besoin de m'expliquer : ici, comme à Treblinka, les Allemands devaient venir chaque nuit lever un impôt en vie humaine. Malheur à qui se trouvait à leur portée. Au camp de Zambrow, le commandant Bloch faisait lui-même sa tournée, avec son énorme berger au poil hérissé dès qu'il voyait un prisonnier. Il entrait comme un dieu invincible et cruel et dans le silence immobile du peuple de la baraque il désignait l'un des prisonniers en le touchant de son pied :

— As-tu froid, Juif? As-tu chaud?

Qu'importait la réponse. Le prisonnier savait que c'en était fini de sa vie : il allait sortir pour se « réchauffer » ou se « refroidir » un peu. Il ne revenait jamais. Le matin pourtant, sur la place d'appel alors que nous grelottions dans la neige coupante que le vent projetait sur nos visages, le commandant Bloch, son chien marchant près de lui, son chien qu'il allait lancer sur un détenu, répétait :

— Juifs du camp de Zambrow, vous ne craignez rien. Je tiens à vous, Juifs. Je dois vous garder en vie, en bonne santé. Nous allons vous échanger contre des Allemands demeurant aux Etats-Unis. Mais attention, Juifs. Il me faut de l'obéissance, une obéissance totale.

Et ces hommes et ces femmes qui avaient vu chaque nuit entrer le commandant Bloch, qui avaient entendu claquer les coups de feu, qui voyaient un prisonnier tenter, les mains protégeant son visage, roulé en boule sur le sol, d'échapper à la rage du chien du commandant Bloch, croyaient encore à ces discours. J'ai compris qu'il est des hommes, peut-être la plupart des hommes, pour qui il n'est pire tourment que la vérité.

Le premier soir, je n'avais pas la force de lutter et je me suis laissé tomber près de la porte de la baraque, je ne pouvais faire un pas de plus. J'ai joué avec la mort : qu'elle me prenne. Depuis le matin je l'avais trop côtoyée, trop esquivée, je ne la craignais plus. J'ai dormi, éveillé seulement par les pas des prisonniers qui le matin se rendaient à l'appel : Bloch, cette nuit-là, n'avait pas ouvert la porte de notre baraque. La nuit suivante, il est entré et a désigné deux prisonniers, mais j'étais déjà parmi ceux du fond, décidé à survivre au camp de Zambrow.

Ce n'était qu'un camp de passage pour les juifs de Zambrow, de Lomza, de Sniadow, de Czyzew : on les faisait patienter jusqu'à ce que leur heure vienne, jusqu'à ce que là-bas à Treblinka, leur fosse soit prête. J'ai retrouvé quelques habitants du ghetto de Zambrow : l'homme important qui parlait toujours en levant la main devant la synagogue était là, battant toujours la mesure avec assurance, ayant à peine maigri. Un soir, je me suis glissé près du lit, il somnolait, et les yeux clos, les joues rondes, son visage ressemblait à celui d'un gros enfant rose. Je l'ai secoué. D'un geste instinctif, il s'est protégé du bras, comme un gamin pris en faute. Je voulais lui parler encore de Treblinka, lui rappeler ses erreurs : n'avais-je pas eu raison en ce qui concernait le ghetto de Zambrow?

— Qu'est-ce qu'il y a? Qu'est-ce qu'il y a?

— Rien, rien, vous occupez trop de place.

Il a protesté, puis s'est un peu déplacé et j'ai passé la nuit près de lui, les yeux ouverts : la vérité, il n'était pas capable de l'utiliser. Elle allait l'écraser, peut-être lui faire perdre sa dignité d'homme. Qu'il la découvre seul : je n'avais pas à me servir de la vérité pour le vaincre, lui, homme qui se débrouillait comme il pouvait pour demeurer ce qu'il était. J'ai cherché dans le camp ceux à qui il m'était possible de parler. Ils étaient peu nombreux, la plupart avaient décidé de rester ici avec leur famille. Quand j'avais achevé de leur décrire Treblinka, beaucoup secouaient la tête :

— Il est trop tard, disaient-ils. Nos enfants sont avec nous. Veux-tu que nous les abandonnions?

Je recommençais ma quête, prêchant prudemment l'évasion, la révolte; j'observais les rondes des sentinelles, je comptais les rangées de fil de fer barbelé. La fuite était possible, facile même. La nuit il faisait si froid que les soldats, au sommet des miradors, restaient dans leur guérite. Je les avais vus, le col de leur capote relevé, monter l'échelle de bois puis s'engouffrer dans la petite cabane qui les protégeait du vent glacial. J'avais remarqué aussi qu'à l'entrée du camp on laissait pénétrer sans contrôle les Juifs qui se présentaient. Et chaque jour il en arrivait qui cherchaient leur famille, qui ne pouvaient plus supporter d'être des bêtes traquées ou qui espéraient encore en l'humanité des bourreaux. J'ai forgé un plan fou, plein de défi et auquel je donnais les apparences de la raison : j'allais m'enfuir, trouver du pain chez les paysans, rentrer au camp, vendre du pain et m'enfuir à nouveau, riche, capable d'acheter des vêtements, des papiers, d'échapper ainsi à tous les contrôles, peut-être de réussir à regagner Varsovie, retrouver mon père, des partisans.

Durant des jours j'ai fureté dans tout le camp pour découvrir une cisaille : en vain. Finalement, dans la baraque du docteur Menkès j'ai pris une paire de gros ciseaux et le soir même je me suis dissimulé au pied d'un mirador. Là, les projecteurs ne parvenaient pas à se rejoindre laissant une zone d'ombre en principe surveillée par les soldats. Mais ils se réchauffaient. J'ai attendu, immobile, les pieds nus dans mes pantoufles, tentant de les protéger en les tenant dans mes mains, ne claquant même plus des dents. J'ai entendu aboyer devant une baraque le chien du commandant Bloch qui devait faire sa tournée, lever l'impôt de vies. Puis ce fut le silence. J'ai raclé la terre glacée, coupé des barbelés, déchiré mes vêtements, ma peau, rampé, écouté le silence, transpiré malgré le froid : enfin ce furent les arbres. J'étais libre. J'ai marché, trouvé un village. Le matin se levait : un ciel bas, lourd de neige, mais heureusement le vent était tombé. J'ai frappé à toutes les portes, je demandais du pain. Les paysans, les femmes me regardaient silencieusement et je n'avais que ce mot à dire :

— Pain, du pain.

Ils me regardaient, mes mains rouges, ma veste lacérée, mes pantoufles crevées, et ils me tendaient ces boules grises, dures. Une paysanne tout emmitouflée de châles m'a donné un bol de lait chaud et un sac. Nous ne parlions pas : mon corps rougi, bleui par les coups et le froid, mes vêtements, tout criait le Juif. Mais ils m'ont donné ce pain. Merci, paysans de Pologne. Le soir, j'ai dormi dans une étable, près des animaux, prenant le matin un peu de lait tiède de la vache puis mon sac rempli de pain je suis parti vers le camp. Le lendemain, me répétais-je, je serais à nouveau dehors, et avec les deutsche Mark je me composerais une nouvelle identité, une autre silhouette. Je ne sentais même plus le froid. Fier, sûr de moi comme au temps du ghetto quand je passais à nouveau le mur pour rentrer chez moi, je défiais les bourreaux. Les sentinelles dans leurs baraques ont à peine entrouvert la porte :

— Je suis juif, mes parents sont ici. Je veux entrer.

Un geste, comme à un animal qui se dirige vers l'abattoir de lui-même. J'ai retrouvé ma baraque et toute la journée j'ai vendu le pain. Comme dans tous les camps des trafics s'étaient organisés et j'ai cédé la plus grand partie de mon sac à des commerçants qui allaient se charger de la revendre au détail. Le soir, j'avais l'argent. J'ai dormi calmement : il me fallait reprendre force avant mon dernier jour de camp et ma nouvelle évasion. Mais qui peut être sûr du lendemain? J'avais, une fois encore, laissé glisser ma chance. Le matin à l'appel, le commandant Bloch est passé longuement dans nos rangs, puis il s'est immobilisé devant nous. Il portait un long manteau de cuir noir au col de fourrure, de belles bottes, il frappait ses mains gantées l'une dans l'autre et nous étions là, à crever de froid, immobiles.

— Juifs, je suis peiné. Juifs, certains d'entre vous ont trahi ma confiance. Il y a eu des évasions. Du matériel allemand a été volé, détruit. Il faut payer, Juifs.

Il repassa parmi nous, choisit une dizaine d'hommes : j'aperçus parmi eux l'homme important de Zambrow, le dos voûté, la silhouette affaissée. Que lui aurait servi de savoir quelques jours plus tôt la vérité? Le commandant Bloch fit aligner les otages.

— Juifs, ceux-là vont mourir, par votre faute. Ils auraient pu finir la guerre en Amérique, mais ils vont mourir.

Les soldats étaient déjà là, une quinzaine d'hommes casqués, serrés dans leurs grosses capotes, massifs comme des animaux meurtriers. La neige tombait, fine, légère. Le commandant Bloch prenait son temps, ajoutant des phrases. Il disposait de nos vies, il jouait.

— Allons, Juifs, allez rejoindre votre Dieu.

Il fit tourner les otages. Je ne regardais que l'homme important de Zambrow, j'aperçus son visage étonné, rouge, sa main levée, je crus qu'il allait parler mais des soldats déjà les alignaient brutalement, le temps des mots s'achevait et commençait le temps des fusils. Bientôt il n'y eut plus qu'une dizaine de corps sur la neige et le chien du commandant Bloch qui aboyait. Mais nous n'en avions pas fini encore avec le commandant. Il fit sortir des rangs les pères de famille, ceux qui avaient leurs enfants dans le camp.

— Juifs, vous aimez vos enfants. Les animaux aussi aiment leurs petits. Leurs vies sont entre vos mains. Chaque nuit vous monterez la garde, un Juif tous les vingt mètres. Vous et vos enfants paierez pour les fuyards. J'ai dit, Juifs.

Le soir même le nouveau système était en place : infranchissable. J'ai essayé de parler aux gardiens juifs, j'ai expliqué que nous allions tous mourir, qu'il fallait tenter quelque chose tous ensemble, que notre sort était lié comme les doigts de cette main, regardez-la, frères, j'ai avec elle étranglé des enfants juifs agonisants pour leur éviter de mourir sous le sable jaune de Treblinka, m'entendez-vous frères, il faut essayer de fuir tous ensemble, maintenant. Vous ne sauverez pas vos enfants en acceptant la loi des bourreaux. Mais ils ne m'entendaient pas, secouant la tête, fuyant mon regard. Et comment leur en vouloir?

J'ai envisagé de passer malgré eux, mais j'ai compris qu'ils m'en empêcheraient parce que, à leurs yeux, j'étais un jeune fou, un inconscient, un coupable, un lâche qui les livrait eux et les leurs à la vengeance implacable du commandant Bloch. Et pourtant, c'est pour eux aussi que je voulais fuir, pour les miens, pour tous ceux des fosses de Treblinka, pour mon père peut-être vivant, et aussi pour combattre et aussi pour ma vie, mais comment expliquer cela en quelques mots, quand les bourreaux sont là, qu'il faut se dissimuler pour parler, que la peur rend aveugle?

J'ai essayé d'autres voies, pensé à me jeter sur une sentinelle souvent seule devant l'entrée. J'ai guetté toute une journée ce soldat que j'avais décidé de tuer mais alors que j'étais prêt à bondir, un autre est venu et ils sont restés tous deux côte à côte. Le lendemain aussi il y a eu en permanence deux sentinelles : mon plan à nouveau s'effondrait et les journées passaient. Là-bas, à Treblinka, l'excavatrice devait déjà creuser notre fosse, ma fosse. Il fallait fuir, fuir. J'ai soudoyé un Polonais qui avec son chariot livrait des pommes de terre à la cuisine, j'ai pris sa place sur le chariot, mais à la façon dont les soldats m'ont regardé à la sortie j'ai compris que j'avais échoué : avec mon accoutrement en lambeaux, mes pantoufles, je ne pouvais être qu'un Juif.

— Qu'est-ce que tu fous là?

J'ai inventé rapidement une explication : le Polonais m'avait demandé de conduire son chariot jusqu'à la porte. Je suis descendu, recevant quelques coups de pied.

— File, Juif, et vite, file.

Encore un jour perdu, un jour qui me rapprochait de Treblinka. Le matin, j'étais prêt à tenter n'importe quoi, l'acte le plus fou, bondir sur les deux soldats à l'entrée, les poignarder, courir, peut-être en tirant sur moi me manqueraient-ils? L'appel a été interminable, le commandant Bloch passant parmi nous, lâchant son chien sur un prisonnier qui ne se tenait pas au garde-à-vous; puis un officier a demandé des ouvriers, peintres, menuisiers, charpentiers. J'ai levé la main sans hésiter : là était peut-être la chance.

On nous a fait mettre en rang et : en avant! Nous passons la première porte, nous franchissons les barbelés, voici la route libre devant nous. Mais deux soldats nous encadrent, les champs sont nus, s'enfuir serait un suicide. Après un tournant, j'ai aperçu d'autres bâtiments, entourés de barbelés et d'une palissade de bois : là vivaient les officiers et les soldats. Nous devions remettre en état l'une de ces constructions. Les soldats nous divisèrent en petits groupes : j'avais déclaré être peintre et je me suis retrouvé avec trois autres ouvriers dans un long couloir vide, sans surveillance. Par une fenêtre, j'apercevais derrière la palissade les arbres de la forêt. Je suis sorti dans la cour : elle était déserte. A l'entrée, au bout de la palissade, il n'y avait que la guérite d'une sentinelle. Nous étions seuls. Je suis rentré, les autres étaient déjà au travail.

— Il n'y a personne, ai-je dit.

Ils se sont arrêtés tous les trois, surpris par le ton exalté de ma voix.

— Personne, ils ne sont plus là, on pourrait franchir la palissade.

J'ai ouvert la fenêtre mais l'un d'eux s'est précipité, me tirant en arrière, la refermant, se plaçant devant.

— C'est interdit d'ouvrir, a-t-il dit. Si tu es venu ici pour essayer quelque chose, renonce.

Il n'osait même pas employer le mot fuir.

— Et pourquoi?

L'un d'eux, un homme vieux, a commencé à parler, lentement :

— Tu es jeune, seul, mais nous, au camp, il y a les nôtres, et nous allons payer pour toi.

J'ai parlé de Treblinka, rapidement car mon choix était fait. Ces hommes ne partiraient jamais, ces hommes allaient mourir, ils avaient accepté de subir la loi des bourreaux sans la connaître, en refusant de la connaître. Moi, je savais, moi j'avais décidé de survivre. Oui, ils allaient peut-être payer pour moi, oui, je comprenais leurs raisons mais nous étions tous des condamnés à mort et pour eux c'était, quoi qu'ils pensent, la fuite avec moi ou la mort. Au camp de Zambrow ou à Treblinka. Ils ne pouvaient comprendre cela ni me comprendre. Je vous dis adieu, mes frères.

J'ai travaillé avec eux jusqu'au soir : pour leur faire oublier mes propos je les ai distraits par mon insouciance. J'ai chanté et sifflé. Puis je suis sorti inspecter le camp, sûr que la chance devait être saisie, ici, maintenant. Des barbelés, la palissade, des bâtiments et près de l'un d'eux une baraque en bois, au toit goudronné : les cabinets. Je suis retourné au couloir, j'ai travaillé à nouveau, je suis ressorti : je ne pouvais me cacher que là, au dernier moment, dans ces cabinets. Franchir la palissade en plein jour était risqué, la route n'était pas loin. Il fallait non seulement tenter mais réussir, attendre la nuit qui commençait à tomber.

C'est maintenant qu'il faut choisir, décider encore une fois de plonger dans l'inconnu, de rompre avec la vie précaire mais organisée du camp et de ses habitudes, choisir d'abandonner ces hommes dont on a commencé à connaître les visages, choisir d'accepter leurs malédictions et leurs souffrances, choisir de s'arracher au groupe qu'avec eux, malgré soi, on a constitué, choisir de sentir monter l'idée qu'on les trahit. Et pourtant, il faut choisir de vivre, pour leur être fidèle. Choisir d'être seul pour être avec eux tous, les morts de Treblinka et du ghetto, et ceux qui vont bientôt être couchés dans les fosses et qui l'ignorent encore.

Je me suis caché dans les cabinets, j'ai percé avec mon couteau deux trous dans la paroi de planches pour surveiller les abords de la baraque. Et s'ils entraient ici? La baraque est nue, avec ce seul trou dans les planches qui recouvrent la fosse où s'entassent leurs excréments. J'ai soulevé les planches, il y a un espace libre entre elles et la couche glacée que je brise du talon : dessous c'est la boue liquide de leur merde. J'ai laissé les planches écartées, prêt à m'enfouir. Que la nuit est lente à venir! J'entends leurs cris, les aboiements des chiens, leurs voix.

J'ai glissé dans la merde, jusqu'à la taille d'abord, puis plus bas encore jusqu'à mon cou, mon estomac pris dans des spasmes de dégoût, ma bouche pleine de bile amère. Ne pense pas, Miétek, survis, Miétek. J'ai replacé les planches au-dessus de moi, posant les bras sur la couche gelée autour de moi mais qui fondait peu à peu. Dehors, toujours les chiens près de la baraque : un soldat est entré, ses bottes écrasant les planches, sa lampe les éclairant. Il parlait à son camarade resté dehors :

— Salaud de Juif, il ne faudra rien dire à Bloch.

J'entendais ses bottes gratter le sol, sa merde tombe dans mon dos. Puis l'autre entre après son camarade et à nouveau c'est sa merde dans mon dos. Je ne bouge pas, je ne respire pas, je n'existe pas: je suis une chose insensible, un épieu dur planté dans la merde, un morceau de fer que rien n'entamera. Miétek, ils vont perdre, tu vas survivre à tout cela, ton évasion personne ne la paiera parce qu'ils ont peur de l'avouer au commandant Bloch, tu as gagné, Miétek. Qu'importe leur merde sur ton dos, leur merde autour de toi, dans laquelle tu es enfoui. Dure, Miétek, survis.

Les chiens ont aboyé longtemps, d'autres soldats sont venus, puis peu à peu le silence est tombé sur le camp, mais j'ai attendu encore, des heures d'immobilité dans cette humidité répugnante qui entrait en moi. Puis j'ai soulevé les planches, en enlevant d'autres et, m'appuyant sur elles, je me suis soulevé, hissé, réussissant à sortir, ankylosé, la merde collée à moi, sur mes vêtements, sur ma peau. Dehors, le froid m'a saisi et j'ai commencé à trembler, incapable de courir tant j'étais lourd, gauche, avec ce poids sur moi. J'ai marché jusqu'à la palissade de bois : elle devait avoir deux à trois mètres de haut. Derrière elle, il y avait la liberté. J'ai tenté de grimper une, deux, dix fois : parfois, d'une main je touchais le sommet, et puis je glissais, leur merde pesait, m'empêchait de bondir. Je me suis nettoyé pour m'alléger, me sécher, me reposer, mais les minutes filaient, haletantes, le jour allait venir. Alors j'ai compris que je n'arriverais pas à franchir la palissade : j'ai repris mon souffle, saisi mon couteau, commencé à la longer vers le poste de garde. Ma seule chance était d'attaquer la sentinelle.

J'avançais lentement, il me restait une cinquantaine de

mètres avant la zone éclairée de l'entrée et tout à coup ma main a heurté une barre de bois. Dans la palissade, une porte avait été condamnée par des planches qui formaient un Z. Tu vas gagner, Miétek. J'ai grimpé lentement, prenant appui sur les planches, atteignant enfin le sommet, prenant le temps de souffler avant de me laisser tomber de l'autre côté, libre. Je suis resté allongé sur le sol : personne. J'ai rampé, marché, couru, m'enfonçant dans la neige, traversant des champs, me dirigeant vers une lumière, une maison de paysan. J'ai frappé à la porte. J'ai entendu le pas lourd d'un homme. Il allait disposer de ma vie. Il a ouvert, je voyais seulement sa silhouette massive, il a reculé, en portant son bras au visage : mon odeur.

— J'ai beaucoup d'argent, ai-je dit aussitôt en avançant, de l'argent plus que vous n'en verrez jamais. Je veux me laver et avoir des vêtements.

J'ai montré les billets mouillés : il a hésité. Ses yeux allaient de l'argent à moi.

— Viens.

Il m'a fait entrer dans la pièce : les femmes sont descendues, un autre homme est venu, trapu, le front bas, les mâchoires larges.

— De l'eau, a dit celui qui m'avait accueilli.

J'ai tendu les billets et j'ai commencé à me laver, à renaître. Puis comme je me séchais, les deux hommes sont entrés, portant des vêtements.

— Il faut beaucoup d'argent pour ça, a dit l'homme trapu, beaucoup.

L'autre baissait les yeux, comme s'il n'osait pas me regarder.

— Tu es juif, tu as encore de l'argent, donne.

J'ai dû leur tendre les derniers billets, ceux qui m'auraient permis d'acheter de la nourriture et des papiers, ils m'ont arraché ces morceaux de ma vie à venir, cet argent pour lequel j'avais tant risqué, rentrant dans le camp de Zambrow chargé de pain. C'est seulement quand ils ont été sûrs que je n'avais plus rien qu'ils m'ont donné les vêtements. Propre, habillé chaudement, j'avais retrouvé un peu de ma vigueur. Avant de partir, je les ai suppliés de me laisser au moins un billet.

— Pars maintenant, a dit l'homme trapu, pars vite.

Ils étaient les plus forts. L'homme a fermé la porte derrière moi et je me suis retrouvé seul dans le matin qui se levait, dépouillé mais libre. Il fallait me remettre à marcher.

J'ai traversé des champs et des forêts, je me suis enfoncé dans la neige, j'ai dormi dans des granges, j'ai volé comme un renard les œufs et les poulets, j'ai suivi la voie ferrée, vendu le produit de mes vols aux gardes-barrières qui n'aimaient guère les paysans, j'ai volé du lard et du pain et les paysans m'ont poursuivi jusqu'à la forêt, prêts à m'égorger comme on tue un cochon. J'ai vécu de rapines et d'espoir. Parfois, chez des paysans, j'ai travaillé quelques heures ou quelques jours, chez d'autres j'ai frappé à la porte, l'air innocent, murmurant la formule rituelle :

— *Niech bedzie Pochwalony, Jesus-Christus,* Sois béni, Seigneur.

Et eux répondaient :

— *Na wieki, wiekow, Amen.*

Puis je leur vendais des sacs de jute, précieux en cette période de pénurie, que je venais de voler dans l'escalier de leur grenier.

J'ai rencontré des bêtes à visage d'homme et beaucoup d'hommes qui me donnaient du pain, l'hospitalité pour la nuit, qui risquaient toute leur vie pour m'abriter de la neige et de la pluie. Grâce à eux j'ai conservé l'espoir. Ils m'ont parlé des partisans, ceux de l'A. K. que je connaissais déjà et aussi des Juifs qui se trouvaient quelque part dans la grande forêt aux arbres séculaires dont on ne voyait pas le faîte, l'immense forêt que ne pénétraient jamais les Allemands et qui s'étendait, infinie, au sud de Bialystok. J'ai marché vers cette Puszcza Bialowieska : si des Juifs se battaient, si mon père était vivant il était parmi eux. J'ai traversé la ville de Lapy, j'ai atteint Bialystok : là des Juifs vivaient encore dans leur ghetto, aveugles, sourds, persuadés comme l'avaient été ceux de Varsovie ou de Zambrow qu'ils étaient utiles aux Allemands, qu'ils avaient un statut différent. J'ai parlé, prêché comme à Zambrow. Parfois, des jeunes m'écoutaient quand je disais qu'il fallait se battre, rejoindre le maquis, certains connaissaient la région où se cachaient des partisans juifs, mais ils ne voulaient pas quitter

Bialystok. Ils n'étaient pas prêts à trancher d'un coup sec dans leur vie, prêts à reconnaître qu'ils n'avaient le choix qu'entre le combat solitaire et la mort avec les leurs.

Alors j'ai quitté Bialystok, marchant vers la Puszcza Bialowieska, rencontrant enfin ces grands arbres qui cachaient le ciel. J'ai marché, tombant dans les fondrières couvertes de neige, sifflant et chantant les chansons juives, vivant de quelques pommes de terre, et un jour je les ai vus s'avancer parmi les arbres. J'avais chanté à tue-tête pour me faire reconnaître. Ils étaient une dizaine, avec deux ou trois revolvers, qui vivaient sous des huttes de branches, qui mendiaient leur nourriture aux paysans, qui se cachaient plus qu'ils ne se battaient. Toute la nuit, nous avons parlé : eux, ils m'ont cru. Les yeux grands ouverts, immobiles, ils me regardaient par-dessus les flammes du feu, et je lisais l'horreur sur leur visage. J'ai dû recommencer plusieurs fois à décrire Treblinka. Puis, comme j'avais fini, l'un d'eux, un jeune homme maigre, Isaac, dont la barbe noire masquait les traits, m'a dit :

— Sais-tu, Miétek, qu'à Varsovie ils se sont battus?

Battus, dans ma ville? Je suis allé vers Isaac, le prenant par les épaules, le couvrant de questions :

— Battus, ceux du ghetto?

Des paysans qui revenaient de Varsovie leur avaient parlé d'une révolte, de combats contre les SS. Il ne savait rien de plus. Mon père était là-bas, je le sentais, j'en étais sûr maintenant. Là-bas, dans notre ville. Je n'ai pas dormi, tenaillé par le froid et surtout par le besoin de partir. Isaac a voulu me retenir mais comment empêcher une rivière d'aller vers la mer? Nous nous sommes embrassés plusieurs fois, en quelques heures nous étions devenus des frères et j'avais peur pour eux. Je devinais qu'ils ne pourraient pas longtemps survivre ainsi, sans organisation, sans nourriture, sans armes. Mais ils se battraient avec leurs mains nues, cela aussi je le savais. Adieu, frères. Ce temps, notre vie, étaient faits d'adieux.

J'ai quitté la grande forêt. Un dimanche, profitant de l'heure de la messe, j'ai pénétré dans un village, fouillé les maisons, volé de la nourriture et dans l'un des coffres de bois où, sous les vêtements, les paysans cachent leur argent, trouvé un passeport polonais au nom de Lewandowsky et quelques billets. Je me suis enfui avec ces biens, sans remords. J'étais en guerre, ma guerre, la guerre des hommes. Il me fallait cet argent et ce passeport pour rejoindre Varsovie. J'ai pris le train à Haj-nowka, la nuit, grimpant sur le toit du wagon, m'accrochant malgré la glace au métal brûlant à force d'être froid. A nouveau, j'étais à Bialystok, ce devait être la fin janvier. Dans le ghetto, maintenant, on avait peur, on parlait de la révolte de Varsovie, on craignait des représailles ici, on sentait se resserrer l'étau allemand. J'ai mendié un peu d'argent, dormi dans des caves, modifié la date de naissance inscrite sur le passeport, prêché encore, mais je n'avais qu'un seul but : ne pas être pris dans la souricière du ghetto de Bialystok, gagner Varsovie, me battre là-bas où, si mon père était en vie, il devait être sachant que j'allais revenir aussi rue Mila pour venger les nôtres.

J'ai quitté Bialystok alors que les Allemands commençaient le premier « déplacement » vers l'est : le tour de Bialystok était donc venu.

J'ai pris le train qui va vers Varsovie. A Lapy, dans le wagon, les Allemands sont montés, contrôlant les papiers, les valises : près de moi il y avait un gros sac de cuir. Ils l'ont ouvert : il était plein de lard. J'ai nié, discuté : ce sac ne m'appartenait pas mais les autres voyageurs niaient aussi et c'est moi que les Allemands ont choisi de conduire à la *Kommandantur*. Le soldat marchait près de moi, indifférent, tranquille, qu'est-ce qu'un petit trafiquant? Je pensais à mon passeport raturé, à ce qui m'était arrivé à la *Kommandantur* de Zambrow. Dans une rue déserte je l'ai frappé d'un coup de pied au bas-ventre, puis d'un autre, le laissant courbé en deux, le frappant encore, m'enfuyant. Au bout de la rue, j'ai heurté un couple de Polonais que je n'avais pas aperçu et qui, immobile, avait dû assister à mon agression. Pourquoi fait-on confiance?

— Par ici, m'a dit l'homme.

Je les ai suivis et chez eux, devant des verres de vodka, nous avons parlé. Moi d'abord. J'avais eu raison de leur faire confiance : la jeune femme pleurait en m'écoutant raconter Treblinka. L'homme secouait la tête, les poings serrés posés à plat sur la table.

218

— Pour aller à Varsovie, a-t-il dit simplement, il y a la frontière du Bug, d'un côté les territoires annexés, de l'autre le gouvernement général de Pologne, et il y a tout près Treblinka. Partout des contrôles. Il vaut mieux aller vers le sud, vers Bielsk Podlaski, puis vers Siedlce. Par-là, on peut passer.

La jeune femme essuyait ses yeux.

— Nous connaissons bien les trains, a-t-elle dit en souriant, nous sommes des courriers de l'*Arma Krajowa*.

Nous avons bu encore.

— Vous pouvez nous aider beaucoup, a dit l'homme.

Je voulais rejoindre Varsovie coûte que coûte, mais ils m'ont conseillé la prudence, la région était en ce moment très surveillée. J'ai passé deux jours dans leur appartement puis nous sommes tous trois partis pour Brzesc. Là-bas, j'ai vu de vrais combattants, j'ai appris ce qu'est un officier qui tient dans sa main la vie d'un groupe d'hommes et qui doit décider seul. J'ai appris que la guerre est un dur métier. La jeune femme m'avait confié timidement :

— Ne dites pas que vous êtes juif, c'est notre secret, à nous. Il y a des hommes qui haïssent autant les Juifs que les Allemands. Mais nous avons besoin d'eux, contre les Allemands.

Et contre les bourreaux ils se battaient bien. J'ai rencontré le capitaine Paczkowski, dit Wania, puis Mieczyslaw dit Bocian : ils m'ont donné ma première arme, un colt lourd qui prolongeait le bras et rassurait. Enfin, enfin, j'allais me battre. Je voulais toujours partir pour Varsovie mais aussi apprendre à faire la guerre, pour mieux lutter plus tard aux côtés des miens.

Alors avec le capitaine Wania j'ai marché sur les rivières gelées, rampé dans les forêts, placé des explosifs sur les voies ferrées, scié les poteaux téléphoniques. Puis Wania a été pris et je me suis évadé une nouvelle fois de leurs griffes, sautant du camion qui nous conduisait à la prison de Pinsk. J'ai dû me planquer à Brzesc, changer de cache, attendre, différer mon retour à Varsovie pour participer à la libération du capitaine Wania qu'organisait Jan Ponury.

Jan arrivait de Varsovie et c'était l'un de ces hommes dont on dit qu'ils sont des chefs, qu'ils portent leur noblesse et leur courage sur le visage : à Jan j'ai dit que j'étais juif, j'ai raconté

Treblinka. Lui aussi m'écoutait les poings serrés. Il avait ete parachuté avec Wania, envoyé de Londres par le gouvernement polonais en exil : il ignorait l'ampleur de l'extermination, pourtant il m'a conseillé de taire mes origines. J'ai compris que je ne pouvais demeurer dans l'*Arma Krajowa* : je voulais avancer à visage découvert, pour les miens, avec les miens. La libération de Wania serait mon dernier combat aux côtés de l'A. K. Avec Jan, nous avons préparé cette attaque de la prison de Pinsk, et pour la première fois je n'étais plus un homme en fuite, traqué, mais un chasseur, un guetteur, un combattant, surveillant les allées et venues des gardiens, sachant que ces sentinelles que j'apercevais nous allions les abattre au signal.

Nous sommes arrivés devant la prison en voiture, l'un de nous ayant revêtu un uniforme SS a donné l'ordre d'ouvrir les portes. Nous avons bondi, égorgé les soldats de garde, ouvert l'autre porte. Jan Ponury nous commandait au sifflet. Car nous ne devions pas parler polonais pour faire croire que nous étions des partisans soviétiques et déjouer ainsi les représailles. Nous avons défoncé les portes des cellules et les prisonniers couraient le long des galeries vers nos camions, nous leur rendions la vie. Quelle joie de vaincre enfin, de pousser un cri de guerre, de commencer enfin le temps de la vengeance !

Nous avons libéré Wania blessé, torturé, mais vivant. J'avais appris de l'*Arma Krajowa* le maniement des armes et un peu du métier de la guerre. Maintenant, j'avais payé ma dette. Je pouvais partir.

Avec Jan Ponury, nous avons bu à notre amitié, à nos combats. C'était un soldat, un homme, il construisait son armée avec ceux qu'il trouvait, qu'y faire s'il y avait parmi eux des antisémites ? Après la guerre, il faudrait bâtir une autre Pologne. Nous buvions. Moi, j'étais du ghetto de Varsovie, moi j'avais laissé Rivka, ma mère, mes frères à Treblinka, Sonia à Zambrow, tant d'autres dans le sable jaune, et si mon père vivait il était à Varsovie où les miens déjà s'étaient battus. Là-bas était ma place. Avec les miens.

— Va, Miétek, va, tu as raison. Il ne faut jamais cacher son drapeau, ce qu'on est.

Nous nous sommes embrassés.

Deux jours plus tard, j'étais à Varsovie.

7

Nos vies avaient la résistance de la pierre

Ma ville, mes rues, mon passé : là, la gare de l'Est, Praga, le marché où j'ai vendu les gants, où je me suis couché sur le sol. Par cette rue j'ai fui, et la Vistule, ce pont Poniatowski, ces quais, le chat Laïtak et Zofia, sa main que je serrais, il y a des siècles, dans une autre vie. Un tramway passe, je marche lentement, au hasard : tout continue ici, est-il possible que des hommes et des femmes durant ces siècles que j'ai vécus aient chaque jour recommencé un jour tranquille, le travail, les repas, les enfants, l'amour?

Tout devient gris, flou, j'ai comme une ivresse triste, amère, je sens vivre autour de moi l'injustice, l'égoïsme, l'indifférence, l'ignorance : les rues de Varsovie, les passants de Varsovie, les eaux de la Vistule, les pierres du pont, toute une ville me crie notre solitude, que sommes-nous pour ces promeneurs, pour ces enfants qui jouent, rien, nous n'existons pas, ma mère, mes frères, Rivka, Sonia, Zofia, et toi aussi l'homme important de Zambrow mort sur la neige, et toi, dentiste aux mains habiles descendu dans la fosse, et vous mes frères recouverts de sable jaune, cette indifférence, cet égoïsme vous tuent une deuxième fois, vous recouvrent mieux que le sable de Treblinka. Et ailleurs, loin de Varsovie, à New York, ou plus loin encore, qui peut savoir, qui?

J'ai traversé la Vistule, rôdé dans la ville comme autrefois. Avant d'approcher du ghetto je voulais sentir la vie de Varso-

INSURRECTION DU GHETTO DE VARSOVIE
(DU 19 AVRIL AU 8 MAI 1943)

● *bunkers*

← *actions des insurgés*

⇐ *progression des troupes allemandes*

□ ㉓ *rue Mila : domicile de Martin Gray*

■ ⑱ *rue Mila : bunker de commandement de Mordekai Anielewitz*

vie : j'ai longé la longue rue Dluga, retrouvé la pâtisserie Gogo-
levski avec sa devanture blanche, le café où nous nous réunis-
sions avec ma bande. Je suis entré : il y avait une autre Yadia,
semblable à celle que j'avais connue, les seins lourds, le rire
facile, les hanches larges et que des hommes pareils à Pila-la-
Scie, à Brigitki-la-Carte, à Zamek-le-Sage, saisissaient à la taille.
J'ai bu un verre de vodka, écoutant les rires, les éclats de voix;
autour des tables on parlait de *chats*, de *bédouins* qui se plan-
quaient du côté aryen, et qu'on allait rançonner. On riait. D'autres *schmaltzowniki* s'engraissant avec notre sang ont pris la
suite de Dziobak-la-Vérole, de Miétek-le-Géant, de Rudy-le-Rouquin ou de Ptaszek-l'Oiseau. L'égoïsme, l'indifférence, la
lâcheté : les bourreaux avaient toujours les mêmes alliés, cette
part sombre de l'homme qui peut le masquer tout entier et faire
de lui une bête.

Je suis sorti, traversant les jardins Krasinski, longeant la
rue Swientojerska, la rue Nalewki, retrouvant ma démarche de
voyou pour donner le change aux bandes qui guettaient les
bédouins, pour tromper les Bleus, les Ukrainiens, les Allemands toujours là, au pied du mur.

Mais leur présence même m'exaltait : elle prouvait que le
ghetto vivait encore, que mon père peut-être s'y trouvait; elle
prouvait qu'il fallait y rentrer, faire exploser notre présence,
crier notre vie, ouvrir au cœur de Varsovie un volcan de flammes pour qu'on sache que nous vivions là, que le monde
apprenne qu'on nous tuait. Se battre, se battre, j'étais sûr plus
que jamais que telle était notre seule façon d'exister, de sauver
les nôtres, ceux couverts de sable jaune, de l'oubli, pour toujours. Notre seule façon de les faire vivre.

Je suis retourné à Praga et j'ai frappé à la porte de Mokotow-
la-Tombe. En lui, j'avais confiance. Personne. J'ai attendu, caché
dans une cave, puis j'ai frappé à nouveau. C'était Marie, sa
sœur. Elle me regardait, sans me reconnaître et pourtant je
sentais qu'elle cherchait, comme si au fond de sa mémoire mon
visage recommençait à surgir.

— Miétek, je suis Miétek-le-Coupé.

Elle ouvrit la bouche d'étonnement puis elle tendit sa main et
d'un geste doux me caressa le visage.

225

15

— Miétek, Miétek, comme tu es maigre.

Sa voix était douce, chaude, elle me fixait, lisant les siècles que j'avais traversés sur mes traits, sur ma peau.

— Tu es vivant.

Elle m'a fait asseoir, m'a nourri et quand elle passait autour de moi elle me caressait les cheveux, le visage, l'épaule.

— Raconte-moi, Miétek.

J'ai secoué la tête. Je n'avais pas la force d'affronter mes morts, ici, pour elle.

— Plus que tu ne peux savoir, imaginer. Tous assassinés. Tous les miens. Mais mon père est ici, je le sens. Raconte-moi, toi.

Mokotow avait abandonné les truands, il travaillait comme chauffeur de camion et il faisait partie de l'*Arma Ludowa,* l'armée populaire des partisans de gauche. Marie s'est mise fébrilement à renverser des piles de linge, dans une armoire. Elle a sorti un petit journal, mal imprimé : *Glos Warszawy,* l'organe du P. P. R., le parti ouvrier polonais.

— C'est moi qui le distribue, Miétek, moi.

Je n'ai pas entendu rentrer Mokotow, et tout à coup j'ai senti ses lourdes mains sur mes épaules :

— Je savais, Miétek, que tu serais là, un jour.

Nous nous sommes embrassés, tenant nos corps l'un contre l'autre : depuis des mois nous ne nous étions vus mais Mokotow-la-Tombe avait marché vers moi jusqu'à devenir cet ouvrier combattant, lui l'ancien chasseur de *bédouins.* Il s'est assis en face de moi et nous nous sommes regardés longuement.

— Tu reviens de loin, Miétek?

— D'assez loin.

Il m'a servi un verre de vodka.

— Mais pas pour rien. Les tiens se battent maintenant. Ils sont devenus des lions.

Mon père était là-bas, j'en étais sûr, sûr. Oui, nous vivions, oui l'homme allait l'emporter sur les bêtes, comme chez Mokotow-la-Tombe la part sombre serait rejetée au loin.

— Ça a commencé en janvier. Ils ont attaqué les Allemands avec de l'eau bouillante, de l'huile brûlante, avec des pierres, des bouteilles, des armes aussi. Mais ils en ont si peu.

Je buvais la vodka mais la chaleur que je sentais en moi ne devait rien à l'alcool. Enfin, enfin, nous poussions notre cri de guerre.

— Ça s'est passé près de chez toi, rue Mila, rue Muranowska, dans ton quartier, Miétek. Et les Allemands ont filé, ils ont renoncé aux déportations, et depuis, chaque jour on entend des coups de feu.

Je me suis levé.

— Mon père est sûrement là-bas.

D'avoir dit cela à haute voix, pour la première fois, renforçait encore ma conviction.

— Je vais y aller, Mokotow, tout de suite.

Mokotow-la-Tombe m'a prêché la prudence. Les rues étaient pleines de maîtres chanteurs, de dénonciateurs. Ils traquaient tous ceux qui avaient une allure suspecte, il les dépouillaient, les tuaient. Quand une famille juive réussissait à trouver un logement du côté aryen pour 20 000 ou 30 000 zlotys, les bandes se succédaient pour la rançonner.

— Des chacals, des sangsues, des vampires. Ils se communiquent les adresses et se partagent les gains. Puis, quand ils ont pressé le fruit, ils dénoncent et touchent une prime. Voilà, Miétek, voilà.

Il a balayé le passé d'un geste de la main :

— Et les autres, Pila-la-Scie, Dziobak...

— Beaucoup de chacals.

Marie s'est approchée de moi, me prenant par l'épaule :

— Attends un peu ici, Miétek, tu peux combattre avec Mokotow, entrer dans l'*Arma Ludowa,* tu peux.

Mais Mokotow déjà remettait sa casquette.

— Quand on arrive d'où tu viens, Miétek, il doit être difficile d'attendre.

J'ai embrassé Marie, bu un dernier verre de vodka et Mokotow et moi nous avons pris les rues vers le ghetto.

— Il y a tous les soirs des *Placowkarze* qui rentrent par la rue Leszno, tu peux essayer.

Plusieurs fois déjà, avant, je m'étais glissé parmi les Juifs qui travaillaient dans la journée à l'extérieur du ghetto : le contrôle

227

n'était guère sévère. Quels étaient les fous qui voulaient rejoindre volontairement une prison?

Avec Mokotow, nous avons longé la rue Leszno, jadis l'une des grandes rues du ghetto et qui aujourd'hui était sa frontière. Les immeubles des rues Grzybowska, des rues Krochmalna, Ogrodowa, étaient vides, leurs habitants avaient rempli les wagons de l'*Umschlagplatz*, puis les fosses, là-bas à Treblinka. Pour eux, il fallait rentrer.

La colonne précédée de soldats allemand avançait par la rue Zelazna. J'apercevais les visages maigres, les dos courbés, les vêtements en lambeaux des *Placowkarze*. J'ai embrassé Mokotow.

— Avec toi la chance, Miétek.

Devant l'entrée du ghetto il y a eu un arrêt de la colonne, des Polonais étaient là, badauds, truands, chasseurs de *bédouins*. J'ai bondi et les miens sans un regard se sont refermés sur moi, m'entourant de leurs corps. J'ai courbé le dos, les yeux vers le sol, retrouvant l'humilité des esclaves. La colonne s'est remise en route, nous avons franchi la porte. J'étais chez moi, dans le ghetto.

Il est vide, il est désert, il est exsangue, il agonise le ghetto, mais il vit toujours. La colonne des travailleurs est rejointe par les ouvriers de chez Toebbens et de chez Schultz, puis à la hauteur de la rue Nowolipki tout le monde se disperse. Les rues se vident, chacun court, disparaît dans la nuit qui tombe, sans un cri, dans un silence de ville abandonnée. Je cours aussi, je reconnais les pavés, les portes, j'avance dans mon passé comme dans un décor dont les acteurs auraient disparu. A l'angle de la rue Dzielna, embusqués dans une porte cochère, il y a un groupe de jeunes, ils accrochent les ouvriers, leur tendent des tracts que certains refusent, que d'autres empochent rapidement. Ils m'en donnent un puis, avant même que j'aie pu leur paler, ils se dispersent et je reste seul, devant cette porte, avec la rue vide devant moi, le silence. Dans une cour j'ai lu mot à mot ce texte, ce pain qui fait vivre, cette eau claire, ce sang frais qu'on donne aux blessés :

« *Zydowska Organizacja Bojowa*
— Organisation juive de combat »

« Juifs! Les bandits allemands ne vous laisseront pas long-temps en paix. Groupez-vous autour des étendards de la résis-tance. Mettez-vous à l'abri, cachez vos femmes et vos enfants et engagez-vous, chacun selon les moyens dont vous disposez, dans le combat contre les bourreaux hitlériens. L'Organisa-tion juive de combat compte sur votre appui total, autant moral que matériel. Varsovie-ghetto, le 3 mars 1943. Com-mandant de l'O. J. C. »

J'ai embrassé ce papier froissé, j'ai parcouru les rues : j'allais les rencontrer, j'allais le rencontrer car il ne pouvait qu'être là, parmi les combattants, comme moi, lui, mon père qui m'avait donné l'exemple, qui dès les premiers jours, quand nous mar-chions dans les jardins Krasinski savait ce que les Allemands nous réservaient. Ce texte, c'était sa voix, la mienne aussi qui pendant des semaines avait crié à Zambrow, à Bialystok, en vain.

Les rues noires paraissent vides, mais plus j'avance plus mon regard s'habitue à l'obscurité et mieux je distingue des silhouettes chargées, courbées sous des sacs, des planches, qui traversent en courant, d'une maison à l'autre. J'ai remonté la rue Zamenhofa. Voici déjà le coin de la rue Gesia : ici, chaque mètre parle, ici chaque façade a gardé mon regard, ici se sont formées les colonnes vers l'*Umschlagplatz*. Mère, frères, Rivka, Pola et toi aussi Pavel, Pavel d'avant la nuit de ton abdication, voici le cœur de ma vie, ici j'ai tué, ici sont mes toits, ici je t'ai tenue contre moi Rivka, voici le cœur de ma vie déjà lointaine, ici criait la fille du docteur Celmajster, et ici sur ces toits David m'a dit, m'entourant les épaules de ses bras : « Ils ont pris ton père, avant-hier. Nous n'avons pas pu. » Ici le cœur de ma vie cruelle. Je me suis arrêté à l'angle de la rue Mila et de la rue Zamenhofa, j'ai regardé vers la fenêtre comme si elle avait pu être là, ma mère, le bras tendu vers moi, bras fragile, espoir et crainte, sa main qui s'agitait à peine, timide. Et je devinais ses yeux voilés d'angoisse et de tristesse. Jamais je ne leur pardonnerai, ma mère. Jamais. J'ai avancé dans la rue Mila, je suis entré en elle comme dans une caverne sombre. J'ai monté l'escalier de Mila 23.

Je m'arrête, je m'assieds, des ombres passent, me bousculent. Dans la cour résonne un bruit de marteaux; j'entends les chocs des outils sur le sol, je distingue le grincement des scies. Je redescends dans la cour, là vers la rue Kupiecka il y a un groupe d'hommes qui creusent, qui cimentent. Une chaîne s'est formée, on se passe des seaux, des sacs, des planches.

— Aide-moi, au lieu de regarder.

L'homme tenait un madrier et il me montrait l'autre bout. Je l'ai pris et avec ce groupe j'ai travaillé jusqu'à l'aube : il s'agissait de construire deux bunkers donnant rue Kupiecka, et communiquant par de nombreux tunnels avec les cours de la rue Mila. J'ai travaillé, oubliant le temps, oubliant d'où je venais, travaillé et tous autour de moi comme moi, avec frénésie comme si les Allemands allaient venir au matin, comme si de ce bunker dépendait le sort de tout notre peuple. Et il est vrai, le sort de notre peuple dépendait de ce bunker et de tous les autres qui dans chacune des rues du ghetto se constituaient, îlots de résistance et de survie, ghetto sous le ghetto.

L'aube s'est levée, d'un bleu doux, pâle. Deux silhouettes ont traversé la cour, venant vers nous. Elles avançaient lentement. Les hommes ont cessé de travailler et les ont entourées. J'ai posé la scie et j'ai rejoint le groupe. L'un des deux hommes parlait :

— Ces bunkers, camarades, ils sont comme notre cœur, notre vie. Ce n'est pas seulement pour nous, mais pour le monde, il faut qu'on sache, avec ces bunkers nous devons tenir, tenir une semaine, pour qu'on entende notre voix, au cours des siècles.

Il me semblait reconnaître ce ton, exalté et métallique, ces mots. Je me suis approché. Derrière celui qui parlait j'ai vu un homme aux cheveux gris qui tenait sa tête penchée comme si la fatigue l'avait courbée, un homme grand avec les mains derrière le dos. Je me suis approché encore, poussant une fille avec brutalité : elle m'a lancé un juron, il s'est retourné. Je savais qu'il était vivant.

Nous ne faisons plus qu'un, bras dans les bras, poitrine contre poitrine : je sentais sa barbe contre ma joue, comme autrefois, avant, rue Senatorska. Je buvais ses larmes salées et il avait les miennes sur ses mains qui tenaient mes joues. Où étions-nous?

Pourquoi la guerre, le ghetto, Treblinka, pourquoi la folie des hommes, la barbarie des bêtes à visage d'homme, pourquoi père, père, père, pourquoi ces fosses, ces enfants morts alors qu'il y a tant de joie à sentir tes mains, à retrouver ton corps vivant, père, pourquoi ce monde, tout ce saccage?

Nous pleurions l'un contre l'autre, nous parlant sans dire un mot, et mon cousin Julek Feld qui était venu avec mon père, Julek Feld délégué du P. P. R., se taisait.

Autour de nous, le cercle s'était élargi, et chacun pleurait, pour nous, pour les siens perdus, chacun pleurait de joie et de malheur. Puis ils nous ont laissés; nous restions au milieu de la cour, nous tenant par l'épaule, et avant de partir nos camarades serraient dans leurs mains la main de mon père et la mienne, comme pour se convaincre eux-mêmes que tout était possible, qu'un jour peut-être, eux aussi, dans une cour du ghetto ou qui sait après la guerre, ils retrouveraient l'un des leurs.

Ils nous ont laissés et, nous tenant par l'épaule nous sommes montés là-haut, où nous les avions cachés, ceux que nous aimions et qui ne savaient pas se défendre. L'appartement était saccagé, l'armoire truquée gisait, défoncée, dans la pièce qui avait été leur cachette; il y avait encore dans un coin les livres de mes frères, un châle tricoté que ma mère avait l'habitude de jeter sur ses épaules. Nous nous tenions toujours par l'épaule et nous n'avions pas échangé un seul mot. Les autres avaient parlé pour nous, Julek Feld avait expliqué. Je voulais dire, dire, mais les phrases ne réussissaient pas à se former, j'avais tant de choses au fond de moi, des tourments, des questions, tant d'horreurs et de peurs jamais confiées, que je n'avais jamais osé penser jusqu'au bout parce que je craignais qu'elles ne m'entraînent. Je voulais les dire, crier qu'il était injuste que ce châle, cette armoire, ces livres soient encore là où ma mère, mes frères n'étaient plus, que la vie n'avait aucun sens, que le monde ne méritait même pas d'être puisque les choses mortes survivaient et que partaient ceux qu'on aimait. Nous étions là, nous tenant par l'épaule, n'osant pas parler, avec ces jours de Treblinka que je voulais dire, ces questions.

— Père, père.

— Va Martin, va. Il faut oser pleurer.

231

J'ai sangloté contre lui et lui contre moi, j'ai pleuré jusqu'à ce que les phrases puissent naître d'elles-mêmes, alors j'ai tout dit. Lui non plus ne pleurait plus, nous nous étions assis sur le plancher, face à face, les jambes croisées.

— C'est bien, Martin, disait-il parfois.

Quand je m'arrêtais, il respectait un temps mon silence, puis :

— Il faut continuer, Martin.

— Et toi, père?

Il avait réussi à être sélectionné sur l'*Umschlagplatz* pour un camp de travail.

— Grâce à tes conseils, Martin.

De là-bas, il s'était enfui et était rentré à Varsovie.

— Vous n'étiez plus là. Plus rien. Mais je savais, Martin, que tu n'étais pas de la race de ceux qui abdiquent. Je savais. J'avais confiance.

Toute la journée, nous sommes restés ainsi, à raconter, à croiser nos paroles et nos regards, à partager nos souvenirs. Puis la nuit est tombée et à nouveau j'ai entendu le bruit des marteaux, des scies, des pelles.

— Maintenant, Martin, est venu le temps du combat. Tu vas prendre ta place.

Père s'est levé et m'a tendu la main, me tirant d'un coup sec comme il le faisait avant, rue Senatorska quand, par jeu, je refusais de me redresser, de me rendre à table. Il a gardé ma main dans la sienne.

— Martin, tu vas combattre, parce que nous le devons. Nous allons lutter jusqu'au bout. La plupart d'entre nous périront. Toi, essaye de vivre. Vis, Martin, vis pour nous tous.

Nous nous sommes embrassés. Une scie grinçait dans la cour. Nous avions eu un jour entier pour nous deux, presque une éternité en ce temps imprévisible. Nous ne pouvions en demander plus.

Cette nuit-là, j'ai, devant les membres de l'Organisation juive de combat, parlé de Treblinka. Le ghetto savait déjà qu'il s'agissait d'un camp d'extermination parce que d'autres comme moi s'étaient enfuis, mais j'étais le premier à revenir du camp d'en

232

bas. J'ai dit l'excavatrice et les fosses dans le sable jaune, Ivan et Idioten. Puis j'ai demandé ma place dans l'Organisation.

Alors ont commencé des jours tendus comme un acier; il fallait de l'argent, des armes, des hommes; il fallait faire taire les poltrons, convaincre les hésitants, châtier les traîtres. Et malgré les évacuations, malgré ce qu'on savait de Treblinka, malgré l'*Umschlagplatz*, malgré les combats de janvier, certains, ceux qui avaient obtenu un « numéro » des Allemands, le droit de vivre, continuaient d'espérer durer ainsi jusqu'à la fin de la guerre, en obéissant aux bourreaux.

J'ai vu des ouvriers des *shops* de Toebbens et de Schultz se présenter pour des départs « volontaires ». Dans une nuit de mars, j'ai collé des affiches : l'Organisation expliquait qu'il fallait saboter ces départs vers la mort et non pas vers le travail. Le lendemain, les Allemands les ont recouvertes. Toebbens et le gros Schultz ont organisé des réunions pour leurs ouvriers : « Nous avons besoin de votre travail, disaient Toebbens et Schultz du haut de leur balcon. Mais comme vous ne pouvez rester à Varsovie même nous avons choisi pour nos ateliers d'autres localités, Trawniki, Poniatow. Là-bas, vous aurez du travail et du pain. » Et Schultz et Toebbens donnaient leur parole d'honneur.

Il fallait lutter contre ces discours, mais parfois entrant dans une boutique j'entendais les derniers commerçants respectables que les Allemands avaient tolérés nous traiter de « têtes brûlées », de « morveux », « qui attiraient le malheur et la persécution ».

Mais le temps du respect des opinions était passé : je revenais de Treblinka, de Zambrow, de Bialystok, je savais ce que valent les prudences. Alors, avec un groupe je me suis chargé de lever des contributions pour l'Organisation. Parfois il suffisait de demander, parfois il fallait montrer une arme, parfois il fallait s'emparer d'un otage. Nous avons pris Wielikowski, le fils de l'un des trois membres du Judenrat et nous avons obtenu un million de zlotys. Nous avons réquisitionné des vivres chez les commerçants, nous avons tué : des pillards allemands, soldats qui s'introduisaient dans le ghetto. Nous avons condamné à

233

mort et exécuté des traîtres, ce Jacob Hirszfeld qui dirigeait le *shop* de Hallmann.

Nous luttions pour un monde d'hommes, et nous savions que notre victoire serait de combattre non de vaincre l'ennemi, car nous étions une île, une tombe, un ghetto entouré par l'indifférence ou la haine, encerclé par l'ennemi et nous étions sans armes. Mais peut-être, parce que nous voulions simplement nous battre, c'est là, à l'O. J. C., que j'ai rencontré des hommes comme j'avais espéré qu'il en existait, Mordekhai Anielewicz et Michel Rosenfeld, Julek Feld, et tant d'autres, Ber Brando et Aron Bryskin, tant d'autres qui pensaient comme moi que la fidélité aux morts de Treblinka était la lutte, la vengeance. Mais nous étions sans armes.

Alors j'ai repris le chemin de la Varsovie aryenne, mais notre blé d'aujourd'hui c'étaient les revolvers et les grenades, les fusils et les balles. J'ai marché dans l'eau sale des égouts, guidé d'abord par un Polonais puis, en quelques voyages, j'ai appris une nouvelle géographie : j'avais connu celle des rues, des tramways et du mur, puis celle des toits, maintenant j'explorais le monde sombre des canaux souterrains, les carrefours où rien ne renseigne, les galeries semblables qui se croisent et qui conduisent peut-être à une route sans fin, à la folie. Bientôt, les égouts sont devenus mes rues, là était ma nouvelle liberté.

J'ai retrouvé Mokotow-la-Tombe : il m'attendait à une bouche désignée à l'avance, il en surveillait les abords, m'avertissant si un policier ou un chasseur de *bédouins* était à proximité, puis dès qu'il soulevait la plaque je grimpais l'échelle de fer et nous filions par les petites ruelles de Stare Miasto, la vieille ville. Là, dans des maisons toujours différentes, je rencontrais des hommes de l'*Arma Ludowa,* des partisans du groupe Witold et j'obtenais quelques armes. Parfois je prenais contact avec des groupes de l'*Arma Krajowa,* plus réticents. Parfois Mokotow-la-Tombe réussissait à acheter une arme pour moi et alors, dans son appartement de Praga, nous buvions sa vodka dans la joie. Puis je repartais dès la nuit tombée, et Mokotow tenait toujours à m'accompagner, faisant le guet quand je descellais une plaque et que je m'enfonçais dans ces canaux qui m'étaient devenus familiers.

234

Je ressortais dans le ghetto, dans le silence brisé par le grincement des outils car chacun se préparait à se dissimuler, à
s'enfouir sous la terre protégé par des murs de béton. Je
n'aimais pas ces caves, ces casemates closes : pourtant certaines
avaient une alimentation d'eau, d'électricité, le téléphone, des
toilettes séparées, mais pour moi c'étaient des tombes sans
issues, des fosses. Quand la bataille viendrait, je choisirais les
rues, les toits, les égouts, mais pas ces bunkers profonds.

Souvent en rentrant, traversant les rues, sautant d'un
immeuble à l'autre, me glissant dans les greniers, j'apportais
directement des armes — parfois un seul revolver — au 32 de la
rue Swientojerska. Là était le centre militaire de l'Organisation,
dans deux pièces et une cuisine où s'entassaient une dizaine de
combattants toujours armés. A quelques pas de là, dans le même
bloc d'immeubles, il y avait les « brosseries » qui fabriquaient
pour les Allemands toutes sortes d'objets. J'arrivais par les
greniers et les toits jusqu'au centre militaire, des filles me
servaient un repas, puis je repartais, heureux, vers la rue Mila.
Je passais de rue en toit, nous allions nous battre, nous battre
enfin, l'air vif du printemps me fouettait; souvent dès 3 heures
du matin la pleine lune faisait de la nuit comme une aube
avancée. Je n'avais pas survécu en vain.

Je retrouvais mon père rue Mila. Le bunker de commandement était presque en face de Mila 23, à Mila 18. Mon père
m'attendait et je l'attendais. Nous couchions côte à côte sur des
matelas après avoir longuement parlé. Nous n'évoquions plus
mère et mes frères, ils étaient autour de nous, en nous, vivant
par notre lutte. Père me parlait comme s'il avait voulu me
transmettre tout ce qu'il avait pensé, appris. Malgré la guerre et
la mort, il me parlait d'une société où les hommes seraient
débarrassés de ces plaies que sont la misère, l'injustice, d'un
monde où l'homme n'aurait comme problème que ses rapports
avec les autres et avec lui-même, débarrassés de la boue des
intérêts. Il me parlait de tout ce que notre peuple avait donné
aux hommes et de combien il avait payé de souffrance sa
survie, malgré tout.

— La vie, Martin, voilà ce qui est sacré. Aujourd'hui, nous
devons tuer mais souviens-toi, Martin, la vie, ta vie. Il faut

donner la vie. C'est lourd, difficile d'être père, mais choisir de l'être c'est cela choisir d'être un homme. Survis Martin. J'aimerais que tu aies des enfants plus tard, quand tout sera fini, que les hommes auront gagné. Mais alors, donne-leur tout de toi-même. Ils sont sacrés.

J'écoutais sa voix, douce et forte. Parfois, il me parlait de son enfance, comment il avait monté sa fabrique, rencontré ma mère. Puis il s'interrompait :

— Dors, Martin, ce sera peut-être pour demain.

Demain était déjà là et je repartais par les toits et les égouts, attendant le soir, ces conversations. Quand il ne venait pas je ne réussissais pas à m'endormir. Une nuit il est rentré plus tard encore, à l'aube :

— Julek Feld est mort.

Il avait été abattu par une patrouille de SS, lors d'une rafle. Je connaissais peu Julek mais j'aimais son visage mince d'intellectuel, son ton de voix exalté et métallique.

— Il voulait le bien, toujours. Il croyait aux idées. C'était un homme, Julek.

Père m'a parlé de ma grand-mère, la tante de Julek, cette vieille dame têtue qui envoyait de longues lettres au temps où l'on nous écrivait, il y a des siècles, réclamant des photos de son petit-fils.

— Toi, Martin, un jour il faudrait que tu ailles là-bas, à New York, lui donner un peu de vie. Elle t'aimait. Quand elle t'a vu, une seule fois, tu commençais à marcher. Tu serrais tes poings.

J'écoutais, je me nourrissais de ces paroles, de cette voix. Cette nuit-là, quand il m'a appris la mort de mon cousin, père m'a dit :

— Julek allait toujours jusqu'au bout. Un homme, Martin, va jusqu'au bout.

Il était près de la fenêtre. La lune illuminait la pièce et je voyais les larmes qu'il laissait couler sur ses joues.

— Je me demande pourquoi je te dis cela. Tu es déjà allé jusqu'au bout, Martin. Plusieurs fois. Tu es un homme, un vrai, et depuis longtemps.

Merci, père, pour ces mots.

Nous n'avons plus eu le temps de parler.

Le samedi 18 avril, l'Organisation a proclamé l'état d'alerte. Avec d'autres, courant dans les rues, j'ai affiché, distribué, répété notre mot d'ordre :

Périr avec honneur! Les hommes aux armes, les femmes et les enfants aux abris!

C'était le moment de l'épreuve, j'étais avec les miens une arme à la main, nous allions commencer à leur faire payer et la dette était immense. J'ai parcouru le ghetto jusqu'à la nuit avancée, voulant être partout, allant d'un bunker à l'autre, portant les bouteilles remplies d'essence, les messages, du secteur des « brossiers », rues Swientojerska et Walowa, à celui des *shops*, rues Leszno et Nowolipie. Je passais des cours aux greniers, des rues aux toits, je mêlais mes géographies : chaque pavé, chaque marche, chaque cheminée parlaient à mes yeux, à mes mains. Ici, j'étais chez moi, ici était le cœur de ma vie, ici j'étais invincible.

J'ai retrouvé mon père dans l'immeuble qui formait l'angle des rues Mila et Zamenhofa.

— Les Bleus ont encerclé le ghetto, me dit-il. Ce sera pour demain. Il faut te reposer, Martin. Après, qui peut dire quand nous dormirons?

Je me suis allongé et j'ai dormi, sans cauchemar, sans inquiétude jusqu'à ce que mon père me prenne la main.

— Les voilà.

La nuit est claire, délavée. J'entends, proches, du côté du mur, peut-être dans le secteur des « brossiers », quelques éclatements de grenades, des coups de feu. Puis le silence. Je m'approche d'une fenêtre. Ils sont là, qui avancent prudemment, en file indienne, le long des façades. Ils arrivent par la rue Zamenhofa; derrière eux, au loin, je devine des voitures, peut-être des tanks. Puis j'ai reçu l'ordre de me rendre auprès des bunkers de Kupiecka et de Nalewki pour leur demander d'attendre le signal pour ouvrir le feu. J'ai sauté de toit en toit, un revolver passé dans la ceinture, glissé dans les greniers, descendu les escaliers comme on plonge, je ne me souviens que de cela, ma légèreté en ces jours de combat, le sol, les toits, les marches étaient pour moi comme un tremplin qui me projetait plus loin, plus vite.

De temps à autre on entendait une rafale isolée, l'explosion d'une grenade, sans doute les Allemands qui dans leur progression balayaient une fenêtre, nettoyaient une cave.

A 6 heures, sous un ciel bleu, alors que les SS atteignaient le carrefour Mila-Zamenhofa, nous avons enfin reçu l'ordre, l'ordre libérateur : « Attaquez! »

Le bruit, les gestes dans les explosions, je passe les bouteilles incendiaires, je cours dans l'escalier vers les caves, je remonte chargé de ces explosifs fabriqués ici au ghetto, je vois un soldat qui reçoit une bouteille sur le casque et qui s'embrase, s'enroule dans une flamme, d'autres courent. On a crié :

— Ils s'enfuient, ils foutent le camp!

Je monte sur les toits, je vais jusqu'à l'angle des rues Kupiecka et Zamenhofa, je me penche; la rue est déserte; ils se sont enfuis, ces bourreaux d'acier, la rue Zamenhofa est à nous. Ailleurs, venant du côté du secteur des « brossiers », des rues Nalewki et Gesia, on entend encore le bruit des grenades, puis le silence. Là-bas aussi ils ont dû fuir. Je redescends, nous nous embrassons tous, nous crions de joie. Puis, avec d'autres nous courons dans la rue, chercher des armes. Il y a à quelques mètres les uns des autres trois corps couchés. L'un est allongé sur le dos, le visage brûlé, il gémit, affreusement mutilé. Je l'achève. Ailleurs, des camarades auxquels je me joins tirent des morts dans une cour et les dépouillent de leurs uniformes, des casques aux bottes. J'ai ainsi un uniforme complet de SS. Maintenant, nous attendons, nous nous reposons car ils vont revenir, ils vaincront sans doute mais notre victoire est dans leur fuite, dans notre combat, dans la durée de notre résistance. Nous ne sommes plus des animaux qu'on pousse à l'abattoir et qui s'y précipitent, tête baissée.

— Les voilà!

Ils reviennent prudemment, arrosant les façades de rafales de mitrailleuses, ils bondissent de porte en porte et tout à coup nous entendons le cliquetis des chenilles sur la chaussée. Je cours jusqu'à mon observatoire sur les toits et j'aperçois, à l'angle des rues Gesia et Zamenhofa, plusieurs masses grises : les tanks. Deux d'entre eux s'engagent dans la rue Zamenhofa, tirant contre les immeubles.

Il peut être midi ce 19 avril. Je me souviens du ciel, du soleil, de la légèreté de l'air et de la rumeur des moteurs, du grincement des chenilles. Je pensais au halètement de l'excavatrice là-bas, au camp d'en bas. Ici, au ghetto, ces machines de la mort nous allions les détruire. Les tanks avancent, ils dépassent nos positions installées aux numéros 29 et 50 de la rue Zamenhofa, ils atteignent le carrefour de la rue Mila, ce 28 de la rue Mila où je suis avec mon père, une bouteille incendiaire dans chaque main. Derrière les deux chars l'infanterie progresse, je vois un soldat courbé par la prudence et la peur, j'imagine son regard anxieux. A ton tour d'être traqué, bourreau. Je jette mes bouteilles, le feu, les explosions qui se déchaînent, les tanks presque en même temps sont enveloppés de flammes, repartent entourés de fumées noires, l'infanterie s'enfuit : j'aperçois un soldat affolé qui court sur la chaussée avant de s'abattre, les mains sur le ventre. Depuis les postes de la rue Zamenhofa nos combattants prennent les Allemands à revers : ils courent, ils fuient encore, ils foutent le camp. Je bondis dans la rue, je ramasse les armes, les casques. Je tire un soldat dans la cour et avec un autre combattant nous le déshabillons. Ces uniformes peuvent être précieux. Si un jour nous devons fuir, fuir pour survivre, pour combattre ailleurs, ces uniformes peuvent nous sauver la vie.

La journée passe : je suis en paix. Je me bats, j'agis. Le soir, je me rends par les toits d'abord, puis par les rues, jusqu'au secteur des *shops*, à l'usine Schultz, au 76 de la rue Leszno. Ils n'ont pas été attaqués mais ils ont vu les Allemands passer et se diriger vers notre secteur. Schultz le gérant est affolé, indigné, il répète : « Les Juifs se comportent de façon inconcevable. » Schultz, gros Schultz, tu n'as pas fini d'être étonné.

Je saute de grenier en grenier, évitant les rues autant que je le peux, utilisant les cours, les caves. Je veux voir, connaître. La rue Nalewki est enveloppée de fumée noire : les nôtres ont incendié le grand magasin allemand du *Werterfassung*, au n° 33 de la rue. Je ne peux pas m'approcher, les Allemands sont encore là, bloquant la rue Gesia, tirant à vue. Le reste du ghetto est calme. Je rentre rue Mila par les toits. Dans une pièce un homme est assis, qui parle la tête baissée, les bras appuyés sur ses jambes croisées, autour de lui c'est le silence : il a vu, au 6 de la rue Gesia, les Allemands incendier ce qui servait d'hôpital au ghetto, il les a vus fracasser les têtes des nouveau-nés contre les murs, ouvrir les ventres des femmes enceintes, jeter les malades dans les flammes. Il les a vus.

Malgré cela j'ai dormi. Demain serait plus dur qu'aujourd'hui. Je me réveille à l'aube : il fait beau pour ce mardi 20 avril, premier jour de la pâque juive. Père est là, près de moi, me saluant d'un geste, qu'importe si nous ne parlons pas, nous sommes côte à côte, qu'importe si nous nous séparons, nous savons l'un et l'autre que rien ne nous séparera. Je me rends dans le secteur des « brossiers » : la journée d'hier y a été calme. Toebbens a même invité les ouvriers à reprendre le travail. Je me suis installé dans les greniers quand vers trois heures de l'après-midi les Allemands arrivent, ils pénètrent dans la cour et brusquement c'est l'énorme explosion. Les combattants de l'Organisation avaient placé une mine dans la cour du bloc, elle balaye les Allemands, les corps sont projetés en l'air, les soldats fuient. Puis ils reviennent, avançant le long des murs, en file indienne, tirant vers le grenier où je me trouve. Je lance des bouteilles incendiaires, je tire. Il fait chaud, le bruit, la fumée nous enveloppent. Je monte sur le toit, je m'allonge : je vois dans la cour le directeur de l'usine des « brossiers » accompagné de deux officiers qui nous demandent de nous rendre, après nous partirons sans être inquiétés vers les camps de Poniatow et de Trawniki. Nous avons quinze minutes de réflexion. De toute part les coups de feu répondent. Nous rendre ? Nous qui avons vu nos mères jetées dans les fosses, nos frères la tête éclatée, nos pères fusillés, nous rendre ? Faire confiance à nos bourreaux ?

Alors, ils reviennent en force. Depuis les jardins Krasinski ils bombardent le ghetto : ils tirent depuis les rues à la mitrailleuse lourde, au *panzersfaust* sur les immeubles. Je me replie, je saute d'un toit à l'autre. Dans l'escalier, j'entends un groupe d'Allemands qui progresse, je lance ma dernière bouteille, des cris, des hurlements, je fuis. Tout à coup, c'est la chaleur, la fumée épaisse qui tourne, s'abat, dense comme une étoffe chaude qui vous étouffe en vous enveloppant.

Alors commence le temps des flammes, les jours se mêlant. Les Allemands incendient le secteur des « brossiers ». Le goudron de la chaussée fond, les flammes à deux ou trois reprises m'entourent, je porte la main à mes cheveux qui grésillent; les semelles sur le sol qui brûle maintenant prennent feu, les débris de vitre fondent. Les maisons flambent, l'incendie gagnant de quartier en quartier.

Alors commence le temps des hommes et des femmes qui se jettent par les fenêtres, pour mourir, fuir les flammes, tuer un soldat allemand en l'écrasant. Du toit, j'ai aperçu une femme les cheveux dressés par la folie ou le vent chaud du brasier qui tendait son enfant au-dessus de la rue, prête à le jeter, j'ai crié : « Je vais le sauver par les toits, je vais le sauver! » Mais comment pourrait-elle m'entendre. Déjà, elle le laisse tomber puis elle saute après lui avec un grand cri.

J'ai couru, entre les flammes, entre les murs qui s'effondraient, dans les gravats, alors que les avions à croix noire, ceux que j'avais déjà vus en ce lointain septembre 1939, au temps de ma naissance, survolaient le ghetto et lançaient des bombes incendiaires qui parfois, inexplosées, restaient au milieu de la chaussée, objet noir, inquiétant, inutile et que certains tentaient de désamorcer pour en emporter la poudre.

Alors, les gens sont descendus dans les bunkers, s'enterrant sous les ruines. Moi, j'allais de l'un à l'autre, préférant la mort dans la fumée, sous le ciel, à l'étouffement sous une dalle de béton. J'ai entouré mes pieds de chiffons qui évitaient aux chaussures de s'enflammer et qui étouffaient nos pas dans les gravats quand la nuit nous allions d'un bunker à l'autre, évitant les patrouilles des Allemands.

Les jours ont passé sous un ciel bleu souvent caché par la fumée. J'avais soif, faim, mais les conduites d'eau avaient explosé; alors j'ai bu à des mares où j'apercevais des masses sombres qui pouvaient être le corps d'un homme. Parfois, derrière un pan de mur, j'ai rencontré une femme en larmes, les bras levés, à genoux près d'un cadavre, l'un des siens qu'elle pleurait, pour elle le seul mort de cette ville qui avait compté jusqu'à 500 000 habitants et dont il ne restait que des ruines, des morts et quelques vivants enterrés.

Alors a commencé le temps de l'héroïsme : j'ai vu une jeune fille s'asperger d'essence, y mettre le feu et se jeter sur un tank; j'ai vu des hommes se présenter aux Allemands les bras levés pour se précipiter sur eux et leur arracher une arme.

Pour durer, nous avons usé de toutes les formes de guerre. Caché dans les ruines, j'ai appelé les Allemands sur le ton guttural de l'un d'entre eux et nous les avons égorgés dans la nuit. Puis, à quelques-uns, nous avons revêtus les uniformes de SS que nous avions récupérés le premier jour. Je me souviens : je me suis regardé dans un morceau de miroir, moi, Miétek, avec ce casque et ces bottes, ces insignes de bourreaux, et nous avons marché dans la rue jusqu'à un barrage tenu par une dizaine de soldats. Nous nous sommes approchés calmement puis nous avons ouvert le feu : trois se sont enfuis, que nous avons poursuivis dans une cour, abattus, mais ils ont tué quatre des nôtres. Nous sommes revenus chargés d'armes, mais j'ai décidé de ne plus participer à ce type de combat qui nous forçait à ne pas laisser de témoins si nous voulions continuer à être efficaces, à marcher au milieu de la chaussée pour que les nôtres comprennent que nous n'étions pas de véritables SS, à risquer pourtant d'être abattus par un de nos combattants. Et je ne voulais pas mourir sous l'uniforme d'un SS.

J'ai recommencé à marcher dans l'océan de flammes qu'était devenu le ghetto, tirant sur les Allemands quand je le pouvais, portant des munitions d'un bunker à l'autre, défendant depuis les étages élevés les deux bunkers de la rue Kupiecka. J'ai vu les soldats du général Stroop faire sortir d'un bunker les femmes et les enfants, les forcer à s'allonger par terre au milieu des gravats et les abattre, j'ai vu encore des femmes sauter des immeubles en flammes, d'autres se précipiter sur les soldats pour être abattues.

Parfois pourtant une colonne de prisonniers se formait, enfants et femmes les bras levés qui se laissaient entraîner vers les wagons, parmi eux des hommes, aussi, hier combattants, aujourd'hui épuisés, brisés comme un ressort qui a été trop tendu. En regardant leurs colonnes qu'enveloppait la fumée noire et grasse des incendies, j'ai juré de combattre encore, même si nous étions vaincus ici, de survivre jusqu'à ce que

Berlin un jour soit aussi un brasier, un champ de ruines. Il fallait décider d'aller jusqu'à la tanière des bourreaux, rendre coup pour coup. Mourir les armes à la main ne suffisait pas. Il fallait vaincre, définitivement, les écraser sous nos talons.

Maintenant les jours se distinguent à peine des nuits tant la fumée est épaisse : les flammes éclairant la nuit les quartiers qu'illuminent aussi leurs projecteurs. Le 27 avril, j'ai revêtu mon uniforme SS et je suis descendu dans les égouts. Les Allemands commençaient à peine à se rendre compte que des armes, des hommes de l'*Arma Ludowa* et de l'*Arma Krajowa*, passaient par-là. Des femmes, des enfants et des vieillards, des combattants aussi que j'ai guidés jusqu'à la zone aryenne, attendant des heures dans l'eau boueuse que les camions arrivent pour les conduire jusqu'aux forêts proches de Varsovie. Les vieux, les blessés, marchaient courbés et parfois certains ne voulaient plus avancer, renonçant à la vie, enfonçant leur tête dans la fange, vomissant. J'en ai tiré, soulevé, porté jusqu'aux escaliers de fer. Puis je suis reparti, guidant des hommes chargés de munitions qui s'étonnaient de mon agilité, de ma connaissance du réseau. Nous sommes sortis dans le ghetto, au milieu de la fumée, des ruines, et j'ai précédé le groupe des combattants polonais jusqu'à la place Parysowski, champ dévasté. Les chars allemands arrivaient précédés par le tir de leurs mitrailleuses, nous nous sommes enfouis derrière les pans de mur, recouverts par les gravats, le plâtre. J'ai réussi à rejoindre la rue Mila, repéré par les Allemands alors que je sautais d'un immeuble à l'autre, retrouvant mon père qui, la barbe drue, grise, m'a embrassé.

— Vivant, Miétek, vivant.

Il me serrait.

— Ne meurs pas, toi. Ne meurs pas.

Des jours ont passé : les Allemands investissaient les ruines du ghetto, méthodiquement, fusillant, faisant sauter les bunkers, lançant des gaz dans les égouts, des explosifs dans ce qui n'était plus qu'un brasier. Dans les ruines, avançant au milieu des flammes, errant à la recherche d'un abri, je croise des femmes et des enfants, des hommes qui espèrent en vain des armes. Parfois je les guide par mes itinéraires, je contourne les incendies, j'emprunte des portions de toit encore en place. Souvent, je les abandonne après quelques conseils : que faire pour eux ? Je dois combattre.

Le 1ᵉʳ Mai, je rejoins des camarades dans l'un des bunkers, celui du 74 de la rue Leszno. Ils sont là, groupés sous le plafond bas, l'un d'entre eux parle dans l'atmosphère que je trouve lourde, irrespirable presque. Il célèbre le 1ᵉʳ Mai.

— Notre lutte, dit-il, aura sans doute une grande signification historique, pour le peuple juif mais aussi pour les mouvements de résistance qui, dans toute l'Europe, combattent les hitlériens.

Au milieu de ces hommes couverts de suie qui ne possèdent que quelques armes, qui vont mourir, je me sens sûr de notre victoire. Nous avons décidé d'attaquer les Allemands en plein jour, en l'honneur du 1ᵉʳ Mai. Je cours, de ruine en ruine, traversant des écrans de fumée, rampant dans les gravats, évitant les postes allemands. Le ghetto est un champ de pierres grises, de murs noircis, de rumeurs quand s'effondrent les murs. Rue Mila, mon père n'est pas là, il est parti vers le secteur des « brossiers ». Je ressors, je veux être près de lui. Partout, l'incendie fait rage, on entend les coups sourds des canons allemands, jamais les explosions n'ont été aussi nombreuses, les rafales éclatent, déchirant l'air. Les rues sont obscurcies par la fumée, les flammes s'échappent des fenêtres. Alors que je traverse en courant je vois un homme qui sans un cri, torse nu, les bras levés, se jette d'un quatrième étage. Par les ruines j'arrive au secteur des « brossiers » ; partant du bloc n° 6 de la rue Walowa, j'arrive du côté de la rue Swientojerska. On tire plus loin, vers la rue Franciskanzka : je sais que le bunker du 30 a décidé d'attaquer aussi pour le 1ᵉʳ Mai.

Puis il y a eu une série de rafales, j'ai enfoui ma tête dans le plâtre chaud ; des ordres en allemand, des cris, j'ai aperçu une dizaine d'hommes qui sortaient couverts de poussière, les bras levés et se dirigeaient vers des SS.

Je l'ai vu, père, la tête droite, les mains à la hauteur du front. Il avançait au milieu des autres, je l'ai vu et j'attendais un miracle, et j'aurais voulu plonger à nouveau ma tête dans le plâtre, pour ne pas voir. Mais il fallait voir, oser regarder sa mort en face, pour dire plus tard, en son nom, au nom de tous les miens.

Ils ont poussé un cri, et j'ai crié en même temps qu'eux, ils se sont jetés sur les SS, deux ou trois sont tombés, leurs masses couvertes de cuir et d'acier roulant dans la poussière, les rafales sont parties presque en même temps que le cri, plusieurs rafales, des ordres hurlés, des soldats qui se replient et des grenades qu'ils ont jetées, sur les corps, au milieu des corps, soulevant des nuages de poussière blanche. Puis le silence, au loin encore des explosions. Père était parmi les pierres du ghetto, une pierre de ghetto. Adieu père. Adieu ta barbe drue et grise contre ma joue, ta voix douce et forte, adieu tes mains sur mon épaule, adieu ta parole, adieu : tu ne verras pas la société juste et l'homme débarrassé de ses plaies, de sa boue. Ils ont eu raison de toi. Adieu, toi qui m'as fait homme. Adieu père.

Je suis resté immobile, pierre moi aussi, le regard fixé là-bas, vers cette zone grise où se détachaient des masses noires ici et là. Puis j'ai rampé, à reculons, m'enfonçant dans des trous, trouvant un bunker ouvert par une faille, comme une noix brisée, à l'intérieur duquel grouillaient les rats sur des cadavres, j'ai rampé, moins par nécessité que pour coller à cette terre, ma terre, qui avait pris les miens. J'étais seul. Mère, père, mes frères, Julek Feld, autour de moi s'étendait le désert pareil à ce ghetto, mais j'en ai fait le serment dans ces ruines, le visage contre ces pierres brûlantes, chaque matin autant que durerait ma vie, les miens, tous les miens, ma famille et tous ceux de Treblinka et de Zambrow et de Bialystok, mon peuple, vous tous, ceux d'ici, chaque matin, tant qu'il me resterait la force de penser, je vous ferai revivre pour moi, avec le début du jour, chaque matin pour que vous soyez en moi, partageant ma vie. J'en ai fait le serment au milieu des ruines.

J'ai rejoint la rue Mila, le bunker. J'ai chanté avec les autres le chant du ghetto *Es brent*, puis je me suis glissé à nouveau parmi les ruines. Maintenant le ghetto tout entier brûle. Un immeuble, au 7 de la rue Mila, est à peu près le seul à être demeuré intact. Des groupes y arrivent à chaque instant, des combattants, des femmes, des enfants. Les vivres, l'eau, les munitions manquent, certains pensent à s'enfuir par les égouts mais les Allemands ont découvert les principaux réseaux : ils lancent des gaz, cimentent les sorties, placent des grenades qui explosent au moindre contact.

Je la sens, cette tombe qui se referme : voilà plus de deux semaines qu'avec nos mains presque nues nous la tenons entrouverte, deux semaines que nous crions au monde qu'on achève d'assassiner un peuple. En vain. Quelques assauts de partisans à la périphérie du ghetto, quelques hommes courageux venus mourir ici avec nous, mais aussi des badauds qui, aux lisières du ghetto, contemplent l'incendie, comptent les coups que tirent les batteries allemandes, suivent des yeux les corps qui se lancent dans les flammes.

Maintenant, la tombe va se refermer; ce n'est plus qu'une question d'heures.

J'ai combattu encore, autour des bunkers de la rue Kupiecka, rencontrant des camarades qui ont réussi à fuir le bunker de la rue Smocza. Les Allemands emploient les gaz, le feu, les grenades. Personne ne se rend. Les uns se suicident, les autres se font tuer sur place. Partout les munitions font défaut : au bunker de la rue Leszno, il ne reste que quelques bouteilles d'acide sulfurique. Faut-il mourir ici avec les autres ou tenter de combattre ailleurs encore? Rue Leszno, ils étaient prêts à quitter le ghetto pour essayer de rejoindre la forêt et lutter là-bas, mais ils n'en ont pas eu le temps, les Allemands les ont massacrés. Rue Zamenhofa, j'ai lancé d'un balcon mes deux dernières grenades sur une patrouille, puis j'ai réussi par les cours et les caves à gagner le bunker de Mila 18. On y étouffe, il y a là près d'une centaine de combattants. Je ne veux pas mourir ici, je veux le ciel du ghetto, je veux voir qui me tuera.

Je suis sorti, traversant la rue d'un bond, me retrouvant chez moi à Mila 23 et brusquement, comme je grimpais par les escaliers en ruine vers les étages, j'ai entendu les voitures, les ordres, leurs cris. Ils sont là, autour de Mila 18 que je viens de quitter, des dizaines de SS, des véhicules blindés. J'entends leurs appels : ils donnent l'ordre de sortir, de se rendre. Peut-être mes camarades vont-ils tenter une contre-attaque. Silence. Alors, les explosions, la fumée des gaz, puis le silence et les détonations sèches, isolées. Ils doivent se suicider. Je me suis allongé parmi les gravats, écoutant sans comprendre les voix des bourreaux, sentant l'odeur forte des gaz.

Adieu Mordekhai Anielewicz, adieu mes camarades, adieu hommes parmi les hommes.

Je suis resté couché ainsi jusqu'à la nuit, à demi enfoui dans le plâtre, le ciment, les pierres. Je ne pensais pas, j'étais un morceau du ghetto ni vivant ni mort. A la nuit, j'ai commencé à ramper : j'ai rencontré des silhouettes qui ressemblaient à celles d'hommes, les vêtements déchirés, couverts de boue, ils cherchent une bougie, un abri, de la nourriture. Ils ne sont même plus des survivants. Je rampe en direction de la place Muranowski, au bout de la rue Mila. Là, près de la place, à partir d'une cave, on peut atteindre les égouts par un tunnel.

Dans les gravats, j'ai cherché mon chemin, glissant sur les coudes vers cette cave, trouvant l'issue qui mène à l'égout. Je suis seul dans le conduit étroit qui sent le gaz, l'eau sale. J'ai marché courbé en deux, à la lumière d'une bougie. J'ai évité des grenades suspendues à des fils de fer, près des sorties : va, Miétek, va, tu as connu pire, Pawiak, Treblinka, les fosses. Va, maintenant tu sais que les hommes vont vaincre puisque enfin, dans ce ghetto trop longtemps silencieux, a retenti le cri de guerre. Va, survis.

J'ai marché, je connaissais mal ce trajet ne l'ayant que peu emprunté parce qu'il s'agissait de conduits secondaires mais qui aujourd'hui étaient les seuls libres. J'ai marché sous la rue Przebieg. Quand j'ai rencontré la première issue sans grenade, je me suis accroché à l'échelle de fer. L'eau et les excréments coulaient le long de mes jambes, j'étais exténué, en sueur. J'avais soif, faim à en vomir. Je me suis essuyé comme j'ai pu, mettant de l'ordre dans mes cheveux, puis avec ma nuque j'ai soulevé la plaque de fonte. Dehors, la nuit, des explosions, des coups de feu, des lueurs à quelques centaines de mètres. Il fallait jouer, prendre le risque : je suis sorti, me mettant à plat ventre sur la chaussée. Autour de moi, et au fond sous les hangars, les tramways arrêtés : j'étais dans un entrepôt de tramways, à l'abri des regards, la chance. J'ai refermé la plaque. Là-bas, on se battait toujours mais je voulais survivre pour vaincre et là-bas, maintenant, c'était la fin. La lutte devait se continuer ailleurs. La mort n'avait pas voulu de moi, je n'avais rien fait pour la fuir, mais je ne voulais pas aller à sa rencontre.

J'ai regardé les lueurs au-dessus du ghetto, j'ai écouté les coups de feu. Adieu père, adieu camarades, adieu ghetto.

J'ai sauté le mur de l'entrepôt, la Varsovie aryenne était calme dès lors qu'on s'éloignait du ghetto; le black-out régnait mais je connaissais la ville et l'obscurité était mon alliée. J'ai évité des patrouilles, des groupes suspects, je me suis caché dans l'entrée d'une cave. Puis j'ai traversé la Vistule, gagné le quartier de Praga. En me postant de l'autre côté de la rue j'ai surveillé l'immeuble de Mokotow-la-Tombe. Tout était silencieux, désert, dans cette aube fraîche et légère. J'ai grimpé les étages en courant, frappé à peine, un seul coup. La porte s'est immédiatement ouverte. Je suis tombé contre Mokotow.

— Je t'attendais chaque nuit, a-t-il dit.

J'ai pris ses mains.

— Mokotow, ils ne m'ont pas eu parce que je veux encore me battre, venger les miens. Tous les miens.

— Je sais. Tu es têtu, Miétek.

J'ai gardé ses mains dans les miennes. C'est fort, c'est bon, un homme vivant.

DEUXIÈME PARTIE

LA VENGEANCE

8

Salut à toi, camarade

ILS se battent encore. Mokotow, chaque jour, va rôder non loin du ghetto et quand il rentre, le soir, je devine ses hésitations. Il voudrait me dire les coups de feu, l'éclatement des grenades, les camions chargés de soldats, les fumées. Mais il craint que je ne veuille retourner là-bas, avec les derniers combattants, les hommes des décombres qu'il va falloir tuer, un à un je le sais car ils ne se rendront pas. Mokotow a tort de s'inquiéter : pour moi le front est ailleurs maintenant. J'ai aidé avec mes camarades à élever ce monument, fait des corps de nos frères et qui se dresse au cœur de notre ghetto. Mon père est là-bas, pierre parmi les pierres. Moi, depuis sa mort, je ne veux plus seulement me battre, je l'ai fait, nous l'avons fait, je ne veux plus seulement vivre, je suis en vie, je veux vaincre. Vaincre, et les bourreaux sont mortels. Je les ai vus fuir, devenir eux aussi ces morts qui se vident de leur sang. Vaincre : c'est pour cela que je ne retournerai pas là-bas.

Je reprends des forces terré chez Mokotow-la-Tombe. Je mange, je bois, je dors. J'ai de l'argent plus qu'il n'en faut : il vient du ghetto. Marie, un soir, a murmuré :

— Tu pourrais, quelque part, attendre, dans une petite ville. Les Allemands partiront un jour et avec ton argent tu pourrais, tu as fait ta part, tu...

Elle osait à peine parler, mais il est des mots qu'on croit avoir le devoir de prononcer. Elle voulait continuer mais Mokotow a eu une telle expression de mépris, plissant ses joues, comme s'il allait cracher :

— Les femmes se taisent, a-t-il dit, elles la ferment.

Marie a éclaté en sanglots, cachant ses yeux dans les mains, honteuse d'avoir parlé. J'ai dû lui raconter Rivka, Sonia, ma mère, ces deux petites filles aussi, que des camarades avaient vu sortir de sous un monceau de cadavres, près d'un mur du ghetto, se tenant par la main, ces petites filles couvertes de sang, échappées par miracle à l'exécution et dont l'une répétait : « Ma petite maman est morte et les Allemands ont emmené mon papa, je ne veux plus vivre, je ne veux plus vivre. » Pouvait-on demeurer inactif après cela, pouvait-on attendre avec la seule volonté de conserver sa précieuse peau? Et que vaudrait-elle alors, à ses propres yeux, une vie préservée au prix de la lâcheté?

— Je sais, je sais, tu as raison Miétek.

J'ai pris Marie contre moi, elle a passé ses bras autour de mon cou, toute secouée de sanglots.

— Je ne voudrais pas que tu meures, Miétek, tu ne dois pas.

— Ne t'inquiète pas, ils ont laissé passer le moment. Maintenant, ils ne m'auront plus.

De cela, j'étais sûr, sûr aussi que j'allais arriver au bout comme si tout ce que j'avais vécu jusqu'alors avait été une longue montée, pleine d'obstacles, et que j'étais enfin parvenu au sommet : je voyais leur défaite, notre victoire et notre vengeance.

Le 16 mai, Mokotow m'a conduit dans la vieille ville, auprès de ses camarades de l'*Arma Ludowa*. J'ai raconté nos combats, Treblinka encore, Zambrow, l'attitude de certains paysans, de certains des combattants de l'*Arma Krajowa*.

— Nous referons une autre Pologne, répétait Witold, le chef du groupe.

— Je veux me battre, comme juif, ai-je dit. Juif et polonais.

Ils en étaient d'accord mais je devais attendre encore quelques jours, le temps qu'ils obtiennent de faux papiers. J'avais de l'argent : j'ai payé pour que tout aille vite. Comme nous rentrions avec Mokotow à Praga, une explosion qui venait du ghetto a fait trembler les vitres autour de nous; elle a été suivie de deux autres, moins fortes. Dans la rue les passants s'arrêtaient, regardaient en l'air, échangeaient quelques mots puis se remettaient à marcher dans leur vie toute droite. Le lendemain, nous avons appris que les Allemands avaient fait sauter la grande synagogue Tlomackie. Ils voulaient tuer aussi les pierres. Mais ils n'y parviendraient pas : nos vies avaient la résistance de la pierre et nos pierres l'éternité de la vie.

Quelques jours plus tard, Mokotow m'a rapporté, triomphant, deux passeports : l'un polonais au nom de Zamojski, l'autre *Volksdeutscher* au nom de Krause.

— Je vais recommencer à jouer, ai-je dit, comme autrefois.

Je devais me rendre à Lublin, dans une rue du Srodmiescie, le quartier du centre, et de là on me dirigerait vers les partisans qui tenaient la forêt. Enfin, j'allais combattre à visage découvert. Mokotow m'a accompagné jusqu'au train : ils étaient rares, remplis de paysans qui rentraient, de réfugiés qui quittaient Varsovie pour la campagne. On arrivait à peine à fermer la porte des wagons. Mokotow a attendu le dernier moment. Nous nous sommes embrassés à deux reprises. Qui pouvait dire si nos vies allaient encore se croiser?

— Fais-leur payer cher, Miétek, m'a-t-il dit.

— Ce sera grâce à toi.

Il a haussé les épaules.

— Marie et moi on t'aimait bien. Elle surtout.

Il s'est mis à rire.

— Tu connais les femmes. Adieu Miétek.

Et il m'a tourné le dos. J'ai sauté, restant sur le marche-pied, regardant défiler les dernières maisons de Varsovie.

Il y a eu des arrêts, des manœuvres pour éviter des ponts coupés, laisser passer des convois de matériel et de troupes qui allaient vers l'est, des contrôles : aux policiers polonais, j'ai présenté mon passeport de *Volksdeutscher*; aux gendarmes allemands, mon passeport polonais. Je regardais les uns avec morgue, pour les autres j'avais les yeux naïfs et humbles d'un jeune homme de la race inférieure. J'ai atteint Lublin. Le matin se levait à peine et la ville était couverte d'un léger brouillard bleuté; j'ai marché dans la vieille ville, bu avec des paysans, attendu la nuit, trouvé, près de la cathédrale, la maison basse où l'on m'attendait. Je me souviens de ce couple de vieux Polonais, la femme aux cheveux blancs, droite et maigre, l'homme au contraire courbé mais les mâchoires serrées, énergique. Tard, à la lumière d'une bougie, ils m'ont fait parler.

— Il faudra être sans pitié pour les hitlériens. Les hitlériens, pas les Allemands, répétait l'homme.

La vieille femme m'avait préparé un lit sur un divan, dans une petite pièce.

— Notre fils couchait là, a-t-elle dit. Les Allemands l'ont pris, en septembre, quand ils sont entrés ici. Il y a déjà longtemps, en 1939, et pourtant c'est hier pour moi.

Je l'ai embrassée, j'avais envie de lui parler, de l'appeler mère, de lui dire que je haïssais cette guerre, cette folie qui nous laissait, elle, moi, des millions partout, séparés pour toujours. Quel saccage, quelle barbarie! Je suis parti dès le matin, guidé par ce vieil homme au visage volontaire. Il m'a quitté près des faubourgs, me montrant un paysan qui attendait appuyé à son chariot. J'avais un mot de passe : le paysan m'a jaugé d'un regard.

— Monte, a-t-il dit.

La campagne autour de nous était belle, verte, parsemée de taches jaunes. De temps à autre le chariot s'enfonçait dans des fondrières pleines d'eau boueuse et je descendais pour pousser de l'épaule. L'effort physique me faisait du bien, l'espace, les arbres qu'on apercevait devant nous serrés comme un peuple fraternel, la brise douce, tout me donnait de la joie. Nous sommes entrés dans la forêt, nous avons roulé encore. Puis le paysan s'est arrêté, a imité le hululement de la chouette. Un autre cri a répondu.

— Descends, marche tout droit. Ils sont là.

Il a fait faire demi-tour à son chariot, et j'ai avancé sous les grands arbres dans l'obscurité fraîche de la forêt. Je ne les ai pas entendus venir : tout à coup, derrière moi, une voix joyeuse a lancé :

— Salut à toi, camarade.

J'étais avec les partisans.

Ils étaient trois aux allures de paysans avec leurs grosses vestes, leurs casquettes, leurs corps et leurs visages lourds d'hommes de la terre. Nous avons marché en file indienne, un jour entier, évitant les marécages, les routes, les villages, nous enfonçant dans la forêt. Parfois Sacha, le plus jeune, aux cheveux blonds qui jaillissaient de sa casquette, accrochait à ses chaussures les fers courbés qu'il portait à sa ceinture. Il grimpait alors le long des troncs énormes, difficiles à saisir, lisses jusqu'à deux ou trois mètres au-dessus du sol et qui s'élevaient parfois jusqu'à plusieurs dizaines de mètres. Sacha se perdait dans les branches puis, au bout de quelques minutes, ils réapparaissait les mains pleines de résine, et suivant ses renseignements nous foncions vers la route proche et libre, la traversant d'un bond, entrant dans une autre forêt.

A la nuit nous avons atteint les bois de Janow. Nous nous sommes arrêtés dans l'obscurité, il venait de pleuvoir et de temps à autre le vent faisait tomber des gouttes; on entendait le bruit proche d'un ruisseau. L'un d'eux a lancé un cri; tout près un cri semblable a jailli, puis l'éclair d'une lanterne. Nous avons recommencé à marcher et tout à coup nous avons débouché dans une clairière avec des huttes, un immense feu, des hommes qui chantaient, toute une vie brusquement surgie dans la forêt. On m'a accueilli par des bourrades amicales et des dizaines de questions à propos de Varsovie, du ghetto. Les partisans juifs n'en finissaient pas de m'interroger, se maudissant de ne pas avoir été là-bas, avec les leurs.

— Frères, l'essentiel est de se battre.

J'ai longtemps parlé avec Gustav Alef que nous appelions Bolek, un Juif de Lomza, une ville de la région de Zambrow. Penché vers la terre, accroupi près du feu, il ne me regardait pas, raclant le sol avec une branche. Il voulait tout savoir du camp de Zambrow où les siens avaient été internés. Quand j'ai essayé de lui laisser un espoir il a secoué la tête :

— J'espère qu'ils n'ont pas trop souffert, répétait-il.

L'espoir, ce n'était que cela, une souffrance brève pour les siens. Nous sommes restés silencieux autour du feu, les autres chantaient, se tenant par l'épaule; ils plaçaient sous les braises des pommes de terre qu'ils faisaient rouler jusqu'à eux avec une branche, les faisant sauter dans leurs mains en se brûlant.

Ils m'en ont lancé; puis quelqu'un est venu avec un accordéon et les chansons ont commencé. Bolek s'est mis à chanter près de moi et j'ai repris le refrain. La nuit était pleine, fraîche, les arbres nous entourant comme les murs d'une forteresse. Nous chantions et la vie explosait dans notre chant : dans ma poitrine, le chant, ces voix, ma voix, montaient comme une sève joyeuse. Des partisans ont apporté un énorme récipient de métal recouvert d'une croûte noire à force d'avoir été au feu, rempli de pommes de terre et de morceaux de lard qui composaient une sorte de ragoût dans lequel nous plongions nos cuillères de bois, assis en rond, nos visages rouges à force d'être près du foyer. Puis une bouteille de *Bimber*, la rude vodka des paysans, a circulé. Il y avait des cris quand quelqu'un la gardait trop longtemps.

— C'est la fête, pour Miétek.

Des Russes, prisonniers évadés devenus partisans, se sont mis à danser cependant que nous claquions des mains en cadence. Je riais quand l'un d'eux, emporté par son élan, culbutait puis repartait, plus endiablé encore. Je riais, je riais, je frappais dans mes mains, je chantais, moi Miétek. Et cela faisait des mois, des siècles que j'avais oublié que la vie c'est aussi la joie. J'avais oublié aussi le silence d'une forêt, le froissement des feuilles quand un oiseau s'envole, son chant, le bruit du vent. Dans la tête je n'avais que le ronflement des incendies, les explosions des grenades, la rumeur des murs qui s'écroulent, les cris, les hurlements des bourreaux et le moteur de l'excavatrice, toujours là, en moi. Je devais me réhabituer aux chants des hommes, à leur santé, aux arbres frères de ceux des forêts de Zambrow et de l'immense Puszcza Bialowieska. Mais ici, je n'étais plus seul, en fuite, j'avais des camarades.

— Miétek, on ne fait pas de différences. Tous polonais, tous partisans, tous camarades.

Gregor Korczynski était assis dans sa hutte, il parlait lentement comme on calme un animal nerveux, rétif. C'était le chef du groupe *Taddeus Kosciuszko*, une unité de plus de 400 hommes.

— Je veux me battre, me venger.

256

La vengeance

« Nos vies avaient la résistance de la pierre et nos pierres l'éternité de la vie. » Martin Gray a survécu à la destruction du ghetto. Il va devenir cet officier soviétique, qui entre à Berlin à la fin du mois d'avril 1945 et qui sera décoré des ordres les plus prestigieux de l'Armée rouge. Il n'a pas vingt ans. (*De gauche à droite*, l'ordre de l'étoile rouge, l'ordre de la guerre patriotique, l'ordre Alexandre Nevski.)

Un nouveau monde

Hier officier soviétique,
voici Martin Gray serveur
animateur dans un hôtel de la région de New York.
« A la fin d'une saison, les serveurs,
pour la plupart des étudiants, ont monté une revue
pour les clients;
j'y jouais, tenant mon propre rôle, Mendle. »
Martin Gray est entre les deux jeunes filles.
(Photo Norman Ragan)

Le bonheur

« Dina était devant moi,
la vie, elle souriait.
« Je me suis installée, » a-t-elle dit.
Je suis entré, il y avait une odeur douce.
J'avais cessé d'être seul. »

« J'ai commencé un long jeûne...
Je renaissais,
je quittais la gangue et la mort. »

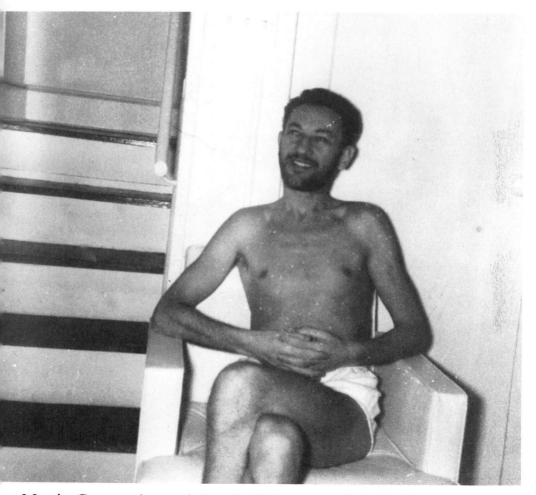

Martin Gray après son jeûne de 38 jours a maigri de dix-sept kilos.

« Notre Forteresse ».
Le domaine des Barons,
au-dessus de Cannes,
dans le massif du Tanneron
« Ici, disait Dina,
c'est l'art qui règne.
Ce doit être noble, grand
comme un château,
une église.
Là, nous écouterons
les géants. »
(Photo D.D. Duncan)

Je ne connaissais que ces deux mots, ils étaient les rails sur lesquels glissait ma vie, je survivais par eux, pour eux.

— Tu te battras Miétek, tu te battras. Tous nous voulons nous battre.

Gregor ne mentait pas. Autour du feu, dans les forêts, j'ai appris à connaître les partisans, j'ai rencontré des Juifs, des Polonais, des Russes évadés, des Français, des Tchèques, tout un peuple, une Pologne des forêts et de l'ombre, la Pologne et l'Europe de la vengeance. Les Juifs étaient des survivants du ghetto, les yeux remplis d'horreur; les Russes avaient vu mourir sous les coups, par la faim, des dizaines de milliers de leurs camarades, les Polonais racontaient les villages brûlés, les otages exécutés, ces hommes et ces femmes abattus sur une place publique, devant la foule muette et que les Allemands avaient laissé là, contre un mur. Les témoins s'étaient avancés et avaient découvert des hommes et des femmes aux visages marqués par la torture, la bouche pleine de plâtre durci : les victimes ne pousseraient pas avant de mourir un dernier cri de révolte. Mieczylaw Moczar qui arrivait de Varsovie après avoir parcouru le pays, parlait d'une voix sourde : les bourreaux voulaient détruire un peuple; « ils n'y réussiraient pas », disait-il. J'ai serré le poing : tous nous voulions nous battre, nous étions la Pologne de la vengeance, nous peuplions les forêts, celle de Parczew et celle de Chelm, celle de Borow et celle de Lubartow. Là, dans les clairières, au hasard de nos marches, j'ai rencontré des hommes : Kot, Kruk, Kolka, Slavinski-le-Typhus, Franek, Ianek-le-Long. J'ai bu, j'ai chanté avec eux. Je me suis battu avec les hommes du groupe *Mickiewicz* que commandait Jan Holod que nous appelions Kirpiczny.

— Tu te bats bien, Miétek, disait Moczar.

Il m'envoyait en reconnaissance et le soir nous buvions ensemble.

— Les deux Miétek se battent à la vodka, criait Bolek.

A la vodka aussi je me battais bien.

Souvent Gregor nous rassemblait et se mettait à parler. Il marchait autour de nous, dans la lumière chaude du feu :

— Camarades, les hitlériens, les fascistes...

Tout était simple. J'écoutais : l'U. R. S. S. était notre grande alliée, Hitler était le capitalisme, bientôt surgirait la Pologne socialiste et nous étions son Armée rouge. J'écoutais. Il me semblait retrouver les échos des propos de Julek Feld, les espoirs de mon père, je croyais comprendre les raisons des injustices criantes du ghetto. J'étais avec les pauvres, les morts de faim, les mendiants, les victimes. J'écoutais mais je n'avais guère le temps de penser. Je voulais d'abord me battre, vaincre. Après, plus tard, viendrait la réflexion.

Gregor, Moczar, Slavinski-le-Typhus qui parlait de la guerre d'Espagne, et qui n'en finissait pas d'évoquer Marseille avec Maurice-le-Français un prisonnier évadé, Typhus pour qui Varsovie ne valait pas Barcelone; Theodor Albert, l'officier soviétique, un autre évadé, tous ils se battaient bien. J'avais confiance en eux. Comme moi ils voulaient écraser les bourreaux. Pour cela, j'étais avec eux.

Parfois nous traversions le Bug, nous marchions vers l'est, les forêts succédaient aux forêts, hier c'était la Pologne, aujourd'hui la Russie, hier les Allemands, aujourd'hui les *Banderowcy* ukrainiens, pillards au service des bourreaux et qui nous guettaient. Le pays, les hommes changeaient mais c'était toujours la forêt. Je marchais, m'enfonçant souvent dans les marais, traversant les villages la nuit, dormant le jour, portant le courrier du général Alexis Feodorovitch Feodorov qui commandait les partisans soviétiques de Biélorussie. Le camp des Russes était immense, des officiers en uniforme discouraient au milieu des jeunes partisans attentifs. Pour la première fois, j'ai vu un avion atterrir sur une piste de fortune. Les Russes étaient des partisans riches, nous, nous étions les pauvres, guettant les parachutages qui ne venaient pas. Nos feux mouraient dans la clairière. L'aube apparaissait. Je regardais encore le ciel vide.

Une nuit, enfin, nous avons entendu son moteur solitaire et nous avons jeté de l'essence sur les neuf feux qui formaient la lettre M. Ils ont bondi en grandes flammes bleues : l'avion a tourné au ras des arbres, lâchant ses parachutes, deux envoyés de Moscou, un Tchèque et une Allemande qui rejoignaient Varsovie, et surtout des armes, des *Pepecha*, les mitraillettes à chargeur rond que j'avais vues chez les partisans du général Feodorovitch Feodorov.

LA VENGEANCE

Moczar, le matin, dans la clairière, nous a fait aligner. Les mitraillettes étaient là dans les caisses ouvertes. Moczar s'arrêtait devant chacun de nous, prenait une *Pepecha* et nous la tendait. Il est venu devant moi, m'a cligné de l'œil :

— Tiens, Miétek, tu en feras bon usage.

J'ai saisi la mitraillette, son acier froid remplissait mes mains comme un outil solide et vengeur.

Alors, nous sommes sortis de nos forêts. Je suis parti en reconnaissance. Je parlais le polonais, l'allemand, j'avais mes faux papiers. Je pénétrais dans les villages, je parlais aux paysans, je repérais les postes allemands, je côtoyais les soldats dans les rues, ces soldats que j'allais viser quelques heures plus tard. Dans un village, l'un d'eux, un type immense, souriant, poli, m'a saisi par le bras :

— Œufs, œufs, répétait-il.

Il imitait en riant une poule. Je le regardais en secouant la tête : ce bourreau ressemblait à un homme. Je suis rentré dans la forêt : la guerre était barbare. Ce soldat tuerait et serait tué. C'était la loi. Moczar écoutait mes renseignements :

— Miétek, tu as une mémoire d'acier, disait-il.

Nous repartions à quelques-uns. J'avais appris à grimper aux arbres : nous surveillions la route qui part de Wlodawa vers Sosnowiets. Les camions allemands soulevaient des nuages de poussière : nous laissions passer les convois. Quand j'apercevais une voiture isolée, je poussais un cri et je dévalais en hâte. Nous tirions un tronc d'arbre sur la route. La voiture arrivait, la *Pepecha* devenait brûlante, les corps tombaient. Parfois, je m'élançais pour poursuivre un fuyard. Il ne fallait laisser aucune trace pour ne pas permettre aux Allemands de repérer nos bandes. Avec des branches, je balayais la route de son sang, nous poussions en criant le camion dans la forêt, nous jetions les corps dépouillés dans les marécages. Moins d'une heure après une embuscade, la route avait repris son aspect tranquille, serpentant entre les arbres comme si la terre et la forêt s'étaient brusquement ouvertes sous les bourreaux, se refermant aussitôt.

J'étais volontaire pour toutes ces actions : chaque matin, de longues minutes, je faisais revivre les miens, je revoyais leurs visages, là-bas sur ce quai de Treblinka, là-bas dans le secteur des « brossiers », rue Swientojerska, quand mon père s'était élancé. Chaque matin, dans la hutte, alors que la forêt était encore écrasée par l'humidité, je vivais dans mon passé, avec les miens. J'avais une lourde dette à réclamer aux bourreaux.

— Miétek, tu es précieux, répétait Moczar.

Il essayait de m'écarter des actions secondaires :

— Je préfère te garder comme courrier, disait-il.

Mais j'insistais. Je voulais ma place près des combattants. Alors Moczar haussait les épaules.

— Va et reviens vivant. J'ai besoin de toi.

— Pourquoi mourir? Je veux aller à Berlin.

— Fou, Miétek, fou.

J'ai été de tous les coups de main, j'ai saboté la voie ferrée Wlodawa-Chelm. Quand l'explosif était posé, les autres se retiraient à couvert : je restais là malgré leur sifflet, je voulais voir sauter les rails, le pont, le train, voir ma vengeance et la victoire prendre vie. J'ai appris à abattre en quelques coups de hache les poteaux télégraphiques : le fer rentrait dans le bois, ma hache frappait dans le cœur de la plaie que j'avais ouverte. Va, Miétek, va : souviens-toi d'Ivan au bord des fosses, souviens-toi de sa matraque, et le poteau s'écrasait entraînant avec lui les fils. Je courais à un autre poteau, je frappais jusqu'à en avoir les bras rompus, je frappais encore au-delà de la fatigue.

J'ai parcouru les villages, distribuant des tracts, les journaux que Bolek rédigeait, invitant les paysans à ne pas livrer du lait ou du blé aux Allemands; j'ai fait sauter les laiteries à l'explosif, les Allemands ne pourraient plus obtenir de beurre, qu'ils se noient dans le lait s'ils voulaient; j'ai incendié des scieries. J'ai rejoint les hommes de Janusz, un fils de bûcheron qui commandait une centaine d'hommes dans les forêts autour de Lubartow et d'Ostrow. Les Allemands étaient partout, occupant les plus petits villages : je voulais être là, parmi eux, pour les frapper à coup sûr. Avec deux ou trois hommes, la nuit, nous avons rampé jusqu'aux villages, attaqué les postes allemands, terrorisé les percepteurs polonais, fait fuir les policiers. Des régions entières, couvertes de forêts, passaient entre nos mains.

LA VENGEANCE

Alors j'ai demandé à me rendre dans les villes. J'ai retrouvé l'ennemi marchant paisiblement dans les rues, les *Kommandantur* avec les voitures arrêtées, les sentinelles. Mais je n'étais plus Miétek le traqué, Miétek valet d'un paysan, dénoncé par le maire voleur et mouchard de Zaremby, le maire qui avait tendu ses doigts épais vers moi me désignant aux gendarmes allemands. J'étais Miétek le partisan, épiant les traîtres, organisant leurs châtiments. J'ai en plein jour avec un camarade, tous deux revêtus d'un uniforme allemand, frappé à la porte d'un homme qui avait dénoncé un groupe de partisans et nous l'avons tué d'un coup de poignard nous enfuyant puis traversant la ville tranquillement. J'étais Miétek le vengeur. Je repérais les lieux, le terrain, les hommes, j'enregistrais les détails, je rendais compte comme une carte.

J'avais connu le ghetto et ses géographies, les rues, les toits, les égouts : maintenant, la forêt était pour moi ouverte, je devinais les villages, la présence des Allemands, l'attitude d'un paysan. Je partais seul, ayant appris par cœur un message codé dont je ne comprenais pas le sens, j'allais d'une forêt à l'autre, d'un chef de groupe à l'autre. Je savais moi aussi pousser les cris des oiseaux, me faire reconnaître par les sentinelles : j'étais le courrier. Je répétais mon message, je dormais, puis je repartais au milieu des arbres familiers, traversant les routes d'un bond. Je dormais dans les granges; quand le froid est venu je me suis enfoui dans le foin, descendant profondément, me recouvrant de cette moisson tiède. Parfois j'entrais dans les maisons des paysans, m'asseyant pour me réchauffer sur l'un des bancs qui entourent le haut poêle de terre argileuse, mais j'ai rarement accepté de dormir sur le poêle comme certains le faisaient. J'avais d'abord confiance en ma prudence : je voulais vivre et voir la victoire. Je préférais avoir froid.

Un jour, Moczar et Janusz m'ont appelé. Moczar était enveloppé d'une grosse couverture. Janusz, lui, ne connaissait pas le froid, c'était un homme de la forêt.

— Tu connais Treblinka, Miétek, explique-nous.

J'ai parlé toute une nuit, j'aurais pu parler des siècles durant.

— Au sud de Lublin, a dit Moczar, il y a Majdanek.

C'était un autre Treblinka avec une *fabrique,* des fosses.

— Peut-être, peut-être, Miétek, pourrons-nous l'attaquer.

J'ai rêvé au châtiment des bourreaux, à l'assaut, aux prisonniers qui viendraient vers moi, à leurs visages débarrassés de la peur. J'ai rêvé. Quelques temps plus tard nous avons trouvé le corps de Janusz, mutilé, les oreilles coupées. Janusz victime des NSZ, les *Nesezowcy,* ces miliciens qui luttaient contre nous, « les bandits », pour une autre Pologne et livraient les Juifs aux bourreaux en échange de cinq kilos de sucre par tête. Ils étaient impitoyables, fanatiques; pour eux nous étions des « rouges », des « Russes ». Eux seuls sauveraient la Pologne « catholique et éternelle ».

Nous avons creusé la fosse de Janusz dans la terre noire, tous autour de Janusz, notre camarade. Puis nous sommes restés là, devant cette terre remuée, écoutant Moczar, Gregor, ceux qui l'avaient connu.

— Il nous faut quelqu'un chez les NSZ, a dit Moczar.

J'étais le camarade de Janusz qui avait voulu attaquer Majdanek. J'étais le frère de ces Juifs pourchassés dans les villages par les hommes du NSZ. J'aimais lutter la mitraillette à la main avec la force que donnent les autres quand ils vous rassurent d'un geste, qu'ils lancent un coup le sifflet ; avec Bolek qui près de moi chantonnait en attendant l'arrivée du camion allemand. J'aimais ne pas être seul. Mais je n'étais pas dans la forêt pour faire le travail que je préférais. J'ai abandonné ma *Pepecha* à l'acier rassurant, j'ai laissé mes camarades et je suis parti sur la route, mon passeport polonais en poche, combattant solitaire envoyé chez l'ennemi.

J'ai recommencé à demander du travail aux paysans, je suis entré dans la souricière, l'un de ces villages que les NSZ tenaient, autour desquels ils montaient la garde pour se protéger de nos attaques. Je les voyais, les grenades à manche de bois passées dans la ceinture, leurs bonnets de fourrure enfoncés, ils me regardaient arriver. Ils étaient deux, je les ai salués de la main et ils m'ont laissé passer. J'étais seul, sans armes, que risquaient-ils? Je suis allé directement à l'église, expliquant au prêtre ma fuite d'un camp de travail en Allemagne, pourquoi je voulais vivre à la campagne. Le prêtre, silencieux, m'a écouté, donné le nom d'un paysan et j'ai retrouvé les longues journées que j'avais connues déjà, avant l'insurrection du ghetto, à Zaremby. J'ai remué le foin, nettoyé l'étable, et le soir je parlais, répétant que j'avais envie de me battre. Le paysan, les mains croisées, hochait la tête. Puis un soir il m'a lancé :

— Le commandant Zemba a peut-être besoin de toi. Vas-y de ma part.

Au bout du village, dans une maison de paysans, le commandant Zemba siégeait, une mitraillette et des grenades sur la table, un crucifix d'argent pendu au mur. Il me dévisageait. Je connaissais ces yeux blancs, ce sourire qui ne touche que les lèvres, cette voix ironique : Zemba était une bête à visage d'homme. Il m'interrogeait, feuilletant mon passeport avec ses doigts de paysan couverts de bagues, puis il m'a fait boire, mais ma tête restait claire.

— Si tu veux te battre, viens demain, a-t-il dit.

Le matin, nous sommes partis à une vingtaine vers un village coupable d'avoir aidé les partisans. Je suis resté avec quelques autres en bordure de la route, à faire le guet : j'entendais les cris des femmes, les détonations. J'ai vu les paysans s'enfuir dans la forêt, certains couchés par l'explosion d'une grenade. Puis nous avons regagné notre base et le soir j'ai participé à la beuverie. J'ai bu à m'en donner la nausée et j'ai vomi. Ce n'était pas que l'alcool : la guerre était sale, je pensais à mes marches en forêt avec Bolek sifflant nos chansons juives. Et j'étais là, parmi ces bandits à rire avec eux. Mon calvaire a duré quelques semaines. La nuit, je me glissais hors du village jusqu'à la forêt : un camarade m'attendait. Je donnais les noms des NSZ, je situais les villages qui leur étaient fidèles, les paysans qui les aidaient; à deux ou trois reprises j'ai réussi à annoncer une de leurs actions et quand nous nous sommes approchés du village que Zemba voulait attaquer et piller, les partisans étaient là, nous forçant à fuir. Je jurais avec les autres, je buvais avec les autres, je donnais le change. Pourtant, peu à peu, j'ai senti monter les soupçons. Zemba m'a fait appeler, recommençant un interrogatoire qui voulait être amical, anodin, familier, m'invitant à parler de mes parents, des raisons pour lesquelles j'étais là, dans ce village. Ses yeux blancs ne me quittaient pas. Ses mains baguées jouaient avec un poignard. Je pensais à Pawiak, à la Gestapo, Allée Szucha, je n'allais pas avoir peur.

— Tu sais, disait-il, je me réserve toujours les espions. Les yeux, les oreilles, couic! Nous en avons crucifiés. Les arbres ne manquent pas. Une croix est vite faite.

J'ai ri, j'ai bu avec lui, mais j'ai gardé une grenade dans ma botte. Il fallait vivre.

Quelques jours plus tard, après une action qui leur avait réussi, nous avons comme à chaque fois commencé à boire dans la maison à l'entrée du village. Zemba pérorait, une bouteille de vodka à la main :

— Il y a des espions, répétait-il, les bandits de l'*Arma Ludowa* ont partout des espions. Couic, ils vont perdre leurs oreilles,

Et tous riaient en regardant le geste de Zemba. Il a continué ainsi quelques minutes et il me semblait qu'il me regardait. Je voulais vivre, vaincre, ne pas crever ici dans cette isba polonaise, sous les couteaux de ces bandits ivres. Vaincre. Vivre. Je le devais aux miens. Je me suis levé comme si j'allais demander à boire ou parler, puis j'ai bondi vers la porte, me retournant, lançant la grenade dans la maison, et j'ai couru vers la forêt, mes arbres, mon refuge.

Toute la nuit ils m'ont cherché, fouillant les abords du village, pénétrant dans la forêt. J'avais réussi à grimper dans un arbre et je serrais son tronc comme s'il avait pu me donner la force. Les NSZ ont crié, tiré des rafales au jugé, jeté quelques grenades mais ils avaient peur de la forêt, notre royaume. J'ai attendu longtemps, jusqu'à ce que mes bras deviennent douloureux. C'était presque l'aube. J'ai couru dans la forêt, dormi dans un fossé et enfin j'ai retrouvé Moczar, Gregor et les autres. Il n'y aurait jamais plus de Miétek l'espion. Le soir, autour du feu, je me suis assis près de Bolek, j'ai plongé ma cuillère de bois dans le grand récipient noir. J'étais un homme parmi les hommes, sans masque, silencieux au milieu de leurs voix fraternelles, en paix. Le matin, la première neige est tombée, puis d'autres matins blancs et glacés se sont levés. La forêt devenait hostile, le bois humide prenait mal, les feux s'éteignaient, la nourriture était rare.

LA VENGEANCE

— Camarades, l'Armée rouge...

Moczar, Gregor, proclamaient ses succès mais notre lot c'était le froid, le brouillard, les sabotages. Couché sur la glace, j'ai guetté les camions; les doigts gelés j'ai collé des explosifs sur des rails; j'ai vu sauter des trains chargés de tanks; j'ai bu du cognac et du champagne raflés dans les caves d'un château dont le propriétaire collaborait avec les Allemands; j'ai marché dans la neige profonde comme une mer; j'ai vécu des jours avec pour toute nourriture la *Bimber* brûlante; j'ai creusé dans le sol durci des fosses pour les camarades morts. J'ai tendu des embuscades, tué, vu mourir. La guerre était un enfer routinier. Parfois je dormais chez les paysans. Tard, un matin, j'ai été surpris par les aboiements des chiens, les cris des soldats. Les gendarmes allemands étaient là, défonçant les portes, cherchant une famille de Juifs qu'un mouchard avait dû dénoncer pour quelques billets. J'étais caché dans le foin, devant l'église les soldats riaient, se passant une bouteille de vodka et au milieu d'eux trois enfants, les bras levés, un homme et une femme à genoux. J'étais sans armes. Tout ce que j'avais vu depuis 1939 m'a recouvert : j'ai fermé les yeux. Puis j'ai marché, couru, pleuré, retrouvé notre clairière. Une journée entière, Bolek près de moi, je suis resté prostré. Ces enfants devant moi : c'était ma famille que j'avais vue, ma mère à genoux, mon père humilié, mes frères promis à la mort, marqués pour Majdanek ou Treblinka.

— Il faut nous venger, Bolek.

J'ai mis sur pied un guet-apens. Bolek a écrit aux Allemands, l'une de ces lettres anonymes qu'ils avaient sans doute l'habitude de recevoir : des Juifs étaient cachés et Bolek donnait le nom du village. J'ai guetté des jours et des nuits, qu'importait le froid, la neige qui me recouvrait. Je me suis nourri de neige et de vodka, refusant de quitter mon poste, refusant d'être remplacé.

Enfin, ils sont venus. Des SS, fiers, brutaux. Ils avançaient au milieu du village, le fusil à la bretelle. Nadia, une jeune Russe du groupe était avec nous. Nous nous sommes levés, elle et moi, marchant à leur rencontre, puis quand ils nous ont vus, nous avons fui vers la forêt. Ils ont tiré, hurlé :

— *Halt, Juden, Halt!*

Les arbres étaient devant nous et derrière eux Bolek et Gregor et Kot et Kruk. Nous n'en avons pas laissé un seul vivant. Il fallait qu'il n'y ait pas de témoins et seuls leurs corps noirs rougissaient la neige. Je les ai contemplés l'un après l'autre : j'ai desserré leurs doigts crispés sur leurs armes, Bolek est venu près de moi.

— Nous les avons vengés, Miétek.

J'ai secoué la tête. Nous ne serions jamais vengés. La mort des bourreaux ne donnait pas la vie, la vengeance était toujours amère.

— Même si nous les tuons tous, Bolek, mes frères ne renaîtront pas.

Je me suis assis dans la neige. A Majdanek, à Treblinka, combien de morts couchés dans la fosse, combien qui ne renaîtraient jamais? Quel saccage! Quelle folie! Et il me fallait tuer aussi, pour les empêcher de massacrer encore. Tuer ces bêtes à visage d'homme.

— Nous aussi nous tuons, Bolek, nous tuons.

— Et alors? Tu as le choix, Miétek?

Je savais. Nous les avons laissés à demi nus au bord de la forêt.

A la fin de l'hiver, le front s'est rapproché. J'ai rampé dans la boue, vers les routes où passaient les camions chargés de blessés qui venaient de Russie. Les convois déferlaient vers Lublin.

— Ils foutent le camp, Miétek.

Bolek exultait. Nous lancions de courtes attaques puis nous disparaissions dans la forêt. Un jour, tôt le matin, un avion a survolé notre camp dans le bois de Ramblow, rasant les arbres. J'ai grimpé jusqu'au faîte d'un pin et quand l'avion est repassé, battant des ailes, j'ai tiré avec les autres visant le moteur, le pilote. Il a plongé dans la forêt, brutalement, saccageant les arbres, explosant dans une gerbe de fumée noire et de hautes flammes. J'ai poussé le *hourra* de la victoire, mais peu après nos guetteurs sont arrivés.

— Ils sont là, en force.

Moczar nous a rassemblés, prenant le commandement. Nous

étions plusieurs centaines dans la forêt, et j'apercevais autour du *Kapitan* Czepiga des partisans soviétiques.

— Camarades, ça va être dur.

J'ai creusé un trou derrière un arbre; d'autres se dissimulaient dans les branches. Nous avons attendu dans le silence, un temps épais, puis ils ont hurlé et je les ai vus, ivres peut-être, sautant d'arbre en arbre, osant entrer dans notre forêt. C'étaient les SS de la division Viking. Vivre Miétek, et pour cela tuer, c'est la loi. J'ai visé, tiré, les autres avec moi. Pas de quartier, pas de pitié. Tuer pour vivre. L'écorce éclatait, les arbres criaient en se déchirant, les hommes hurlaient. Tuer pour vivre. Moczar a lancé :

— Debout camarades!

Et je suis sorti de mon trou, j'ai crié et j'ai couru entre les arbres, vers leurs visages, leurs casques, leurs uniformes, leurs fusils et leurs couteaux. J'ai crié pour tuer. Avec moi, criaient tous ceux de Treblinka et du ghetto, de Zambrow et de Bialystok. Viens, debout père, lance ton cri! Debout Rivka, debout toi aussi Pavel et toi camarade aux cheveux roux, et toi Sonia! Debout! Eux ou nous. Les bêtes ou l'homme. Tuer pour vivre.

Nous les avons chassés de la forêt mais ils sont restés dans les champs, sur la route, et quand la nuit est tombée leurs fusées éclairantes brisaient l'obscurité. J'ai cherché Bolek : il était vivant. Moczar, Gregor étaient là aussi.

— Il faut sortir, a dit Moczar, avant demain.

J'ai aidé à enterrer les morts, dans la nuit, sous une mince couche de terre; puis j'ai rampé vers les sentinelles. J'entendais leur respiration, leur toux rauque. Quand la fusée descendait lentement vers le sol je m'immobilisais, je devenais la terre noire et boueuse, puis j'avançais à nouveau. Tuer pour vivre. J'écoutais la toux proche. Tuer en silence.

Nous sommes passés, transportant nos blessés, gagnant une autre forêt, glissant entre les griffes de la division SS Viking.

Eux ou nous. C'était nous.

Chaque jour maintenant proclamait leur déroute. Ils filaient, n'essayant même plus de nous attaquer, ne songeant qu'à nous éviter, qu'à fuir les forêts. Notre emprise s'étendait, nous devenions une armée. J'ai eu droit à un uniforme et un jour le général Rola qui arrivait de Varsovie nous a rassemblés dans la clairière. Il s'est avancé, sa casquette coupant son visage rond, serré dans un manteau blanc :

— Partisans, camarades, la victoire...

Je n'ai plus écouté. C'était la fin d'une étape. Les Russes évadés allaient rejoindre leur armée, les Polonais retrouver leurs villes, les villages où les attendaient leurs familles. Où était ma ville, où étaient les miens? A New York, une grand-mère dont ma mémoire ne gardait même pas l'image et partout ailleurs le désert. Les bourreaux m'avaient laissé comme un arbre solitaire debout dans une forêt abattue, brûlée, saccagée. Je ne pouvais pas rester là, immobile, il fallait que je me mette en marche.

Le général Rola passait parmi nous, distribuant de nouveaux grades. Moczar a fait deux pas en avant : lieutenant-colonel. Bolek, d'autres sont aussi sortis des rangs et j'ai avancé aussi : lieutenant. Le général m'a serré contre lui, le soir nous avons trinqué, Mieczylaw Moczar et moi.

— Les deux Miétek, les deux lieutenants, répétait Bolek.

— Pas gai, Miétek, a dit Moczar.

Comment peut-on être gai quand on porte dans sa mémoire le souvenir de tous les siens? Bolek m'a pris par l'épaule, me rudoyant :

— N'oublie pas, Miétek, notre victoire à nous c'est d'être là, encore là.

J'ai secoué ma tristesse à coup de vodka. Bolek avait raison. Un arbre suffit à faire renaître la forêt. J'ai bu. J'ai chanté avec les autres. Et nous avons embrassé Moczar qui partait pour Varsovie et la région de Kielce. Là-bas aussi il y avait des partisans.

Quelques jours plus tard nous avons vu sur la route de longues files de soldats; une couverture roulée en travers de leur poitrine ils tiraient derrière eux des mitrailleuses montées sur roues pareilles à celles qu'avaient les partisans du général Alexis Feodorovitch Feodorov. Alors nous sommes sortis de la forêt en agitant les bras : nos Russes couraient les plus vite. *Tovaritch*, criaient-ils. Sur la route les soldats s'étaient

immobilisés, quelques-uns répondaient : *Na Berlin! Na Berlin!*
A Berlin!

Moi aussi je suis arrivé sur la route. La victoire c'était ce
soldat plus jeune que moi qui me regardait surpris, cependant
que je sautais autour de lui. Gregor nous a regroupés et nous
avons avancé avec les troupes soviétiques. Le 21 juillet, je suis
entré dans Chelm, le 22 à Lublin. C'était l'été, bleu, jaune, vert;
les Allemands ne résistaient pas, évacuant le terrain. A Lublin,
j'ai retrouvé la maison où l'on m'avait accueilli, la vieille en
larmes et le vieux qui m'entourait de ses bras.

— Il faut leur faire payer, pendre Hitler, disait-il.

Na Berlin, criaient les soldats dans la rue et les Polonais
reprenaient : *Na Berlin*! Je me suis mis à crier aussi : *Na Berlin!*

Ils étaient entrés dans notre ghetto, ils avaient transformé nos
corps et nos rues en décombres, ils nous avaient brûlés, ravagés,
réduits en cendres. Mais j'avais survécu, et je voulais crier dans
Berlin, au nom de tous les miens, que j'étais toujours vivant,
moi l'évadé du ghetto, moi le témoin de Treblinka. Vivant et
vainqueur.

J'ai bu avec les soldats. *Na Berlin, na Berlin!* Rue Bernar-
dynska, au siège du Comité polonais de libération nationale, j'ai
erré dans les couloirs, désœuvré, qu'allais-je faire? J'ai
retrouvé Gregor, des partisans. Ils parlaient gouvernement, journal à publier. Gregor a levé la tête :

— Miétek, j'ai pensé à toi, veux-tu donner un coup de main à
l'armée soviétique?

J'ai claqué les talons.

— *Na Berlin!*

9

Voilà père, voilà frères

— **D**ONC, tu es né à Varsovie, et ton père?

J'étais assis dans un petit bureau de la *Kommandantura* soviétique à Lublin. Par terre des dossiers, des casques, des bouteilles, une mitraillette et déjà, accroché au mur, un portrait de Staline. Il faisait chaud, l'officier qui m'interrogeait avait ouvert sa vareuse et il transpirait, maudissant le climat polonais. Depuis le matin j'étais assis en face de lui, répondant à des questions qui fouillaient dans ma vie et celle des miens. L'officier, à intervalles réguliers, répétait une petite phrase :

— Tu comprends, *Tovaritch*, servir dans l'Armée rouge est un honneur.

Il enlevait ses lunettes, il s'essuyait le front. J'approuvais : l'Armée rouge allait à Berlin, il me fallait entrer dans l'Armée rouge. Quand l'officier m'a demandé la profession de mon père, j'ai dit sans hésiter : « ouvrier mécanicien », et j'ai précisé qu'il était d'origine russe. Je voulais arriver à Berlin et j'avais compris en écoutant Gregor et Moczar qu'il valait mieux être le fils d'un prolétaire que d'un petit fabricant indépendant. Je tentais de parler russe avec le moins d'accent polonais possible, mais quelques mois de maquis au contact des prisonniers soviétiques évadés n'avaient pas suffi.

A la fin de la matinée, l'officier m'a relu chaque page : l'interrogatoire formait un véritable dossier.

— Tu es d'accord, *Tovaritch*? disait-il après chaque page.

271

J'approuvais : l'Armée rouge allait à Berlin et, au bas de chaque page, j'ai signé, m'étonnant de toutes ces précautions. Je voulais me battre, j'avais échappé aux bourreaux, fallait-il tant de questions, tant de signatures, pour avoir le droit de risquer sa vie?

— Reviens demain matin, Micha.

J'avais une nouvelle fois changé de prénom, je n'étais plus Martin ou Miétek mais Micha : peu importait, je restais moi, seulement moi, avec tout ce que j'avais vécu, que personne n'arracherait jamais de ma tête, avec ma volonté d'aller jusqu'au bout. « C'est cela qui fait un homme, Martin. » Père, là-bas, dans le ghetto, une des dernières nuits l'avait dit, j'entendais encore sa voix, je voyais son visage. Pour moi il vivrait toujours. Jusqu'au bout, c'était Berlin. Et après? Les rues de Lublin étaient pavoisées. Un jour toutes les rues seraient pavoisées et viendrait le temps de la vraie paix. Déjà, quand dans la clairière le général Rola avait parlé de victoire j'avais découvert autour de moi ce désert qu'ils avaient laissé. Maintenant, parce que je n'avais rien à faire d'autre que marcher sans crainte, sans projets, avec comme seul but d'attendre demain matin, je recommençais à imaginer ce que serait après, après, quand les autres, ceux qui n'étaient pas seuls, auraient refermé leurs bras sur leur femme, leurs enfants. Que me laisseraient-ils? Que me resterait-il?

Je suis allé jusqu'au bord de la rivière qui coulait en contrebas de la ville. J'ai trouvé un coin entre deux grosses pierres et j'ai somnolé au soleil, tout l'après-midi, les pieds dans l'eau. Peut-être, après, faudrait-il moi aussi que j'aie des enfants. Père avait dit là-bas qu'un homme devient un homme quand il choisit de fonder une famille. J'ai rêvé. Je repeuplerai la forêt, avec eux, mes fils. Par eux, les miens continueraient leur vie. Plus tard, je leur raconterai mes frères, ma mère, le courage de père rue Swientojerska. Après, longtemps après. Quand ils seraient forts pour comprendre et supporter.

Le lendemain matin, à la *Kommandantura*, j'ai attendu dans un couloir. Des hommes allaient et venaient, m'ignorant. Enfin l'officier qui m'avait interrogé a hurlé mon nom à tue-tête. J'ai bondi.

272

— Je te cherche depuis des heures, criait-il en me bousculant, le colonel t'attend.

Dans un autre bureau où régnait le même désordre, un officier, les cheveux gris, le corps lourd, marchait de long en large. Il tenait à la main les feuillets de mon interrogatoire.

— Ah! C'est toi. Tu sembles avoir fait pas mal de choses. Quel âge as-tu?

— Dix-neuf ans.

Il siffla.

— Tu veux toujours te battre?

Je n'ai fait qu'un signe de tête. Pouvait-il en douter?

— Il y a cent façons de se battre, sais-tu. Assieds-toi.

Il m'a lancé par-dessus le bureau son paquet de cigarettes, puis une boîte d'allumettes.

— Ici, dit-il, c'est une sorte de police. Tu connais la N. K. V. D.?

Je ne connaissais que les bourreaux, ma haine pour eux, mon désir de me battre, de venger les miens.

— Nous avons besoin de gens comme toi, capables de dénicher les bandits. Tu as vu de près les NSZ. Tu as été à Zambrow et à Bialystok. Si tu veux, tu commenceras là-bas. Débrouille-toi, trouve-nous les NSZ, les mouchards, ceux qui t'ont dénoncé, les collaborateurs, ceux qui ne nous aiment pas.

— Je voulais me battre, autrement. Arriver à Berlin.

— Tu iras à Berlin, après. Il faut d'abord nettoyer nos arrières. Ici. Alors?

Le colonel faisait craquer ses doigts.

— Alors? répéta-t-il.

Ils avaient livré les miens pour cinq kilos de sucre; ils avaient torturé Janusz; ils avaient dénoncé ces trois enfants juifs que j'avais vus les bras levés un matin sur une place de village. Et le maire de Zaremby avait tendu la main vers moi, me montrant aux gendarmes allemands. Ils étaient les bourreaux. J'ai accepté. Il faut savoir aller jusqu'au bout.

Je suis arrivé à Zambrow un matin, en civil, comme un paysan. J'ai retrouvé les rues, l'entrepôt devant lequel les gendarmes m'avaient arrêté. La *Kommandantur* allemande était devenue la *Kommandantura* soviétique, d'autres soldats patrouillaient dans la ville où rien n'avait changé : la mort avait simplement saisi quelques milliers des miens, elle s'était emparée de Sonia. Puis le temps et les choses s'étaient refermées comme une eau sur leurs souffrances et il semblait que jamais Sonia eût vécu ici. Mais j'étais là, témoin, chasseur maintenant.

Je suis allé de village en village, je me suis mêlé aux paysans rassemblés au moment où ils préparent clandestinement la *Bimber*. Je les ai fait parler. Je les connaissais bien ces paysans, j'avais souffert et vécu grâce à eux. J'ai visité les granges, devinant une présence, un homme qui devait dormir là où je me cachais jadis et qui comme moi avait peut-être décloué les planches du fond pour pouvoir s'enfuir dans la forêt. J'ai trouvé des NSZ qu'une voiture de la N. K. V. D. venait cueillir le matin. Un Juif pour cinq kilos de sucre, disaient-ils : je comptais mes arrestations. Ils payaient.

Dans un village, à quelques kilomètres de Zambrow, j'ai remarqué une maison toute neuve, une isba de riches. Là ne vivait qu'une femme. Je me suis proposé pour travailler. Elle a refusé maladroitement, donnant trop de bonnes raisons, m'entourant de prévenances, faisant naître mes soupçons. Comment réussissait-elle seule à remplir sa grange, ses resserres, à nettoyer l'étable, à soigner ses animaux? J'ai discuté avec les paysans, ils haussaient les épaules. J'ai misé sur leur jalousie.

— La maison doit bien résister au froid, il y a deux rangées de bois.

Je parlais lentement à leur manière, pesante et réfléchie.

L'un d'eux a bougonné :

— A 100 deutsche Mark le Juif, ils ont pu le faire.

Je suis revenu la nuit, guettant malgré les chiens. On travaillait dans l'étable, un homme qui raclait le sol. Je me suis approché. Il était là, courbé, sa femme assise près de lui, à déboucher les rigoles, à jurer. Brusquement il a levé les yeux et il m'a vu, dans l'ombre. Il est venu sur moi, une fourche à la main, me clouant contre le mur.

— Qu'est-ce que tu fous là?

Je ne bougeais plus, les pointes d'acier sur la poitrine, fixant ces yeux blancs, énormes, pleins de rage et de peur.

— Qu'est-ce que tu fous là?

— Du travail, je ne peux pas rester en ville. J'ai besoin de travail.

Sa femme s'était levée.

— Il est venu cet après-midi, laisse-le, suppliait-elle.

Il a baissé la fourche.

— Pas de travail, a-t-il dit, file.

Je suis parti lentement pour le rassurer mais je suis retourné le lendemain par la forêt avec trois soldats soviétiques, approchant la grange où il devait se cacher. Il dormait, à demi ivre. Je l'ai secoué. Il a vu les soldats.

— Salaud, mouchard, a-t-il crié.

— Combien as-tu livré d'enfants juifs, ai-je dit simplement.

Il a pâli, s'essuyant le visage.

— Salaud, a-t-il répété.

Je l'ai pris par la chemise : il était immense, sa tête dépassant la mienne. Avec mon crâne je lui ai donné un coup dans le menton.

— Je suis juif, juif tu entends. Et j'étais à Zambrow, à Treblinka.

Je l'ai senti contre moi qui se mettait à trembler, sa femme est arrivée, hurlante :

— Je ne voulais pas, c'est lui, il les a dénoncés pour boire, pour boire.

Quand on nous a vus passer, nous dirigeant vers le camion de l'armée qui nous attendait à l'entrée du village les paysans se sont mis à parler. Il y avait cinq familles avec une dizaine d'enfants, cachées çà et là dans la forêt. L'homme a commencé par les ravitailler pour leur extorquer tout ce qu'elles possédaient puis, quand elles ont été dépouillées, il les a dénoncées et a touché la prime. Ici, comme à Varsovie, il y avait eu ceux qui traquaient les *bédouins* et les *chats* : chaque ville, chaque village avait eu son Ptaçzek-l'Oiseau, son Pila-la-Scie. Il fallait en nettoyer le pays, qu'ils paient à leur tour. Je suis allé de village en village, les pourchassant, tendu vers cette vengeance amère qui ne rendait pas la vie. Il n'y avait pas le choix, il fallait penser à l'avenir, au mal que ces hommes pouvaient faire encore : ils étaient comme la gangrène. Je devais aller jusqu'au bout.

Je suis retourné à Zaremby : les paysans rentraient des champs, la chaleur torride rendait l'air brûlant, immobile, alors que le soleil avait déjà disparu. Dans la cour de la ferme de Zaremba tout était silencieux, le chariot était rentré. A l'église un autre prêtre était à genoux devant l'autel. J'ai attendu dans l'ombre fraîche qu'il se lève, passe près de moi.

— Un grand malheur, a-t-il répété, répondant à mes questions.

Les Allemands étaient venus, tuant le prêtre ici, devant l'église. Le maire avait été abattu une nuit par les partisans, de nombreux paysans avaient disparu dans les forêts, Zaremba était l'un d'eux. Je suis retourné à la ferme. Devant le crucifix, dans la pièce sombre, la mère priait. Peut-être étais-je celui par qui la guerre avait fait son entrée à Zaremby. Je suis parti.

A Zambrow, on m'attendait. Là où commencent les rues, quand les maisons sont encore dispersées, que les champs les séparent, des hommes ont surgi devant moi. Nous nous sommes observés : ils étaient trois qui me barraient le chemin, trois, les bras écartés, trois dont je ne voyais pas les visages, le crépuscule dans leur dos. J'ai sauté sur le côté, dans un champ de blé, m'en écartant, franchissant un ruisseau, réussissant à rejoindre la forêt. Ils étaient derrière moi, j'ai couru cherchant par la forêt à rentrer en ville, heurtant les souches. Ils s'interpellaient, ils juraient. Peu à peu, pourtant, j'ai gagné sur eux. Ce n'est pas maintenant que j'allais me laisser tuer. Idioten à Treblinka, tant d'autres, à Pawiak, dans le ghetto, s'y étaient essayé en vain. Pas maintenant, bandits. J'ai couru, retrouvant la lisière de la forêt, un champ, des paysans. Ils avaient abandonné la poursuite mais l'avertissement était clair : je n'étais plus utile dans la région de Zambrow, les NSZ m'avaient repéré. J'ai dormi à la *Kommandantura,* un revolver près de moi et le lendemain le capitaine qui commandait à Zambrow a décidé de me renvoyer à Lublin.

— Tu as été efficace, Micha, ils en veulent à ta peau, c'est une bonne décoration.

Ce devait être fin septembre. J'ai pris des camions remplis de soldats. Ils roulaient vite soulevant une poussière blanche et tiède qui nous enveloppait. Les soldats chantaient : blonds, jeunes, j'avais le même âge qu'eux mais j'étais vieux, j'avais parcouru des siècles, j'étais chargé de tant de vies perdues. Ils me passaient des cigarettes, se moquaient de mon accent polonais et partageaient avec moi leur pain noir, leurs gamelles pleines de crème fraîche ou de gruau en me donnant de lourdes claques sur les épaules :

— *Tovaritch, Tovaritch.*

C'était leur mot de passe. J'essayais de les faire parler de leur pays, cette grande patrie du monde nouveau, comme disait Gregor. Ils haussaient les épaules. Ils s'intéressaient à la vodka, aux Polonaises, à la paix. Ils riaient comme des enfants de tout leur visage rouge et ne savaient rien. Un camion m'a laissé à Lublin devant l'église des Capucins, un dimanche. Un meeting se tenait sur la place, face à l'église. Je me suis mêlé à la foule.

— Camarades...

Je voyais la tribune pavoisée de rouge, les drapeaux accrochés aux arbres. « Nous voulons en finir avec l'Allemagne cette nation de pillards et d'agresseurs. »

La voix portée par les haut-parleurs était déformée, on comprenait mal mais la foule applaudissait. Puis l'orateur a annoncé que les tribunaux allaient juger les bourreaux de Majdanek. J'ai crié avec la foule, tout Lublin qui devait être là, sur cette place à écouter Gomulka. Mais quelques mois auparavant les badauds de Varsovie nous regardaient mourir et ceux de Lublin continuaient leur vie tranquille, laissant faire les bourreaux. Pour un partisan, pour un Janusz, pour un Julek Feld, pour un homme comme mon père, combien qui courbaient le dos, qui acceptaient?

Je suis retourné vers la rivière, loin des quartiers où hurlaient les haut-parleurs. Tant d'hommes au ghetto, à Varsovie, à Lublin, avaient subi la violence des bourreaux, tant les avaient crus. Ils étaient comme le bois qui suit le courant, que rien n'arrête que les rochers de la rivière. Père, Julek Feld, Janusz, ceux qui refusaient, qui savaient, s'étaient dressés. Nous étions les rochers, nous devions aller jusqu'au bout. Une vie, c'est toujours un exemple : sans mon père, sans sa force, je n'aurais rien été, qu'un bois qui glisse avec la foule vers la mort.

A la *Kommandantura,* le colonel aux cheveux gris m'a reçu. Son bureau maintenant était en ordre. Autour d'un grand portrait de Staline, il y avait des photos de généraux, de personnalités. Le colonel devait lire mon dossier et j'étais devant lui, immobile, debout.

— Assieds-toi. Tu as fait du bon travail. Ils ont voulu te le faire payer.

— C'est eux qui paieront.

— Ils paient, ils paient.

Puis il m'a fait parler, longtemps. Je parlais, guettant son visage, veillant aux mots que j'employais, ne disant que la vérité mais prudemment. Il m'a écouté, fumant cigarette sur cigarette. Puis, après un long silence :

— Tu veux aller à Berlin, je crois?

— *Na Berlin, Tovaritch colonel.*

— *Na Berlin.* Tu vas entendre chanter les *Katioucha.* Je vais te garder.

Il m'a affecté dans une unité de la N. K. V. D. qui suivait immédiatement les troupes de première ligne et s'installait derrière les batteries de fusées, nettoyant le pays occupé de ses éléments suspects. Je parlais polonais, allemand, un peu de russe, je connaissais les NSZ, j'étais juif, avec une dette personnelle à faire payer. Pour le colonel j'étais une bonne recrue. Le soir, j'ai reçu un uniforme et la casquette à parements verts de la N. K. V. D. Cette fois-ci, j'avais gagné mon billet pour Berlin.

Des semaines durant, j'ai sillonné la campagne autour de Lublin parfois en uniforme, souvent en civil, collaborant avec la police polonaise dont j'étais, sur ordre, devenu membre. Miétek-le-Coupé, Miétek le patron des truands, Miétek le contrebandier était policier! Je m'étonnais moi-même, hier était si proche encore et pour moi pourtant le monde avait changé de face.

Puis nous avons roulé vers le nord, vers Varsovie. Mais il ne restait rien de Varsovie. Arrivant à Praga, j'ai abandonné mes camarades, j'ai marché vers la Vistule. La neige soulevée par le vent très fort bouchait l'horizon. Je cherchais le pont Poniatowski, les autres ponts, mes ponts. Je n'ai trouvé que des arches brisées et des passerelles provisoires jetées d'une rive à l'autre. Je suis allé vers la rive gauche. En colonne, les gens avançaient courbés, chargés de paquets, fouettés par le vent. Je me suis arrêté au bout de la passerelle : devant moi, il n'y avait qu'un champ de pierres sur lequel se dressaient des silhouettes de clocher, des pans de mur, comme si le désert du ghetto avait rongé toute la ville qui l'avait toléré, comme s'il avait été une plaie contagieuse, gangrenant toute une ville, n'en laissant plus rien. Varsovie, ma Varsovie, celle du ghetto et celle de Zofia, de la rue Dluga et de la rue Senatorska, de la rue Mila et de la rue Leszno, n'existait plus. Je suis rentré à Praga; les camarades riaient.

— Tu es chez toi, Micha, disaient-ils.

Le désert : ils avaient bouleversé jusqu'aux pierres.

J'ai espéré retrouver Mokotow-la-Tombe. Rien n'avait changé dans sa rue, je reconnaissais devant la porte la charrette de l'artisan qui logeait dans la cour. Mais l'appartement était occupé par d'autres. On ne savait rien de Mokotow et de sa sœur, disparus, avec des milliers d'autres, dans Varsovie insurgée. Le désert.

Le soir même, j'ai commencé à chercher. J'ai marché dans les rues de Praga en civil, me souvenant de chaque rue; là, dans ce magasin, près du marché, j'avais posé un paquet et le commerçant avait crié « salaud », quand j'étais venu le reprendre après la rafle; là, la gare de l'Est où Wacek-le-Paysan venait acheter pour moi la marchandise. Mais je n'étais pas à Praga pour rencontrer des souvenirs. J'ai marché, dévisageant les passants, espérant reconnaître l'un de ces Bleus qui tuaient les enfants surpris à passer le mur. Un comité juif s'était constitué à Praga, dans la rue de Targowa. Quelques hommes étaient là, écrasés de solitude et de malheur, à la recherche des leurs, accrochés à l'espoir de les retrouver peut-être, de les venger aussi.

Ils ne se parlaient qu'à peine, échangeant des noms, des dates, des lieux. Je suis arrivé un soir, en uniforme. Ces hommes étaient comme moi, seuls, au milieu de leur désert. Il fallait que nous nous remettions en marche ensemble.

— Qui veut venir avec moi les retrouver dans les prisons de Praga?

Deux se sont levés. L'un, qui me paraissait âgé, Joseph Rochmann, l'autre, maigre, plus jeune, la tristesse marquant son regard, en uniforme de l'Armée rouge, comme moi : Tolek.

Nous sommes allés de prison en prison, je me faisais ouvrir les cellules : peut-être un Bleu avait-il été jeté là, raflé par les soviétiques dans les premiers jours. A nous de le dévoiler. J'ai fixé des dizaines d'hommes, essayant de faire surgir de ma mémoire les heures, toutes les heures, tous mes passages du mur, essayant de me souvenir de ce Bleu que j'avais vu viser un enfant, de cet autre qui avait refusé de « jouer », de ceux qui m'avaient battu, livré aux bourreaux. Toujours, au temps du ghetto, j'avais voulu voir, pour retenir les visages, mais je ne rencontrais que des yeux baissés, des expressions anonymes. C'est Rochmann qui en a trouvé un; dès qu'il est entré dans une des dernières cellules il m'a tiré par le bras.

— Miétek, celui-là, c'est Pchla-la-Puce, il nous dénonçait.

Nous avons fait sortir cet homme âgé, à l'allure innocente, qui nous regardait avec ironie. J'ai réquisitionné un bureau dans la prison. Je l'ai fait asseoir.

— Tu as dénoncé des Juifs.

Il n'a même pas répondu. J'ai vu naître sur son visage une expression de mépris. J'ai posé une nouvelle fois la question.

— J'ai fait ce qu'on me disait de faire. J'ai exécuté les ordres. Toujours, depuis toujours.

— Réponds par oui ou non.

— J'ai obéi à la loi.

Tolek s'est avancé, le poing fermé, les mâchoires serrées. L'autre a craché par terre.

— Vous pouvez frapper, a-t-il dit. Vous êtes juifs.

Tolek a lancé son poing, la lèvre de l'homme a éclaté, laissant jaillir le sang. J'ai crié : « Tolek! » puis je l'ai poussé dehors, demandant à Rochmann de rester avec lui. J'ai ordonné à l'homme de s'asseoir et je me suis assis en face de lui. Il tenait un mouchoir sur sa lèvre, l'orgueil d'être un martyr à peu de frais se lisait dans son regard.

— Ecoute, policier, je ne vais pas te frapper, je ne vais pas te tuer. Les Russes feront de toi ce qu'ils voudront et toi tu feras de toi ce que tu voudras. Ecoute-moi, simplement. Tu as obéi à la loi? La loi qui t'ordonnait de tuer les enfants?

Il secouait la tête. Il n'avait tué personne.

— Ecoute-moi.

Je le forçais à me regarder :

— Ecoute-moi, tu n'es pas un martyr, tu es un lâche. J'aurais le droit de te tuer mille fois. Ecoute, je vais te parler d'un camp où tu envoyais les enfants, écoute bien.

Nous l'avons conduit, Tolek, Rochmann et moi, quelques heures plus tard, par les rues de Praga à la *Kommandatura*. Il marchait la tête baissée. Peut-être mes mots avaient-ils jeté en lui un germe qui allait le ronger, toute sa vie, lentement, comme le souvenir nous rongeait, Tolek, Rochmann, moi, la vieille dame de Lublin, des millions d'autres. Tolek marchait derrière lui et je le guettais. Comme nous allions arriver à la *Kommandantura*, il a voulu se jeter sur le policier. Je l'en ai empêché, lui serrant le bras, sentant peu à peu qu'il se calmait.

— Laisse faire la justice, ai-je dit. Nous ne sommes pas des bêtes.

— Eux...

— Nous ne sommes pas eux.

Nous avons longuement parlé dans la nuit glaciale, n'arrivant pas à nous séparer. Tolek était comme moi un rescapé du ghetto, il avait connu l'*Umschlagplatz,* les rues transformées en brasier, les égouts où se noyaient les plus faibles. Il avait connu Majdanek. Il était seul, mais décidé lui aussi à se venger. Comme moi il voulait gagner Berlin.

Nous nous sommes retrouvés quelques jours plus tard dans la même unité. Bientôt avec Wladek un partisan des forêts de Lublin, un ancien du ghetto aussi, nous étions serrés comme un poing. Wladek, Tolek, Miétek, les trois du ghetto qui sous l'uniforme à parements verts, continuions le combat, au nom de tous les nôtres.

Peu après nous partions vers le nord, longeant la Vistule : nos camions roulaient sur des routes glissantes et que remontaient, vers Varsovie, des ambulances, des chariots de paysans. Parfois, nous nous rangions pour laisser passer les tanks, les camions chargés de *Katioucha.* J'ai ainsi traversé une Pologne que je ne connaissais pas, découvrant partout les ruines, la mort, des enfants qui erraient à la recherche de leurs parents. Je m'installais dans un bâtiment officiel, je recevais les partisans, les réfugiés, les quelques Juifs survivants : j'apprenais l'horreur nouvelle, les pendus, les torturés. J'essayais de trouver les coupables. Je comprenais que la vengeance peut être folie.

Dans un champ, au bord de la route, notre convoi s'est arrêté. Là, près de nous, il y avait un groupe de prisonniers, des SS, maigres, fiers, qui se protégeaient le visage des coups qu'ils recevaient. Des soldats soviétiques les entouraient en criant. Je regardais ces hommes, les vaincus, les vainqueurs. Un vieil autobus avait à demi basculé dans le fossé qui longeait la route. Un soldat est arrivé en courant, hurlant à ses camarades quelque chose que je ne comprenais pas : alors, à coups de pied, de crosse, les soldats ont dirigé les prisonniers vers l'autobus. Je devinais les regards qu'échangeaient entre eux les SS, j'imaginais la peur qui les saisissait. Moi aussi j'étais pris par la peur, une angoisse qui comme deux doigts serrait ma gorge. J'aurais pu donner à notre chauffeur l'ordre de partir, pour ne pas voir. Mais je voulais voir, voir les hommes, jusqu'où ils peuvent aller, comment la guerre les déforme, éprouver la tempête qui les emporte.

Les soldats ont forcé les SS à entrer dans l'autobus, en rampant. Certains se sont rebellés : ils ont été tués, poussés de force entre les tôles rouillées. Sur la route les convois continuaient de passer, des tanks, des canons lourds. Nous étions proches de la frontière allemande et la résistance se faisait plus dure. Un SS tentait de s'adresser aux soldats en russe, un autre criait. La plupart restaient immobiles, serrés les uns contre les autres. Je m'efforçais de penser aux fosses, au ghetto, à l'*Umschlagplatz*, c'étaient eux les SS, eux qui étaient là, qui allaient mourir. Ce n'étaient que des bêtes. Mais quand un soldat a versé l'essence sur l'autobus, quand le feu bleu et jaune a jailli, que les hommes se sont mis à hurler poussant contre les tôles, que les soldats brusquement silencieux regardaient ces hommes mourir, j'ai bondi, je me suis mis à gesticuler, secouant les uns après les autres ces jeunes Russes fascinés, sentant qu'ils étaient en train d'être contaminés eux aussi par la guerre, qu'ils allaient devenir des bêtes à visage d'homme comme ces SS. Il était trop tard. L'autobus était entouré de flammes et de fumée. Les soldats ne m'ont pas résisté mais ils se sont mis à tirer sur le foyer. Quand nous sommes partis, l'autobus achevait de brûler. La vengeance est amère.

Le soir nous entrions en Allemagne, traversant des villages détruits où erraient au milieu des flammes et des poutres calcinées des vieillards, des chiens. Notre camion s'est arrêté devant ce qui avait dû être la mairie. Une vieille femme était assise sur une pierre, la tête entre les mains. Dès que nous avons sauté à terre elle s'est redressée, levant ses mains :

— Hitler, *kaputt*, a-t-elle dit.

J'ai pensé aux vieilles du ghetto, elles aussi les mains levées devant les SS.

— Baissez vos bras, ai-je dit.

Mais elle secouait la tête, gardant ses mains ouvertes.

— Les gars ne sont pas commodes, a dit notre chauffeur. Ils en ont vu. Ils attendent l'Allemagne depuis longtemps.

Moi aussi j'attendais l'Allemagne, mais pas cette Allemagne-là qui montrait le visage d'une mère. J'attendais l'Allemagne des bourreaux, c'est elle que j'étais venu chercher et détruire.

Nous sommes allés plus loin, nous enfonçant dans ce pays terrorisé. La race supérieure n'était pas fière. Partout, tous, ils criaient « Hitler *kaputt* ». Qu'auraient-ils fait, qu'auraient-ils dit, si nous les avions enfermés dans un ghetto? Ils auraient tout accepté, tout renié.

A Dramburg où nous venions d'arriver, j'ai cherché un imprimeur. Tolek marchait à mes côtés, dans les rues jonchées de gravats.

— Qu'est-ce que tu veux faire, Miétek?

J'entrais dans les boutiques aux portes défoncées, toutes pillées. Dans ce qui avait dû être une petite usine de parfum, au milieu des bouteilles brisées, allongés sur le sol, le visage plongé dans un réservoir dont le liquide affleurait au niveau du plancher, trois soldats soviétiques étaient immobiles. Je les ai secoués : ils étaient morts, ivres d'avoir bu tout cet alcool industriel, à même le réservoir, ivres puis noyés dans l'alcool. J'ai ramassé un récipient, je l'ai rempli d'alcool, donné à Tolek :

— Pour notre cantine, nous en ferons de la vodka.

Je voulais être seul. J'ai regardé ces trois soldats morts pour rien, eux aussi par la faute des bourreaux, morts ici et venus de si loin. Dans une petite rue j'ai enfin trouvé un imprimeur qui se cachait au fond de son atelier.

— Tu peux imprimer des affiches?

Il secouait la tête, montrait les machines.

— Il me faut des affiches pour demain matin. Et tu les afficheras toi-même. Toute la population doit les lire. Ecris.

Il a tenté de parler, puis il a pris du papier et j'ai dicté. D'où venaient ces phrases auxquelles je n'avais pas réfléchi et qui surgissaient comme si j'avais pensé à elles depuis le ghetto? *« Ordre est donné à tous les habitants de race allemande de plus de seize ans circulant en ville de placer sur leur bras droit un brassard à croix gammée. Ce brassard est obligatoire. »*

L'imprimeur m'a regardé.

— De grandes affiches blanches, pour demain. Tu signeras : l'autorité soviétique.

Puis je suis rentré. Tolek avait mélangé l'alcool et de l'eau et cela donnait un liquide blanchâtre qui ressemblait à du lait, brûlait la gorge et l'estomac comme la plus mauvaise des vodka. Quelques camarades sont venus et nous avons bu en laissant, contrairement aux règlements de l'Armée rouge qui interdisent l'alcool, notre bouteille sur la table au lieu de la dissimuler à nos pieds. Notre alcool c'était du lait. Bu, bu, jusqu'à rouler les uns sur les autres. Le matin, un soldat est venu me réveiller :

— Lieutenant, lieutenant, c'est urgent.

J'avais le cou brisé par une douleur aiguë, les jambes nouées. Je suis quand même descendu dans notre bureau. Des hommes de tout âge étaient là, les bras levés, collés au mur par deux soldats soviétiques qui les tenaient en joue. Tous avaient le brassard à croix gammée sur le bras droit. Les soldats étaient fous furieux, ils avaient déjà frappé les civils et parlaient de les abattre. Heureusement, nous étions assez loin du front. J'ai éloigné les soldats, libéré les civils, puis Tolek et moi nous avons obligé l'imprimeur à arracher les affiches. Tolek riait.

— Tu as fait comme au ghetto, et ils l'ont mis, comme nous, ils l'ont mis.

Toute la journée, j'ai erré dans la ville pour être sûr que l'imprimeur avait bien enlevé toutes les affiches, pour prévenir les violences des soldats à l'égard des civils qui s'aventuraient dans les rues. Avec ou sans brassard les soldats n'étaient pas tendres. Ils s'intéressaient aux montres, aux stylos et à bien d'autres choses. Les femmes se terraient. Je n'ai rencontré aucune victime de ma plaisanterie. Le soir avec Tolek nous avons parlé, sans boire, de Varsovie, de notre révolte.

— Il faut faire attention, Tolek, maintenant nous sommes les plus forts. Il faut être deux fois un homme.

Toute la nuit, je suis resté les yeux ouverts : je revoyais les civils, leurs visages marqués par les coups donnés par les soldats. Il y avait le regard de ces hommes qui ne comprenaient pas ce qui leur arrivait, victimes d'avoir obéi, connaissant ce cercle de terreur et de folie où les bourreaux nous avaient enfermés. Miétek, Miétek, attention. On devient vite un bourreau.

Alors, j'ai essayé d'être prudent. Je n'en avais pas à tout un peuple mais à des bourreaux. Je me suis souvenu de ces soldats allemands que j'avais croisés, ce soldat vieillissant qui, la première fois dans le tramway n'avait pas voulu me découvrir; cet officier interprète qui m'avait conduit jusqu'au camp de Zambrow après m'avoir sauvé la vie, prenant mes mains dans les siennes et murmurant : « Evade-toi ». Je ne traquais pas tout un peuple, seulement les bourreaux.

Arrivant dans les villes, je prenais contact avec le bourgmestre, parfois mes chefs me donnaient les noms d'anciens communistes, parfois j'exigeais du bourgmestre qu'il me désigne ceux qui avaient subi les persécutions des nazis. A Reppen, j'ai vu devant moi une femme aux cheveux blancs, édentée, qui sortait de prison. Son fils avait été pendu à la poutrelle d'un pont, condamné à mort par un tribunal militaire itinérant qui jugeait les déserteurs.

— Il avait dix-sept ans, il ne savait rien, murmurait-elle.

Elle m'a guidé dans la ville, m'indiquant ceux qu'elle soupçonnait d'être des nazis. Je les interrogeais, tentant de déceler leurs responsabilités, me fiant à leurs yeux.

— Et puis, il y a l'Ukrainien, m'a-t-elle dit.

J'ai pensé à Ivan, à ceux du ghetto, ces tueurs barbares, les chiens des bourreaux.

— Il arborait toujours le brassard, il saluait le bras tendu, il hurlait, *Heil Hitler,* continuait-elle. Un nazi, un vrai.

Nous l'avons recherché. Il travaillait déjà à la *Kommandantura* soviétique, comme mécanicien. Je l'ai surpris alors qu'il était penché sur le moteur d'une voiture.

— Tourne-toi.

Je ne le connaissais pas, il aurait fallu un miracle. Des soldats soviétiques s'étaient groupés autour de nous. Il les regardait, effrayé, le visage rouge, les mains tremblantes. L'homme ne m'inspirait pas confiance.

— Il a été nazi, ai-je dit.

Les soldats ont commencé à le bousculer : « Traître », criaient-ils. « Soldat de Vlassov, *Vlasovietz!* »

— Je suis juif, je suis juif, lieutenant.

— Parle-moi en yiddish.

Il ne savait pas. Il avait oublié, disait-il! « Il faut le liquider tout de suite », demandaient les soldats. Je l'ai protégé et je suis allé perquisitionner chez lui. La petite pièce était décorée d'un immense portrait de Hitler qui couvrait toute une cloison.

— Beau Juif, ai-je dit.

Il parlait mais je ne l'écoutais plus, le conduisant à nos bureaux. Notre capitaine l'a interrogé. L'homme pleurait, répétant qu'il était juif ukrainien, qu'il s'était caché en Allemagne, jouant au nazi pour mieux dissimuler sa situation. Je l'écoutais, le doute naissant. Prudence, Miétek. Le capitaine a haussé les épaules quand j'ai demandé à voir si l'Ukrainien était circoncis.

— Ecoute, Micha, même s'il est juif, tous les bons Juifs sont morts, répétait-il.

J'ai vérifié quand même : l'homme était circoncis. Il s'essuyait les yeux du revers de la main, humilié, craintif.

— L'enfer, expliquait-il, il me fallait lever le bras, saluer, penser toujours à leur mentir.

J'ai dû convaincre le capitaine de le relâcher, il hésitait.

— Il peut y avoir des Juifs nazis, Micha, tu ne dois pas te laisser aveugler. Les Juifs sont comme les autres.

Je l'écoutais. Comment pouvait-il imaginer ce que cela signifiait être juif sous les nazis? D'ailleurs pour lui, comme pour

286

beaucoup d'officiers, nous n'étions pas tout à fait comme les autres, un petit cran au-dessous. Je le savais, je l'avais découvert peu à peu dans les plaisanteries qu'ils échangeaient en me clignant de l'œil et où des Juifs avares mesuraient toute chose au mètre de leur profit. Un soir, un camarade et moi nous nous étions fâchés et comme mon camarade était un géant il avait pris un petit capitaine par sa veste de cuir et l'avait tenu au bord de la fenêtre, près du vide.

— *Nie Budu, nie Budu,* criait le capitaine, je ne recommencerai plus, je le jure!

Le géant, un caucasien aux cheveux noirs, à la poigne de fer, à moitié ivre ce soir-là, hurlait :

— Tu laisseras les Juifs tranquilles, tu les laisseras?

Et l'autre jurait. Je savais tout cela, mais l'Armée rouge allait à Berlin.

J'ai insisté, le capitaine a cédé et Moniek l'Ukrainien est sorti avec moi. Quand nous sommes repartis vers l'ouest, Moniek était devenu chauffeur dans notre unité.

Nous roulions vers Berlin, mon but était proche. Au bord de l'Oder en crue notre camion a dû s'arrêter. Sur un pont provisoire fait de larges bateaux rassemblés deux colonnes se croisaient. Les soldats qui revenaient du front levaient leurs bras : je voyais des bras couverts de montres jusqu'à la hauteur du coude. Les deux colonnes s'étaient presque immobilisées, des échanges s'organisaient entre ceux qui « montaient » et ceux qui « descendaient ». Tout à coup trois avions allemands, les premiers que j'apercevais depuis Varsovie, ont surgi du ciel bas et ont commencé à mitrailler le pont. Ils sont passés une fois, leurs rafales déchirant l'eau, mais sur le pont les camions n'accéléraient pas, les échanges continuaient. Avec un officier, je me suis précipité vers les camions, criant, montrant le ciel, les avions dont on entendait le bruit croissant : les colonnes se sont à peine déplacées, alors je me suis jeté sous mon camion. Je ne voulais pas mourir ici, mon but était Berlin. Il y a eu deux nouveaux passages des avions, des cris, des détonations, l'eau a giclé; puis le silence du ciel. Je suis sorti : sur la berge un camion brûlait, des soldats s'affairaient autour des blessés, d'autres continuaient de monnayer leurs montres. J'ai pris un de ces soldats par le bras, hurlant, montrant les blessés à terre. Il s'est dégagé d'un geste brusque, haussant les épaules, continuant à discuter. Tolek est venu : « Laisse, a-t-il dit, laisse. » Des hommes morts ou blessés, qui pouvait encore s'indigner pour si peu?

Enfin, nous sommes repartis, roulant vers Berlin. Nous avons croisé des colonnes de réfugiés, des prisonniers qui avançaient en rang par trois, silencieux, courbés sur leur fatigue et leur désespoir. Nous roulions, la canonnade devenait proche, les tanks plus nombreux. De grands panneaux étaient placés de temps à autre au bord de la route : « *En avant, ceux de Stalingrad, la victoire est à nous.* » Moi, j'étais du ghetto et la victoire nous appartenait aussi, à nous qui avions survécu, à nous qui avions connu les fosses, elle appartenait aux nôtres morts là-bas, à Treblinka ou dans les égouts. J'arrive au but, père.

Le jour de mon anniversaire, le vendredi 27 avril 1945, à dix-neuf ans, je suis entré dans Berlin.

Qu'elle a été longue cette route jusqu'à ces ruines, jusqu'à ces pierres, mais père m'y voilà, debout. M'y voilà debout, frères, vous tous mes camarades, ceux du ghetto et de la forêt, toi Zofia et toi Janusz, toi mon camarade aux cheveux roux battu à mort pour un hareng, je me souviens de toi, de vous tous, hommes nus de la place du tri, vieillards du *Lazaret* encore tremblants de vie et que j'allongeais sur le sable jaune. Voici Berlin en ruine, voici Berlin comme un squelette, bourreau mort aux orbites béantes, aux os nus, éparpillés.

Pour toi père, pour Julek, pour toi aussi Mokotow, voici Berlin.

Vendredi 27 avril 1945 on nous a nous aussi lancés dans le combat. *Na Berlin!* J'ai marché avec Tolek, Wladek et Moniek, sauté de mur en mur. Comme au ghetto : mais c'était la victoire du ghetto, nous marchions derrière les tanks. Dans les rues avec nous des soldats de toutes les unités, comme si l'Armée rouge avait délégué tous les siens pour participer à la dernière bataille. J'avançais, tiraillant. Il fallait vivre : j'étais là, je ne voulais pas mourir, je ne prenais pas de risques. J'attendais que les canons balaient les barricades de tramways et de véhicules bourrés de pierres. Les rues étaient barrées par les canons et les

Katioucha qui se touchaient, tirant sans interruption. La première nuit, au-dessus de Berlin, les incendies éclairaient les quartiers du centre, Berlin brûlait. Tolek, Moniek, Wladek et moi, nous nous sommes installés dans un jardin. Au milieu de la nuit des soldats sont arrivés nous demandant s'il y avait des femmes dans la maison. Nous n'avions pas regardé. Ils ont enfoncé les portes et ils ne sont ressortis qu'au matin, nous saluant de la main, riant entre eux. La bataille a recommencé. J'ai vu mourir des enfants en uniforme, accrochés à leur *panzerfaust*. J'ai vu des drapeaux rouges pendre aux fenêtres des ruines de certains quartiers et partout des drapeaux blancs. J'ai vu le pillage, la folie de la guerre, les blessés, les morts innombrables.

La deuxième nuit les incendies ont redoublé, éclairant les ruines, les rues dévastées. J'ai dormi dans une cave avec un groupe de soldats. L'un d'eux est sorti, un coup de feu a claqué et il s'est effondré, retombant à l'intérieur.

— Les partisans, ont crié les soldats.

Nous avons rampé, tenté de dénicher ces tireurs isolés qui nous visaient depuis les ruines. Il ne faut pas mourir ici, Miétek, il ne faut pas. Et pourtant il y avait ces tireurs à réduire au silence. Avec Tolek et Moniek nous les avons contournés, longeant les murs, butant sur des soldats, nos camarades, qui venaient de tomber. J'ai bondi, poussé une porte de cave. Des gens sont là, peut-être des tireurs : il serait facile de lâcher une rafale sans risques. Je crie :

— Dehors !

Il y a du bruit : des femmes sortent les bras levés, un jeune homme avec elles, maigre, les cheveux noirs cachant ses yeux. Peut-être est-ce lui le tireur ? Les soldats qui étaient avec nous sont arrivés, malmenant les femmes, poussant le jeune homme contre un mur.

— Partisan, criait un soldat, il a tiré.

Déjà ils levaient leurs armes. Je me suis mis devant l'Allemand.

— Il faut le juger, camarades. On ne peut pas le tuer comme ça.

Dehors, les tireurs isolés, les « loups-garous » du *Wehrwolf* harcelaient les patrouilles. Nous avons, en avançant courbés, parcouru des rues, guidés par les soldats. Je m'en voulais, je serrais les dents, il ne faut pas mourir Miétek, mourir ici, avant la fin, quelle folie, pour protéger un Allemand! Souviens-toi de Treblinka. Tu prends des risques. Laisse-le, Miétek. Est-ce qu'ils ont hésité, eux?

Nous arrivons devant un château d'eau dont la coupole défoncée est éclairée par les incendies. Les sentinelles ont installé un fusil mitrailleur devant la porte de fer. Je pousse la porte. Des officiers sont là, quatre derrière une table, l'air est chargé de fumée, des bougies sont plantées dans des bouteilles placées sur une longue table.

— Il a tiré, a lancé l'un des soldats.

— On l'a arrêté dans une cave, les coups de feu venaient d'ailleurs, ai-je dit.

Les officiers m'ont regardé, cherchant à comprendre.

— Je crois que ce garçon n'y est pour rien, colonel, mais les hommes voulaient l'exécuter, tout de suite, j'ai pensé...

— Ça va, lieutenant, ne nous faites pas perdre notre temps.

Les officiers hésitaient. Ils fixaient le jeune homme muet, ses cheveux noirs couvrant une partie du visage.

— Considérez-le comme un prisonnier de guerre, a dit le colonel.

On a emmené le jeune homme. Là-bas, devant une cellule de la *Kommandantur* de Zambrow, un officier interprète, en quelques mots, m'avait sauvé d'une exécution sommaire. J'avais payé ma dette. Je n'aime pas devoir.

Le lendemain, j'ai marché derrière les chars vers le centre de Berlin. Leurs obus transformaient les murs en nuages de poussière grise qui montaient vers un ciel bas, envahi par les fumées des incendies. J'ai aperçu des soldats russes qui d'étage en étage réduisaient des nids de résistance, d'autres qui de cave en cave traquaient les filles, d'autres qui allaient à la chasse aux trophées. J'ai retrouvé Moniek, Wladek et Tolek et nous avons dormi ensemble, enroulés dans nos couvertures, l'un d'entre nous montant la garde.

Notre guerre était presque une guerre de partisans : j'ai croisé des Mongols, des Cosaques à cheval et des soldats à bonnets de fourrure. L'Armée rouge avec ses tanks, ses *Katiou-*

cha, était aussi cette vaste troupe hétéroclite qui venait de traverser toute l'Europe pour parvenir jusqu'ici. Et j'étais là, avec elle, échappé du ghetto, des forêts de Pologne, courant derrière les chars le long de cette large avenue d'Unter den Linden. Au bout il y avait la porte de Brandebourg, son attelage orgueilleux que j'avais vu sur les affiches qui nous criaient : « *En avant, ceux de Stalingrad, la victoire est à nous.* » Au milieu de l'avenue, les arbres étaient abattus, les soldats s'élançaient en hurlant. Ils balayaient aux fusils mitrailleurs les façades béantes. De temps à autre, une explosion plus forte faisait trembler le sol : un dépôt de munitions ou un pont devaient sauter.

Une nouvelle nuit a commencé, avec des tireurs isolés, ces « loups-garous » perdus dans les ruines. Puis au matin la bataille a continué. Les tanks étaient parvenus jusqu'à la porte de Brandebourg. J'ai vu les soldats grimper sur l'atelage de pierre, y planter le drapeau rouge. Mur après mur, j'ai progressé avec les autres vers le Reichstag derrière les tanks et, dans la fumée des incendies et des explosions, j'ai vu courir vers le bâtiment défoncé par les obus des hommes qui brandissaient un drapeau rouge. Ils ont disparu dans les ruines, dans le fracas des mitrailleuses et l'éclatement des grenades. Puis ils ont surgi au sommet du bâtiment agitant leur drapeau, le drapeau qui était pour moi celui de la victoire sur les bourreaux. D'en bas, j'ai crié avec les autres, tirant une rafale de mitraillette en l'air, j'ai hurlé, *hourra! hourra!* je venais de si loin. Tolek s'est précipité vers moi et nous avons dansé.

Voilà, nous avions crevé le mur qu'ils avaient construit autour de nous, un jour d'octobre, nous avions franchi les barbelés qu'ils avaient tendus autour de nos tombes, nous avions brisé les portes des wagons, soulevé l'épaisse couche de sable jaune qu'ils avaient jeté sur nous et nous étions là, dans leur capitale en ruine, là, vivants.

Voilà, père, voilà, frères.

10

La vengeance est amère

Dans les rues pleines de gravats, entre les façades crevées, ils défilent : certains sont nu-tête, d'autres portent encore leur casque, la plupart une casquette ou un calot; ils sont chargés de sacs, leurs gamelles battent leurs flancs. Ils marchent en silence, soldats du Reich vaincu. Je reste là, avec Tolek, je les regarde passer : ils ne ressemblent pas à nos bourreaux, entrant, orgueilleux, invincibles, un matin de septembre dans Varsovie. Ceux-là sont trop vieux, trop jeunes, ils ont déjà les yeux baissés des victimes. N'y a-t-il donc que des bourreaux vainqueurs et les vaincus deviennent-ils si vite innocents? Je voudrais presque que le combat continue : tout était simple. Maintenant, la vérité se brouille, une ville morte, des femmes qui se battent autour du cadavre d'un cheval pour en arracher la viande, ces vieilles, ces enfants, ces infirmes qui s'agglutinent près d'une pompe pour avoir de l'eau; ces hommes courbés qui ramassent dans les ruines des morceaux de bois et ces soldats qui les bousculent, qui font descendre les cyclistes de leur vélo et se l'approprient; ces patrouilles qui réquisitionnent les passants pour les faire déblayer la rue. Tout cela, je l'ai vu, il y a des siècles, là-bas. Et voici que je suis le vainqueur.

Je marche, je découvre la ville morte pour me connaître et m'emparer de ma vengeance. Là, devant l'entrée de la Chancellerie, leur repaire, un soldat est assis, son fusil sur les genoux dans un large fauteuil recouvert de soie verte. Ma vengeance, ma victoire. Plus loin, des civils surveillés par un soldat dégagent dans le Tiergarten jonché d'arbres abattus des cadavres recouverts d'une mince couche de terre. L'odeur est insupportable. Les morts sont jetés sur des chariots que des hommes traînent, les cadavres sont recouverts d'un papier noir de camouflage, placés dans des caisses de carton. Il y avait sur nos trottoirs des corps dissimulés par des feuilles de papier blanc, ces corps marqués qu'emportaient les hommes de Pinkert. Le long de la Charlottenburger Chaussee, des chevaux morts achèvent de pourrir, à demi dépecés par ceux qui ont faim. Dans la chaleur, entre les os blancs, les viscères semblent encore palpiter. C'était un jour de septembre, quand ils bombardaient Varsovie, que j'avais vu ce cheval mort couché dans les décombres encore attelé à sa *droshka*.

Ma vengeance est amère. Je sens la peur autour de moi, je connais ces yeux baissés qui m'observent, ces files d'hommes et de femmes qui attendent un peu d'eau et qui brusquement se figent, se taisent, parce que je passe. Moi aussi j'ai fait la queue pour un peu d'eau au bord de la Vistule, moi aussi j'ai vu venir vers moi cet inconnu en uniforme qui était le pouvoir absolu et la loi nouvelle. Vieilles en noir, immobiles, votre récipient à la main, hommes penchés sur les ruines, je vous connais. Je te connais, ville morte, qui a faim, peur, je sais distinguer les victimes des bourreaux. Ils nous ont frappés d'abord, nous, et vous avez laissé faire, puis ils vous ont poussés en avant, comme un bouclier. Aujourd'hui, c'est votre tour. Nous avons les mêmes bourreaux.

A la *Kommandantura*, j'essaie de les reconnaître. Les membres du parti nazi doivent se présenter le matin. Ils viennent, disciplinés, se ranger devant les anciens bureaux de placement. Certains ont des certificats prouvant leur bonne foi, ils ont aidé des Juifs, des prisonniers, des antinazis. D'autres se taisent, subissent. Ils partent par groupes dégager une rue, déterrer les cadavres et leur donner une vraie sépulture, nettoyer les égouts. Notre vengeance est légère. Il n'y a ici ni mur ni *Umschlagplatz*, ils travaillent pour leur ville. Puis un matin l'ordre est venu me chargeant de l'interrogatoire des membres du *Wehrwolf*. Ils étaient rassemblés dans un immeuble qui nous servait de prison, du côté de Pankow. J'ai circulé dans les couloirs, ouvrant les pièces où ils attendaient : ils étaient là, assis par terre, des jeunes gens maigres dont certains paraissaient n'avoir même pas quinze ans. Quand j'ouvrais la porte ils levaient la tête, m'observaient en silence, leurs coudes posés sur les genoux; certains appuyés au mur me regardaient avec ironie. La plupart paraissaient épuisés.

— Ce sont des partisans, m'a dit un soldat de garde.

Il a soulevé sa mitraillette.

— Pas besoin de jugement.

Il balayait un groupe imaginaire.

Je me suis installé dans une petite pièce. J'avais une longue série de questions à poser auxquelles ils devaient répondre par oui ou par non. Parfois il était prévu qu'ils pouvaient donner quelques détails. J'ai lu. Je me souvenais de cet officier qui m'avait interrogé à Lublin : l'Armée rouge était l'armée des interrogatoires. Mais ici des hommes qui étaient encore des enfants risquaient leur vie. Le premier est entré, malingre, petit, brun, s'essuyant le nez d'un geste machinal.

— As-tu juré de ton plein gré fidélité absolue à Hitler?

Il a baissé la tête.

— As-tu juré de combattre par tous les moyens les ennemis du Führer, même après la capitulation?

Il approuvait, il approuvait : les questions s'enchaînaient et l'enchaînaient. Je me suis levé. Dans ces nuits durant la bataille de Berlin, des « loups-garous » nous avaient tiré dessus. J'avais vu tomber des camarades. Mais qui avait tiré? Il répondait oui, oui. A la fin, j'ai crié :

— Mais as-tu fait quelque chose, toi, sais-tu te servir d'un fusil?

Sa candeur, son innocence illuminaient ses yeux.

— Rien, rien, je suis resté dans notre cave, avec ma mère.

J'ai ajouté ma question et sa réponse, puis je l'ai fait signer. Tous ils étaient comme lui, arrêtés au hasard des patrouilles, après la fin de la bataille, suspects, coupables pour d'autres. Ils sont passés, l'un après l'autre : tous avaient prêté serment de fidélité absolue au Führer, tous étaient entrés volontairement dans le *Wehrwolf*, tous s'étaient engagés à la résistance, tous étaient des criminels de guerre et tous étaient innocents. Un colonel est venu. J'ai tenté de lui expliquer, mais il a haussé les épaules.

— Coupables, innocents. Ils nous auraient achevés d'une balle. Tu as gagné tes médailles au feu, lieutenant?

Il soulevait mes décorations.

— Tu sais qu'on ne fait pas la guerre avec des agneaux. La paix non plus. Il faut les obliger à comprendre qu'ils sont battus, lieutenant, leur enlever l'envie de recommencer, à jamais. On les dressera.

Le soir, quand je sortais du bâtiment, des groupes de femmes stationnaient assez loin de la porte : femmes silencieuses avec de petits paquets à la main. Etais-je venu jusqu'ici pour cela? J'essayais d'oublier, rentrant à Berlin, mais les routes étaient encombrées de réfugiés qui venaient de l'Est, de Silésie, de Poméranie. Je reconnaissais des paysans à leurs vêtements de velours, à leurs chapeaux; souvent dans les charrettes les vieilles étaient couchées sur des bottes de paille, les hommes tiraient, attelés, avançant sans un regard, des enfants suivaient. Quel saccage, quelle folie! La gangrène que les bourreaux avaient inoculée au monde ne finissait pas de s'étendre : interrogatoires, réfugiés, exécutions, n'y aurait-il donc jamais autour de moi la paix, le bonheur?

C'était le début du mois de juillet. Berlin était toujours soumis au couvre-feu, cependant on commençait à voir, le soir, dans des fins de journées rouges, des cyclistes en groupe qui paraissaient revenir de promenades, l'électricité avait été rétablie dans certains quartiers. Et puis, brusquement, on apercevait au détour d'une rue, des invalides qui rentraient, soldats en guenilles ayant perdu leurs bras, leurs jambes, se tirant assis dans des boîtes de bois. Je sortais peu, je buvais, éclairé par une bougie puis par une petite ampoule électrique. Moniek l'Ukrainien un soir m'a pris par le bras :

— Viens, a-t-il dit.

Il insistait. Nous avons marché dans les rues désertes où l'on croisait de temps à autre des soldats en maraude.

— Les Américains sont arrivés, m'a-t-il dit. Je les ai vus.

Que m'importait!

— Je vais chez eux, Micha, cette nuit. Je passe là-bas.

Nous avons parlé, marchant bien après le couvre-feu dans la nuit lourde, nos pas résonnant sur la chaussée. Il n'avait plus personne en Ukraine, les siens étaient tous couchés avec des milliers d'autres dans les fosses.

— Je connais la Russie, les Russes, Micha. Ils ne nous aiment pas.

— Qui m'a sauvé, qui?

Ils étaient venus sur la route, au bord de la forêt, avec leurs couvertures roulées autour de leur poitrine, ils avaient été les partisans du général Alexis Feodorovitch Feodorov, et ils avaient planté le drapeau rouge sur le Reichstag.

— La guerre est finie, Micha. Moi, je veux vivre. Je n'aime pas les uniformes. La Russie est pleine d'uniformes.

Je l'ai quitté brusquement, sans un mot, le laissant au milieu de la chaussée, n'écoutant que mon pas, oubliant le sien. Nous l'avions sauvé des bourreaux et il nous abandonnait.

Moi aussi, je voulais vivre, moi aussi je n'aimais ni les uniformes ni les interrogatoires, moi aussi j'avais découvert que beaucoup de Russes ne nous appréciaient guère. Et j'avais là-bas, à New York, le dernier arbre de ma forêt, la mère de ma mère, ma souche, la tante de Julek. Mais je n'aime pas devoir et j'avais des dettes à payer à cette armée, à ce pays, qui m'avaient conduit jusqu'à Berlin. Il fallait les payer toutes. Un homme doit aller jusqu'au bout. Mais Wladek a disparu aussi comme Moniek.

Quelques jours plus tard j'ai quitté Pankow pour Postdam. La ville était déjà en état de siège. La Conférence des *Trois Grands* devait s'y tenir et on attendait Churchill et Truman. Je ne croisais que des soldats, occupant les parcs immenses, les châteaux, les longues avenues droites. J'ai interrogé des suspects, arrêté d'anciens nazis, ce SS dénoncé par sa femme et qui se cachait dans une cave où nous l'avons trouvé entouré de bouteilles de cognac, baignant dans l'alcool, un pistolet à portée de main et tout autour de lui des photos à demi consumées où l'on apercevait des gibets avec leurs grappes de corps, des charniers. Celui-là était un bourreau, un vrai, une longue balafre barrant sa joue, les yeux blancs, insolent quand il s'est dégrisé dans la cellule. Il avait des dettes à payer, et moi j'en avais à leur réclamer. Moniek et Wladek laissaient cela, ce travail inachevé. Moi, pour cela aussi je voulais aller jusqu'au bout. Puis un matin, nous avons pris notre service le long d'une allée du parc : un officier tous les dix mètres. Staline arrivait. J'ai vu sa limousine noire, une vague silhouette, un profil vite disparu. C'était cela, un *Grand*. Debout depuis des heures au bord de cette allée, j'ai rêvé à un monde où, comme dans les forêts de Pologne, parmi les partisans, comme dans le ghetto, au bunker de Mila 18, les chefs n'eussent été que des hommes simples, pareils aux autres, mêlés aux camarades.

Après Postdam, mon unité est partie pour Leipzig. Sur les routes, j'ai croisé les colonnes de camions chargés de matériel, de machines, les groupes de réfugiés, des prisonniers encore. Tout un peuple paraissait en mouvement, fourmis comme nous l'avions été, essayant de retrouver leur chemin, une vie. Les villes étaient en ruine, les voies ferrées coupées. A Leipzig, tout un secteur avait été évacué pour nous, dans le quartier de Golis, face à un vaste parc. Il y avait eu, là-bas, ce quartier de Zoliborz où j'avais pour l'officier aux yeux blancs dégagé la neige devant les villas occupées par les Allemands. Celle que j'occupais à Leipzig était immense, avec des meubles massifs en bois sculpté. J'étais seul dans les deux étages, privilège des officiers, prisonnier de ce décor qui n'était pas le mien, en proie aux cauchemars. Je m'étais installé dans une petite pièce près de l'escalier, dormant sur un matelas, dans un désordre fait de bouteilles posées sur le sol et d'uniformes jetés sur les chaises. Je traversais le hall, je montais l'escalier en courant, je m'enfermais, je buvais, je tentais de dormir. Mais ils étaient toujours là, les miens. Le matin, je les appelais à moi, le soir ils surgissaient d'eux-mêmes. Je revoyais la rue Senatorska, notre maison. J'étais le vainqueur vaincu, seul, dépouillé.

Un jour, les propriétaires de la villa se sont présentés. La femme d'abord, une lourde bourgeoise trop prévenante, qui demandait à prendre du linge, puis l'homme, âgé, mutilé, qui arborait sa manche vide comme un manifeste : une fille aussi, venue la dernière avec ses parents. Ils frappaient à leur porte, ils regardaient leur maison, ils la reprenaient des yeux.

— Nous ne savons guère où aller, a dit l'homme, Leipzig est plein de réfugiés.

— Ils ont peur de rester dans les campagnes, a ajouté la femme.

— Certains viennent de Pologne. On les a chassés de là-bas, continuait l'homme, agitant sa manche vide.

Ils m'acculaient : j'aurais pu leur lancer tant de mots au visage, tant de faits couverts de sang et d'horreur, j'aurais pu parler du plâtre enfoncé dans les bouches de Polonais exécutés sur une place, de ces trois enfants qui, les bras levés, pleuraient au milieu du village, de Varsovie, toute Varsovie transformée en désert. Ma maison, toutes les maisons, et tous les miens. Ils m'obligeaient à être brutal, violent, ils voulaient faire de moi un bourreau.

— Installez-vous ici, ai-je dit, je n'occupe qu'une pièce. Personne d'autre ne viendra.

J'avais cédé. Ils triomphaient, méprisants. « Nous sommes chez nous », disaient leurs visages. « C'est notre droit. » Dupe ou bourreau, n'y avait-il que ce choix?

Je les ai évités, rentrant tard le soir, partant à l'aube, m'enfonçant dans mon travail.

A Leipzig, je traquais le gros gibier. La ville était sur la route du Sud, vers l'Autriche, les Alpes, l'Italie, la liberté. Nous apprenions souvent trop tard que des officiers SS ou des SA venaient de filer, vers les montagnes. Les informateurs arrivaient après coup, nazis qui voulaient effacer par une dénonciation tardive et inutile un passé trouble. Ils quémandaient de petits avantages, ils m'enveloppaient de leur *Tovaritch lieutenant*. Ils juraient sur leurs enfants, sur leur mère. Ils avaient peur et faim. Ils étaient serviles.

Walter, lui, est resté debout et dès ce premier matin je lui ai fait confiance : grand, maigre, les cheveux blancs coupés très court, il parlait peu, avec difficulté.

— Je ne vous demande rien pour moi, a-t-il dit. Je n'ai besoin de rien. J'ai l'habitude.

Dans un mouchoir qu'il a lentement déplié il gardait un morceau de carton brun qui sentait la terre.

— Ma première, a-t-il dit.

C'était une carte du parti communiste de l'année 1921. Je tenais ce petit carton anodin qui pour cet homme, voulait dire son honneur. Je lui ai tendu sa carte qu'il a enveloppée à nouveau.

— Nous sommes sur une piste, a-t-il dit. Quelqu'un d'important. Est-ce que ça vous intéresse?

Par tout un jeu de relations il savait qu'un suspect se cachait dans la vieille ville et cherchait à gagner le Sud, peut-être la Tchécoslovaquie.

— De quoi avez-vous besoin?

Il ne voulait que quelques cigarettes pour arracher les informations. Avec une demi-cigarette, en Allemagne, en ce temps-là, on payait une femme. J'ai donné ce que j'avais.

— Je reviendrai.

Quelques jours plus tard, j'ai revu Walter. Il n'était plus seul, son compagnon, petit, maigre comme lui, appartenait aussi à cette espèce d'hommes indestructibles que j'avais rencontrés dans le ghetto, les camps, les forêts. Ceux qui survivent parce qu'ils ont un bloc d'acier en eux. Battus à mort, ils se lèvent. J'en avais vus au bord des fosses. Je savais les reconnaître.

— Peut-être Martin Bormann, a dit Walter. Il a filé vers Grimma.

Je ne connaissais pas avec précision l'importance de Bormann, mais la radio en avait parlé à plusieurs reprises.

— Il se méfie, a dit le compagnon de Walter.

Il souriait.

— Ce serait une belle pièce, mais ici les gens ont peur.

J'ai rassemblé mes cigarettes, je m'en suis procuré auprès des camarades. J'ai essayé d'obtenir une *Kommandirovka*, un laissez-passer pour gagner Grimma. En vain. J'ai harcelé le capitaine, le colonel. Tous deux riaient. Le colonel qui avait toujours une bouteille au pied de son bureau tapait du poing sur la table :

— Micha, Micha, tu as déniché Bormann, pourquoi pas Hitler! Bormann!

Il riait en me regardant.

Walter est revenu. Le suspect avait encore filé, vers Chemnitz. J'ai regardé une carte : il voulait se perdre dans les villages de

la montagne, gagner les forêts. Walter, avec minutie, m'expliquait comment il lui avait fallu passer des heures avec les paysans et depuis Zambrow je connaissais ces longues palabres
avant que les langues se délient. Je savais ce qu'est la prudence
têtue des paysans.

— Qu'est-ce que vous allez faire, m'a demandé Walter. Ça va
être long de le retrouver à Chemnitz. Il faudrait pouvoir
payer.

Tolek m'a donné sa ration de cigarettes, elles étaient rares,
précieuses, la vraie monnaie d'échange. Walter l'a retrouvé à
Chemnitz. Je suis retourné chez le colonel, lui demandant d'accepter de recevoir Walter, un communiste allemand.

— Il a vécu ici, en Allemagne, pendant le nazisme?

Oui, Walter avait survécu.

— Impossible, Micha, impossible. Tu vas nous ridiculiser.
Laisse cette affaire. Si Bormann est par là, d'autres sont sur sa
piste. Fais ton travail, respecte tes limites.

J'ai insisté.

— Respecte tes limites, a crié le colonel.

Un lieutenant, dans le couloir, m'a pris par l'épaule.

— Laisse faire, Micha, qu'est-ce que tu y peux? *Malchi*, tais-
toi.

Walter a suivi le suspect jusqu'à Aue, au pied de l'Erzgebirge.
Là commençaient les montagnes, les forêts. La Tchécoslovaquie,
l'Autriche n'étaient pas éloignées, puis Walter a perdu sa
trace.

— Je crois que nous l'avons manqué, a-t-il dit. Si c'était
Bormann, c'est dommage. Salut, camarade lieutenant.

Je me suis enfermé dans mon bureau, j'ai bu. Ils m'avaient
volé ma vengeance par bêtise, indifférence. Bormann : le colonel riait : « Micha, Bormann? Et pourquoi pas Hitler! »
disait-il. Les incapables voient l'impossible partout. Impossibles,
les projets d'extermination de tout notre peuple, impossible le
ghetto, impossible l'*Umschlagplatz*, impossible Treblinka,
impossible de s'enfuir de Treblinka, impossibles les déportations à Zambrow, impossible de fuir par les égouts. Ma vie était
pleine de leur chœur : partout, j'avais rencontré le troupeau de
ceux qui crient « impossible ». Et j'étais là, vivant, eux étaient

morts. Moi j'avais cru à l'impossible possible, toujours. Et je croyais Walter. Pourquoi ce suspect n'aurait-il pas été vraiment, comme Walter le pensait, Martin Bormann, pourquoi? Ce temps était celui de l'incroyable vrai. Pourtant le colonel et les siens, prétentieux, bornés, ne savaient que répéter et obéir.

Ils m'ont envoyé à Rosswein, à Doebeln : là les prisons étaient pleines de jeunes du *Wehrwolf*, innocents comme ceux de Berlin. Mais c'étaient les ordres et ils les exécutaient, platement. J'ai dû à nouveau arpenter les couloirs des prisons, subir les regards de ces garçons qui ne comprenaient pas pourquoi on les avait raflés, jetés là. Un colonel est arrivé de Berlin, l'un de ces officiers gras à la peau rose qui débarquaient après les batailles; deux jeunes secrétaires étaient avec lui.

— Lieutenant, vous me servirez d'interprète.

Ils défilaient devant lui, perdus, avec leurs gestes et leurs yeux d'enfants et le colonel, suffisant, les mains bien à plat sur la table, souriait.

— Vous avez juré fidélité à Hitler? répétait-il sans fin.

A chaque oui, son visage se dilatait, il tapotait la table.

— Bien, bien. Il vous faudra payer pour cela. Juste, n'est-ce pas?

Si le jeune prisonnier refusait de répondre, il se levait, il criait :

— J'ai posé une question, salaud. Juste, n'est-ce pas?

Ses yeux étaient blancs. J'ai perdu le sommeil. J'ai vécu de vodka mais l'alcool brûlant et fraternel de la forêt, l'alcool qui nourrissait, la *Bimber* râpeuse, était devenu un liquide saumâtre qui achevait de me dissoudre. J'étais dans le camp des bourreaux. Je tentais de rejeter cette conclusion : la justice est difficile, Miétek, mais je m'arrêtais vite de raisonner. Depuis des années, ma raison c'était ma peau, mon instinct. J'avais appris à savoir sans avoir besoin de penser. Je savais que ces jeunes gens étaient des victimes. Je savais que dans la prison de Doebeln j'étais dans le camp des bourreaux. Je buvais, il me fallait fuir, mais pourquoi fuir? Et chaque matin, je retrouvais le colonel, je claquais des talons devant lui, ses secrétaires se plaçaient derrière lui et recommençaient une journée. J'étais dans

302

la fosse, comme à Treblinka, coincé, j'aurais voulu changer de peau, devenir l'un de ces jeunes, retrouver le sentiment d'être debout contre l'injustice, la force que donne ce combat. Mais j'étais l'interprète de cet officier aux yeux blancs.

Un soir, Tolek qui était resté à Leipzig est venu me voir. Nous avons parlé, marchant le long de la rivière. Il pleuvait, nos capotes s'alourdissaient.

— Il faut peut-être partir, ce n'est pas notre armée, disait-il.

Je l'écoutais. Si je quittais ces hommes en qui j'avais cru, que me resterait-il? J'avais vécu pour la vengeance, ils la défiguraient, ils me l'interdisaient. Ils la pervertissaient. Vivre pour quoi?

— On ne peut pas vivre seulement pour soi, Tolek. On ne peut pas.

Il y avait la Palestine, les kibboutzim, disait-il.

— Et puis, tu as bien quelqu'un, a conclu Tolek.

Tolek est reparti et j'ai marché toute la nuit sous la pluie, m'enfonçant dans la campagne humide, obscure. Le froid, la pluie, la marche : je redevenais moi en me heurtant aux choses, à la fatigue.

Peu à peu, pas après pas, je remontais de la fosse, je refusais de me coucher. Je sortais peu à peu, pas après pas, de Doebeln. Oui, j'avais quelqu'un et s'il y avait des bourreaux dans chaque camp je ne serai jamais avec eux. Et si aucun des systèmes organisés par les hommes, dirigés par les *Grands* qu'on voyait passer en limousine noire ne me convient, je fonderai mon système, mon organisation, ma famille, une femme, des fils autour de moi, tous groupés comme dans une forteresse, liés entre nous par le sang et l'amour. Je construirai ma forteresse, mon château, pour eux.

Je me suis allongé dans l'herbe, la pluie me couvrait, mais qu'importait la pluie? J'avais trouvé ma route. Au ghetto, j'avais inventé seul ma méthode, à Treblinka j'avais découvert seul le moyen de sortir du camp d'en bas, et seul encore j'allais élever ma forteresse. Pour eux, les miens, cette femme, ces fils. J'avais quelqu'un là-bas, à New York, un arbre de ma forêt. Là-bas, j'élèverai ma forteresse. Venger les miens, tout mon peuple, c'était faire surgir une autre famille, jeter d'autres graines dans le sol et les protéger.

J'ai dormi dans l'herbe, apaisé, sous la pluie puis le soleil. Tard dans l'après-midi, je me suis présenté à la caserne. L'une des secrétaires du colonel m'attendait, hautaine, hostile.

— Il est très en colère, a-t-elle dit.

— Je suis malade, je pars pour l'hôpital de Leipzig.

J'ai traîné à l'hôpital de consultation en consultation. Allongé dans une vaste salle au milieu des blessés convalescents qui jouaient aux échecs, je rêvais. Je me laissais porter par le temps comme jamais je ne l'avais encore fait, j'imaginais : ces enfants, les miens, ressemblaient à mes frères, cette femme, c'était ma mère, Rivka, Zofia, Sonia, elles étaient toutes les femmes. Nous avions des arbres autour de nous, des étendues vertes. Je rêvais : mon père, ma mère, tous mes camarades, ils étaient là avec nous, au milieu des arbres.

Un matin, le major m'a jugé guéri. Un général de Leipzig demandait un officier parlant allemand : quelques heures plus tard, j'étais à table avec lui, sa femme, ses enfants, je buvais sa vodka.

— Encore un verre, Micha? disait-il déjà.

Il prenait la bouteille placée sous la table comme s'il avait craint, chez lui, une inspection, pareil à un petit lieutenant dans une cantine. Cette armée, ce peuple, quel curieux mélange! Le général ne paraissait avoir qu'une seule préoccupation, procurer à ses amis généraux des manteaux, des fourrures, des vêtements de toute sorte.

— Tu es juif, Micha, un Juif, c'est malin. Tu vas me trouver tout ça.

Ce n'était rien, qu'une phrase amicale. J'ai parcouru la vieille ville de Leipzig, découvert des échoppes, joué de ma qualité d'officier de la N. K. V. D., réquisitionné.

— Vous connaissez la couleur de ma casquette?

Ils la connaissaient. Ils acceptaient mes prix. J'ai acheté, je suis devenu l'homme indispensable.

— Micha est unique, disait le général, unique.

Les femmes des officiers supérieurs me poursuivaient.

— Micha, Micha, nous n'avons rien.

Les généraux en inspection et qui avaient laissé leurs épouses en U. R. S. S. me convoquaient et me passaient de longues listes de « cadeaux » à trouver avant demain. Je jouais, le temps passait, j'attendais, me regardant agir : avais-je vécu le ghetto, Treblinka, notre révolte, pour fournir en manteaux de fourrure des femmes d'officier? Moi, Miétek, moi qui avait lancé des sacs de blé, moi, ils me réduisaient à cela? Folie. Et eux-mêmes, avaient-ils fait la guerre pour en arriver là? Je les écoutais, je les observais, ces hommes chamarrés qui avaient conduit d'autres hommes au combat, ces chefs qu'on saluait et qui avaient droit de vie ou de mort. Quelle tristesse que de les voir ainsi tendus vers ces quelques peaux cousues ensemble. Pour m'affirmer différent je ne portais plus mes galons, un long manteau de cuir cachant mes insignes, mes décorations. J'étais Miétek l'irréductible, Miétek le différent. Le commissaire politique, un homme jeune, nerveux, sombre, qui paraissait avoir sur ses supérieurs le même jugement que moi, me prenait souvent à part.

— Micha, ta place est au Parti. Tu es d'un bon métal. Si tu entres au Parti tu auras un grand avenir. Une Académie militaire.

D'un geste de la main, il m'ouvrait des perspectives. Je l'écoutais. Je ne croyais plus, j'avais un autre rêve déjà qui grandissait en moi. Mais je n'agissais pas, je me laissais porter par les jours. J'avais rencontré une jeune Polonaise qui devait rentrer à Varsovie, je vivais avec elle des heures douces. J'étais comme un coureur qui se détend avant le sprint.

Tolek, le soir où elle partait, m'a rejoint sur le quai de la gare. Il paraissait hors de lui.

— Miétek, j'ai pris Schultz.

Je l'ai saisi par les épaules. Schultz du ghetto, l'homme qui parlait d'un balcon, promettant aux travailleurs dans ses camps de Poniatow et de Trawniki, la vie sauve. Schultz pour qui nous avions été des esclaves. Avec Tolek, nous avons couru jusqu'à la prison. Le ghetto renaissait, la rue Leszno et le cri de père, son dernier cri rue Swientojerska. Nous étions de la N. K. V. D., on nous a laissés entrer et un soldat nous a guidés vers sa cellule. Il était assis sur un tabouret de bois, Schultz le profiteur, l'endormeur, le complice. Il a levé les yeux. Tolek et moi nous étions collés aux barreaux. Il s'est redressé.

— Qu'est-ce que vous voulez?

Je voyais les gouttes de sueur sur son visage. Nous n'avons pas bougé.

— Qu'est-ce que vous me voulez?

Sa voix s'était faite plus aiguë.

— Te revoir, Schultz. Je t'ai vu, là-bas, du côté de la rue Leszno.

— Je veux être jugé, vous n'avez pas le droit sans jugement.

Une bête qui a peur, voilà ce qu'il était, contre le mur de cette cellule glaciale, en sueur.

— Schultz, ici ce n'est pas Treblinka. Je voulais te voir. Te montrer que nous sommes là.

Tolek a craché le premier.

— Je vous ai toujours protégés, a crié Schultz, j'ai toujours essayé.

J'ai craché aussi.

Cette nuit-là, Tolek et moi nous avons bu en silence dans ma chambre jusqu'à tomber, la tête sur la table. Les jours ont passé, j'ai acheté des manteaux de fourrure pour les femmes des généraux. J'ai rêvé. Souvent j'écoutais la radio américaine en allemand, j'essayais de comprendre ce qu'était ce monde où elle vivait, cette vieille dame dont j'étais issu. Elle était là-bas de l'autre côté de la vie. Des semaines encore, puis Tolek est entré un matin dans mon bureau.

— Ils ont libéré Schultz, a-t-il dit. Libéré. Ils veulent même l'utiliser, le faire parler. Il répète qu'il veut les aider.

Il fallait prendre les choses calmement, essayer de les changer, de savoir. Le général était amical, paternel.

— Micha, au fond, Schultz, ce n'était qu'un opportuniste, pas un criminel. Pour les Juifs, peut-être, mais pour nous Soviétiques, tu comprends Micha, il faut distinguer. Ici, il peut nous être utile. C'est la vie, Micha. C'est la politique.

Je n'ai pas discuté. A quoi bon? Le général venait d'un pays où les fosses que les bourreaux avaient creusées étaient profondes. Kiev, Karkhov, Smolensk, Leningrad, tant de villes rasées, des morts par millions. Il ne servait à rien de lui parler de Varsovie, de Treblinka. A rien. J'ai revu l'orgueilleux Schultz, quand il passait dans les rues du ghetto, qu'il donnait la vie ou la mort en attribuant ou en refusant une carte de travail dans ses usines; le roi Schultz, maître d'esclaves du ghetto de Varsovie, faisant de l'or avec les dernières forces d'hommes et de femmes affamés. Allons, frères, je ne réussirai jamais à vous venger complètement et même si j'y réussissais vous ne revivriez pas. C'est ma défaite. La mort ne se rachète pas. Seule une autre vie peut l'effacer. D'autres vies.

Tolek a disparu un jour. « Je vais partir », m'avait-il dit. Nous nous étions embrassés. Bonne chance, frère. J'ai attendu quelques semaines encore : des enquêtes à achever. Je devais aller jusqu'au bout. L'armée soviétique m'avait conduit à Berlin, je m'étais battu avec elle, je l'avais servie. Elle avait favorisé puis détourné ma vengeance, elle l'avait mutilée. Nous étions quittes.

Merci à vous, soldats venus sur une route de Pologne, un jour de juillet, et qui criaient *Na Berlin!* Merci à vous, combattants des rues de Berlin couchés sur la chaussée par les bourreaux si près de la victoire. Je pars. Nos routes se séparent. Chacun sa vie, chacun sa route. Votre rêve n'est pas le mien.

Merci, combattants, camarades.

Cela faisait des mois que je ne prenais plus de repos. Quand j'ai obtenu mes galons de capitaine, le commissaire politique m'a fait appeler :

— Micha, tu vas réfléchir, il y a ça.

Il me montrait une grosse enveloppe couverte de cachets.

— Les Polonais voudraient bien t'avoir avec eux. Ils ont des problèmes. Les fascistes résistent. Ils tiennent, dans les forêts, les montagnes. Tu es polonais, si tu le veux tu peux retourner là-bas, aider les camarades.

Il s'est levé.

— Mais réfléchis, tu es aussi des nôtres. Je tiens à toi. Alors, nous ou les Polonais, choisis.

Il m'a fait accorder une longue permission. Je suis parti en voiture pour Berlin. Je n'étais pas russe, j'étais polonais, mais qu'est-ce qu'un pays désert, un sol où pas un des vôtres n'est vivant? Ma patrie, ma seule patrie, c'était les miens, tous ceux pour qui j'avais vécu, ceux du ghetto et de Treblinka, mon peuple, ma patrie de chair et de douleur. Au nom de tous les miens, je ne pouvais faire qu'un seul choix.

Je pars, camarades de combat. Maintenant le temps de la vengeance s'achève et commence un autre temps, celui d'un nouvel ordre, peut-être fraternel pour vous mais qui n'est pas le mien.

Je pars, camarades de combat, nos routes se séparent. Quel serait mon avenir parmi vous? Policier, soldat? Ce n'est pas pour cela que j'ai survécu.

Je n'avais qu'un seul choix. Souvent avec Tolek j'avais discuté des moyens de partir. Une fois à Berlin, il suffisait de prendre le métro dans le secteur soviétique et de descendre dans le secteur occidental.

Quand je suis arrivé dans l'ancienne capitale du Reich, la ville était encore sombre, sinistre avec ses pans de murs qui se détachaient sur le ciel comme les éléments d'un décor. Je me suis garé dans une cour déserte puis, vêtu d'un costume civil, je me suis mêlé à la foule du métro. J'ai eu du mal à me glisser dans l'un des wagons. A la première station dans le secteur américain, je suis descendu.

Dehors, c'était le bruit assourdissant des klaxons, des jeeps fonçaient. La foule sur les trottoirs était dense, les vitrines brillaient, éclairées en jaune et rouge. Je me suis appuyé à un mur. Personne ne se souciait de moi, je regardais ces hommes, ces femmes, ces soldats. Un vendeur de journaux criait en courant. J'étais entouré de bruits, plongé dans un nouveau monde où j'allais devoir construire ma forteresse.

TROISIÈME PARTIE

UN NOUVEAU MONDE

11

Un jour, j'élèverai ma forteresse

— D<small>ONC</small> vous êtes né à Varsovie, et votre père?
A Lublin, un officier soviétique m'avait posé la même
question. J'ai changé de monde et voici un officier qui m'inter-
roge aussi. Il est bienveillant, las, indifférent. Devant moi, derrière moi, tant de visages, toute l'Europe de la misère, Juifs en
marche vers une patrie, Silésiens, Hongrois, Tchèques, Sudètes,
Polonais, rescapés de l'horreur, chassés par la peur, épuisés, dé-
munis, avec un seul espoir : l'Amérique. Cet officier c'est déjà
l'Amérique à portée de voix et de regard. C'est elle, c'est lui
qu'il faut convaincre. Je le guette, je tente de savoir ce qu'il y a
derrière ces yeux, dans cette tête ronde.

— Vous êtes arrivé à Berlin, comment?

Il parle polonais, il me regarde à peine, les mains posées à
plat sur la machine à écrire.

— A pied, seul, j'ai marché.

L'Armée rouge, la vengeance, c'était mon affaire, mon passé
déjà. Ils n'avaient pas à savoir, peut-être n'auraient-ils pas
compris, m'enchaînant à ce passé alors que je voulais renaître,
commencer, neuf, libre, là-bas.

— J'ai une grand-mère à New York. Tous les miens sont
morts.

Ses yeux se lèvent. Cet homme est un homme.

— Je veux la voir, construire une vie, une famille. Je suis
seul, il n'y a qu'elle.

311

Il approuvait par de brefs mouvements de tête, notant les renseignements que je donnais, ce nom de Feld, ce quartier de New York dont mon père m'avait parlé.

— On trouvera, a-t-il dit. Il faut attendre.

Je ne savais pas attendre, j'avais appris qu'attendre c'est mourir. Maintenant que j'avais décidé d'aller là-bas je ne me laisserai pas enfermer dans Berlin. J'ai commencé à le harceler.

— Je suis seul, ai-je répété. Elle ne sait même pas que je vis. Elle peut mourir. Il faut faire vite.

Je parlais, des phrases que je n'avais jamais prononcées et qui surgissaient comme si elles s'étaient déjà mises en place, silencieusement, au fond de moi, jour après jour.

— Il faut que j'aille là-bas, je peux lui donner un peu de vie. Elle ne m'a vu qu'une fois. Je suis le seul survivant.

J'avais la voix cassée : ces mots, ils venaient d'une nuit du ghetto, la nuit où mon père m'avait annoncé la mort de Julek Feld. Ces mots étaient à lui. L'officier me regardait, secouant toujours la tête :

— Vous êtes tous pareils, a-t-il dit, vous croyez tous...

J'ai failli hurler : oui, je crois avoir ce droit d'insister, de montrer les plaies qu'ils nous ont faites, qu'on leur a laissé nous faire, je crois avoir le droit d'être impatient.

— Les autres, je ne sais pas, ai-je dit. Pour moi, il faut comprendre.

— Je n'ai pas beaucoup de temps, a-t-il dit.

Je savais : dans le couloir, assis sur des bancs, debout, ils attendaient d'être reçus, les errants, les *Displaced Persons*.

— Vous pouvez comprendre, très vite.

Il a allumé une cigarette, a repoussé sa chaise. Il était solide, gras déjà, l'uniforme bien repassé.

— Je vous donne cinq minutes, a-t-il dit, je ne peux vous accorder davantage.

Cinq minutes, voilà ce qu'ils t'offrent, mère, ce qu'ils vous offrent, frères, Rivka, vous tous. Cinq minutes pour que je dise votre mort et ma souffrance et mes droits. J'ai parlé, ne le regardant pas, parlé en leur nom, j'étais leur délégué en cette vie et je devais aller là-bas, pour eux aussi. Il ne m'a pas interrompu, laissant quand j'en ai eu terminé un long silence entre nous.

— Vous êtes si jeune, a-t-il dit. Revenez demain, demandez-moi directement.

Maintenant j'étais sûr qu'il ferait tout pour moi. Cet homme était un homme. Dans ce nouveau monde où j'hésitais encore comme un aveugle au bord du trottoir, mais un aveugle têtu, décidé à m'élancer malgré tout, cet homme m'a pris la main. Grâce à lui j'ai trouvé ma place dans un camp de D. P. et j'ai pu aussi en sortir, traînant dans cette ville divisée, aux ruines ordonnées, cachées derrière des panneaux ou entassées comme les cubes bien rangés d'un jeu de construction. Grâce à lui, j'ai retrouvé Tolek, su que Wladek avait aussi gagné l'Ouest.

La première nuit, nous avons voulu fêter notre rencontre. L'enseigne d'un bar clignotait au-dessus des ruines et nous nous sommes enfoncés dans la fumée grise, la musique, les rires, les cris. Des soldats buvaient, dansaient, échangeaient leurs dollars. Les filles de nos bourreaux passaient, nous frôlaient de leurs jambes nues. Je fuyais leur regard, leur peau brûlante, je regardais ce barman hilare aux oreilles rongées par le gel et qui avait dû bondir d'arbre en arbre dans une forêt de Pologne ou de Russie, hurlant lui aussi comme les SS de la division Viking qui était montée à l'assaut dans les bois de Ramblow.

Nous buvions une lourde bière blonde mélangée d'alcool, la *Weisse mit Schuss.*

— C'est la paix, répétait Tolek, la paix. Il faut s'habituer.

Je ne m'habituerai jamais à ces vies futiles qui tournaient autour de nous, sans projets, sans raison, c'était précieux la vie.

— Nous n'allons pas rester là, Tolek.

Tolek est passé devant moi, tout à coup le barman a surgi, essayant de nous retenir à coups de clin d'œil, de geste. J'ai lancé ma tête contre sa poitrine, brutalement, il est allé s'étaler au milieu des vêtements du vestiaire et nous avons filé, nous perdant dans les ruines. Une pluie glacée balayait les avenues dégagées, luisantes.

— Tu es nerveux, camarade, m'a dit Tolek en riant.

J'ai éclaté de rire puis nous avons marché, échangeant nos

313

silences fraternels. J'étais comptable devant les morts, les meilleurs d'entre nous, père, Julek, Mordekhai. Ils avaient réussi leur vie, la couronnant du sacrifice. Je devais la réussir aussi, tenter d'être pareil à eux. Cette nuit-là, nous avons parlé, de la Palestine où Tolek hésitait à partir car il avait retrouvé un oncle à Berlin. Il décrivait la vieille terre nue, aride, morte, que nous allions retourner, ranimer. Je l'écoutais, je voyais mon peuple debout dans ce désert à conquérir, à transformer, mon peuple pour qui je m'étais battu, avec qui j'avais souffert. Et parce que j'avais souffert, je me sentais juif jusqu'au plus profond de moi. Fier et heureux d'être juif car nous étions restés vivants et debout malgré la rage des bourreaux et l'indifférence du monde. Un jour, je rejoindrai la Palestine mais j'avais aussi d'autres devoirs.

— J'ai un plan, Tolek.

— Tu as toujours un plan.

Nous avons ri, nous donnant des bourrades, courant dans les rues désertes, gais tout à coup. C'est vrai, j'avais depuis les temps cruels toujours tracé des perspectives, toujours tenté de penser avant les autres pour forcer les choses, ne pas être entraîné par elles, mais se servir d'elles. A Tolek, j'ai dit tous mes rêves, ce plan que je devais réaliser, ma Palestine :

— Ma grand-mère, l'Amérique, le travail, le travail, et quand j'aurai assez, une femme, des enfants, ma famille, et nous irons quelque part, tous.

J'élèverai ma forteresse, entourée d'arbres.

— Enfin la paix, Tolek, des enfants qui deviendront des hommes. Je leur expliquerai, ils ressembleront à père, aux nôtres. Tu entends, je leur donnerai la paix, ce que nous n'avons pas connu.

Mes frères silencieux, muets, enfermés dans cette pièce, condamnés à ne pouvoir sortir, qui réclamiez le soleil, mes frères cachés derrière l'armoire truquée et qui vous accrochiez à moi, le soir quand enfin je vous retrouvais. Mes frères qui n'aviez connu que les murs, le ciment, les wagons, la mort, je vous ferai renaître.

Un matin, l'officier américain est venu lui-même me chercher dans le couloir du baraquement : il agitait une lettre.

314

— Vous n'avez pas attendu longtemps. Ça marche ici, nous ne sommes pas des brutes. La voici votre grand-mère.

Je me suis assis sur un banc. Autour de moi, c'était le croisement des langues, le polonais, l'allemand, le yiddish, le russe, le tchèque, les pleurs d'un enfant, l'appel des noms, le bruit des machines à écrire. Mais je n'entendais, je ne voyais que ces mots écrits par elle, la mère de ma mère, une voix lointaine et frêle, une écriture tremblée, aux lettres mal formées, qui répétait de cent façons : « Viens, Martin, viens. »

Peu après, j'ai quitté Berlin pour Bremerhaven. Sur le quai, devant le *Marin-Marlyn*, un liberty-ship trapu, nous étions une foule fouettée par le vent humide, encombrée de valises qu'entouraient des ficelles ou des ceintures, de sacs, une foule calme, passive, comme si toute son énergie s'était dépensée à venir jusque-là. Puis, quand l'ordre d'embarquer a été donné, ça a été brusquement la cohue vers la passerelle, la violence, la peur de rester sur cette terre qui emprisonnait tant de corps chers. Tolek m'a embrassé.

— Tu sautes un nouveau mur, m'a-t-il dit. Il faut toujours que tu files.

Je l'ai pris à nouveau aux épaules. Cette terre où j'avais souffert, il faudrait bien que je la retrouve un jour, j'étais lié à elle par le sang et la mort, l'espoir et le combat. J'étais de ce sol, vieux, crevé, rempli de fosses, je le savais au moment de le quitter. eC sol où dormaient les miens je ne l'oublierai pas.

— A bientôt, Tolek.

Je suis resté sur le pont mais le brouillard nous a rapidement enveloppés. J'apercevais à peine les rives plates, grises, entre lesquelles nous glissions. En face de nous s'étendait un champ verdâtre et oscillant où nous allions nous traîner jour après jour. J'ai vécu dans un coin, dormant, vomissant; parfois, quand je montais sur le pont, j'étais trempé par un paquet de mer et je redescendais dans cette odeur de sueur et d'aigreurs. Les cauchemars me submergeaient : je me réveillais dans un wagon pour Treblinka, ce balancement c'était celui de mon corps tenu à bout de bras et qu'on allait jeter dans une fosse avec les autres, l'Océan était une étendue de sable jaune. J'ai à peine bu, à peine mangé, je m'enfonçais dans un désespoir mouvant, nauséeux : pourquoi les avais-je laissés là-bas, pourquoi étais-je encore vivant, en route, pourquoi, comme l'avait dit Tolek, fallait-il toujours que je « file »? Je vomissais, la mer n'en finissait pas, l'inaction me terrassait, elle me laissait seul avec ce passé gluant d'horreur et de malheur et qui m'entraînait comme un remous. Autour de moi les autres ne résistaient pas. La guerre nous avait déracinés et nous avait jetés à la dérive.

Puis l'Océan s'est calmé et enfin j'ai pu rester sur le pont, à me nourrir d'air vif et d'embruns, à guetter cette côte nouvelle, l'issue de ma longue route. Les autres sont peu à peu montés sur le pont et nous restions tous, épaule contre épaule, tendus vers notre avenir, silencieux, regardant venir vers nous ces murailles de béton, de verre et d'acier, cette forêt puissante et hautaine où nous allions entrer. Le bateau glissait sur l'eau grise, bleue par plaques. J'apercevais en arrière du dock de bois vers lequel nous nous dirigions des voitures, quelques silhouettes. Brusquement, il y a eu un léger choc : le *Marin-Marlyn* a cessé de vibrer. Des policiers sont montés à bord et nous nous sommes alignés sans hâte. J'étais arrivé, je regardais. C'était un autre combat qui commençait : il fallait rester soi, ne pas se laisser entamer, demeurer fidèle. Vaincre encore, survivre d'une autre façon, garder vivants en soi le souvenir, la volonté de construire sa forteresse, mériter votre confiance, vous qui n'étiez plus.

J'ai montré mes papiers, vidé devant un douanier mon petit sac de toile : je n'avais rien. Le passé ne m'avait laissé que des cauchemars, quelques photos où j'apparaissais en officier de l'Armée rouge, en combattant des maquis et que j'avais gardées pour expliquer plus tard à mes enfants comment j'avais vengé les miens. Nous avons traversé le dock, subi une nouvelle inspection, et marché entre deux barrières métalliques qui créaient un long couloir. De part et d'autre, accoudés aux barrières, des hommes et des femmes nous dévisageaient. Parfois un cri nerveux éclatait, un bras se levait, des mains s'accrochaient et ne se quittaient plus, serrées au-dessus des barrières, quelqu'un se mettait à courir. J'ai marché sans regarder vers l'issue de ce couloir, la tête immobile, devinant les questions de ces yeux, l'angoisse de leur attente; j'ai jeté mon sac par-dessus l'épaule. Elle ne peut être là, Miétek, tu prendras un taxi jusque là-bas,

316

à Washington Heights, 186ᵉ Rue, 567 Ouest; je marchais répétant cette adresse.

Droite, les mains crispées, blanches, serrées sur un sac noir, elle était au bout du couloir, vêtue de noir, elle était en face de moi et je marchais vers elle depuis que je m'étais enfoncé dans cette cave, près de la place Muranowski, que j'avais couru dans cet égout, m'arrachant au ghetto dévasté, à mon père, pierre parmi les pierres, je marchais vers elle depuis que j'étais seul. Elle était au bout du couloir, maigre et droite, derrière elle je reconnaissais mère, Julek Feld, leurs yeux, ce sourire. Je me suis arrêté devant elle et elle m'a serré dans ses bras, m'emprisonnant : elle tremblait, elle pleurait. Je sentais ses épaules osseuses sous ma main, la fragilité de cette vie. Nous étions immobiles, au milieu de la foule qui débarquait, l'un contre l'autre. Un policier nous a poussés sur le côté, tous les deux attachés l'un à l'autre :

— *Please, please,* disait-il.

Nous sommes restés là, elle murmurait mon nom.

— Je savais, répétait-elle, je savais, tu ressembles tant à ta mère, toujours sur ces photos qu'elle m'envoyait.

Elle avait pris mon visage dans ses mains, elle caressait mes joues. Je me taisais : un seul mot aurait ouvert une brèche béante, les murs se seraient effondrés et j'aurais crié, sangloté de désespoir et de joie, et je me serais blotti contre elle, l'appelant mère, demandant qu'elle me serre encore plus fort, qu'elle me cache entre ses bras. Il y avait tant d'années que je retenais en moi ce torrent de tristesse et de peur, le besoin de ces mains douces et maternelles, mère, mère. Mais je me suis tu étouffant ce tumulte, elle était si frêle, tendue vers moi, elle se serait noyée dans mon angoisse, brisée contre mon malheur, mes souvenirs. C'est moi qui devais la protéger, lui donner un peu de vie. Elle était là, encore vivante, je ne pouvais rien lui demander de plus. Je l'ai prise contre moi, l'enveloppant de mon bras.

— Mama, mama.

Je la consolais, découvrant ce mot au fond de moi : « Mama, mama. »

— Ils les ont tués, répétait-elle. Jamais plus, ta mère, Julek, Fela, eux tous...

Elle était recouverte par son désespoir, elle sanglotait, elle s'appuyait à moi et il me semblait que sa vie tenait du miracle, si maigre, ses os qui me paraissaient prêts à se briser. La protéger, la protéger.

— Mama, mama, je suis là.

Nous sommes partis, elle voulait porter mon sac de toile, elle mêlait ses larmes à des exclamations sur ma taille, ma force :

— Tu es un homme, Martin.

Et tout de suite, elle m'a dit :

— Tu vas te marier, avoir des enfants. Je veux voir tes enfants, être une vieille arrière-grand-mère.

Elle riait, je la serrais contre moi, puis elle éclatait en sanglots.

— Je n'ai pas vu tes frères, ils les ont tués.

J'avais mal, il fallait tenir, me taire, la forcer à remonter la pente, alors que j'étais bien plus loin qu'elle, au fond. En taxi, elle m'a parlé de Varsovie, des vieilles maisons, des rues pavées, des échoppes.

— Tout est trop grand, ici, trop neuf.

Je regardais, j'essayais d'entrevoir les lois de ce monde qui jaillissait autour de moi en longues colonnes de voitures, en murailles verticales qui emprisonnaient le ciel, en un éclatement de lumières. Tout paraissait mouvement, tourbillon de vies, de rues, de bruits, de couleurs. Il me faudrait comprendre pour ne pas être emporté. Ici aussi, certains devaient se laisser guider et d'autres choisissaient leur route, se frayant un chemin vers leur but. Comme au ghetto, à Pawiak, à Treblinka, les uns se mettaient docilement en rangs et d'autres allaient au-devant du destin pour s'en saisir. Il fallait être de ceux-là.

Ma grand-mère a ouvert sa porte. Elle est entrée la première, affairée, inquiète, joyeuse. « Tu as faim », répétait-elle. Devant moi, il y avait une maison, une tiédeur douce, je me suis avancé lentement, je voulais découvrir peu à peu ce royaume.

— Ta chambre est là, criait ma grand-mère depuis la cuisine.

J'entendais le bruit des casseroles, j'écoutais le grésillement du beurre, j'ai aperçu une table mise, une nappe blanche.

— Je vais me laver, ai-je dit.

Je me suis enfermé dans la salle de bains, j'ai ouvert les robinets et j'ai sangloté, la tête dans les mains. Puis j'ai lavé mes yeux à grande eau.

Pendant plusieurs jours je ne suis qu'à peine sorti de l'appartement. Je mangeais, je dormais, je parlais. Ma grand-mère était devant les fourneaux, elle préparait le *tcholent* : je la regardais coudre l'un des bouts du cou d'oie, hacher la viande, l'ail, casser l'œuf d'un coup sec, mélanger. Elle avait des gestes précis et sûrs qui semblaient venir du fond des siècles et me donnaient une joie tranquille et sereine. Assis près d'elle, j'étais hors du temps : rien n'avait eu lieu, cette cuisine était notre cuisine, mes frères allaient surgir, père sonner de deux coups brefs. Mère était là, glissant dans le cou à petites cuillerées la farce que j'avais goûtée. Le soir, mon oncle arrivait. Quand il avait quitté la Pologne, ma grand-mère l'avait suivi avec l'intention de retourner à Varsovie mais le temps avait passé puis était venue la guerre. Après le dîner, ils me forçaient à parler. Ma grand-mère, un mouchoir serré entre ses doigts, me posait toujours la même question :

— Ont-ils souffert, ont-ils souffert?

Je secouais la tête. J'effaçais de ma mémoire les cris, les enfants à la tête éclatée, je disais une vie seulement difficile, qu'elle pouvait comprendre, sans imaginer l'horreur de la vérité. Pourtant elle éclatait en sanglots, répétant :

— Mais pourquoi, pourquoi?

Je la prenais contre moi, je tenais ses épaules.

— Je suis là, mama, je suis là.

Elle se levait, me proposait un morceau de gâteau de vermicelle qui sentait la cannelle :

— Mange, disait-elle, tu dois manger.

Parfois sans m'en avertir, elle me préparait après le repas des beignets. Je l'entendais battre les œufs. Je n'avais plus faim mais pourquoi lui refuser la joie de donner? Elle venait avec le plat de beignets chauds, ces lanières de pâte grasse et douce qui craquaient sous les dents. Je l'embrassais.

— J'apprendrai à ta femme, disait-elle. Plus tard, tu t'en souviendras, de ta mama.

Je ne me lassais pas de la voir, de l'écouter, de vivre près d'elle. J'avais été traqué, j'avais connu la haine, le malheur. Là, dans cette cuisine de Washington Heights, je pouvais enfin poser mes armes, mon bouclier. Le matin, elle se levait avant moi, je l'écoutais, je souriais seul, les yeux fermés, je m'accordais un jour de répit encore, je lui donnais la joie, la grande joie, la seule joie qui est de rendre heureux. Mais le temps approchait où il faudrait reprendre le bouclier et les armes.

— C'est dur, l'Amérique, disait mon oncle. Il faut se battre.

Je ne craignais pas l'Amérique, je connaissais les pays où l'on tue, où l'on paie de sa vie la fatigue, l'inattention, où toute défaite veut dire mort. Je ne craignais pas ce pays. J'y tracerai ma route, j'élèverai ma forteresse.

— Je suis prêt, ai-je dit à mon oncle.

Le repos et la paix avaient duré quelques jours, beaucoup des miens ne les avaient jamais connus. Alors, j'ai pris l'Amérique à bras-le-corps. Nous sommes partis un matin. Je ne parlais pas l'anglais, je découvrais la ville, le métro, les piétons pressés, j'avais tout à apprendre. Mais il n'y avait ni SS, ni Ukrainiens, ni fosses, ni mur : l'Amérique était ouverte devant moi. Mon oncle était manager de l'un des magasins d'une chaîne à succursales multiples. Il m'a présenté au directeur des approvisionnements. Je les écoutais parler : le directeur souriait à mon oncle, il me souriait. Je ne comprenais rien. Mon oncle a traduit : j'ouvrirai les emballages, puis plus tard, quand j'aurai appris la langue, je pourrai devenir vendeur, acheteur, directeur d'un service, plus haut peut-être, plus tard. Je l'écoutais : plus tard? Je ne connaissais pas cette dimension du temps. J'ai vu les jeunes hommes en blouse blanche ouvrir les paquets du coup sec d'un couteau recourbé.

— Je vais rester ici un ou deux jours, ai-je dit à mon oncle. Pour comprendre, gagner quelques dollars.

Il secouait la tête. Le directeur s'était écarté, donnait des ordres d'une voix autoritaire.

— C'est un bon job pour un début, répétait mon oncle. Tu progresseras.

Je ne pouvais pas lui expliquer pourquoi il me fallait faire vite, ne pas m'enfoncer dans une routine, pourquoi je voulais sauter d'une activité à l'autre pour comprendre l'Amérique, jouer un numéro puis l'autre jusqu'à découvrir la case qui me donnerait la clé, le moyen d'être indépendant comme je l'avais été dans le ghetto, avec des billets dans les poches, ces dollars que j'avais déjà connus là-bas et qui donnent la liberté d'être ce que l'on veut. Alors j'élèverai ma forteresse, alors je n'aurai plus dans les oreilles la voix autoritaire de ce directeur des approvisionnements.

J'ai passé deux jours au magasin, arraché quelques dollars, quelques mots. Le soir, je suis rentré avec des gâteaux, des fleurs. Mon oncle se taisait mais il me désapprouvait d'un haussement d'épaules. J'ai soulevé ma grand-mère de terre.

— Les premiers dollars, ai-je dit. Demain je multiplie.

Je suis sorti tôt, dans la brume grise du matin; les rues s'offraient, vides, droites, se perdant à l'infini, la marche, l'immensité étaient mon alcool : j'étais Miétek le découvreur, je m'enfonçais dans un monde à explorer, à conquérir. Ici, je laisserai ma trace. J'ai marché des heures sans lassitude, traversant Central Park, Broadway. Mon oncle m'avait donné quelques adresses, une carte de recommandation expliquant ma situation. Au bout de la Septième Avenue, vers West Broadway, je suis entré dans un atelier de confection. J'ai tendu ma carte à une jeune fille, qui s'est mise à rire parce que je ne comprenais pas sa réponse.

— *Chief, chief Goldman*, ai-je répété.

Je désirais voir le directeur, le chef. Goldman est enfin venu, un petit homme chauve en gilet qui parlait allemand. Il voulait tout savoir de la guerre, là-bas dans ce qui avait été son Europe. Il écoutait, grave, accablé : bien sûr, il me donnerait du travail. Je l'ai suivi : il poussait du pied des portes à double battant qui ouvraient sur des pièces baignant dans un éclairage bleuté, des hommes et des femmes courbés y cousaient à la machine.

— Si vous voulez, a-t-il dit, en me montrant une machine. Vous apprendrez vite.

J'ai secoué la tête. Je voulais l'air, le mouvement, l'action. Je savais bien qu'on ne peut jouer le bon numéro derrière une machine à coudre, comme des milliers d'autres, pour quelques dollars. Pour réaliser mon plan il faudrait comme dans le ghetto prendre des risques, sauter des murs, trouver ce qui était rare, choisir ce que d'autres ne pouvaient ou ne voulaient pas faire. J'ai accepté un travail de nettoyage, à la fin de la journée. Le jour, je marchais, apprenant les rues, la ville. Je découvrais le Subway, descendant dans une station au hasard, repartant vers Uptown, parcourant un quartier, descendant en courant les escaliers de la station vers Downtown. Cette ville était ma liberté, immense comme une forêt, sauvage comme elle. Je dévisageais les passants, les voyageurs du métro, je lisais dans les yeux, les attitudes, la fatigue et la lassitude. Ils se laissaient conduire, d'un bout à l'autre de leur vie, ils étaient enchaînés aux horaires, aux lieux, mais moi je ne me laisserai pas prendre, j'inventerai mes lois, mes cartes, je serai dans la ville un partisan, surgissant là où on ne m'attendait pas. Je ne pouvais vivre que libre, sans entraves autres que celles que j'avais choisies d'accepter.

Ne jamais subir, Miétek.

J'ai porté des paquets, j'ai passé des semaines dans les cuisines d'un restaurant, à laver la vaisselle, apprenant d'autres mots, écoutant, questionnant, découvrant les Noirs. Peu à peu, la ville me devenait familière. Le soir mon oncle me guettait.

— Si tu décides de revenir, Martin, tu as toujours ta place.

Je secouais la tête. Il voulait m'enfermer. Je voulais explorer, comprendre. J'ai marché des nuits entières, répétant les mots que j'avais appris, aux aguets comme si autour de moi avaient pu surgir tout à coup les SS de la division Viking. Je faisais entrer la ville, l'Amérique en moi, m'ouvrant tout entier à elle, pour mieux la deviner. J'ai travaillé chez un boucher de la 110e Rue, j'ai appris à découper la viande, à appuyer sur une pédale qui truquait le poids quand on jetait le paquet sur la balance. Le boucher payait bien pour éviter les dénonciations, mais je ne suis resté chez lui que quelques jours : les femmes étaient devant moi, souriantes, parlant souvent allemand, yiddish, russe. Quand j'appuyais sur la pédale au-dessous de la balance je savais que je les volais et je ne pouvais regarder leurs sourires, affronter leur confiance. Alors souvent je donnais un

juste poids. Un jour, au moment de partir, je suis allé voir le
patron :

— Payez-moi, ai-je dit, je ne reviendrai pas.

Il a juré en allemand, maudit celui qui m'avait recommandé
à lui.

— Si tu parles..., a-t-il commencé.

Je l'ai pris par le tablier, je l'ai secoué.

— Vous êtes un voleur, un petit voleur, et je ne suis pas un
mouchard.

Des garçons sont venus, qui m'ont bourré le corps de coups et
poussé sur le trottoir. Je me suis défendu, mais ils étaient
quatre qui frappaient de leurs grosses mains habituées à soulever les masses de chair rouge. J'ai dû fuir, essuyer le sang
autour de mes lèvres, marcher pour me calmer. Ils étaient
lâches. Ici, au cœur de New York, ils continuaient cette race de
bourreaux que je connaissais bien : elle était partout, à Varsovie, à Zambrow, à Zaremby, elle prenait le masque d'un SS,
d'un maire de village polonais, d'un colonel soviétique, de ce
boucher voleur. Il ne fallait jamais pactiser avec eux, à aucun
prix, et savoir renoncer à survivre, à construire sa forteresse,
plutôt que d'être leur complice. Avec eux, quels qu'ils soient, ce
devait être toujours la guerre. Une frontière passait au sein de
chaque ville, partout, au cœur de chaque peuple, elle séparait
les hommes des bourreaux.

J'ai fait cent métiers, allant d'atelier en cuisine de restaurant,
montant les paquets, portant les caisses dans les entrepôts. Le
soir, je rentrais épuisé, je dormais un peu puis je ressortais,
marchant dans Broadway, me noyant dans la lumière vibrante.
Comprendre cette ville, ce pays. J'ai vu débarquer sous les
flashes les hommes en smoking et les femmes aux robes miroi-
tantes, j'ai vu les chauffeurs cassés en deux, la casquette à la
main. Je rentrais, retrouvant les longues rues vides, les clo-
chards, les Noirs, ceux que la ville écrasait. Ici aussi il fallait se
battre pour ne pas succomber, ne pas être rivé à une machine,
se battre et vaincre pour pouvoir choisir sa vie, échapper à ces
ateliers sombres, aux entrepôts poussiéreux. Il fallait l'emporter
vite, accumuler une fortune, non pas pour recevoir les coups de

casquettes des chauffeurs mais pour avoir le droit de donner la
vie et pouvoir protéger les siens.

Un soir, en rentrant, ma grand-mère m'a montré tout un lot
de mouchoirs, de chemises, qu'elle avait achetés dans l'après-
midi à un colporteur.

— Et tu l'as laissé entrer ici, protestait mon oncle.

Il examinait les articles, contestait la qualité, comparait avec
les prix de magasin. Finalement, ma grand-mère s'est mise à
pleurer

— C'était un jeune homme, disait-elle. Il ressemblait à Martin.

Mon oncle a haussé les épaules, j'ai pris ma grand-mère dans
les bras, je l'ai faite tourner, la soulevant de terre à mon
habitude. J'allais être dans la ville un partisan, libre. J'ai crié :

— Merci, mama, merci, mama. Je vais t'acheter ces mouchoirs, ces chemises.

Elle riait, joyeuse, étourdie, replaçant une épingle dans ses
cheveux.

J'ai peu dormi cette nuit-là : je le sentais, j'en avais terminé
avec la découverte de l'Amérique, maintenant venait le temps
de l'action.

Très tôt, je suis parti vers la Septième Avenue. J'ai retrouvé
l'atelier de confection mais la jeune fille ne riait plus en
m'accueillant, je baragouinais l'anglais, j'avais acheté un costume à l'américaine, je portais une chemise blanche et une
cravate à gros pois bleus. J'ai à nouveau traversé les pièces à
l'éclairage bleuté, poussé les portes à double battant. Goldman
m'attendait, les pouces dans le gilet. Je voulais des adresses de
fabricants de mouchoirs, je voulais lui acheter des vêtements
pour femmes qu'il avait en stock. Je retrouvais la joie qu'il y a à
convaincre, à arracher ce que l'on veut à l'interlocuteur. Dans
les pièces, courbés sur les machines, ils cousaient toujours, ces
hommes, ces femmes que j'avais vus. Ils n'étaient plus libres,
peut-être parce qu'ils avaient des enfants, qu'ils ne pouvaient
plus prendre de risques. Voilà pourquoi il fallait les courir
avant, jouer, jouer tant qu'on le pouvait et donner la vie après,
fortune faite, liberté assurée. J'ai payé comptant une partie des

marchandises, obtenu un crédit d'une semaine pour le restant.

— Il faut donner la chance, m'a dit Goldman.

Il risquait à peine quelques dollars mais j'ai aimé sa main sur mon épaule, son clin d'œil. Je suis rentré avec deux valises pleines à craquer : ma grand-mère effarée me voyait élever des piles de chemisiers aux couleurs vives, de foulards en tissu imprimé.

— Martin, mais qu'est-ce que c'est?

— Je vais vendre à toutes les petites mamas de New York.

J'ai couru de fabrique en fabrique, me recommandant de Goldman, achetant des mouchoirs roses, bleus. Le soir ma chambre était envahie par les piles. Grand-mère riait, emportée par mon enthousiasme. Elle avait mis le chemisier que je lui avais offert et un foulard sur la tête, elle se regardait dans un miroir.

— Tu me rends la vie, Martin, a-t-elle dit tout à coup en me prenant la main. Merci d'être venu.

Puis elle s'est mise à pleurer et je n'ai pas pu la consoler, moi-même entraîné par une vague de tristesse sans fin. Mais il fallait serrer les dents, s'appuyer au passé et ne pas se laisser étouffer par lui, avancer. Le matin j'avais préparé mes deux valises, avec les différents articles parfaitement rangés, les prix, quelques phrases apprises par cœur. Mon oncle m'avait aidé, en secouant la tête, en me mettant en garde. Je n'avais aucune autorisation, la police ne plaisantait pas.

— Les Bleus ne plaisantaient pas non plus.

Il a haussé les épaules : qui étaient les Bleus?

— Des policiers polonais.

— New York n'est pas Varsovie, a-t-il dit gravement.

Je savais. Grand-mère est venue près de la porte, comme je partais.

— Tu es fait pour réussir, Martin, a-t-elle dit. Tu le mérites.

J'ai mordu mes joues, bêtement j'avais envie de pleurer. Je ne méritais rien de plus que tous les miens qui avaient succombé, qui peu à peu disparaissaient au fond de leurs fosses, sous le sable jaune. Simplement, j'étais demeuré vivant et je me battais. J'ai marché dans les rues du Bronx, le long de la Webster

Avenue. Les grands immeubles formaient des blocs immenses, crevés de milliers de fenêtres, bourrés de milliers de vies, comme une ville dans la ville. J'ai regardé ces façades grises, avec des traînées noirâtres, je suis entré dans les cours dominées par d'autres façades. Il n'était pas possible que je ne réussisse pas à vendre le contenu de mes valises. Les clients étaient là, derrière leurs portes, il fallait qu'ils ouvrent, seulement qu'ils ouvrent. J'ai commencé : les escaliers étaient des cages sombres dont on ne voyait pas la fin, les paliers poussiéreux s'ouvraient sur de nombreux dédales. A chaque étage, il y avait des dizaines de portes le long des couloirs. Derrière chaque porte un acheteur, un mouchoir vendu, une pierre pour ma forteresse, un pas vers la liberté et le bonheur. J'ai sonné, vu le regard soupçonneux des femmes seules, réussi à glisser mon pied, à lancer mes phrases. Parfois on m'a répondu en italien ou en polonais, en russe, en allemand, en yiddish. Alors les portes s'ouvraient, je montrais ma marchandise. Parfois on me faisait asseoir, je parlais de Varsovie, des vieilles femmes pleuraient. J'ai grimpé des milliers de marches, sonné des centaines de fois. En deux jours j'avais vendu tout ce que j'avais acheté. Je suis rentré couvert de poussière et de sueur, les mains sales : ma grand-mère avait déjà préparé le bain. Quand elle a vu les valises ouvertes, vides, sur le lit, elle s'est précipitée vers moi :

— Tu as réussi, Martin.

J'ai fait mes comptes. Je gagnais peu. Trop de refus : les femmes du Bronx craignaient les agressions. Je suis retourné là-bas, copiant des heures durant les noms des locataires, puis sur la table de la cuisine j'ai rédigé des dizaines d'enveloppes. Grand-mère pliait les mouchoirs et la circulaire que j'avais fait imprimer. J'envoyais un spécimen, j'annonçais le jour de ma visite. Les ventes se sont multipliées : j'avais un mot de passe, « Je vous ai écrit », j'avais un prétexte pour entrer. « Bien, vous ne voulez rien m'acheter, mais rendez-moi donc le mouchoir que je vous ai envoyé. » Les portes s'ouvraient, on allait chercher le spécimen mais j'avais déjà ouvert mes valises dans l'entrée, mes prix étaient bas, la marchandise de bonne qualité, je faisais crédit :

— Je repasserai dans une quinzaine, vous me paierez à ce moment-là.

En quelques semaines, j'avais une clientèle, des fournisseurs qui me faisaient confiance, des ennemis. Un concierge m'a coincé dans une cage d'escalier, il criait :

— Il est là, là.

Un policier est arrivé, relevant mon nom, m'entraînant. Je regardais cet homme à la nuque rasée, sa matraque au côté, cette nouvelle espèce de policier que je rencontrais après tant d'autres. Le concierge gesticulait près de lui, je comprenais mal son débit rapide :

— Les locataires se plaignent, disait-il parmi une foule de mots jetés avec hargne.

Lui, je le reconnaissais, il appartenait à la race des mouchards, de ceux qui aboient avec les puissants, pareils à ces nazis repentis qui venaient vers moi dans mon bureau de la *Kommandantura,* à Leipzig, à Rosswein, et qui tentaient d'un sourire d'établir avec moi une complicité que je refusais d'un mot. New York aussi avait ses mouchards.

Le policier m'a conduit au juge des flagrants délits, j'ai attendu, mes valises près de moi. Le juge, énorme sur son estrade, me regardait avancer, secouant la tête.

— Vous n'avez pas le droit de vendre, a-t-il commencé.

— Je n'ai même pas le droit de vivre, ai-je lancé, et pourtant je vis.

Je n'avais pas réfléchi, les mots avaient jailli malgré moi : le monde avait-il le droit de nous laisser égorger? Le juge a gardé le silence, hésitant, m'examinant.

— Expliquez-vous, a-t-il dit, qu'est-ce que vous voulez dire?

Je n'ai pas parlé longtemps, quelques mots ont suffi.

— C'est bon, c'est bon, ne recommencez pas.

Je suis parti avec mes deux valises. Il me fallait recommencer, perfectionner encore mon système : j'étais comme au temps du ghetto, pris par l'action, la joie de vendre qui était pour moi la joie de réussir ce que j'avais commencé, d'aller jusqu'au bout. J'avais déjà quelques centaines de dollars : j'ai décidé de m'acheter une voiture, mes valises étaient lourdes à porter. Des soirées entières j'ai répété devant ma grand-mère le code de la route, l'apprenant par cœur parce que ma connaissance de l'anglais était encore incertaine. Pourtant j'ai réussi, répondant à l'examinateur à une vitesse folle, le déconcertant, me posant moi-même d'autres questions et y répondant aussitôt.

— Vous avez une bonne mémoire, m'a-t-il dit.

J'ai pris le papier qu'il me tendait. Je venais d'un pays où une erreur de mémoire conduisait à la mort.

Un dimanche matin, je me suis arrêté 186ᵉ Rue 567 Ouest : j'avais dit à ma grand-mère de se tenir prête. Elle était devant la porte, un chapeau à large bord couvrant ses cheveux blancs, son sac serré sous son bras. J'ai ouvert la porte de la Plymouth bleue, modèle 1940, que j'avais achetée la veille 400 dollars.

— Voilà, ai-je dit, voilà mama.

Elle m'a embrassé.

— Tu es un Américain, maintenant.

Je n'étais qu'un homme en marche, qui avait un but à atteindre, un homme pour qui cette vieille dame douce était le seul bonheur, le seul témoin. Et j'avais la chance qu'elle existe, qu'elle m'ait tendu la main et fait venir dans cette Amérique qui m'accueillait et me laissait libre d'agir, d'inventer ma vie comme bon me semblait.

J'ai roulé lentement, traversant l'Hudson, entrant dans le New Jersey, longeant le sable blanc où naissait l'Atlantique. Il faisait beau, je revoyais des forêts de pins, les prairies, le ciel, je respirais. Les arbres étaient nobles, fiers, hauts : je redécouvrais la nature, ma grand-mère se taisait, assise très droite, son sac posé sur les genoux, j'écoutais les chants qui montaient en moi, qui venaient des clairières de la Pologne quand le soir nous nous serrions autour du foyer et qu'un accordéon étirait ses notes. C'était alors la fraternité, les hommes comme les doigts de la main; le temps d'une œuvre juste et commune à laquelle tous nous donnions nos vies. Pourquoi l'espoir s'était-il réduit, les discours de Gregor étant seulement des rêves? Pourquoi fallait-il décider de construire une forteresse pour les siens seuls alors qu'il y avait tous les hommes? Mais telle semblait être la loi.

Nous avons atteint Atlantic City, déjeuné là dans un restaurant près de la jetée.

— Tu fais des folies, Martin.

La folie, c'était de ne pas donner tout ce que l'on pouvait aux siens quand ils étaient vivants, la folie c'était de ne pas comprendre que la mort peut les saisir et qu'elle ne laisse rien. Je suis reparti vers le pays des lacs, des forêts, m'engageant sur des routes qui longeaient les rives. Ainsi nous sommes arrivés à Lakewood. Je me suis arrêté et nous avons marché, découvrant de nouvelles forêts, le chapelet des lacs, les constructions de bois. Les hôtels étaient pleins. Quand nous sommes entrés dans le hall de l'hôtel *Post* les pensionnaires jouaient aux cartes, bavardaient, on entendait des phrases en yiddish, en polonais, en allemand. J'avais découvert une nouvelle clientèle.

J'ai échafaudé mon plan le long de la route du retour alors que le soleil d'hiver illuminait l'Océan. Dans la semaine j'ai vendu avec acharnement et le samedi je suis parti pour Lakewood, la voiture chargée de valises. Le week-end était sacré dans le Bronx, la vente impossible, les maris sommeillaient chez eux. J'ai garé ma voiture assez loin de l'hôtel *Post*, je suis rentré dans l'hôtel, repérant les lieux, le portier, le bureau du propriétaire et la vaste salle pleine de clients qui bâillaient. Il faisait gris, froid, le temps me servait. J'ai pris une valise et je suis passé, client anonyme me dirigeant vers la grande salle, ouvrant ma valise dans un coin alors que personne ne m'avait encore remarqué, étalant mes articles, les foulards, les chemisiers, les mouchoirs, et tout à coup dans mon anglais hésitant, mêlant le polonais au russe, l'allemand et le yiddish, j'ai levé mes mains pleines de foulards, les agitant au-dessus de ma tête. Il y a eu un silence d'étonnement, puis des rires bienveillants, j'ai parlé; il fallait agir vite, mettre les clients avec moi avant qu'*ils* ne surviennent. Je les ai sentis autour de moi, de chaque côté, je ne me suis pas arrêté, les rires ont redoublé.

— Achetez, achetez, je viens de loin, achetez, achetez.

Alors le patron m'a pris par le bras, tentant de m'entraîner et le portier me poussait.

— Antisémite, ai-je crié en plaisantant.

La salle s'est mise à rire franchement. Les deux hommes

hésitaient, ne sachant plus quelle contenance prendre. Alors, des clients sont venus vers moi et j'ai été entouré de vieux messieurs dignes qui discutaient avec le patron et mon stock s'est épuisé en quelques dizaines de minutes. Mais j'avais beaucoup d'articles dans la voiture.

Maintenant je savais comment occuper mes week-ends. Je filais vers Lakewood, je m'installais dans les halls d'hôtels, je jouais les clowns, la clientèle était avec moi et les propriétaires étaient contraints de m'accepter. A Lakewood je vendais non seulement des mouchoirs et des foulards mais un peu ma personne, aussi avais-je augmenté mes prix. En semaine, je continuais d'explorer le Bronx, toujours les deux ou trois mêmes blocs où j'avais maintenant mes habitudes. Je garais ma voiture, je guettais les concierges et je courais. Un jour l'un d'eux, un Italien, est venu vers ma voiture avant même que je descende. Il s'est penché vers moi, hochant la tête d'un air las :

— Ecoutez, allez plus loin, je vais être obligé de vous faire arrêter.

Il m'a cligné de l'œil.

— Et je ne veux pas, seulement les autres paient et paient bien. Laissez votre marchandise, venez. Je vais vous dire.

Il y avait près de l'immeuble un restaurant italien. Nous avons bu du vin rouge. Le concierge m'expliquait :

— Vous comprenez, les commerçants vous ont repéré. Ils me paient, ils paient les autres. Un jour vous allez recevoir des coups, voilà.

C'est lui qui a réglé la bouteille de vin.

— Question d'honneur, a-t-il dit. Je vous dis cela parce que je suis pour les petits.

Ce jour-là, j'ai mal vendu : ils avaient déclenché la guerre contre moi. Les concierges, la police, les prix. Je ne risquais pas ma vie, comme au ghetto, mais les mêmes règles s'appliquaient ici. Je me suis obstiné. J'ai dû m'enfuir, perdre une valise de marchandise; des policiers m'ont guetté, je les ai semés; un jour j'ai trouvé ma voiture avec un pneu crevé; le lendemain, les quatre roues étaient déchirées. Bientôt, viendraient les coups. Ils ne m'effrayaient pas mais je voyais les bénéfices tomber. Alors, à quoi bon? M'obstiner dans le Bronx ne servait à rien.

330

J'ai regardé ces vastes blocs, tristes, ces milliers d'alvéoles où se déroulaient les vies : j'aurais pu passer des années à parcourir ces couloirs, j'aurais développé mes affaires, j'imaginais tout un système de vente par correspondance, mais c'était long. Et puis maintenant, la guerre. L'Amérique n'était pas le ghetto, je pouvais changer de terrain, comme en Pologne, avec les partisans, quand nous quittions une forêt pour une autre. L'essentiel était de trouver mieux, d'accumuler encore quelques centaines de dollars pour ensuite tenter une grosse mise. J'ai décidé d'abandonner le Bronx.

L'été venait, la chaleur commençait à écraser New York, je pensais aux arbres et aux lacs. Je suis parti, roulant lentement le long de l'Hudson, pénétrant les hautes forêts que dominent les Catskill Mountains. J'apercevais entre les arbres les demeures blanches, un cheval qui allait au trot près d'un chalet, et des enfants blonds qui couraient derrière lui. J'étais à peine à quelques heures du Bronx, des rues nues, dures, de ces couloirs sombres qui s'enfonçaient entre les portes au cœur des blocs, de ces escaliers qui s'élevaient dans le grouillement des vies. Je roulais : ma forteresse serait ainsi, isolée, entourée d'arbres. Là, loin des hommes, mes enfants deviendraient des hommes.

Je suis arrivé à Fallsburg : la saison s'ouvrait. Des peintres s'affairaient encore, accrochés aux façades des hôtels. Goldman m'avait parlé de cette station, de la *Bortsch belt* où se retrouvaient les Juifs de Russie et d'Europe centrale, les mangeurs de bortsch qui venaient peupler pour quelques semaines les hôtels. Je les connaissais, ces hommes chauves aux visages sculptés dont la graisse peu à peu dissimulait les traits volontaires. Ils avaient fait fortune dans la confection, ils travaillaient comme Goldman dans la Septième Avenue. Ils étaient fabricants, confectionneurs, marchands, tailleurs, antiquaires. Avec eux, je retrouvais un peu le climat de Pologne.

Je me suis arrêté devant l'hôtel *Premier*. Mon plan était simple : ils étaient en vacances, ils avaient des dollars à dépenser, il fallait qu'ils les dépensent avec moi. Leurs dollars devaient passer de leurs poches dans la mienne.

J'ai commencé à travailler dans les cuisines, j'ai lavé des verres, regardant les garçons qui couraient dans la salle,

raflaient les pourboires. Je devais être dans la salle avec eux.
J'ai assiégé le propriétaire, un homme fort aux manières douces
qui était né à Varsovie.

— Donnez-moi ma chance.

M. Berg hésitait : je ne connaissais rien au métier, je parlais
mal anglais.

— Vous allez voir, ai-je dit.

Il a vu : j'ai débuté comme *bus-boy*, apportant les desserts,
les suppléments, débarrassant les tables. Je courais entre les
clients, portant les plateaux à bout de bras, je faisais le pitre,
j'aimais ces rires qui naissaient sur mon passage. Commande
passée, commande servie, telle était ma devise. Une semaine
plus tard, j'étais garçon en titre, servant huit tables à moi seul.
A la cuisine je donnais des pourboires et je recevais le premier
mes 32 plats : commande passée, commande servie. Les clients
ont commencé à me connaître.

— Une table avec Mendle, disaient-ils.

Mendle, c'était moi. J'avais une fois encore changé de prénom : Martin, Miétek, Micha, Mendle, mais j'étais toujours moi,
en marche, inchangé, avec un plan à réaliser. Huit jours encore
et je devenais chef des garçons. La plupart étaient des étudiants, qui se moquaient de moi, de ma frénésie :

— Mendle, Mendle, tu es né pour l'Amérique, disaient-ils. Tu
feras fortune, tu veux des dollars, tu en auras. Ne t'excite pas
tant, tu vas crever.

Que m'importaient les dollars : j'avais une forteresse à construire, vite parce que j'attendais la paix depuis des siècles.
J'étais pressé, condamné à l'être : eux, avec leurs diplômes, leur
vie devant eux, ils avaient le temps, ils étaient les soldats d'une
armée régulière. On les avait préservés, on avait préparé leurs
étapes : ils n'avançaient pas à l'aventure. Moi, je n'étais dans la
vie qu'un partisan. Entre les services, ils lisaient, ils jouaient du
piano : moi, je pensais aux dollars. Il le fallait : j'aurais voulu
me laisser aller, m'asseoir aussi, marcher dans la forêt aux
heures chaudes quand les clients jouent aux cartes, marcher
avec Margaret, une étudiante brune qui me souriait. Je n'avais
pas le temps.

Je suis retourné à New York, j'ai chargé dans ma voiture les mouchoirs, les foulards, les chemisiers qui me restaient et, dans le hall de l'hôtel, j'ai commencé à vendre. Mais aux trois services, j'étais à nouveau Mendle le garçon et le soir le *Bell-Hop* qui courait, portant les valises. Puis j'ai racheté la concession des jeux : je louais des cartes, je vendais les friandises, les suppléments de toute sorte.

« Mendle, Mendle. » Berg maintenant ne jurait que par moi : j'avais fait venir des acteurs, je distribuais des journaux, j'animais les soirées. Les jours de pluie, je triomphais : j'élargissais encore mon étalage. Les cartes postales, les cravates, les stylos : je vendais, j'écoutais, je racontais. Les dollars rentraient. Mais cela n'expliquait pas toute ma joie : il y avait ces hommes et ces femmes autour de moi qui me connaissaient maintenant, avec qui j'échangeais des clins d'œil. Les dollars qu'ils me donnaient, ces objets que je leur tendais, c'était aussi une sorte de complicité, d'amitié.

A la fin d'une saison les étudiants ont monté une revue pour les clients : j'y jouais, tenant mon propre rôle, Mendle qui prenait en main un couple de clients et les dépouillait en leur offrant tout ce qu'ils ne désiraient pas et qu'ils achetaient quand même. Je chantais, nous sautions bras dessus, bras dessous : *Mendle, Mendle, Mendle*, la salle applaudissait, criait mon nom. C'était une forme de bonheur. Je n'étais pas seul. Ils m'entouraient, amis, clients, dollars, activité, travail, ils me saoulaient de bruits, de mots, de questions et c'était aussi une façon d'oublier. Je restais dans la salle jusqu'à ce que le dernier couple se soit levé, j'étais là dès le matin, avant même que les petits déjeuners soient prêts à être servis, j'évitais le silence de la chambre, les cauchemars. Quand je n'avais pas assez couru, assez tendu mes bras sous les plateaux, assez gesticulé, le sommeil ne venait pas : je m'immobilisais, essayant de me calmer, mais j'étais contraint de me lever, d'aller à la fenêtre.

Parfois, ainsi, j'ai marché dans le couloir, frappé à la porte d'une femme qui m'ouvrait, j'ai bu aussi, fumé. Mais le passé venait par vagues noires, Varsovie, Mila, Leszno, mes rues, les colonnes d'enfants en route vers l'*Umschlagplatz*, le sable jaune. Les miens. Ma vie, mes plans, tout alors me paraissait futile, il me semblait qu'en vivant, qu'en riant, j'insultais les miens.

Alors je m'effondrais pour quelques heures, le désespoir que ces bourreaux avaient laissé en moi, dans mes yeux, submergeait tout. C'étaient de sombres nuits.

Au cours de l'une d'elles je me suis senti si seul, enveloppé par la mort, incapable de rester là, dans cette chambre anonyme, que j'ai pris ma voiture et roulé vers New York, les vitres baissées, respirant l'air salé qui remontait la vallée de l'Hudson. Je suis entré chez ma grand-mère, m'étonnant de trouver les lampes allumées, mon oncle debout :

— J'allais te téléphoner, a-t-il dit.

La terre s'ouvrait, le sable envahissait ma bouche.

— Ce n'est rien, un petit avertissement.

Elle était assise dans un fauteuil couvert d'une dentelle blanche, ses mains posées sur les genoux; elle me souriait.

— Tu as fait si vite, Martin, tu as fait si vite.

Au milieu de la nuit elle avait eu l'impression d'étouffer, réussissant à avertir son fils.

— L'âge, disait-elle. Les émotions.

J'ai saisi ses mains. Il me fallait me dépêcher, lui donner d'autres joies, elle vivrait avec moi, avec eux, dans ma forteresse au milieu des arbres. Je l'ai veillée puis, quand l'aube s'est levée, je suis reparti, conduisant vite. La vie est une course, Miétek, tu dois courir. J'ai multiplié mes activités, les jeux, les ventes, le service, les spectacles. J'accumulais les dollars. Le soir je tombais épuisé sur mon lit. Dans l'après-midi, il m'arrivait de nouer une intrigue avec une femme, mais souvent je renonçais à la voir, épuisé, ne songeant qu'à dormir, tuant mes cauchemars par la fatigue. Une fois par semaine je retournais à New York. De l'une des cabines dans la 186ᵉ Rue, je téléphonais à ma grand-mère. Elle répondait vite, je reconnaissais sa voix inquiète, dans ce premier mot il y avait toute la fragilité de la vie. J'imitais l'un des médecins qui l'avait vue, un spécialiste qui à ma demande était venu en consultation.

— Comment allez-vous, madame Feld, ici le professeur Waser.

Elle commençait à se plaindre un peu.

— Je crois que tout va bien, très bien, madame Feld. Ne vous inquiétez pas. Je vous téléphonerai régulièrement.

Je raccrochais, traversais la rue en courant et, montant les escaliers d'un seul élan j'ouvrais; elle était encore près de l'appareil, rayonnante.

— Le professeur Waser m'a téléphoné, disait-elle. Il s'inquiète pour moi, je ne vais pas si bien que tu crois.

Elle mentait si mal, recherchant ma tendresse.

Je l'embrassais, je la serrais contre moi, je maudissais ce professeur que je n'avais jamais l'occasion d'entendre.

— C'est à moi qu'il veut parler, disait-elle. Il ne m'oublie pas.

Elle était fière, heureuse, droite et claire comme une enfant. Je la regardais préparer le repas, répétant ce que le professeur Waser lui avait dit.

Mes mensonges, c'était une forteresse que j'élevais autour d'elle pour la défendre. Je l'écoutais : elle me donnait confiance. Si en chaque homme brillait un diamant semblable à celui qui était en elle, si en chacun restait cette douceur, alors un jour finirait le temps des bourreaux.

A l'hôtel, les mois passaient. J'étais devenu *General Manager*, Berg me laissait faire. Pour la fondation de l'Etat d'Israël j'ai organisé avec les premiers clients de la nouvelle saison une fête endiablée, jamais plus on ne nous enfermerait entre les murs d'un ghetto, là-bas avait surgi une forteresse pour tout un peuple. J'ai crié, j'ai applaudi avec la foule, versé régulièrement à l'*United Jewish Appeal*, mais je ne suis pas parti. C'était pour moi un nouveau cauchemar que je maîtrisais mal, qui me brûlait avec les autres. J'en parlais à Goldman : malade, le directeur de l'atelier de la Septième Avenue était arrivé à l'hôtel pour un long séjour. L'après-midi, il m'entraînait en forêt.

— Je te dédommagerai de ton déficit, disait-il en riant.

Parfois nous prenions une barque et je ramais cependant qu'il me parlait de sa jeunesse et m'interrogeait. Il gardait ses pouces dans le gilet.

— Tu es quelqu'un, Mendle, tu as vite fait ta place. J'ai compris ça dès le premier jour.

Je racontais le ghetto, je parlais d'Israël.

— Je me sens coupable, je les laisse se battre sans y aller.

335

— Vis un peu, disait-il, tu t'es toujours battu. Apprends à vivre. Tu ne sais pas.

Je n'avais jamais eu le temps, je n'avais toujours pas le temps.

— Tu aimes parler, jouer. Tu lances des défis. Tu voulais survivre, tu as survécu. Maintenant, tu veux la fortune.

J'ai secoué la tête : les dollars, les zlotys, ce n'était que du papier, du métal, des objets morts.

— Je veux une famille, pour moi, pour eux.

Je ramais. Il allumait un cigare.

— Je n'ai pas le droit de fumer, mais enfin. Une famille? Plus difficile que les dollars, Mendle. Il faut une femme.

Un jour, il m'a demandé de le conduire à New York. Nous nous sommes arrêtés dans la Troisième Avenue. Le métro aérien passait, grinçant, entre les immeubles sales. J'ai suivi Goldman dans une boutique où s'entassaient les porcelaines allemandes et les faïences françaises.

— Ma passion, a dit Goldman.

Il s'est assis dans un fauteuil, regardant les marques au dos des tasses, les dentelles au bord des plats. Je l'ai vu faire un chèque de 500 dollars. Chez lui, j'ai découvert les lustres de cristal, les vitrines où s'alignaient les pièces rares. Puis sa fille est entrée, lourde, souriante.

— Voici Mendle, a dit Goldman.

J'ai tenu sa main : elle ne vivait pas dans la mienne, restant inerte comme un objet indifférent. Nous sommes rentrés seuls à l'hôtel en fin d'après-midi, silencieux.

— Tu pourrais être un fils pour moi, a dit Goldman peu avant d'arriver. Je vais mourir.

Il m'offrait une forteresse toute construite, une femme, et pourtant je savais que je n'accepterais pas. C'est moi, pierre après pierre, qui devais élever mon mur, moi qui devais trouver celle qui serait à mes côtés, moi qui ne pouvais m'unir qu'avec quelqu'un dont la main vivrait dans la mienne, comme avaient vécu dès le premier jour celles de Zofia, de Rivka, là-bas à Varsovie. J'ai secoué la tête.

— Je ne l'espérais pas, Mendle. Tu es quelqu'un qui invente sa route. Comme moi, il y a longtemps.

Les arbres défilaient, le soleil derrière eux incendiait le ciel. Goldman aussi était un homme.

— Cinq cents dollars, ai-je dit, pour quelques tasses.

Goldman a éclaté de rire :

— Sacré Mendle, tu veux te lancer dans les antiquités?

Déjà, parmi la clientèle de l'hôtel, j'avais remarqué le groupe des antiquaires, qui restaient entre eux, loin des confectionneurs. Ils louaient les meilleures chambres, ils donnaient de généreux pourboires. Certains portaient de grosses bagues aux doigts.

— Tu es bien capable de réussir, a continué Goldman.

La première chance, répétait mon père. C'est elle qu'il faut saisir. Les idées sont comme la chance : il faut les agripper quand elles passent. Le soir, je suis resté longtemps à bavarder avec deux de nos clients : Jack et Joe Ellie, des antiquaires de la Troisième Avenue. Je n'étais que Mendle pour eux, un employé de l'hôtel. Ils me parlaient des marchandises qui arrivaient d'Europe, de la passion des clients.

— Ils se battent pour une pièce, disait Jack. Depuis que les boys sont allés là-bas, il n'y a plus que l'Europe, l'Europe. Nous en venons, d'Europe, n'est-ce pas, Mendle?

Je les écoutais. L'Atlantique, c'était le nouveau mur, l'Europe la Varsovie aryenne, l'Amérique le ghetto, et dans ce ghetto des hommes les poches bourrées de dollars qui voulaient non pas du blé mais des porcelaines anciennes. J'écoutais Jack et Joe Ellis et je me voyais franchissant ce nouveau mur, achetant là-bas, vendant ici ces objets aussi précieux que du blé. Rien ne changeait : et je n'avais même pas à risquer ma vie. J'ai acheté un livre sur les porcelaines, je l'ai appris par cœur; j'ai compté et recompté mes dollars : j'en avais quelques milliers. J'ai vendu, je me suis dépensé au point que Berg m'a proposé de m'associer avec lui. Je n'ai même pas hésité à refuser : je tenais une bonne carte, ma carte, il me fallait la jouer.

Un soir, à la fin de la saison, j'ai reçu un coup de téléphone de New York. Une voix que je ne connaissais pas.

— Je suis Shirley Goldman, la fille de M. Goldman. Il vient de mourir. Il faut venir.

Jamais je ne m'habituerai à la mort. Jamais je n'accepterai

l'injustice qu'est la fin d'une vie d'homme. Jamais. Je conduisais vers New York, je pensais à père, à Goldman, à Rivka, à Janusz, aux milliers d'autres : ceux qui étaient déracinés trop jeunes, encore chargés de sève et dont on n'imaginait pas comment ils allaient pouvoir fleurir, jusqu'où ils s'élèveraient; ceux qui tombaient, brisés en pleine force, comme Janusz, alors que leur moisson était encore sur pied; ceux qui se couchaient, vieux, mais avec dans la tête un univers de souvenirs et de pensées, une foule d'êtres encore vivants en eux, grâce à eux et qui allaient disparaître avec eux, laissant le monde mutilé. Goldman me racontait Berlin de 1920, assis dans la barque, un cigare entre les dents. Berlin, ses parents, sa jeunesse maintenant enfouis avec lui. Shirley m'a reçu, elle avait les yeux rouges, elle disait les mots qu'il faut, mais sa main pour moi est restée inerte. Elle m'a tendu une enveloppe.

— Pour vous, a-t-elle dit.

Je suis sorti presque aussitôt, ne pouvant supporter l'obscurité de ce salon où j'avais vu Goldman. J'ai laissé ma voiture, j'ai marché, l'enveloppe à la main. Je suis arrivé ainsi au bout de Manhattan, à Battery Park. Je me suis assis. Cela faisait près de deux ans déjà que j'avais débarqué, sur ce sol maintenant familier. J'avais appris heure après heure à le connaître : j'y avais rencontré des mouchards et des hommes qui auraient pu devenir des bourreaux s'ils avaient été là-bas, en Pologne. Mais tant d'autres aussi, Berg, Goldman, tant d'autres dans ce pays qui s'était ouvert à moi, moi qui ne possédais rien.

J'ai déchiré l'enveloppe. Il y avait un chèque à mon nom et une carte sur laquelle d'une écriture tremblée Goldman avait écrit:

De Joseph Goldman à Mendle, antiquaire, *avec la chance*.

Et le mot « antiquaire » était souligné.

Tant que je vivrais, Goldman vivrait avec moi.

12

J'allais, j'allais, droit devant moi

A LORS j'ai parcouru la Troisième Avenue. Pas à pas, depuis
The Bowery jusqu'à la 57ᵉ Rue, pas à pas depuis la 57ᵉ Rue
jusqu'à The Bowery. Le vent prenait l'avenue en enfilade, cette
longue avenue droite, grise et sale comme un fossé : il soulevait des tourbillons de poussière au-dessous du métro aérien,
il sentait le mauvais café et la viande grillée. J'ai retrouvé l'antiquaire de Joseph Goldman, un vieillard élégant que j'avais
vu amical, empressé, tournant autour de Goldman : « Bien
sûr, monsieur Goldman, bien sûr. » Il me regardait à peine,
continuant à écrire, dissimulé derrière des objets, de petites
statuettes blanches qu'il examinait l'une après l'autre. Parfois
il levait les yeux par-dessus ses lunettes, ennuyé, ironique.

— Acheter? J'achète tout et rien. L'art, ça ne se pèse pas.
Vous voyez...

Il me montrait une statuette, m'en demandait le prix, il me
tenait à distance avec un mépris amusé, mais je n'étais pas là
pour l'écouter : il me fallait apprendre ce qu'il vendait,
connaître par lui le marché, ces clients de la Troisième Avenue
qui payaient avec des chèques de 500 dollars. J'ai montré une
vitrine, désigné une ou deux pièces :

— Oui ou non, seriez-vous intéressé?

Il s'est arrêté d'écrire.

— J'ai tout un stock en Europe, mon père là-bas avait un

339

fond. Goldman nous a beaucoup acheté. Il m'a donné votre nom.

Il était vieux, habile, hautain, mais c'est moi qui le tenais, moi qui ne connaissais rien aux porcelaines mais qui savais le goût de l'or qui brûle les hommes. Il s'est levé.

— Cela dépend des prix, a-t-il dit.

— Vous verrez la marchandise. Mais dites-moi ce que vous voulez.

— Bon, bon, je crois que nous allons nous entendre.

Il souriait, il allait et venait, il déposait des pièces sur la table.

— Ça, ils aiment ça. Ils cherchent à étonner. Ils paient, vous savez. Ce sont de nouveaux riches, souvent. J'oubliais les encriers, les encriers XVIIIe.

Je ne pouvais plus le détacher de moi : il me répétait son numéro de téléphone, il me parlait de son amitié pour M. Goldman.

— Vous m'appelez, n'est-ce pas, dès votre retour?

A lui, à beaucoup d'autres dans la Troisième Avenue j'ai promis : mot après mot ils me livraient les goûts de leurs clients, leurs secrets. Désormais, je savais ce qu'il me fallait acheter en Europe.

— Je compte fermement sur vous, m'a dit le dernier que j'avais visité, un jeune homme fluet, parfumé et qui portait une chemise rose.

Ils pouvaient tous avoir confiance. Ils reverraient Miétek dans la Troisième Avenue.

Mais il y avait l'Atlantique, ce mur, à franchir. Je suis allé d'agence en service officiel : le voyage coûtait cher, je n'étais pas citoyen américain, personne ne pouvait me garantir le droit de sortie et de rentrée. En Corée, les chars du Nord fonçaient vers le Sud, l'Europe paraissait être la prochaine proie de Staline. Ma grand-mère pleurait :

— Tu vas te trouver en pleine guerre, tu ne reviendras pas.

Mon oncle répétait qu'une place m'était toujours offerte, comme vendeur, maintenant que je parlais anglais.

— Tu ne vas pas me quitter, disait ma grand-mère. Tu as tout ici. Je mourrais avant ton retour.

Parfois il fallait aussi écarter ceux qui vous aimaient : ils tentaient, comme père dans le ghetto, de vous enfermer dans leur amour, leurs idées, leurs bras. Ils ne comprenaient pas.

— Mama, tu m'attendras, ai-je dit. Tu ne veux pas que je sois malheureux ?

Elle essuyait ses yeux : pourquoi fallait-il que chaque pas de l'homme lui coûte si cher, pourquoi la tentation est-elle toujours de s'arrêter de lutter contre le courant, de glisser avec les autres, d'accepter l'*Umschlagplatz* et la fosse, et cet emploi de vendeur de magasin ?

— J'ai raison, raison, mama, j'ai toujours raison.

Je voulais me convaincre aussi.

Au bureau des passeports, on m'a rendu ma demande. L'employé secouait la tête avec satisfaction :

— Je vous l'avais dit, vous ne pouvez pas sortir des Etats-Unis. Faites d'abord votre service militaire.

J'ai marché dans une rue que je ne voyais plus : j'étais au fond d'une cellule, toujours ; chaque fois que je franchissais un obstacle, un autre s'élevait, inattendu, plus haut encore. Il fallait toujours se battre, s'agripper comme à Zambrow contre le bois glissant, tenter d'atteindre le haut du mur, retomber, grimper à nouveau, sans fin. J'ai recommencé mes démarches, harcelé les politiciens, les bureaux de recrutement, les services des passeports, j'ai déposé des requêtes, des suppliques, des protestations, demandé la réunion d'une commission spéciale, juré que j'allais me coucher devant l'entrée, mourir là s'il le fallait. Ils n'avaient pas réussi à m'emprisonner au camp d'en bas d'où on ne s'évadait jamais, j'avais franchi le mur, les barbelés, les palissades du camp de Zambrow, j'avais fui du siège de la Gestapo Allée Szucha et de la prison de Pawiak, et ils espéraient me garder ici ? Pour m'envoyer combattre en Corée dans une guerre qui n'était pas la mienne ? Ils ne connaissaient pas Miétek. Si l'Amérique avait été attaquée sur son sol je l'aurais défendue. Je savais ce que je lui devais et j'aurais donné ma vie. Mais ces combats lointains ne me paraissaient pas mettre le sort du pays en question. J'avais déjà payé pour la barbarie des hommes. J'avais le droit d'accomplir ma tâche. Pour les miens.

Enfin j'ai été convoqué devant une commission. Dans leurs costumes civils les trois officiers en retraite qui la composaient avaient l'air paisible d'hommes compréhensifs. J'étais assis face à eux, je les dévisageais.

— Je dois partir, ai-je commencé.

J'ai raconté que j'avais ma famille à retrouver là-bas, dans les camps de D. P. en Europe; j'ai dit quelques épisodes de ma vie au ghetto.

— Je dois partir.

L'un des officiers feuilletait mon dossier, levant de temps à autre les yeux sur moi. Comprendrait-il que je jouais ma vie : pour eux, ce n'était qu'un mot sur un imprimé, pour moi la chance, la paix au bout, ma forteresse. Je regardais ces hommes qui parlaient entre eux à voix basse. Tant de fois j'avais ainsi tout misé, comme si je ne connaissais qu'une règle du jeu : tout perdre ou tout gagner. L'un d'eux, aux cheveux gris coupés en brosse, a donné un coup de tampon.

— A vos risques et périls, a-t-il dit, en me tendant un imprimé.

J'avais gagné. Le combat paie, Miétek, toujours. Je n'avais plus qu'à attendre le départ.

J'ai revu Fallsburg et Lakewood, j'ai roulé dans les forêts, entraînant ma grand-mère dans mes courses.

— Tu veux te faire pardonner, disait-elle. Mais tu pars, je le savais bien.

Je la prenais par les épaules :

— Tu vas m'attendre, sagement, quelques voyages et je t'emmènerai, tu verras.

— Je serai morte.

Je criais pour masquer mon angoisse. Je lui montrais des photos de jeunes femmes, liaisons d'une nuit ou de quelques semaines. Elle m'entourait de commentaires, passionnée, joyeuse tout à coup d'être au cœur de mes secrets.

— Laquelle vas-tu épouser?

— Fortune d'abord.

Je conduisais, je marchais, incapable de rester enfermé : je suis retourné dans la Troisième Avenue, j'ai liquidé mes derniers articles de confection en vendant dans le Bronx, rencontrant le concierge italien tout heureux de me revoir.

— Ils vous ont oublié, allez-y, allez-y.

Il se frottait les mains, me donnait des conseils.

— Vous avez la tête dure, disait-il.

Les escaliers, les couloirs, les portes, les mêmes enfants, les mêmes regards de femme : rien n'avait changé. Je sonnais, elles hésitaient, elles étaient là, immobiles derrière leurs portes, depuis des années, chaque jour, pourquoi? Pourquoi acceptaient-elles? Je proposais mes derniers foulards, je bousculais leurs refus, j'insistais. Elles étaient là, immobiles, peut-être la fatigue, l'âge ou le bonheur? Peut-être mes paris, ma règle, tout gagner ou tout perdre était-ce ma folie, ma façon de fuir, l'aveu que j'étais condamné à l'impatience. Elles entrouvraient la porte : je voyais les pièces sombres, les enfants agrippés à leurs jambes. « Mendle, tu ne sais pas vivre », répétait Goldman. Je devinais la tristesse et la peur dans leurs yeux ternes, leurs épaules résignées. Qu'est-ce vivre? Les hommes s'entassaient ici dans la liberté d'un week-end avant de s'enfoncer à nouveau dans leur semaine, dans leur vie, puis ils retrouvaient le Bronx. Ils ne savaient pas, ils ne pouvaient pas ou plus aller jusqu'au bout, englués dans leurs marécages. Vivre, vivre, c'était courir d'arbre en arbre, aller jusqu'au bout, risquer, partir, tout perdre ou tout gagner, comme dans un assaut, dans les bois de Ramblov.

Mais ce n'était pas facile. Il fallait accepter d'être seul, souvent. Et la fatigue et l'angoisse étaient toujours en embuscade. Elles ne m'ont pas quitté, elles m'ont assailli dès que j'ai posé le pied sur le pont du paquebot. Les passagers heureux étaient autour de moi, ils formaient des groupes animés, ils riaient avec les officiers de l'*Ile-de-France*. Déjà j'étais atteint, seul, malade, et la traversée venait à peine de commencer. Nous étions partis depuis deux ou trois heures, dans la brume, retrouvant la houle longue que je haïssais depuis mon premier voyage en *liberty-ship*, déjà ils dansaient, ils reprenaient des refrains en chœur, ils formaient des tables de bridge. J'étais seul, j'étais un homme amputé de la joie, alors j'aurais donné l'avenir pour une femme du Bronx, pour la chaleur d'un de ces appartements tristes, pour Shirley Goldman, pour la place d'un vendeur. Au bar, je me suis approché d'une femme, j'ai commencé à parler pour qu'au moins il y ait le bruit de ma voix. Elle souriait puis elle est partie avec un autre et j'ai dû affronter la solitude, l'inaction, j'ai dû retrouver les questions, les années passées, les visages, mes cauchemars. J'ai bu, j'ai vomi, dormi pour oublier le temps, pour fuir.

Enfin, après des jours, nous sommes entrés dans la rade de Cherbourg.

J'ai sauté un des premiers sur la vieille terre, mon sol, j'ai marché sur les pavés ronds, usés par les pas, pareils à ceux de la rue Mila, à ceux de la vieille ville, Stare Miasto, là-bas à Varsovie, à ceux de Lublin ou de Bialystok. J'ai retrouvé des ruelles, des maisons trapues, gonflées par le temps; des cafés sales aux odeurs de cuisine : j'étais rue Dluga, c'était mon sol, ma vieille terre, l'Europe, j'en avais du désespoir et de la joie. Ici étaient les miens. Cherbourg, Paris, Francfort : j'ai réappris les paysages, je mêlais les lieux aux souvenirs, la Seine était le Bug, le Rhin la Vistule. Je reconnaissais l'Europe, ses paysans derrière leurs charrues, les clochers de pierre, les villes ramassées, je m'enfonçais dans mon passé. Je n'ai pas dormi, pensant à ces enfants que j'aurais un jour, pour qui j'étais ici, préparant leur forteresse. Peut-être faudrait-il que je les élève sur la terre où les miens étaient nés, où ils reposaient, où ils avaient souffert, où j'avais combattu. Alors, sur ce sol vieux, glorieux et humilié, crevé de fosses, ils comprendraient mieux ce que nous avions été.

Le matin, je suis arrivé à Francfort. Autour de la gare on commençait à reconstruire : des esplanades dégagées rappelaient les champs de ruines. J'ai hésité, ne connaissant pas la ville, pris par ces voix allemandes, la guerre qui surgissait. Un jeune homme est venu vers moi, brun, des cheveux cachant à demi ses yeux, il ressemblait à ce jeune homme que les soldats russes, un soir à Berlin, voulaient fusiller et que j'avais sauvé.

— Dollars, change?

J'hésitais encore, pris entre la prudence et l'intérêt.

— Six cinquante, a-t-il dit.

C'était un cours très avantageux. Je l'ai regardé : il a rejeté ses cheveux en arrière d'un coup de tête, me fixant dans les yeux. J'ai sorti 20 dollars.

— Je vais chercher les marks.

Il a pris les 20 dollars.

— Je ne suis pas un voleur, monsieur. Attendez-moi.

Je l'ai vu partir lentement, tourner le coin de l'une des rues qui s'ouvraient en face de la gare et avant même de l'avoir perdu de vue j'ai compris que j'avais été vaincu. J'ai attendu quelques minutes sans illusion : moi, Miétek, du ghetto et de Treblinka, dépouillé comme le premier touriste venu, vaincu, en Allemagne! J'avais fait confiance, j'avais baissé ma garde, j'avais eu tort. Mais je suis têtu. J'ai marché le long du Main, regardant à peine le fleuve, tout à ma colère, à ma hargne, contre moi, contre eux. Ces 20 dollars, c'était toute ma vie, ma vengeance, Berlin vaincue qu'ils avaient regagné d'un seul coup. Je suis retourné à la gare, rentrant sur les quais, attendant encore, le temps de les convaincre que j'avais abandonné. Vers le soir, je suis sorti avec un groupe de voyageurs : il était là, à l'écart, guettant une autre proie. Je l'ai pris par derrière, serrant son cou, l'attirant contre une palissade dans la nuit. J'ai serré :

— Mes 20 dollars, ai-je dit en allemand.

Il étouffait, il se débattait. Je l'ai lâché un peu.

— Dépêche-toi.

Il n'avait rien sur lui, les autres avaient gardé l'argent. Nous avons marché, je lui tenais le poignet, il baissait la tête. Sa sœur, sa mère, son père, il m'expliquait, il tentait de me convaincre. Enfin, nous avons monté des escaliers dans un immeuble sombre : je l'ai repris par le cou.

— Je t'assomme, ai-je dit, au moindre danger.

Mais ce n'était que de petits truands : un vieil homme au sourire de mouchard à demi couché sur un lit, une fille maigre. Je tenais l'autre par le cou, au creux de mon bras

— Mes 20 dollars.

Ils se sont regardés, le vieux s'est redressé.

— Je l'assomme, ai-je dit, sans hésiter.

Je n'avais pas l'air de quelqu'un qui plaisante. Le vieux a fouillé sous le matelas. Il y avait une liasse de dollars.

— Donne tout.

Je l'ai poussé d'un coup de pied, lui arrachant de ma main libre les billets. J'ai compté quatre billets de cinq dollars et j'ai jeté les autres billets dans la pièce. Puis j'ai envoyé le jeune homme dans leur direction et j'ai bondi vers la porte, couru dans l'escalier. J'étais toujours Miétek. J'allais gagner ma guerre. J'ai parcouru Francfort : les boutiques étaient pauvres, la marchandise venait de Berlin. Deux jours plus tard, je volais vers Tempelhof : il fallait toujours prendre l'eau à la source.

A Berlin, j'étais chez moi : les rues, le ciel, tout me parlait. J'ai retrouvé Tolek qui vivait mal de petits métiers, pensant à la Pologne, à Israël, fixé à Berlin par devoir familial.

— Travaille avec moi, ai-je dit.

Je reconstituais une bande, comme au temps de Mokotow-la-Tombe. J'ai visité les antiquaires, je me souvenais des objets de la Troisième Avenue. Ils étaient devant mes yeux. J'ai discuté les prix, essayé de comprendre, cherchant à savoir comment tourne la pensée d'un antiquaire, comment on peut l'arrêter, entrer en elle. J'avançais avec prudence : c'étaient des gens rapaces, habiles. Je restais sur mes gardes, les laissant s'avancer, puis je lançais un chiffre, très en dessous de leurs prix.

— Mais vous êtes fou, mon cher.

Alors nous recommencions, je suis têtu. J'arrivais à leur faire abandonner quelques-unes de leurs exigences. Ils n'étaient pas de taille à lutter : ils parlaient bénéfices et moi je jouais ma vie, des années de travail dans ce premier voyage. Il me fallait réussir. J'avais comme jadis au ghetto, un mur à franchir. Et c'était plus facile. Partout, je laissais mon nom, des commandes, pour d'autres voyages.

— Je reviendrai.

C'était mon mot de passe. Et Tolek était sur place qui me représentait. Nous entassions les objets chez lui et toutes les nuits nous emballions, nous numérotions. Tolek riait silencieusement en s'essuyant le front.

— Que tu chasses le nazi ou les encriers, tu es toujours le même, Miétek, on ne te changera pas. Tu as la fièvre.

346

— Je suis en retard, toujours.

J'étais en retard d'une enfance, du bonheur; je courais après eux. Je ne pouvais pas m'arrêter.

La douane, les transporteurs, le bateau : déjà ce premier voyage s'achevait. Je n'avais plus un dollar quand j'ai débarqué à New York, mort de fatigue. J'ai pris le métro pour rentrer. La ville était sous la neige, les voitures ensevelies formaient des masses blanches. J'étais comme ivre : je regardais les visages, ces gens qui remontaient tranquillement la 186ᵉ Rue et que je croisais. Quel est le monde réel? Le leur, immobile, le mien qui défile? J'ai sonné. Ma grand-mère était contre moi, prenant mes joues entre ses mains tièdes.

— Mais tu es gelé, Martin, tout gelé.

Je riais de fatigue et de joie : j'étais là, j'avais franchi le mur. Père m'attendait devant la porte, je lui expliquais, le pain que j'avais acheté et vendu, les gâteaux de la patisserie Gogolevski, le tramway.

— Je suis de retour, ai-je dit, tu vois mama, je suis là.

J'avais à peine le temps de prendre un bain. Déjà j'arpentais les docks, les poches vides, sans argent pour dédouaner ma marchandise, sans argent pour la faire transporter. Et il me fallait la vendre vite, pour repartir acheter à nouveau, revenir, vendre, acheter. J'ai demandé à voir le directeur d'une maison d'expédition qui avait son siège à Battery Park.

— Mais qui êtes-vous, monsieur, répétait la secrétaire? M. Clark ne reçoit que sur rendez-vous.

— Je ne partirai pas. Je suis importateur. Vous allez faire manquer une grosse affaire à votre maison, une grosse affaire.

J'ai été reçu par M. Clark.

— Avec moi vous allez prendre un petit risque, ai-je dit, avant même de m'asseoir. Parce que je vous donne des garanties et que je vais devenir un gros client. Je suis importateur.

J'étais importateur : le mot a résonné en moi, brutalement, comme une secousse. Importateur. Tu as gagné, Miétek. Ils ne t'ont pas tué, et maintenant tu es là : importateur...

Le directeur m'examinait, ne sachant trop comment m'accueillir. J'ai souri :

— Je n'importe pas du blé ou des pommes de terre, mais des objets d'art.

J'ai parlé, raconté le temps du ghetto ; au bout d'une heure, contre la garantie de mes marchandises, il acceptait de prendre en charge le dédouanement, le transport, l'entrepôt. Je paierai à la vente. Il fallait vendre. J'ai retrouvé la Troisième Avenue, proposant un ou deux objets : les antiquaires avaient sorti leurs griffes. Le jeune homme fluet et parfumé, en chemise rose, rognait mes prix, l'un après l'autre, croyant me tenir.

— Bien sûr, il y a les acheteurs, mais nous sommes dans une période difficile.

Je n'ai pas discuté : il faut parfois contourner les obstacles. J'ai repris mes objets, négocié avec un commissaire-priseur d'une grande salle des ventes : au-dessous d'un certain prix d'enchère, c'est moi qui rachetais sans payer de commission. J'ai dû convaincre le commissaire-priseur. J'ai répété, argumenté :

— Je serai là, je pousserai les prix. Vous ne risquez rien, regardez ces faïences, ils vont se battre, je vous jure.

Il hésitait. Tous, ils hésitaient toujours, au ghetto, à Zambrow, à New York, j'avais toujours dû forcer les hommes à agir. A chaque fois, il me fallait arracher les décisions. Finalement, il a dit d'un ton las :

— O. K., allons-y, pour une fois.

A la première vente, j'étais au milieu de la salle, observant mes clients, ces femmes en chapeaux, aux cheveux blonds ondulés venues avec une amie, ces antiquaires du Middle West, du Sud ou de la Californie pour qui New York était Berlin. J'ai levé le premier la main pour lancer les mises, puis de temps à autre je donnais de la voix, faisant monter les enchères. Elles se battaient. Mes objets défilaient. Trois jours, trois jours fastes : les dollars s'accumulaient, je doublais, je triplais parfois. J'ai payé Clark. Le soir, dans la cuisine, j'ai fait devant ma grand-mère, sur la table, entre les plats, des petits tas : des chèques, des dollars, des chèques. Elle secouait la tête, ravie, inquiète, heureuse et angoissée :

— Tu ne vas pas repartir, a-t-elle demandé.

Je repartais deux jours plus tard. J'en avais fini avec le bateau : je sautais le mur. Un bond en avion jusqu'à Francfort, un autre jusqu'à Berlin. Tolek m'attendait à Tempelhof, nous nous embrassions.

— Ça marche, Tolek, ça marche.

En taxi, je faisais le tour des antiquaires, Tolek avait fait passer des annonces dans les journaux : des particuliers téléphonaient. Maintenant je ne discutais plus les prix. Mon principe : acheter et vendre vite. Un petit bénéfice multiplié donne un gros bénéfice. La marchandise arrivait. Berlin devenait pour moi une lointaine banlieue de New York, l'avion était mon tramffay. Des mois durant j'ai tourné ainsi, d'un continent à l'autre. J'avais découvert le goût pour la marchandise française : je m'arrêtais à Paris. Dès le vendredi, avant l'ouverture, j'étais au Marché aux puces, je recherchais la marchandise pour « Américains », les objets gais chargés de dorures. De Paris, j'apercevais rapidement les rues, le ciel, j'achetais sans marchander, la vitesse était ma force. *Time is money.* Le lundi, je filais vers Francfort et Berlin. Bientôt j'ai ajouté Londres à mon périple. J'achetais, je téléphonais, je sautais d'un taxi dans un avion, je dormais. Parfois, je traînais dans un bar pris entre la fatigue et le besoin de parler à quelqu'un. Il m'arrivait de rencontrer une fille. Mais je me levais, déçu. A New York, j'avais revu Margaret, l'étudiante qui avait travaillé avec moi à l'hôtel de Fallsburg. Elle était douce, elle me regardait fumer, assis au bord du lit, à demi rhabillé.

— Prends le temps de vivre, Mendle, disait-elle. Ne cours pas toujours.

J'essayais de m'allonger près d'elle. Le jour se levait : j'avais toutes ces marchandises à l'entrepôt à contrôler. Je préférais le travail à la paix qu'elle m'offrait. Peut-être un jour une femme réussirait-elle à ralentir ma course, peut-être un jour trouverais-je le goût du repos. Alors, avec cette femme-là, seulement avec elle, je construirais ma forteresse. Margaret me laissait partir.

— Apprends à être heureux, Mendle, tu fuis toujours.

Je l'embrassais, je la quittais mais ces mots cheminaient, troublaient mon sommeil. Les phrases de Goldman revenaient. Quand donc arriverait-il ce jour où je déposerais les armes? Puis le travail m'enveloppait à nouveau. Un après-midi, dans une des salles de vente, alors que je levais le bras pour pousser une enchère, on m'a frappé sur l'épaule. Jack Ellis, un des clients de l'hôtel de Fallsburg. La chance. Il tenait avec son frère Joe un magasin tranquille, vieillot, dans la Troisième Avenue. Je suis rentré avec lui : j'ai visité les caves, je voyais déjà mes caisses en place, les clients se pressant autour de moi. La chance : Jack et Joe Ellis ont accepté. J'étais l'importateur, je vendais chez eux et ils touchaient un pourcentage sur les ventes.

Alors mon travail a pris encore un rythme plus rapide : New York, Londres, Paris, Francfort, Berlin, Francfort, New York, les rues de ces villes, les visages de ces villes. Les antiquaires qui parlaient russe ou polonais au Marché aux puces, les Allemands de Berlin, les décorateurs qui se succédaient dans la boutique de la Troisième Avenue, Tolek qui m'accueillait à Berlin, les taxis, le sommeil qui tombait d'un seul coup sur moi, ces minutes le matin, quand immobile, les yeux fermés, je les retrouvais, les miens, père, mère, mes frères, Rivka, que je n'oubliais jamais, eux, tous les autres. Puis un bond, le téléphone, les entrepôts. Souvent, pour économiser, je déchargeais seul le camion dans la Troisième Avenue : 80 caisses à descendre, à porter jusqu'à la cave, 80 caisses à placer l'une sur l'autre jusqu'au plafond. 80 caisses qu'il fallait ouvrir. Les clients étaient là, ils venaient de Los Angeles, de Houston, de Memphis : décorateurs, antiquaires, marchands qui achetaient en gros. Ils tendaient leurs mains : « Pour moi, vous m'aviez promis. » Je clignais de l'œil, je posais l'objet dans un coin. J'étais encore sur la plate-forme du tramway, soulevant moi-même les sacs de blé, les tendant aux porteurs. Puis je repartais : New York, Londres, Paris, Francfort, Berlin, Francfort, New York.

J'arrivais toujours à Paris le vendredi matin. Je filais aux puces : marché Vernaison, marché Paul-Bert, marché Biron. J'avais acheté une bicyclette qu'une concierge me gardait et pour aller plus vite je l'enfourchais, la laissant à quelque distance des boutiques car j'étais un antiquaire important, un antiquaire américain. Parfois, le dimanche, avant de partir pour Francfort, je traînais dans les rues, guidé par le hasard, par une

femme qui passait. J'aimais cette ville, ce fleuve, ces ponts. Je
m'asseyais au soleil, je fermais les yeux, c'était la douceur de
mai, ce pont était le pont Poniatowski et j'allais rencontrer
Zofia. A Paris seulement j'avais envie de flâner. Mais je n'avais
pas le temps.

A Berlin, le marché devenait difficile.

— Il n'y a plus rien, Miétek.

Tolek maintenant m'accueillait par cette formule et elle devenait à chaque voyage plus vraie. Tous les antiquaires d'Amérique s'étaient abattus sur Berlin, vidant la ville et l'Allemagne
de ses porcelaines. Tolek me montrait une série de plateaux
aux dessins d'or effacés.

— C'est tout, dit-il. Il n'y a plus rien. Simplement ce que les
autres ne veulent plus.

— Achète, Tolek, achète tout.

J'ai vu s'entasser les encriers ébréchés, les soucoupes déla-
vées.

— Tu es fou, Miétek, répétait Tolek.

Je l'ai entraîné et au bout de deux jours de recherche nous
avons trouvé un vieil artisan peintre prêt à remettre nos porcelaines en état. Dans la Troisième Avenue, les acheteurs étaient
de plus en plus nombreux, mais Tolek a de nouveau levé les
bras.

— Il n'y a vraiment plus rien.

C'était vrai. Je suis resté près de deux semaines en Allemagne. Tolek répétait :

— Retirons-nous, Miétek. Cela suffit.

Je n'avais pas atteint mon but, pas encore. Et je ne voulais
pas abdiquer. Jamais. J'ai cherché et finalement j'ai trouvé la
K. P. M., la *Manufacture Royale de Porcelaine*, une mine d'or.

Tolek riait.

— Tu es fou Miétek, fou, la K. P. M., mais c'est officiel, seulement pour les Rois, les présidents.

Je valais bien son fondateur, le Roi de Saxe, nous valions
bien, nous tous, mon peuple, ces Empereurs, ces Rois, ces Princes allemands pour qui la K. P. M. avait exclusivement travaillé
depuis le début du xviiie siècle.

— Moi Miétek, moi, un petit Juif du ghetto, la K. P. M. travaillera pour moi.

Ça été long, difficile. J'ai vu le directeur, j'ai négocié, payé, soudoyé. Puis, un jour, les gros fours cylindriques de la K. P. M. se sont mis à chauffer pour *mes* porcelaines, pour moi le rescapé de Treblinka. Cela aussi c'était une revanche. Et un coup de génie.

Les *antiquités* que la K. P. M. *fabriquait*, étaient authentiques! Et les dollars s'accumulaient et chaque millier de dollars c'était un mur de ma forteresse qui s'élevait.

Mais la vitesse était ma loi et la K. P. M. travaillait comme au XVIIIe siècle. Après quelques mois, à nouveau, je ne pouvais plus satisfaire la demande : il me fallait d'autres solutions.

J'ai su qu'il y avait des usines en Bavière et à l'un de mes voyages, j'ai loué une voiture, roulé vers le sud. Les bois, les vallées, le ciel : la région ressemblait à celle de Rosswein, de Doebeln. Mais je roulais dans un autre monde et à quelques kilomètres à l'est j'avais laissé des camarades, ces soldats qui étaient apparus sur une route de Pologne en criant *Na Berlin!* Depuis, qu'étaient-ils devenus ces soldats fraternels? Moi j'avais essayé de vivre ce que je pensais, d'être juste avec les hommes, d'acquitter ce que je devais, de réclamer mon dû. Je ne voulais être que du côté des hommes, et ils étaient partout, de chaque côté des frontières. Comme les bourreaux.

Je me suis arrêté à Moshendorf, puis à Hof. J'apercevais la montagne toute proche, les grands arbres, les prairies. Ici j'étais à la source. J'ai visité une manufacture à Moshendorf, vu les ouvriers en blouse blanche courbés sur les porcelaines, surveillant les fours. Ici était la source. J'ai demandé à voir le directeur. Il m'a reçu dans un bureau qui ouvrait sur la campagne.

— Vous avez une grande tradition, ai-je dit.

Il souriait, hochant la tête. Je pensais à Schultz qui, au ghetto, nous faisait travailler comme esclave, Schultz marchant dans les *shops,* satisfait, prospère, Schultz pris, libéré. Maintenant ils allaient travailler pour moi.

— Vous serez sûrement capables de faire ça.

J'avais des modèles, des photographies, je les ai posés sur le bureau. Il s'est défendu pied à pied. Je coupais ses phrases :

« Aux Barons, ma forteresse, c'est le bonheur.
Suzanne, Richard, Nicole : ils étaient la vie.
Je regardais Dina:
jamais elle n'avait été aussi belle, aussi jeune. »

« Parfois
nous nous mêlions
à la fête,
descendant à Cannes
pour le Festival,
puis Richard est né. »

Dans une page
publicitaire du
New York Times,
l'annonce,
le lundi
9 décembre 1968,
de la naissance
de Richard :

Explosion démographique! 1968.
En France, par des Américains.
Quatrième édition.
Encore un garçon.
9 décembre.
Richard le quatrième.
Profession : philantrope.
Délivré : par le père.
Travail : par la mère.
Cordon coupé :
   par la fille, Nicole Gray.
Assistant : le fils Charles.
Témoin : la fille, Suzanne.
Poids : désolés, pas de balance.
Taille :
   trop occupés pour le mesurer.
Autres détails :
   venez et voyez au Tanneron.
Ne pas envoyer de cadeaux.
Adressez vos dons à votre
orphelinat favori.

(Photos Alfieri et D. D. Duncan,
Paris-Match.)

News
to Print"

The New York Times

. No.40,497 © 1968 The New York Times Company.   NEW YORK, MONDAY, DECEMBER 9, 1968

MEET
DERS
KIEV

to Have
cope of
Ties

TEAM

Degree
That
Soviet

C
The lead-
and the
Kiev
in the
ince last

of the
until the
ion, led
k, the
rt Sec-
rainian
ague.
Prague-
ith spe-
composed-
choslovak
ablished
of the
state on
to have
weekend

g also
degree
exercised
Czecho-

Population explosion !!!! 1968

In France.by Americans

FOURTH EDITION
A male again

December 9 th

RICHARD the IV   Profession: **
                 Philanthropist

Delivery : by father
Labor : by mother
Cord cut : by Nicole Gray daughter
Qualified assistance : by son Charles
Witness : daughter Suzanne

            Weight : sorry no scale
            Height : too busy to measure
            Other details : comme and see
            in Tanneron

** Please no gifts.Send contributions to your
    favorite orphanage.

AS PER OUR PARIS CORRESPONDENT, JACK EISNER

Con Ed and Union Announce Terms of Se

Bernard E. Gallagher, left, senior vice president of Consolidated Edison Con
D. McDonnell, center, chairman of the State Mediation Board, and Jame
business agent of Local 1-2, during yesterday's news conference at the Com

U.S. Planes at Thai Bases
Step Up Bombing in Laos

By TERENCE SMITH
Special to The New York Times

UBON, Thailand, Dec. 6 —
Camouflaged in green and
black, Phantom F-4D fighter-
bombers roar off the runway
of this sprawling base in east-
ern Thailand all day and night.

Cauf., on Friday. Mr. Laird
talked again with the Presi-
elect on the way from Palm
Springs to New York on Satur-
day.

Mr. Laird, whose constitu-
ency includes 15 rural counties
in northeastern Wisconsin, won
high marks as the chairman of
the platform committee at the
Republican convention of 1964.
In a year of ideological conten-
tiousness, he came close to
pleasing all the factions.

He has generally taken a

NEW POLICY URGED
IN COMMUNICATION

U.S. Panel Asks Monopoly,
Backed by Government, to
Send Messages Abroad

By JOHN W. FINNEY
Special to The New York Times

WASHINGTON, Dec. 8.—A
Presidential committee will
shortly recommend a drastic
reorganization of the nation's
communications industry in-
cluding the creation of a Gov-
ernment-sponsored monopoly to
transmit all international communications.

To strengthen and expand
the domestic communications
network, the committee will
propose a pilot program to de-

Union May Agree to
School Make-Up Sc

By M. A. FARBER

The controversial rules gov-
erning the making up of school
time lost because of the teachers' strikes may be renegotiat-
ed to make them more respon-
sive to the needs of individual
communities.

"It could be done by mutual
agreement of the union and the
city board—it's negotiable,"
said Albert Shanker, president
of the United Federation of
Teachers.

"I think we're going to come
to it," said Dr. Bernard E.
Donovan, the Superintendent of
Schools.

Rules Part of Pact

The rules on make-up time, a
provision of the pact that
ended the third teachers' strike

district, whose
were functioni
strikes, has ref
in the mand
schedule.

The union
barred from en
Wednesday an
defiance of o
Donovan. Wh
escorted them
Friday, the sc
because the dis
board had led
students and c

Strategy M

David Spence
of the govern
"all our scho
today" as he
closed strategy
trougal

Le destin

« Samedi 3 octobre 1970 :
brusquement par la fenêtre ouverte
est entré un souffle chaud
qui sentait le bois brûlé...
J'ai aperçu une voiture au fond d'un ravin.
J'ai voulu faire taire les hurlements en moi,
cette voix qui répétait depuis tant de fois,
depuis tant d'années :
adieu les miens, adieu les miens,
adieu. »

(Photos P. Domenach, Paris-Match, et D. D. Duncan, Paris-Match.)

Au nom de tous les miens

« Je veux encore dire,
continuer à être fidèle,
vivre jusqu'au bout. »
Martin Gray aujourd'hui,
alors qu'il consacre sa vie
à la Fondation Dina Gray
qui lutte contre les incendies de forêts
et pour la protection de la nature.
(Photo Christian Bouchet, Provence Magazine.)

— Je paye, j'achète tout.

Finalement, nous avons conclu un marché. A Hof aussi j'ai gagné. Maintenant, je n'étais plus seulement importateur ou fabricant de vraies antiquités, mais aussi copiste! J'ai roulé lentement jusqu'à Francfort, apaisé : j'avais mis une machine en route, elle tournait. Le plus difficile c'était toujours le premier saut, quand le tramway file, qu'il faut s'agripper et qu'on ne sait pas comment va réagir le Bleu sur la plate-forme, qu'on n'a jamais franchi le mur. Après tout est simple : on risque sa vie, mais c'est la routine. J'avais passé le cap, sauté les obstacles, le courant m'emportait.

Je me suis arrêté à Nuremberg : ainsi c'était là la ville où ils se rassemblaient, là qu'il avait surgi pour la première fois, ce mal qui avait saccagé des millions d'hommes. Je roulais dans les rues essayant de comprendre, de deviner ce qu'avait dû être ce temps-là, quand les hommes d'ici s'étaient laissés entraîner. La ville était noble, belle malgré les destructions. J'ai traversé des ponts sur la Pequitz, regardé ces églises de pierre sombre, marché dans les vieilles rues, la Hauptmark. Ici aussi les pavés usés, comme à Cherbourg ou rue Mila. J'ai observé ces hommes pareils aux autres, ces enfants : il y a des années le mal les aurait emportés, ils se seraient rassemblés sur le stade dans les projecteurs et les cris. Il ne fallait jamais laisser renaître ce mal.

J'ai pris l'avion à Francfort, retrouvé New York, ma grand-mère, Jack et Joe Ellis : les commandes affluaient. Bientôt sont arrivées les marchandises fabriquées à Moshendorf et à Hof. A peine débarquées, elles étaient vendues. J'entassais les dollars, j'investissais, je plaçais.

Un soir, comme je rentrais très tard ayant quitté Margaret, j'ai trouvé ma grand-mère dans ma chambre. Elle s'était allongée sur mon lit et elle dormait, les épaules enveloppées dans un châle, ses cheveux blancs tombant en tresses autour de son visage. Sa respiration soulevait à peine sa poitrine. Je suis resté là, à la regarder, si maigre, si frêle; elle s'est réveillée tout à coup. Je lui ai tendu la main pour qu'elle se redresse.

— Je t'attendais.

— Tu es folle, mama.

— Il faut que tu te dépêches, Martin.

Je n'ai pas compris.

— Si tu veux que je voie tes enfants. Tu es riche, maintenant.

— Mama, mama.

L'angoisse me balayait : ce corps, c'est vrai, il ressemblait à ceux de ces vieillards que je recevais dans mes bras, là-bas à Treblinka, au *Lazaret*.

— Chaque jour, Martin, chaque jour, demain, ça peut arriver. Je suis vieille.

Je l'ai prise contre moi, caressant ses cheveux : « Mama, mama », mais elle secouait la tête.

— Chaque jour, dépêche-toi.

J'ai plaisanté, juré que je me mariais dès le lendemain, puis je suis allé l'embrasser dans son lit. Dans le visage je n'ai vu que les yeux bleus qui ressemblaient à ceux d'une enfant.

— Dépêche-toi, a-t-elle répété.

Je n'ai pas pu dormir : maintenant, j'étais riche, citoyen américain, importateur, fabricant, j'ouvrais une succursale au Canada, une autre à la Havane. J'étais propriétaire d'immeubles, je plaçais mon argent en bourse. J'allais de capitale en capitale, mes banlieues s'appelaient Paris et Berlin. Et je n'avais rien de ce pourquoi j'avais construit tout cela : j'étais seul. Mama pouvait mourir chaque jour. J'étais seul entouré d'objets inertes, ces dollars, ces caisses, ces biens. Et je ne m'imaginais plus que cela pût changer. Je passais de femme en femme, de lit en lit; aucune ne réussissait à faire taire en moi les voix, les noms, les visages, les lieux qui me hantaient. Le temps d'une étreinte, j'étais avec elles puis, à leurs côtés, allongé, une cigarette entre les lèvres, je les perdais, je me perdais, elles n'existaient plus. Rivka ou Zofia, ma mère, mes frères, le sable jaune, voilà ce qui m'étouffait près d'elles après l'amour.

Dans l'aube qui se levait j'ai téléphoné à Margaret. C'était la seule que je voyais régulièrement : mais pourquoi la lier à ma vie? Elle aussi avait si peu d'existence. Pourquoi l'enchaîner à mes cauchemars, la contraindre à cette torture de me savoir toujours ailleurs? Je suis allé la retrouver dans son petit appartement de Brooklyn, du côté de Flatbush Avenue. Elle s'y était installée depuis que j'avais réussi à lui trouver un job de décoratrice chez Wolker, un antiquaire, un ami. A demi réveillée, en peignoir, une tasse de café à la main, elle m'a ouvert en secouant la tête :

— Alors, Mendle, ça ne va pas?

Je l'ai embrassée distraitement.

— Viens ici, a-t-elle dit.

Elle m'a forcé à enlever ma veste.

— Assieds-toi, parle. Tiens.

Elle m'a tendu sa tasse.

— Bois, c'est chaud.

J'avais un long discours à faire, sur moi. Qu'est-ce que j'étais, pourquoi cette course, ce vide tout à coup, cette impossibilité à sortir de moi avec une femme?

— Même avec toi, Margaret.

— Je sais, je sais.

— Je t'épouse, ai-je dit tout à coup. Nous aurons des enfants.

— Bois, Mendle.

Elle s'est penchée vers moi, me caressant les cheveux.

— Tu cherches, tu cherches. Mais ça viendra tout seul, ou jamais. Tu trouveras une femme ou tu n'en trouveras pas. Mais ce n'est pas moi, Mendle, sûrement.

— Pourquoi pas toi?

— Ça te tombera dessus, d'un seul coup. Tu n'es pas de l'espèce raisonnable, tu n'es pas fait pour les mariages comme ça, par raison.

Elle parlait comme Goldman. Elle m'a embrassé.

— Tu mérites de trouver, Mendle.

Je l'ai serrée contre moi, c'était une douce amie, une camarade mais elle ne pouvait pas combler ce gouffre de malheur qui s'ouvrait si souvent en moi. J'ai dormi un peu, près d'elle, puis à nouveau j'ai retrouvé les choses inertes dont je remplissais ma vie. A Hof, à Moshendorf, les manufactures travaillaient pour moi; à Paris, à Londres, à Berlin, je continuais mes achats. J'ajoutais d'autres importations à mes caisses d'objets d'art; l'engrenage tournait, des dollars naissaient d'autres dollars. On

355

m'apportait des idées; j'ai acheté et revendu des voitures eu-
ropéennes par centaines; j'ai fait fabriquer des lustres anciens
à Paris et depuis la côte Ouest, du Sud et du Middle-West, les
antiquaires me suppliaient de les leur réserver. J'étais riche et
contraint de travailler de plus en plus pour tenter de combler le
gouffre, de refouler les cauchemars. Mes voyages devenaient
plus rapides encore. Tolek répétait :

— Tu es un cheval emballé, Miétek. Un jour tu vas avoir de
la bave à la bouche.

J'allais, j'allais, droit devant moi.

En arrivant un soir à Idlewild Airport, devant la douane, une
hôtesse m'a tendu un message, mais avant même que j'aie pu
l'ouvrir deux hommes jeunes aux cheveux courts m'ont enca-
dré :

— Monsieur Gray? S'il vous plaît, contrôle des douanes.

Marchant entre eux, je suis sorti de la colonne des passagers.
Dans une pièce isolée j'ai subi un long interrogatoire, puis une
fouille complète. Ils avaient fait apporter tous mes bagages.

— Mais que cherchez-vous?

Ils ne répondaient pas. Je savais seulement qu'ils étaient du
F. B. I. Ils m'ont obligé à les accompagner aux entrepôts : les
caisses étaient déjà ouvertes.

— Bien, ont-ils dit enfin.

Puis j'ai dû me rendre au magasin, dans la Troisième Avenue. Montrer mes chéquiers, la comptabilité. Je subissais. Je me
taisais. Ils étaient la puissance souveraine, silencieuse, indiffé-
rente. Ils n'ont rien trouvé.

— Un simple contrôle de douane, ont-ils répété en partant.

C'était banal, sans conséquence, et pourtant j'étais épuisé : à
chaque instant, il pouvait surgir ainsi des forces anonymes
qu'un concurrent jaloux mettait en branle et qui venaient dans
la construction difficile d'une vie jeter le désordre. Parfois ces
forces, c'était l'armée, la guerre. Quand serais-je à l'abri, libre?
En fouillant dans ma poche, j'ai retrouvé le message que
l'hôtesse m'avait tendu et que j'avais oublié.

Passer d'urgence 186ᵉ Rue 567 Ouest. Monsieur Feld.

Je suis tombé dans la fosse de sable jaune.

13

Je la connaissais depuis toujours

ELLE était sur son lit, déjà habillée, les mains croisées sur sa poitrine. Mon oncle était assis près d'elle. Elle était sur son lit mais ses lèvres ne bougeaient plus, elles étaient serrées, minces, comme aspirées vers l'intérieur, comme si elles avaient voulu donner un dernier souffle, jusqu'au bout. Elle était maigre, si maigre, vêtue de ses vêtements de fête, ceux qu'elle portait sur le dock, le premier jour, au bout du couloir entre la foule et j'avais marché vers elle depuis la place Muranowski, depuis ce moment où mon père m'avait parlé d'elle, la nuit, dans le ghetto la veille de notre combat. Ceux qu'elle portait quand, toute droite, elle était assise près de moi, quand nous roulions vers Atlantic City dans ma Plymouth bleue. C'étaient des vêtements de deuil, c'étaient des vêtements de fête, une mince étoffe à bas prix que je sentais sous mes doigts, une pauvre étoffe qui enveloppait sa richesse, sa vie. Oh! mama, mama, toujours le deuil. J'avais touché tant de morts, vu tant de corps. Oh! mama, mama, toi aussi. Je suis allé pleurer dans la cuisine. J'ai crié. Avec elle, tout était mort, j'étais mort aussi, oh! mama. J'ai touché les objets, les plats, la table, je suis retourné dans sa chambre. Elle était sur son lit, et je ne pourrais plus rien lui donner, jamais. Je l'avais quittée, j'avais vendu, acheté, sauté d'avion en taxi, j'étais riche, j'avais vécu pour moi, comme un sauvage, je l'avais laissée. J'aurais dû rester près d'elle, vivre avec elle, pour elle : la voir, la prendre contre moi, si maigre, si frêle, une enfant.

Je ne pouvais pas : je suis parti à la dérive dans les rues, les snacks, le métro. Je l'ai laissée. Adieu, mama, adieu. J'ai marché des heures dans la poussière et le bruit. Au milieu de la nuit, peut-être la deuxième nuit, je suis arrivé chez Margaret. Je n'ai rien expliqué, me remettant à pleurer, par grandes vagues.

— Mendle, Mendle.

C'est tout ce qu'elle pouvait dire mais sa voix me faisait du bien. Parfois je m'entendais pleurer, j'écoutais mon propre désespoir, je sortais de moi et je voyais ce Miétek qui frappait sur ses genoux, qui reniflait, qui se noyait. Alors, j'ai repris un peu le contrôle de moi.

— Je ne fais plus rien ici, Margaret. Je ne peux plus.

Elle ne comprenait pas.

— Pourquoi la vie?

— Tu es fatigué, a-t-elle dit. Tu oses dire ça? Penser ça? Toi, Mendle.

Oh! mama, toute sa vie, son sourire, ces mains qui pétrissaient la pâte, ces questions qu'elle me posait avant de sortir avec moi lorsque je l'emmenais à Lakewood, à Fallsburg :

— Ce chapeau, crois-tu qu'il va, Martin?

— Petite jeune fille, mama, une vraie jeune fille.

Tout cela, une éternité de souffrance, de joie, d'amour, de savoir, tout cela dilapidé d'un seul coup, dispersé dans la terre. Je ne m'habituerai jamais à la mort. Et la mort de mama rouvrait toutes les fosses, elle était à nouveau la mort de tous les miens, ils m'entraînaient.

— Tu n'as pas le droit, Mendle, et tu le sais bien, répétait Margaret.

Elle était ma douce amie, ma camarade. Nous sommes partis pour quelques jours à Fallsburg, puis elle m'a laissé seul, là-bas, dans l'hôtel entouré de forêts. J'ai ramé sur le lac, j'ai marché, marché à en crever de fatigue. C'était le moment du grand examen : je m'étais battu pour survivre, pour témoigner, pour venger les miens, les continuer, bâtir une forteresse, avoir des enfants. J'étais allé tout droit, de but en but, j'avais sauté par des fenêtres, dans des caves, je m'étais accroché sous un camion, je m'étais enfoncé dans la merde, j'avais tué, chassé

358

les bêtes à visage d'homme, choisi le risque, changé cent fois de vie. Et puis j'étais seul. J'avais toujours dit adieu : adieu les miens, adieu camarade aux cheveux roux, adieu mama. J'étais las : toujours debout Miétek, mais comme un arbre rongé, l'écorce est belle et l'arbre est vide. J'étais malade de trop de solitude et de trop de malheur. Pourquoi enchaîner une femme à ma vie, pourquoi donner la vie, une vie que tout menaçait ? Pourquoi construire une forteresse, pour qui ? Pour qui ?

J'ai marché sous la pluie et la neige. Fallsburg était désert, balayé par un vent froid du nord. Certains jours le soleil brillait paraissant geler le ciel au lieu de le chauffer. Pour qui, ma forteresse ? Je n'avais pas le droit d'en finir avec la vie mais je n'avais pas le droit, avec ce gouffre en moi, de donner la vie. Je ne pouvais que durer, aller au jour le jour, comme ces fourmis qui recommencent sans fin leur chemin. Père, j'irai jusqu'au bout mais maintenant le jeu m'échappe. Ce que je devais faire je l'ai fait : j'ai survécu, je me suis battu, je vous ai vengés. J'ai retrouvé mama, je l'ai aidée à vivre, mal mais comme j'ai pu, j'ai entassé les pierres pour ma forteresse, j'étais prêt. Mais le malheur est en moi, le vide est autour de moi. Une forteresse pour qui, pourquoi ?

Je suis devenu une mécanique, une horloge exacte qui donnait ce qu'on attendait d'elle : des rendez-vous aux décorateurs, des coups de téléphone à Clark, des télégrammes pour Moshendorf ou Hof. J'agissais, efficace, je ne ratais ni les avions ni les ventes. Jamais mes affaires n'ont mieux marché : je n'étais que cela, un importateur, un fabricant, un rouage du monde des affaires que rien ne paraissait perturber, ponctuel, actif, inventif. J'aurais pu tourner ainsi jusqu'au bout de ma vie : j'encaissais, j'investissais, j'achetais, j'encaissais. Cela a duré des semaines, des mois. Puis j'ai commencé à ressentir des douleurs dans le dos, une fatigue diffuse qui naissait à la base du cou et rayonnait vers les épaules. L'œil que j'avais blessé depuis ce temps de Varsovie me faisait souffrir. Les cauchemars ont rongé mes nuits. Le matin je me levais avec difficulté. J'ai continué, j'encaissais, j'investissais, j'achetais. Puis un autre grain de sable est venu dans la machine, irritant. Le F. B. I. ne me laissait pas en paix : à chaque voyage j'étais fouillé, je perdais des heures. Mes caisses étaient ouvertes, je retrouvais des plateaux de porcelaine brisés. Ils s'excusaient, on me dédommageait, mais ils revenaient, persuadés — par qui? — que je transportais de la drogue ou que je volais le fisc. Je me suis habitué à ce grain de sable : à la douane, à Idlewild Airport, je devançais le policier qui feuilletait les pages du grand livre à couverture noire :

— Je suis dans le livre, je suis prêt.

Mais il y a eu d'autres grains, inattendus, douloureux, comme des avertissements. J'avais pris l'avion à Montréal pour Londres. Les passagers dormaient, je sommeillais regardant la nuit. Brusquement, j'ai senti que l'avion amorçait une courbe et j'ai aperçu des flammes jaune et bleu qui s'échappaient de l'un des moteurs. L'hôtesse est venue vers moi, tirant le rideau devant le hublot, mettant son doigt sur la bouche, montrant les autres passagers. Je me suis tu, gardant les poings serrés de ne pouvoir rien faire, d'être contraint de m'en remettre à d'autres. Enfin, nous nous sommes posés sans difficulté à Montréal. Et je suis reparti quelques heures plus tard, oubliant de télégraphier à Tolek qui m'attendait à Berlin. J'allais certainement avoir du retard, peut-être un jour ou deux. Je lui ai téléphoné dès mon arrivée à Tempelhof. J'étais heureux d'entendre sa voix, je lui racontais l'accident.

— Je ne peux pas te voir avant ce soir, a-t-il dit. Mais ce soir je tiens à te voir.

Il a raccroché sans explication. Toute la journée j'ai été repris par le mécanisme des affaires et quand je suis rentré chez lui j'avais oublié cette colère qu'il avait eu du mal à dissimuler. Il était assis, une fille qu'il connaissait depuis quelque temps auprès de lui.

— Miétek, il faut qu'on discute sérieusement.

Nous avions été des frères, nous avions couru ensemble dans les rues de Berlin, nous nous étions embrassés alors que les soldats brandissaient le drapeau de la victoire. Il savait tout de moi, j'étais lui. Et brusquement il balayait cela, d'un revers de main.

— Tu ne penses qu'à toi, Miétek, tu es un dictateur, tu donnes des ordres. Je ne peux plus travailler avec toi, réglons tout ça.

— Si tu veux, Tolek.

Nous nous sommes assis l'un en face de l'autre. La fille présente, indiscrète, bruissante, nous empêchait de dire ces mots qui réconcilient, de faire ces gestes où l'on retrouve une épaule, un frère.

J'étais englué dans la fatigue, la tristesse, la surprise. Je m'accusais : j'avais plongé dans le travail, ne prenant pas le temps d'interroger Tolek et nous nous étions éloignés l'un de l'autre sans autre raison que la fatigue et le poids du monde.

— Mettons de l'ordre dans les affaires, a-t-il dit.

Jamais nous n'avions compté, nous étions frères. Maintenant il le fallait. Peut-être un jour, plus tard, si venait la paix, nous retrouverions-nous. Adieu Tolek. Tu restes en moi comme une part vivante de moi. Adieu Tolek.

J'allais, j'allais tout droit et j'irai jusqu'au bout. Tout a continué : les médecins diagnostiquaient chez moi une grande fatigue.

— Vous payez vos efforts maintenant, disait l'un d'eux.

Je pouvais à peine lever le bras, souvenir de Pawiak, quand ils m'avaient pendu par les poignets, les mains dans le dos. Je payais. N'étais-je pas encore quitte? Un jeudi, Margaret m'a téléphoné. Elle riait.

— Je suis tout heureuse, Mendle, je vais t'offrir un joli cadeau. Ton « ami » Wolker me fait faire un travail très intéressant.

Il copiait mes modèles, ceux qui venaient de Moshendorf, de Hof et de Berlin, et il avait trouvé au Japon, pour lui, des fabricants dont les prix étaient de soixante pour cent inférieurs aux miens. Margaret riait :

— Tu copies les Allemands, et les Japonais te copient! Justice, Mendle, justice.

J'avais de la chance en affaires : j'ai liquidé presque tout mon stock en quelques jours avant que n'arrivent les porcelaines japonaises. Mais j'étais seul : je réussissais, mais sans Tolek, sans Wolker. La terre sous mes pieds était friable. Je réussissais et les miens mouraient. J'avançais et mes frères m'abandonnaient. Je m'enfonçais comme dans ces marécages que je craignais tant dans les forêts de Pologne. Seulement je restais une bonne mécanique. Je réagissais vite. J'ai télégraphié en Allemagne, stoppé les fabrications. Là-bas, à Moshendorf, dans son grand bureau donnant sur la campagne, le directeur de la manufacture devait maudire cet Américain qui lui avait promis d'immenses marchés.

C'était un samedi. Il faisait un temps sans joie, gris et froid. Depuis que mama était morte je vivais au-dessus du magasin, dans la Troisième Avenue. Je campais dans un appartement encombré de caisses, de meubles vides, de désordre. Je craignais les week-ends, la solitude. J'étais allongé sur le lit défait et brusquement je me suis souvenu des modèles que j'avais laissés, là-bas à Moshendorf, de très belles pièces qui valaient une petite fortune et qu'il me fallait récupérer. Je ne pouvais pas partir avant le mardi. Je devais écrire d'urgence à Moshendorf, préciser ce point, avertir de mon arrivée. J'écrivais mal l'allemand. Les secrétariats, ce samedi, étaient fermés. Margaret peut-être pouvait connaître quelqu'un. J'ai téléphoné, elle ne répondait pas. J'ai insisté, recommencé le numéro. Dans ma solitude, la possibilité d'écrire cette lettre ce samedi devenait l'enjeu de toute ma vie. Tout perdre ou tout gagner. J'ai téléphoné encore. Finalement, je suis sorti, fonçant vers Brooklyn, carillonnant à la porte de Margaret, laissé un mot. Elle m'a téléphoné en fin de journée.

— Ce sont bien des idées à toi, Mendle. Tu as le temps.

Je n'avais pas le temps : cette lettre c'était ma vie. Elle s'est mise à rire.

— J'ai une blessée avec moi, je ne peux pas la quitter. Elle parle un peu allemand.

— J'arrive.

J'ai refait la route. Il s'était mis à neiger, des flocons gris, rares, qui tournoyaient longtemps avant de tomber. Devant chez Margaret, j'ai glissé sur le trottoir, me relevant couvert de boue. J'ai sonné, et j'ai rencontré Dina. Elle était devant moi, la vie, elle souriait, puis elle a cligné de l'œil :

— Vous êtes dans un drôle d'état, a-t-elle dit.

Elle souriait et nous ne bougions pas. J'ai senti monter le rire en moi, comme une houle, prenant mon ventre et ma nuque. La vie. J'étais en face de la vie. Je me suis mis à rire, j'étais à ce moment où la douleur cesse, brusquement, quand le fer se desserre autour des tempes. Je riais. Margaret est arrivée, souriante, douce, inexistante.

— Tu es fou, Mendle, a-t-elle dit.

— Il est gai, je suis comique.

Dina a fait une grimace et s'est mise à rire avec moi. Puis elle a sautillé jusqu'à un fauteuil, soulevant sa cheville entourée de plâtre.

— Je ne vous ai pas présentés, a dit Margaret.

— Nous sommes déjà de vieux amis, a dit Dina.

Je la connaissais depuis toujours même si je ne savais rien d'elle : âge, religion, nom, des mots morts, des signes plats. Elle était là, assise, grave tout à coup, soulevant ses cheveux au-dessus de sa nuque : pour moi, elle était la vie, la force, la joie, la confiance. Depuis que je l'avais vue, j'étais à nouveau un arbre plein de sève. Je me suis mis à parler, des éclats de rire brisaient mes phrases. Le temps a passé.

— Et ta lettre, a dit Margaret.

— Dina va venir avec moi, je lui montrerai.

Elle s'est levée.

— Je peux marcher.

Elle s'est accrochée à mon épaule. Il neigeait encore, j'aimais son poids, sa peau, elle était des miens, depuis toujours.

— Nous ne sommes pas pressés, ai-je dit.

Le temps avait cessé de compter. Les rues de New York étaient vides, les pneus soulevaient des gerbes de boue. Je parlais sans retenue, je pouvais tout lui dire, ma voix s'appuyait sur elle. De temps à autre, elle m'interrompait; elle me posait une question précise, deux ou trois mots qui ouvraient en moi une nouvelle écluse. Nous avons stationné dans la Troisième Avenue, devant chez moi, et je parlais toujours, la neige recouvrant peu à peu le pare-brise, nous enfermant. J'avais dit le ghetto, j'avais dit la forêt, j'avais dit les fosses et puis père, Zofia, Rivka, tous les miens, j'avais dit mon rêve, cette forteresse. Pour qui? Alors elle a parlé, à son tour, ce divorce, son mari, un ancien des camps de concentration, sa famille dispersée en Hollande, en Australie, en Afrique, elle était protestante.

— Il est très tard, a-t-elle dit.

Elle devait rentrer. Je suis sorti enlever la neige. Nous avons encore parlé puis lentement j'ai roulé dans les rues. Elle habitait dans Manhattan. Je l'ai raccompagnée jusqu'à sa porte. Nous sommes restés appuyés l'un près de l'autre. Elle devait partir pour la Hollande, moi pour l'Allemagne. J'ai griffonné mon adresse sur un morceau de papier.

— Et votre lettre?

— De la porcelaine, qu'est-ce que c'est?

Nous avons ri ensemble. Puis nous sommes restés silencieux. Les voitures défilaient lentement, nous éclairant à intervalles réguliers. J'écoutais sa respiration, il me semblait entendre son cœur, voir sa poitrine se soulever.

— Chez moi, si vous voulez allez voir pendant mon absence?

Tout perdre ou tout gagner.

Je lui ai tendu mon adresse et mes clés. Elle a hésité, puis elle les a glissées dans son sac, déchirant le morceau de papier.

— L'adresse, c'est inutile. J'ai une bonne mémoire.

Nous ne savions pas comment et pourquoi nous quitter.

— Avec un homme comme vous, j'aimerais bien avoir des enfants, a-t-elle dit tout à coup.

Elle m'a cligné de l'œil et elle est entrée dans son immeuble en sautillant.

Elle était la vie.

Ces jours ont été les plus longs : j'avais la fièvre. Les heures n'en finissaient pas. Je ne savais plus écrire, je ne voulais pas téléphoner. J'ai été à Paris, à Berlin, à Moshendorf, à Hof. J'ai récupéré mes modèles, discuté avec le directeur, liquidé des contrats, passé des commandes. J'étais double, l'un arpentant les rues de Moshendorf, marchandant des lustres à Paris, et l'autre, là-bas, avec elle dans la Troisième Avenue et à Manhattan. Tout perdre ou tout gagner. Peut-être étais-je quitte, peut-être ces derniers mois avaient-ils été la dernière épreuve, comme à Zambrow quand j'avais renoncé à franchir la palissade, glissant contre le bois, et que tout à coup j'avais senti les planches sous la main qui permettaient de me hisser. Le dernier obstacle avant la forêt.

J'ai envoyé de Paris, la veille de mon départ, un télégramme à son prénom, seul, à mon adresse : je ne connaissais pas son nom. A Idlewild Airport, j'ai subi la fouille habituelle, je plaisantais, puis j'ai pris un taxi.

Il faisait nuit. Le magasin était fermé. Devant la porte, sur le trottoir, j'ai pris mon trousseau de clés, j'ai détaché les clés de mon appartement et je les ai envoyées très loin, dans la rue déserte. Tout perdre ou tout gagner. Le palier était silencieux. Pas un son de musique, pas un rai de lumière.

J'ai frappé.

Elle était devant moi, la vie. Elle souriait, puis elle a cligné de l'œil. Derrière elle, j'apercevais des meubles nouveaux.

— Je me suis installée, a-t-elle dit. Tu m'avais donné les clés. Je n'aime pas Uptown.

Je suis entré, il y avait une odeur douce, j'avais une maison. J'avais cessé d'être seul.

QUATRIÈME PARTIE

LE BONHEUR

14

Enfin, enfin, la paix, la joie

DEPUIS vingt ans je courais, pour un sac de blé, pour sauver ma vie, pour venger les miens, pour vendre, de palier en palier du Bronx mes foulards, mes mouchoirs, pour gagner ces dollars, de New York à Paris, de Berlin à Londres. Il me semblait que ma vie avait été une longue route en pente, la vitesse augmentait, les tournants étaient de plus en plus raides, je ne savais pas freiner, je ne pouvais pas, je ne voulais pas, j'avais de plus en plus de mal à diriger ma vie, elle m'échappait, j'allais de plus en plus vite, parfois il me fallait lutter contre le désir de quitter la route, d'exploser, d'en finir avec cette course où, après chaque tournant alors que je croyais voir la plaine plate et droite je n'apercevais qu'une nouvelle pente, plus forte, un nouveau virage. Et puis, alors que j'allais peut-être vraiment perdre le contrôle, voilà que j'ai rencontré Dina.

C'était le fleuve, large, paisible, puissant, tranquille. Elle m'apprenait à vivre, elle était la vie. Je la regardais sans me lasser, choisir un tableau, lire à haute voix des vers de Rilke ou de Rimbaud, placer un disque et me prendre par le bras, me murmurant : « Ecoute, ferme les yeux, écoute la musique. »

J'avais vécu dans un monde de hurlements, de grincements, un monde saccadé et sauvage; j'avais fait le pari qu'il devait exister une autre vie, celle des hommes vrais. Je découvrais cette vie. J'avais traversé les années, brisant les jours, les mois, comme une pierre lancée avec rage, maintenant il y avait le

369

matin, quand elle se levait, l'odeur des toasts et du café. Dina passait près de moi, belle, et je pouvais la prendre sans crainte contre moi, elle n'était pas menacée par la guerre, Treblinka ne l'attendait pas. Je l'arrêtais toujours quand elle passait, je voulais toucher la vie, la découvrir encore, savoir qu'elle était là, souple et belle, vivante. Maintenant, il y avait le jour, la nuit, sa vie pour moi ouverte. Elle parlait, je suivais le mouvement de ses lèvres, je parlais avec elle, j'étais elle. Elle avait eu sa part de malheur, ce mari, un ancien déporté, avec qui elle ne s'était pas entendue et pour qui elle avait quitté la Hollande. Le divorce enfin après une longue usure, la solitude du métier de mannequin, et la nostalgie de l'Europe, d'une vie simple et calme : la lecture, la musique, des enfants, des arbres. Elle aussi rêvait d'une forteresse.

Le téléphone sonnait et je laissais sonner le téléphone.

— Je te veux pour moi, disait-elle. Tu as bien assez de dollars. Liquidons tout et partons.

Je me cachais dans ses bras, elle se cachait dans les miens, j'étais son père, elle était ma mère, nous étions frère et sœur, sa tête était faite pour mon épaule et tout son corps pour le mien. Quand je touchais sa peau, que je m'allongeais près d'elle, j'avais envie de crier : « Enfin, enfin » ; elle me donnait la paix et la vie. Je naissais. Tout s'ordonnait, la vie avait un sens, j'avais eu raison de me battre, de m'obstiner à refuser la mort, de croire qu'un jour, pour moi, viendrait le temps de la paix. Il était venu tard, alors que je ne l'espérais plus, quand mama ne pouvait plus rire de mon bonheur. Mais Dina était là, je la voyais, je l'entendais, je la touchais, je l'aimais. Elle était ma paix, douce et joyeuse, et je riais près d'elle, mon corps apaisé, détendu.

Elle me guidait, elle me faisait explorer un nouveau monde. Je découvrais les livres et ces voix écrites qui chantaient pour l'homme. Je découvrais la musique. Je découvrais ses amis, Grosz, Jacobi, d'autres, tous ces intellectuels berlinois qui avaient fui l'Allemagne nazie en même temps que Brecht et qui vivaient en marge à Huntington. Je les regardais, j'apprenais un nouveau visage de l'homme : pour eux le monde n'était ni violence ni argent ; ils créaient les idées, ils se nourrissaient d'elles.

Dina s'asseyait près de Jacob. Elle faisait partie du clan : elle parlait sans fin de Bach, elle commentait la peinture de Jacobi. Je les écoutais : elle lançait des mots, des idées, des rires. « Dina Champagne », disait Jacobi en me clignant de l'œil. Elle était la vie.

Nous avons décidé de nous marier, sans cérémonie. Notre fête, elle était chaque jour entre nous. J'ai téléphoné à mon oncle, Dina à Margaret. Nous les avons attendus en marchant lentement dans City Park. Les pelouses étaient recouvertes de neige, les arbres brillaient, nous nous tenions par la taille.

— Tu te souviens, le premier soir, j'avais parlé des enfants. Avec toi, de tout petits Martin, obstinés comme toi.

Et nous aurions aussi des filles qui ressembleraient à Dina. Une demi-heure plus tard, nous étions mariés, puis nous sommes rentrés au magasin, Troisième Avenue.

Jusqu'à Dina, j'avais été un solitaire : n'ayant confiance qu'en moi, j'avais vécu dans un temps où se tromper sur un visage signifie mourir. Je n'aimais pas devoir, agir avec d'autres : même dans les forêts de Pologne j'avais souvent combattu seul, et plus tard, avec l'Armée rouge, j'avais conduit ma guerre personnelle. Avec Dina, je partageais tout, elle était moi. Nous avons fait nos dernières affaires ensemble : elle dessinait des modèles de lustres que s'arrachaient les amateurs de tous les Etats-Unis; elle reconnaissait la pièce rare, elle faisait naître la beauté. Avec elle, j'aurais pu développer mes affaires, sans fin.

— Mais pourquoi, Martin? Si nous avons assez? Pourquoi?

Bien sûr : pourquoi, maintenant, alors que je connaissais Dina? La fortune n'avait été pour moi qu'un moyen. Peu à peu, je me suis dégagé de mes contrats, de mes associations, organisant notre retraite. Personne autour de moi ne comprenait. Wolker, mon concurrent, croyait à de subtiles manœuvres.

— Ce n'est pas possible, répétait-il à Margaret, on ne se retire pas à trente-cinq ans, avec les atouts qu'il a dans ses mains. Il doit y avoir quelque chose.

Il y avait le bonheur.

Nous sommes partis pour la France, un dernier voyage d'affaires. Paris, avec Dina, était une autre ville, claire sous le soleil. Nous nous sommes installés dans un hôtel du boulevard

Saint-Michel, là était la jeunesse et nous étions jeunes. Dina refusait le luxe, les hommes et les femmes cuirassés d'or, de manières et d'orgueil. Nous nous tenions par la main, elle m'entraînait vers des vitrines, elle poussait des cris de joie, et je la soulevais de terre. A Paris aussi j'ai mis de l'ordre dans mes affaires, conclu des contrats, pour après, qui nous assureraient des revenus suffisants.

Puis nous avons roulé vers le sud, Dina rêvait de soleil et de mer. J'aimais cette campagne française, mesurée et régulière, ces forêts cernées par l'effort des hommes, cette géométrie des champs, le damier des couleurs. Nous aimions ces villes trapues derrière leurs remparts, la démarche lente des vieilles dans les rues pavées, les paysans aux visages rouges, les fontaines couvertes de mousse, les sculptures au-dessus des porches, la pierre usée par l'homme. Nous nous sommes assis sous les platanes, tentant de comprendre le pourquoi des rires et des éclats de voix mais les six leçons de français que nous avions suivies à l'Alliance française, boulevard Raspail, étaient insuffisantes. Pourtant, nous aimions ces voix, nous aimions ce pays.

Après Aix-en-Provence a commencé la joie du soleil; la barrière presque bleu sombre des montagnes fermant les plans couverts de lavande, puis les rochers rouges de l'Esterel.

— C'est ici, Martin, ici, répétait Dina.

Nous nous sommes installés dans un petit hôtel à Nice, partant chaque matin, parcourant la Côte et les collines caillouteuses. Dina riait, chantait, ses cheveux dénoués flottaient autour de son visage et elle s'allongeait dans la voiture.

— Je bois le soleil, disait-elle, je vis, je vis.

Je vivais aussi. Nous roulions lentement, nous vagabondions dans le paysage et dans nos rêves. Parfois, dans un éclair, il me semblait que tout cela était incroyable, qu'un cercle de fer allait me saisir à nouveau, me jeter dans une fosse et que j'allais ouvrir les yeux au moment où tomberait sur moi le sable jaune. Mais non, j'entendais la voix de Dina, elle passait son bras autour de mon cou.

— Nous allons trouver, disait-elle. Ce sera une maison, comme une forteresse, presque un château, noble, fière, mais simple, isolée. Il y aura de l'espace, des arbres, un air vif, et le soleil.

Je riais. Elle donnait la vie avec son assurance tranquille dans le bonheur possible et réalisé. Nous avons visité des dizaines et des dizaines de villas, de mas. Dina n'hésitait jamais.

— Ça n'est pas ça, disait-elle. Je sais ce que nous voulons.

Un matin, nous avons quitté la Nationale 7 après Cannes, à Mandelieu; au-dessus de la plaine s'élevait un massif aux formes lourdes, comme une tache jaune dans le paysage, le Tanneron. Nous sommes montés lentement au milieu des mimosas, dans leur odeur légère, nous élevant vite, découvrant peu à peu la plaque brillante de la mer, la côte, les îles comme des roches sombres.

— C'est beau, répétait Dina, c'est noble.

Nous nous sommes arrêtés, marchant au bord de la route étroite. La mer était là, à quelques minutes, et ici la montagne, les pins, la forêt et par places des étendues vertes et jaunes, les champs, les mimosas. Et brusquement au milieu d'une zone plane nous avons vu la maison, solidement plantée sur la terre, basse et forte, trapue comme une forteresse, large, puissante. Dina m'a serré le bras.

— Voilà, a-t-elle dit, voilà.

Ce ne pouvait être que là, près des arbres, à l'écart, dans une vieille demeure où la vie avait depuis longtemps laissé sa trace, là entre la mer, la terre et l'espace du ciel. La maison paraissait inhabitée.

— Il faut vite savoir, a dit Dina.

Nous sommes redescendus à Cannes. Je connaissais un antiquaire : il nous a renseigné. Ce domaine des Barons avait failli être vendu déjà, mais il appartenait à six propriétaires, il y avait eu des difficultés

— Est-il toujours?... a demandé Dina.

Pour la première fois je la sentais anxieuse. Mais le domaine des Barons était encore en vente. Alors j'ai recommencé à courir, tout perdre ou tout gagner, il nous fallait ce domaine et nous l'aurions. Je suis allé d'un propriétaire à l'autre, arrachant

373

leur promesse de vente, passant au suivant, buvant le verre de l'accord : Dina me suivait, m'embrassait.

— Nous y arriverons, Martin, j'en suis sûre. C'est notre maison, je le sais.

Nous ne parlions même pas français et pourtant, en cette seule journée, en traitant avec six propriétaires, nous avons acheté les Barons. Notre maison, notre destin. Le soir, nous sommes retournés la voir, marchant pour la première fois sur cette terre où nous allions vivre, entrant dans ces pièces aux murs énormes qui allaient nous accueillir.

— Notre forteresse, Martin, nous sommes arrivés.

Dina parcourait les petites chambres, elle parlait, parlait, les murs tombaient et là s'étendrait une grande salle avec une cheminée, là des escaliers, là une autre pièce.

— Une salle de musique, Martin.

Je la prenais contre moi, je voyais dans son rêve mon rêve.

— Je me mettrai à la peinture, c'est moi qui décorerai, tu t'occuperas des arbres, des plantes.

Je l'ai soulevée, la gardant dans mes bras, regardant le ciel à travers le toit crevé.

— Nous allons vivre, Martin, vivre enfin.

— Il manque les enfants, ai-je dit.

— Ne t'inquiète pas, les Barons seront pleins de petits Martin.

Pourtant je m'inquiétais. Je voulais ces enfants : ils seraient la revanche de tous les miens, le sourire de mère et de mama, la force de père, je voulais ces enfants à l'image de Dina, pour la retrouver, les retrouver, pour nouer la chaîne entre les miens, elle, moi, l'avenir.

Nous sommes restés encore quelques jours sur la Côte : chaque matin nous montions aux Barons, nous imaginions, nous découvrions le ciel qui change, l'air chargé des odeurs de la mer ou des pins, le souffle brutal du mistral, chaud et sec, le coup de vent glacial venant de l'arrière-pays. Déjà nous aimions ces murs, cette terre. Dina était infatigable, rencontrant les paysans, cherchant un maçon, dressant des plans. Mais il a fallu regagner New York : on ne change pas de vie si facilement, je devais préparer toutes ces années que nous passerions aux

Barons. A New York, avec Dina, nous avons vu le docteur Kugel.

— Des enfants, disait-il, ce n'est pas impossible, mais il y a un traitement, une opération peut-être.

Dina était optimiste, moi je ne voulais pas qu'on touche à elle. Un soir, Margaret est venue nous voir avec des clients. Quand ils sont entrés dans le magasin de la Troisième Avenue, Dina et moi nous avons regardé la petite fille qui les accompagnait. Grande, brune, il semblait impossible qu'elle ait pour parents ce couple lourd de bourgeois âgés. Une enfant adoptée, sans doute. Mais Dina s'obstinait : elle voulait tout connaître de ce couple. Elle a téléphoné à Margaret, su qu'ils avaient attendu cette fille treize ans durant et puis, un jour, ils avaient découverts le docteur Gross. Il soignait par le jeûne, le recours à une nourriture exclusivement végétarienne.

— Voilà, a dit Dina.

J'étais un habitué de *Manny's Wolfe Steak House*, je dévorais des hamburgers chez *P. J. Clark Saloon*, le restaurant célèbre de la Troisième Avenue, je m'étais nourri de vodka, j'avais bu de l'alcool de parfumeur. J'étais un mangeur de viande rouge. Tout a changé en quelques jours. Dina m'a entraîné à des conférences, elle lisait à haute voix le matin les livres des naturistes, des végétariens.

— La nature, Martin, ayons une vie naturelle.

Nous avons cessé de fumer. Nous étions joyeux, ivres de notre solidarité, de notre union, nous construisions notre vie à nous, nous la découvrions ensemble, nous abandonnions ces petits plaisirs qui avaient été nos maigres bonheurs solitaires pour communier ensemble, dans notre certitude. Nous avons renoncé à la viande, au sel, nous nourrissant de noix, de pamplemousses, de bananes.

— Je vais bien, Martin, je me sens légère.

Nous renaissions l'un et l'autre, l'un par l'autre. Dans la clinique du docteur Gross, Dina a fait un jeûne de quinze jours. J'étais près d'elle, lui tenant le verre rempli de jus de pamplemousse, je la regardais dormir, je la voyais rajeunir. Puis, un mois plus tard, elle a été enceinte.

— Tu vois, disait-elle.

Elle était contre moi, douce, la peau si lisse.

— Il faut faire confiance. Je crois à la nature.

Je l'embrassais, je caressais son ventre : là était la vie, sa vie, ma vie. Moi aussi, je voulais, je devais me purifier, devenir différent. J'ai commencé dans la clinique de Gross un long jeûne. Etendu, les yeux demi-clos, je me sentais si bien, léger, autre. Le docteur Gross me demandait de dormir, mais comment pouvoir alors que jamais mon esprit n'avait été aussi vif, aussi tournoyant. Je comprenais le sens des choses, je voyais notre vie, là-bas aux Barons, dans le soleil, ces enfants autour de nous qui allaient devenir des hommes vrais. Trente-huit jours de jeûne. Mes associés téléphonaient à Gross, à Dina : « Arrêtez-le, disaient-ils, il va mourir. »

Non, je renaissais. J'abandonnais la poussière du ghetto, je me débarrassais du sable jaune et de la sueur de Treblinka, je rejetais la boue des forêts de Pologne et le sang sec collé à mes mains, je quittais la gangue et la mort. J'ai maigri de 17 kilos. Jamais je ne m'étais senti aussi jeune : mes os, mes muscles qu'ils avaient frappés, tordus tant de fois, avaient retrouvé une nouvelle souplesse.

— Tu es tout maigre, m'a dit Dina, propre, tout neuf.

Nous étions neufs l'un pour l'autre, l'un par l'autre.

Nicole est née le 27 novembre 1960. Nous avions choisi ce prénom en pensant aux Barons, à la France où elle allait vivre. Nous voulions la voir naître chez nous, par nous, mais à New York c'était impossible. Plus tard, quand viendraient nos autres enfants, dans notre maison, nous agirions seuls, parce que la naissance est l'acte le plus simple et le plus miraculeux de la vie.

Je n'ai pas vu naître Nicole, j'attendais avec d'autres dans la grande salle du *Doctor's Hospital* à Manhattan. Hedy et Felix Gluckselig, les grands antiquaires viennois que Dina m'avait fait connaître plaisantaient.

— Tu es comme tous les maris, disait Hedy.

Elle me prenait les mains, elle tentait de me calmer, mais elle savait bien que cette naissance était pour moi plus que pour n'impore qui. Par elle les miens allaient revivre.

J'espérais la vie au nom de tous les miens.

Enfin une infirmière est venue me chercher, avec un grand sourire :

— Une fille, a-t-elle dit.

Merci Dina, pour eux, pour moi.

J'ai suivi l'infirmière, répétant ce prénom, cette vie nouvelle, Nicole, et cet autre prénom, Ida, que nous avions aussi choisi de lui donner pour qu'avec notre premier enfant mère renaisse. J'ai vu Nicole, cette vie livrée aux hommes, ce corps qui ne grandirait que par les autres : Dina, moi. Je ne pouvais plus quitter la chambre, cesser de les voir, Dina, Nicole. Elles étaient ma chair et en Nicole étaient toutes les vies, mère, Zofia, Rivka, mama, vous toutes, enfin sauvées. Merci Dina, pour eux, pour moi.

J'ai vécu ces jours dans l'agitation et la joie : il y avait tout à faire pour que cette nouvelle vie soit protégée. Il aurait fallu changer le monde et si je l'avais pu je m'y serais employé. Mais je n'avais les moyens que de lui préparer ma forteresse, là-bas, aux Barons.

Au bout d'une semaine le médecin-chef du *Doctor's Hospital* m'a convoqué. Il secouait la tête.

— Votre femme va sortir, il faut la forcer à manger de la viande, sinon votre enfant va mourir.

J'ai rassuré le médecin : Dina savait, Dina avait raison et Nicole venait de trop loin, elle ne risquait rien. Dina a continué de se nourrir de pamplemousses et de noix, et notre enfant était si belle, ronde, vivante, comme une part de Dina accrochée à son sein.

Je n'avais pas survécu pour rien.

Voici votre témoin, vous tous les miens, voici votre prodige, vous qui avez succombé, voici la vie.

15

Alors j'ai pris la vie neuve entre mes mains

Nous sommes retournés aux Barons. Le mimosa sauvage envahissait notre terrain, venant jusqu'aux murs. J'ai commencé à dégager les voies; Dina avec Nicole dans les bras allait de pièce en pièce. Je taillais, je creusais : le rêve était entre mes mains, elle était là, ma terre, ma forteresse, ils chantaient, ils criaient, ils riaient, les miens. André, le maçon, un jeune Italien, a commencé son travail, abattant les murs intérieurs, plaçant un nouveau toit : nous voulions une maison qui soit de ce pays, une maison couverte de tuiles anciennes, une maison qui appartiendrait tout entière à ce sol où elle avait surgi. Nous avons dormi dans des pièces d'où chaque jour à l'aube le maçon nous chassait : alors je partais couper du bois, débroussailler une nouvelle portion de notre domaine; j'ai recruté une équipe d'hommes habitués à la terre, puis j'ai loué un bulldozer et nous avons égalisé le terrain, repoussé la terre, nivelant les planches. Le moteur haletait mais ici, ce ronflement saccadé, le bruit de ce moteur, c'était la vie.

Là, nous aménagions un verger, là un jardin qui nous donnerait ces légumes, notre seule nourriture, fraîche et pure. J'ai planté mes premiers pêchers, découvert dans un angle du terrain une source. Nous nous asseyions près d'elle, tous les trois : je regardais Nicole et Dina, elles étaient bien là, sur notre terre et ce bruit c'était le maçon dans notre forteresse.

De l'aube à la nuit nous avons suivi les travaux, de l'aube à la nuit nous avons guetté les variations du ciel, nous nous sommes perdus dans cet horizon, dans cet espace qui nous enveloppait. Nous avons commencé à connaître les visages des paysans du Tanneron : hommes précis, prudents, calmes. Ils appartenaient à la mer et à la montagne. Ils avaient la ville à bout de bras et de regard, Cannes opulente, mais ils restaient sur leur terre, au-dessus de ce bruit, de ce spectacle. Et nous étions parmi eux.

Avec Dina et Nicole nous suivions la route jusqu'au village, nous étions « les Américains », mais Dina désarmait toutes les timidités, elle était la vie, « Dina Champagne », elle faisait rire, elle riait, elle vivait. Quand je la prenais par l'épaule, qu'elle serrait contre elle, contre moi, Nicole, je voyais l'amitié dans les regards des paysans du Tanneron.

— C'était bien ici, disait Dina.

Ici qu'il fallait vivre, ici notre forteresse, notre destin. Le matin, quand nous nous réveillions dans la pièce où nous campions, nous écoutions Nicole, couchée près de nous et nous restions là, immobiles, épaule contre épaule, à regarder notre fille, notre vie. Parfois, avant de nous lever, Dina murmurait :

— Parle-moi, je veux savoir, je veux tout savoir de toi.

Alors je faisais surgir de ma mémoire cette préhistoire barbare que j'avais traversée. Je parlais, elles étaient là, j'avais vaincu les bourreaux, les miens vivaient par elle, cette enfant vigoureuse, par nous, ma famille.

— Chaque jour, disait Dina, je te connais mieux, et je t'aime plus, mieux, chaque jour.

Peu à peu notre forteresse prenait vie : nous voyions naître la grande pièce et l'immense cheminée; nous voyions les larges baies vitrées que Dina avait dessinées. Le menuisier posait les portes en vieux chêne : mais je voulais peu de portes, je voulais une maison ouverte où nos voix, la musique, pourraient aller de pièce en pièce et que seuls les murs et les portes extérieures fermeraient. Nous avons vu surgir les escaliers, la haute cheminée conique dans la salle de musique, une pièce qui s'élançait jusqu'au toit, d'un seul tenant. Dina avait voulu supprimer l'étage :

— Ici, disait-elle, c'est l'art qui règne. Ce doit être noble, grand, comme dans un château, un temple. Là nous écouterons les géants.

Nous suivions le maçon dans les petites chambres du premier. Dina était partout :

— Il faut pouvoir un jour accueillir les enfants, s'ils le veulent, plus tard, quand ils seront mariés.

Dans une pièce tout était prêt déjà pour aménager une nouvelle cuisine pour les enfants. Le maçon, les ouvriers, l'écoutaient, riaient avec elle.

— Elle sait ce qu'elle veut, madame Gray, elle sait tout faire.

Je la regardais, je ne cessais pas de la regarder : j'aimais le mouvement de ses bras, sa voix, le mouvement de ses lèvres, le geste qu'elle avait pour soulever ses cheveux au-dessus de la nuque. Elle était la vie, forte, saine, marchant pieds nus, se lavant à la source, belle sans fard, vraie comme un arbre.

A la fin de l'été, nous avons regagné les Etats-Unis. Il le fallait : les Barons n'étaient pas encore habitables et puis je devais liquider mes dernières affaires, organiser notre avenir, investir, placer, prévoir. Mais dès le premier jour New York nous a oppressés : nous n'étions plus des habitants de la grande ville fébrile, nous ne savions plus nous quitter, Dina et moi. Nous ne pouvions vivre qu'ensemble dans notre paix, sous notre ciel, dans notre forteresse, à suivre Nicole dans ses premiers pas, à rire de ses chutes. Je ne savais plus que planter des arbres, cueillir des légumes et des fruits. Nous ne pouvions plus nous nourrir comme les autres, vivre comme les autres. Nous avions inventé notre vie. Ces mois à New York ont été longs. Souvent, nous partions vers les forêts, vers Fallsburg et Lakewood, dans le New Jersey : mais ce n'était pas nos arbres. Nous avions la nostalgie des Barons, de notre espace, des mimosas et de la mer. Dina, en m'annonçant qu'elle était enceinte, a ajouté :

— Il faut qu'il naisse là-bas, chez nous.

Nous sommes arrivés au printemps. Le vert des arbres et de l'herbe était léger, doux; la route grimpait dans les mimosas; nous nous taisions, nous vivions de cet air, de ce silence, de ce ciel confondu avec la mer. Après le tournant, encaissés entre les arbres, nous avons vu les Barons. Je me suis arrêté : notre forteresse était devant nous, avec son toit aux couleurs pâles, les pierres des murs paraissant blanches dans l'éclat du soleil.

— Il va naître ici.

Dina a placé ma main sur son ventre.

— Je veux que ce soit toi, toi dans notre maison.

Nous nous sommes installés dans les chambres du premier, Nicole près de nous. Nous avons lu quelques livres sur l'accouchement, décidé qu'il valait mieux pour ce premier enfant que je verrais naître, que je ferais naître, avoir l'assistance d'une sage-femme. Jusqu'au dernier moment Dina a travaillé, déplaçant des meubles, conseillant les carreleurs, inspectant la cuisine. Déjà, auprès des ouvriers, elle avait sa légende, comme si elle avait toujours fait partie de cette nature, Dina issue des arbres, se nourrissant uniquement de fruits et de légumes. Le maçon la regardait préparer les salades dans le plat de bois. Il faisait chauffer son ragoût.

— Ce n'est pas possible, disait-il, jamais de viande.

— Mais c'est mort, la viande, il faut tuer pour en manger.

Il ne comprenait pas, il ne croyait pas.

Un soir, la sage-femme est venue et nous sommes montés dans la chambre. Dina s'est allongée.

— Je veux que ce soit mon mari, a-t-elle dit, lui seul.

Alors j'ai pris la vie entre mes mains, la vie neuve et palpitante, alors j'ai senti entre mes mains ce mouvement, j'ai entendu avec mes doigts ce cri qui allait naître, j'ai vu ce visage, le nouveau visage fait de celui des miens, de tous les miens. La mort, les morts n'existaient plus, jamais on n'avait creusé de fosses dans le sable jaune.

Le 18 mai 1963, j'ai pris la vie entre mes mains.

Suzanne, en naissant aux Barons, avait achevé de donner le bonheur à notre forteresse. Il ne cessait jamais : il y avait l'aube rose et violette, nos conversations avec Dina dans le silence de la maison, sa voix chuchotée, nos corps côte à côte comme un seul corps, il y avait l'attente du cri des enfants, Suzanne qui réclamait le sein, Nicole qui accourait, ses pieds nus claquant sur le carrelage, elle s'enfouissait entre nous, nous étions un corps et quatre cœurs serrés l'un contre l'autre. Il y avait les fruits du matin, la fraîcheur, l'air vif, les arbres, Nicole qui avait pris ma main et qui, grave, inspectait les arbres; il y avait la musique, ces géants que j'avais découverts et qui accompagnaient nos voix. J'avais installé dans le jardin des haut-parleurs et la musique se mêlait au vent. Puis c'était le soleil brûlant de midi, explosant de force et de joie, les grands saladiers de légumes crus; Nicole mordant à pleines dents dans la pastèque rouge; puis la mer, Nicole sur mes épaules, Suzanne dans mes bras, Suzanne que je plongeais dans l'eau et qui poussait des cris de joie, la montée vers notre silence, vers notre ciel bleu sombre, ces traînées d'étoiles et Nicole qui près de sa mère jouait à qui surprendrait la première étoile filante tombant vers nous, se perdant dans la mer. C'était le feu dans notre cheminée, les pommes de terre cuites sous la braise, comme là-bas, dans les forêts de Pologne. La musique encore, Nicole que je portais endormie jusqu'à son lit, abandonnée entre mes bras, s'accrochant à mon cou, enfin la nuit fraîche, nos corps renaissant l'un à l'autre, l'un pour l'autre.

Chaque jour était semblable et différent : Dina décorait la maison, inventait avec la même salade, les mêmes fruits, des plats nouveaux. Je l'entendais parler avec Mme Lorenzelli qui venait nous aider. Elle essayait de la convaincre de renoncer aux graisses, aux viandes.

— Je ne peux pas, madame Gray, je ne peux pas, vous, vous êtes différente, vous savez tout, vous pouvez si vous décidez de quelque chose, moi je...

Les enfants s'accrochaient à Mme Lorenzelli, ils criaient :

— Lelli, Lelli, écoute maman.

Elle était des nôtres, douce, bonne.

Dina insistait : elle voulait le bien des autres. Elle aidait des paysans, elle donnait, leur achetant ce dont elle n'avait pas besoin. Je l'écoutais, je ne la quittais jamais des yeux; elle cousait, elle accrochait les rideaux, elle plaçait des fleurs, chacun de ses gestes était un acte d'amour. Elle aimait les êtres, les choses, elle faisait naître la beauté. Elle parlait à Nicole, elle lui montrait les premiers pas de danse. Nicole répétait avec gravité, recommençait jusqu'à imiter parfaitement Dina. J'aurais pu rester là, immobile, à les voir vivre, les miens.

Parfois je pensais à mon enfance, j'essayais de faire surgir les années d'avant l'enfer mais il me restait si peu de souvenirs, l'ouragan barbare avait balayé ma famille, la rue Senatorska. Ils recommençaient à vivre, enfin, avec nous ici, par ces enfants.

— Martin il faudra, plus tard, raconter pour tes enfants, tu le dois, disait Dina, à ta famille, à tes enfants.

Plus tard seulement, quand ils seraient forts. Pour le moment je me taisais : nos amis de France et les paysans du Tanneron imaginaient que j'étais l'un de ces riches Américains qui n'ont connu que le bonheur et qui ont trouvé la fortune en héritage. Je les laissais imaginer : maintenant, nous faisions tous partie de leur légende.

Ils ont su que le 10 octobre 1964 j'avais accouché seul Dina de Charles, notre premier garçon. Ils ont su que quelques heures après, Dina était déjà dans le jardin, son fils dans les bras. Ils savaient que nous refusions la viande, le sel, les sucres, les graisses, les vaccins, les médicaments, les médecins. Ils parlaient de nos salades de midi assaisonnées d'herbes multiples et de citron. Ils savaient notre bonheur : ceux qui venaient chez nous ne nous oubliaient plus. Ils entendaient notre musique, ils écoutaient Suzanne qui maintenant jouait sur le piano de la grande salle. Nicole dansait.

— Est-ce que vous êtes végétariens? demandait Nicole à nos invités.

Ils riaient.

— Mais vous tuez pour manger?

Nous ne voulions pas tuer. Nous étions dans la nature, elle entrait en nous, nous marchions pieds nus, dans le soleil, nous parcourions notre terre, nous regardions pousser nos arbres, nous cueillions les pêches et les fraises. Nous descendions vers la mer; à Cannes, chez Rosella Hightower, Nicole et Suzanne ont commencé à danser et Dina, pour pouvoir suivre leurs progrès, a pris elle aussi des leçons. J'aimais Dina : au milieu de ces jeunes filles elle était la plus jeune, la plus belle, la plus vivante et Nicole notre fille dansait près d'elle. Nous remontions le soir, vite las des autres, parce qu'ils nous empêchaient d'être entre nous, dans notre forteresse, à écouter vivre notre bonheur.

Chaque année, pour près de deux semaines, il me fallait quitter les miens, regagner les Etats-Unis, retrouver les affaires, les coups de téléphone, la vie heurtée, la solitude. C'était un calvaire. Ils m'accompagnaient jusqu'à l'aéroport de Nice, nous nous embrassions puis j'étais seul : la terreur de ne plus les revoir m'étreignait, je vivais le cauchemar de leur disparition. A New York, je travaillais seize heures par jour, accomplissant en deux semaines le travail d'un mois, je me noyais dans le travail pour étouffer l'angoisse. Je rencontrais Hedy Gluckselig et je parlais des miens, sans fin. A 8 heures, le dimanche matin, j'allais dans East-Side acheter aux boutiques juives ouvertes des vêtements pour eux tous : j'achetais, j'accumulais, des chemisiers, des jupes, des robes, des jouets. J'achetais, j'étais avec eux, je vivais pour eux. Enfin, c'était le retour, Nicole qui courait vers moi, Suzanne derrière elle, Dina avec Charles dans les bras. Ils refermaient leurs bras autour de moi, je les serrais, nous étions un, reconstitué enfin.

Quand j'arrivais aux Barons la musique m'accueillait. Nicole et Suzanne chantaient des passages de la *IXe Symphonie*, Nicole esquissait des pas de danse : ils avaient tous à me montrer ce qu'ils avaient fait, appris. Suzanne, ce dessin où une petite fille tendait les bras, Nicole ce cahier corrigé où le maître répétait qu'elle était la meilleure élève de l'école de Tanneron. Puis je reprenais ma tenue de liberté et pieds nus je retrouvais ma terre, mes arbres, Charles agrippé à mon cou, Nicole et Suzanne autour de moi. Je racontais New York, j'ouvrais mes paquets, je faisais jaillir les étoffes de couleur, les dentelles, mais tout cela, ici, aux Barons, n'avait pour moi plus d'importance. Ils étaient là, les miens, j'étais avec eux, nous étions heureux. Darling, Lady, Yellow, sautaient autour de nous : Nicole les repoussait mais les trois chiens aussi voulaient entrer dans notre cercle. Notre bonheur, ils l'éprouvaient, Yellow surtout que j'avais arraché à sa propriétaire lors d'un voyage à Berlin. Je l'avais vu triste, rageur, et il s'était immédiatement attaché à moi, me suivant dans cet hôtel où il vivait enfermé jusqu'à ma chambre, ne me quittant plus. Après des heures de discussion sa propriétaire me l'avait cédé et depuis Yellow vivait avec nous aux Barons, jouant avec les enfants, énorme masse de muscles et de violence qui se laissait chevaucher, et qui savait mesurer sa force. Quand je rentrais, Laïtak aussi revenait, comme s'il avait appris la date de mon arrivée : c'était un gros chat, indépendant comme celui des bords de la Vistule qui disparaissait pour de longues courses dans la campagne puis surgissait, superbe, hautain. Il restait à distance mais si on l'oubliait, il miaulait et il fallait que l'un de nous le caresse, le prenne dans les bras, jusqu'à ce que Laïtak manifeste qu'il avait assez prouvé son attachement. Alors il bondissait, et se perdait pour quelques heures ou quelques jours.

Ainsi les années ont passé : le bonheur glisse vite. Autour de la maison, dans les champs, sur les planches, les pêchers avaient grandi et les cyprès, en bordure de la route, étaient vigoureux, serrés. Nous étions vigoureux : Charles se battait avec moi, Charles courait près de moi, il s'asseyait sur la moto et nous partions faire de longues promenades dans les champs. C'était mon fils : le jour viendrait où je lui parlerais de père, de Julek Feld, de notre lutte, du ghetto, pierre à pierre défendu, de Treblinka et des forêts. Je sentais autour de ma taille ses bras qui me serraient, il appuyait sa tête contre mon dos : oui, mon fils, tu peux avoir confiance, oui mon fils, je suis là.

Nous nous arrêtions devant la maison, j'entendais Suzanne qui jouait du piano. Je faisais taire Charles, j'écoutais les notes nettes qui battaient ma joie, la joie des hommes à travers le temps, l'indestructible grandeur des hommes qui avaient survécu à tous les bourreaux. Et c'était ma fille qui redonnait la vie sous ses doigts, ma fille que j'avais prise entre mes mains, tout humide, encore liée à sa mère qui me la tendait, de tout son corps. C'était ma fille, j'étais fier.

Puis Richard est venu, le 9 décembre 1968. Nous étions tous là, autour de Dina, à la regarder naître, cette nouvelle partie de nous qui criait déjà. Dina en sueur souriait, Nicole a coupé le cordon. Maintenant il était lié à nous pour toujours. Peu après, Dina s'est levée et elle est sortie dans le jardin, le baptisant de soleil et de vent. Il me semble qu'elle n'a pas cessé de le garder

386

dans ses bras. Il grandissait vite, il gesticulait, il rampait à quatre pattes, dans l'herbe, les joues rouges de jus de cerise mais Dina l'arrachait au sol et le reprenait contre elle. Je la regardais : jamais elle n'avait été aussi belle, aussi jeune.

Les semaines ont passé. Chaque jour, nous partions avec Dina et Richard chercher les enfants à l'école où ils ne pouvaient déjeuner.

— Les autres sont carnivores, répétait Suzanne. Ils mangent des animaux morts, qu'ils tuent.

— C'est comme ça, disait Dina. Ils ne savent pas.

Un jour, nous sommes partis pour l'Italie, le pays de Lelli, Nicole voulait un cartable qu'elle puisse accrocher à son dos et peut-être pouvait-on en trouver un à Vintimille. Il faisait beau, Charles sautait dans la voiture : l'Italie pour lui c'était un lointain pays; puis, quand nous avons passé la frontière, il est retombé sur son siège.

— Je ne vois pas la différence, a-t-il dit.

Il répétait sa phrase, obstiné : il ne connaissait pas des hommes, leurs violences et leurs guerres, les cicatrices qu'ils laissent sur le sol et qui les divisent. Il parlait comme un enfant, comme un homme vrai. Nous avons déjeuné d'un *minestrone* et nos enfants ont découvert les aliments salés qui leur emportaient la bouche.

— Mais pourquoi papa, disait Charles, pourquoi se brûler les lèvres? C'est si bon, le goût des légumes. Il faut vite retourner chez nous.

Ils étaient neufs, préservés. Mais je devais aussi prévoir qu'un jour il leur faudrait affronter la vie. Alors j'ai acheté du terrain autour des Barons pour eux, là ils pourraient plus tard vivre, près de nous, architectes, bâtisseurs. Nous imaginions avec Dina leur avenir, notre avenir. Nous avons commencé pour leur préparer la voie, Dina dessinant les plans, moi surveillant les travaux d'un premier chantier. Charles venait avec moi voir creuser la roche, monter les premiers murs. Un jour, plus tard, lui et Richard, sur cette terre où ils étaient nés, près de cette maison où auraient vécu leurs parents, leurs sœurs, visiteraient les chantiers puis rejoindraient notre forteresse.

Le matin, à l'aube, avec Dina, j'ai parlé, je me souvenais de mes frères, cloîtrés dans cette pièce de la rue Mila, guettés par la guerre et la mort : mes fils, c'étaient aussi mes frères, tous les enfants du ghetto, sauvés.

— Il faudra que tu écrives tout ça, a répété Dina.

Je suis parti aux Etats-Unis pour mon voyage annuel. Il faisait beau et sec depuis des mois. Là-bas à New York j'ai comme à l'habitude tué le temps par le travail. Au retour, ils étaient là à m'accueillir. Puis Dina m'a entraîné vers une aile de notre maison.

— Je t'ai fait une surprise, a-t-elle dit.

Dans une pièce claire elle avait aménagé un bureau.

— Pour toi, pour que tu écrives ce que tu as vu, pour eux, pour nous.

Je l'ai prise contre moi, les enfants tapaient et s'écrasaient contre la grande baie vitrée qui ouvrait sur la campagne et la forêt. Dina a montré un fauteuil blanc, dehors, à l'abri du vent.

— Je serai là, près de toi, toujours. Je te verrai, mais je ne te dérangerai pas.

Des jours ont encore passé. L'été ne finissait pas. Les enfants sont rentrés à l'école du village.

Les paysans se plaignaient : depuis des semaines, certains disaient six mois, il ne pleuvait pas sur le Tanneron.

CINQUIÈME PARTIE

LE DESTIN

16

Adieu les miens

SAMEDI 3 octobre 1970. Le mistral s'est levé, un vent sec qui claque entre les arbres, qui fouette les pêchers, qui plaque l'herbe jaunie sur la terre craquelée. Au loin, la mer est grise et striée de bandes blanches.

Ce n'était qu'un jour de vent, comme il y en avait souvent, balayant le ciel, dessinant la côte et l'Esterel.

— Il y a partout des feux, a dit Mme Lorenzelli, à Toulon, à La Garde. Avec ce vent...

Elle parlait. Dina chantonnait, elle voulait descendre à Cannes. Je regardais par-dessus son épaule la carte qu'elle écrivait pour fêter la naissance du fils d'un ami :

" *Salut, Michel, welcome en ce monde de fous. J'espère que tu feras quelque chose de bien à ce monde-là et peut-être tu ajouteras encore à sa folie. Welcome. Dina.* »

Nous sommes partis pour Cannes. Il fallait tenir fermement le volant tant le vent était fort. Vers midi, nous étions de retour.

— Quel vent, a dit Mme Lorenzelli avant de rentrer chez elle.

Ce n'était qu'un jour de vent.

Nous avons commencé à déjeuner, Richard sur les genoux de sa mère; Nicole posait des questions autour d'elle. Suzanne tentait de répondre, Charles refusait :

— Toujours Mozart, pourquoi pas Tchaïkovski, disait-il, répétant ce nom dont il aimait la pronciation chantante.

Ils avaient l'habitude d'éprouver leurs connaissances et Dina arbitrait. Brusquement, par la fenêtre ouverte est entré un souffle chaud qui sentait le bois brûlé. J'ai bondi : derrière la maison, la colline éait embrasée, des colonnes de fumée chargées de flammèches fusaient vers le ciel, des flammes tournoyaient, jaunes, rouges, je voyais les pins prendre d'un seul coup, un front de flammes descendre vers la maison. Le ghetto brûlait, je revoyais ces flammes, la femme qui tenait son enfant à bout de bras et je criais pour qu'elle ne le laisse pas tomber, j'entendais les murs s'écrouler. Je voyais un homme, les vêtements en feu qui s'élançait le torse nu, les bras levés : le ghetto était là, l'enfer venait vers nous, le cauchemar recommençait.

Les enfants se sont mis à crier, Dina allait de l'un à l'autre. J'ai tout à coup pensé à la voiture dans le garage, au réservoir qui allait exploser, à la cuve pleine de mazout, située à quelques mètres de là. Les enfants criaient. Leurs cris déchiraient ma tête, l'ouragan barbare recommençait, je n'avais jamais quitté l'enfer, le revoici, Miétek autour de toi.

J'ai crié :

— Le mazout.

— Je pars avec les enfants, m'a lancé Dina.

Elle les entraînait vers la R 8, Yellow s'est engouffré derrière eux, Dina m'a fait un geste de la main. J'ai crié deux fois.

— Mandelieu, Mandelieu.

J'ai couru vers le garage, tenté de mettre la voiture en route, en vain. Je suis ressorti : le front des flammes s'était rapproché, je sentais sur mon visage la chaleur intense, cette chaleur du ghetto en feu qui avait collé à mes pieds, à mes joues. La colline paraissait ne plus être qu'un brasier. Là-bas était la maison des Lorenzelli. Ici, aux Barons, il n'y avait que des pierres, mes pierres, mais rien ne valait la vie. J'ai pris la moto, m'enfonçant dans un petit chemin à travers champs, vers le barrage des flammes. Le souffle brûlant m'enveloppait, la fumée crevait mes yeux, j'ai foncé puis un coup de vent a rabattu sur moi la fumée : j'étouffais. Le ghetto, Miétek, le ghetto : j'ai couché la moto, creusé un trou dans la terre, j'y ai enfoui mon visage, attendant quelques secondes. La fumée avait disparu, il n'y avait plus que la chaleur. J'ai repris la moto, atteignant la maison des Lorenzelli. Lorenzelli avait été gravement brûlé au bras, à l'épaule; il secouait la tête :

— Je suis aveugle, répétait-il, je suis aveugle.

J'ai tenté de le rassurer : ce n'était que la fumée. J'entendais le feu qui crépitait, je voyais les flammes se courber vers le sol sous la violence du vent, se dresser d'un seul coup, jaunes, vives, avec des reflets bleutés et rouges provoqués par les essences de mimosa. C'était le retour de l'ouragan barbare nous surprenant ici en pleine paix.

— Il faut aller à l'hôpital, je vais vous descendre.

Je criais, Lorenzelli hésitait, acceptait, refusait. J'ai vu tout à coup le front des flammes qui avait presque atteint mon garage. Je suis parti, la moto bondissait, sautant de bosse en bosse. Dans le garage les cageots entassés commençaient à brûler. Je me suis remis au volant : la voiture a rugi enfin. Je l'ai conduite devant la maison puis comme je n'arrivais pas à la recapoter j'ai repris la moto.

Là-bas, sur l'autre colline, les flammes progressaient, cernant un mas. J'ai roulé, recevant les branches chaudes sur les épaules, flagellé par un câble électrique brûlant qui m'a cisaillé à la base du cou. J'étais à nouveau dans la folie revenue. J'ai enfin rejoint le mas :

— Coupez par les champs, ai-je crié aux habitants, descendez m'aider. Je vais chercher du secours pour Lorenzelli.

Il fallait voir les Magne maintenant. Je me suis lancé sur la route, poussant la moto à plein gaz pour franchir un barrage de fumée et de feu, profitant d'un coup de vent, recommençant pour qu'enfin la moto projetée en avant passe. Les Magne étaient là, épargnés eux aussi. J'ai demandé qu'on dégage la route pour permettre de porter secours à Lorenzelli. Magne est parti chercher des hommes. J'étais épuisé, brûlé, au cou, aux doigts, aux épaules, les vêtements déchirés. J'ai soufflé et brusquement le fer a serré mes tempes, mon cœur, tout mon corps. Non. Non, Miétek. Tu es fou, Miétek. Calme-toi, Miétek. Mais le fer m'avait empoigné d'un seul coup, il ne me lâchait plus. J'étais Miétek du ghetto voyant tout à coup mère et Rivkha dans la colonne qui attendait de marcher vers l'*Umschlag-*

platz. J'étais là-bas à Treblinka et c'était les miens que je couchais dans la fosse. Un cri me coupait le corps. Non. Miétek.

Mme Magne ne les avait pas vus passer. J'ai pris la moto, j'ai tenté de desserrer le fer : ils avaient atteint Mandelieu, ils étaient en sécurité, ce n'était qu'un cauchemar. Peut-être Dina et les enfants m'attendaient-ils, imaginant eux-mêmes que j'avais péri?

Je fonçais dans la fumée sur la route où s'abattaient les branches, je criais, je criais, ce non à mon angoisse, je longeais les vallons couverts de troncs noirs, je cherchais. J'ai vu la maison que nous avions commencé à construire, les volets fermés : Dina avait dû les repousser en passant. J'ai repris espoir, mais devant ces arbres morts, ce saccage, le sable jaune envahissait ma bouche, la fosse s'ouvrait sous moi, je sentais leurs corps autour de moi, sur moi, je criais : « Non! »

Je hurlais comme si quelqu'un avait pu m'entendre

— Aidez-moi, aidez-moi!

Je suis reparti prenant la route de Mandelieu. L'air était chargé des fumées lourdes, d'odeur d'arbres morts, un vent de ghetto, un souffle venu de Treblinka. J'étais enterré dans un bunker, sous les ruines, au milieu des miens. J'ai aperçu une voiture au fond d'un ravin. Je suis descendu en courant, tombant sur la terre et les souches brûlantes, rampant sur le sol. Les portières étaient ouvertes, la voiture chaude. C'était notre voiture, avec sa galerie sur le toit, cette paire de lunettes dans la boîte à gants. J'étais dans la fosse. La nuit tombait, je n'ai rien vu, pas un corps. Peut-être avaient-ils fui, peut-être la voiture avait-elle roulé seule jusqu'au fond de ce ravin. J'ai remonté la pente, les pierres déchiraient mes mains, je criais :

— Aidez-moi, aidez-moi!

Je suis enfin arrivé sur la route : je m'acharnais sur la moto dont le moteur refusait de démarrer; alors j'ai couru vers notre forteresse : le feu au loin barrait le ciel rouge. Des gendarmes sont venus à ma rencontre :

— Aidez-moi, aidez-moi. Il faut les chercher.

Je les ai conduits près du ravin. Avec son battement qui déchirait l'air, un hélicoptère est venu se poser sur la route. Le moteur battait, battait comme autrefois là-bas l'excavatrice. C'était à nouveau Treblinka, la guerre sans fin. Un vieil autocar rempli de SS brûlait, adieu les miens, adieu père, adieu Rivka, adieu frères, je tentais de repousser ce sable qu'Ivan jetait sur moi. Tu es mort, camarade, aux cheveux roux, sous les coups, devant moi.

Le moteur de l'hélicoptère haletait puis il s'est mis à frapper fort, à hurler et l'engin s'est soulevé glissant vers le fond du ravin. De temps à autre un gendarme me disait quelques phrases puis l'un d'eux a commencé à descendre la pente, vers la voiture.

J'entendais ce moteur qui frappait, j'entendais l'excavatrice.

— Je n'ai rien trouvé a répété le gendarme.

Il venait de remonter du fond du ravin. Il ne me regardait pas.

— Un mouton mort, un mouton, seulement un mouton. Je n'ai vu que cela.

J'ai voulu le croire. Ils devaient être à Mandelieu.

Je suis descendu là-bas. A la mairie de Mandelieu c'était l'angoisse, les groupes d'hommes, le visage noirci par la fumée. Ils ne savaient rien. Je les interrogeai, ils détournaient la tête.

Alors je suis reparti vers le ravin, là-haut.

Au bord de la route il y avait un groupe de gendarmes qui me regardaient m'avancer, qui s'écartaient. Je ne criais plus, mon cri était en moi, mes hurlements, seule ma tête les entendait. Non. Non, Miétek. Les gendarmes s'écartaient, j'avançais, je disais avec mes yeux : « Aidez-moi, aidez-moi », et je m'enfonçais dans le sable jaune de Treblinka.

Un homme a fait un pas vers moi : j'ai reconnu Augier un mimosiste du Tanneron. Il m'a pris par les épaules, il a commencé à parler :

— Monsieur Gray, monsieur Gray...

Je voyais les larmes dans les yeux, j'entendais, je ne voulais pas comprendre ce que je savais. J'ai crié pour moi, pour eux : « Non, non », et j'ai voulu arracher à un gendarme ce revolver qui ferait taire les hurlements en moi, cette voix qui répétait depuis tant d'années, tant de fois : « Adieu les miens, adieu les miens, adieu. »

Jour après jour

JE ne me suis pas tué. J'ai voulu. Je n'ai pas pu : on a veillé sur moi.

D'eux il ne me reste que des objets morts. Ces trois accordéons, ces jouets, ces cahiers. Ce dessin de petite fille aux bras tendus. Leurs vêtements à eux tous, les miens. Il me reste les photos, plates, mortes.

Qui me rendra leur vie? Qui me rendra la vie?

Je ne me suis pas tué. Je parle, je mange, j'agis. J'ai traversé le temps où l'envie de mourir était ma seule amie. J'ai traversé le temps où la seule question était : « Pourquoi, pourquoi moi? Pourquoi deux fois les miens, n'avais-je pas assez payé mon tribut aux hommes, au destin? Pourquoi? »

Je parle : je dis le récit de ma vie pour comprendre cet enchaînement de folie, de hasards, ces malheurs m'écrasant.

Et je suis vivant, et je mange, et j'agis. J'ai voulu savoir. Je viens d'un monde, ma préhistoire, qui m'a habitué à regarder la mort telle qu'elle est. Je n'écoute même pas ceux qui me disent : ils n'ont pas souffert. Je sais qu'ils ont atrocement souffert, quittant la voiture, s'enfuyant devant les flammes, Dina arrachant les talons de ses souliers pour mieux courir, enveloppant ses enfants agrippés à elle, gagnant quelques mètres sur la fournaise. Et tous d'un seul coup abattus par le feu. Il me reste ces talons, ces quelques boutons dont le feu a arraché la couleur, le collier de Yellow.

Je suis vivant, du sable jaune dans la bouche, du sable au goût de mort. Pourquoi?

Ce n'est pas ma douleur qui me terrasse : je connais la douleur. C'est pour eux, mes enfants, Nicole, Suzanne, Charles, Richard : que savaient-ils de la vie, rien, je les avais tenus entre mes mains, leur mère me les tendait de toute sa force, elle les poussait vers moi. J'ai suivi leurs pas, j'ai vu grandir ces hommes vrais, ces femmes belles tuées avant de vivre. Les miens. J'ai vu s'épanouir Dina. J'avais combattu pour tout cela, j'avais parcouru des siècles de barbarie et voici que je crie encore : « Adieu les miens. »

Je parle, j'essaie de comprendre. Leur mort a rouvert toutes les fosses; ils étaient les miens, vivants à nouveau. Morts, les miens sont morts une nouvelle fois. Je parle, je marche, je rôde dans ma maison, ma forteresse vide comme un fruit creux, je regarde les arbres, la nature saccagée. C'était notre forteresse : la forteresse est morte. Ma chienne Lady s'est enfuie : elle nous aimait, elle aimait notre bonheur. Pourquoi resterait-elle? Laïtak, le chat, ne revient plus. Pourquoi reviendrait-il?

Je marche, j'écoute ces cris en moi, ma tête éclate. Mais je vis. Je suis redevenu un homme double, présent au monde et mort en moi. Je regarde les photos, je feuillette leurs cahiers, je m'assieds face à ces urnes de bois, posées devant la baie vitrée qu'avait dessinée Dina.

Je pleure. Je ne pleure pas sur moi. Que suis-je? Un homme encore vivant. Je pleure pour eux, en eux, je suis eux, leur souffrance, leur vie brisée, cet avenir qu'ils ne connaîtront pas. Je les vois, je les entends, ô vous les miens, tous les miens, Suzanne première vie que j'ai tenue entre mes doigts, Nicole, Charles, Richard. Je vais dans la chambre où ils sont nés. Je n'ai pas à fermer les yeux : je les vois, corps tremblants de vie. Je les vois, corps morts.

Adieu, les miens.

Je suis monté sur la terrasse, j'ai regardé la mer, la forêt saccagée. Il y avait encore dans un coin l'étui du fusil avec lequel j'avais voulu, quelques jours après ce samedi 3 octobre en finir une nouvelle fois avec moi. Maintenant les amis sont partis : ils me font confiance.

Je marche, je parle, je ne dors plus, ma tête éclate. Mais je vis. Le maire est venu. C'est lui qui a remonté les corps. Il sait. C'est un homme juste et droit. Il ne fait pas de phrases. D'autres sont morts, ce samedi. Il cherche les causes, les responsabilités.

Je me suis terré des jours entiers au fond de mon malheur. J'étais à Treblinka, dans la baraque, j'étais sur la place de tri, au *Lazaret*. Je me souvenais de tout, ma mémoire avait éclaté sous la douleur en mille faits. Je me souvenais de l'odeur des fosses, du bruit de l'excavatrice, du regard de l'officier aux yeux blancs. Je me souvenais de père, de Julek Feld, d'eux tous, les miens, les camarades. D'eux, mes fils, ma femme, mes filles. Je vivais leur rire, cette course vers la maison dans les prés quand les cartables volaient en l'air et que gambadaient Darling, Yellow et Lady. J'avais connu la barbarie et le bonheur, la mort et la vie. Je savais dans ma chair, dans mes yeux, que tout ici est possible, les bourreaux et les hommes. La paix et le feu. Que rien n'est jamais définitivement gagné. Qu'un mur franchi un autre s'élève. Qu'un ghetto brisé un autre se construit.

Je savais. Les miens n'étaient plus là pour apprendre, pour écouter ma voix et ce bureau où je m'asseyais seul, ouvrait sur une nature morte, un fauteuil blanc qui resterait vide, une baie vitrée où mes enfants ne viendraient plus s'appuyer. Je savais. Mais tant d'autres ne savaient pas. Tant d'autres enfants qui ignoraient que la terre peut tout donner, qu'un arbre peut sauver la vie ou faire mourir, que le feu prend vite et saccage.

Tant d'enfants qui ne savaient pas. Père dans le ghetto disait qu'un homme est celui qui va jusqu'au bout et je disais à mes enfants qu'un homme se juge à ce qu'il fait. Voilà ce que je voulais leur apprendre, voilà ce qu'ils n'entendront pas. Mais j'étais comptable devant eux, devant tous les miens, devant moi. J'avais renoncé au fusil, il me fallait donc vivre, jusqu'au bout.

A nouveau je suis sorti de Treblinka. Je me suis jeté avec mon malheur au poing à la face des gens de ce pays où j'avais trouvé la paix et qui m'avait accueilli. Tout perdre ou tout gagner. J'ai recommencé un combat, ma guerre, pour les miens, au nom de tous les miens pour que jamais je ne puisse me dire :

401

« Tu savais et tu n'as pas clamé. » J'ai réuni des maires, j'ai parlé du feu, de l'inconscience et de l'ignorance des hommes, de ce qu'il faut apprendre aux enfants pour les mettre en garde. J'ai vu les ministres et les bureaux, j'ai fait imprimer des brochures, des affiches. J'ai parlé à la télévision, visité les principales villes de France. Oui, j'ai montré mes morts, oui, j'ai jeté dans l'encre et sur les écrans les miens, oui, j'ai osé crier mon deuil et m'appuyer sur lui. Je ne veux pas que Dina, mes enfants, soient morts pour rien, je ne veux pas qu'on les oublie, je veux que leur avenir soit de mettre en garde, de sauver. Tel est mon combat.

Il y a d'autres fléaux, d'autres luttes. Je les ai subis aussi, je les ai menés, pour les miens, ma première famille. Aujourd'hui c'est ce combat qui m'importe car c'est le feu qui brutalement m'a atteint.

Je vis, j'agis, je vais. Je m'étais évadé de Treblinka, j'avais survécu, j'avais construit ma forteresse. Mais toutes les forteresses sont fragiles, provisoires. Je marche encore : je ne veux pas vivre pour moi. A quoi cela sert-il? Hier j'ai vécu pour les miens, contre les bourreaux. Aujourd'hui je vis encore pour les miens, par eux, ma famille, et loin, bien au-delà d'elle, je pense à ce peuple inconnu, mon peuple immémorial devant qui je suis comptable de mes actes. Je mêle tous les visages. Je ne suis rien que ce qu'ils m'ont fait, que ce qu'ils m'ont donné; je n'existe que par ce que je leur ai donné.

Seul, je suis vide.

J'agis. J'ai fait sortir de terre la *Fondation Dina Gray*, en quelques mois. J'ai rassemblé les journalistes aux Barons. J'ai parlé. Les miens vivent, ma femme, mes enfants combattent : qu'est-ce vivre sinon agir pour les autres?

J'agis, je vais, je dis : cette longue histoire, ma vie. Quand je me regarde je me répète : pourquoi, pourquoi? Mais je veux encore dire, encore continuer, être fidèle. Vivre, jusqu'au bout et un jour, si vient le temps, donner à nouveau la vie pour rendre ma mort, la mort des miens impossible, pour que toujours, tant que dureront les hommes il y ait l'un d'eux qui parle et qui témoigne au nom de tous les miens.

J'ajoute une phrase encore...

Ces mots que j'ai écrits il y a des années déjà, voici qu'ils continuent à vivre grâce à vous, lecteur. Ce livre que vous allez fermer est une nouvelle édition. Depuis, j'ai moi aussi continué à vivre, à travailler, à écrire. Il y a quelques mois j'ai publié un autre livre, *Le livre de la vie*. Si j'ajoute une phrase encore à *Au nom de tous les miens* c'est que je voudrais que vous alliez vers *Le livre de la vie*.

J'essaie d'y dire pourquoi il faut vivre et comment on peut atteindre le bonheur, le courage et l'espoir, malgré tout.

Je sais qu'il n'est pas dans les habitudes de prolonger, comme je le fais, un livre, mais je ne suis pas un auteur comme les autres.

Vous le savez maintenant après avoir lu le récit de ma vie.

Martin GRAY

Table des matières

Table des cartes

ACHEVÉ D'IMPRIMER LE
10 FÉVRIER 1974 SUR LES
PRESSES DE L'IMPRIMERIE
BUSSIÈRE, SAINT-AMAND (CHER)
POUR
LES ÉDITIONS ROBERT LAFFONT

— Nº d'édit. 5406. — Nº d'imp. 303. —
Dépôt légal : 3ᵉ trimestre 1971.